Código de Aguas de Chile

ACCESO GRATIS a la Lectura en la Nube

Para visualizar el libro electrónico en la nube de lectura envíe junto a su nombre y apellidos una fotografía del código de barras situado en la contraportada del libro y otra del ticket de compra a la dirección:

ebooktirant@tirant.com

En un máximo de 72 horas laborales le enviaremos el código de acceso con sus instrucciones.

Código de Aguas de Chile

de Chile

4ª Edición

ALBERTO CARDEMIL

tirant lo blanch
Valencia, 2023

© Alberto Cardemil

© TIRANT LO BLANCH
EDITA: TIRANT LO BLANCH
C/ Artes Gráficas, 14 - 46010 - Valencia
TELFS.: 96/361 00 48 - 50
FAX: 96/369 41 51
Email: tlb@tirant.com
www.tirant.com
Librería virtual: https://editorial.tirant.com/cl
ISBN: 978-84-1056-028-4

Si tiene alguna queja o sugerencia, envíenos un mail a: *atencioncliente@tirant.com*. En caso de no ser atendida su sugerencia, por favor, lea en *www.tirant.net/index.php/empresa/politicas-de-empresa* nuestro procedimiento de quejas.

Responsabilidad Social Corporativa: http://www.tirant.net/Docs/RSCTirant.pdf

ÍNDICE

NORMAS COMPLEMENTARIAS

ACTOS Y RESOLUCIONES DE LA DIRECCIÓN GENERAL DE AGUAS

NORMATIVA RELACIONADA

NORMATIVA SOBRE RIEGO

INTRODUCCIÓN A LA TERCERA EDICIÓN

Agradezco sinceramente a la Editorial Tirant lo Blanch la oportunidad de presentar la Tercera Edición del Código de Aguas de Chile.

Presentando la primera edición de esta obra, en el año 2020, destacábamos, por una parte, la plena vigencia de los principios fundantes del marco regulatorio del agua establecido a partir de la dictación del Decreto Ley 2.203 de 1979, que diera inicio al proceso legislativo que culminó con la elaboración y entrada en vigor del Decreto con Fuerza de Ley N° 1.122 de 1981 que fijó el texto del Código de Aguas, más conocido como el Código de Aguas de 1981, y, por otra, el proceso de revisión y cambio de dicho marco normativo en el que nuestro país de encontraba inmerso, determinado en gran medida por un contexto hidrológico y político muy demandante de estos cambios.

Poco más de 2 años después, los cambios anunciados ya son una realidad. Luego de casi 11 años de discusión legislativa desarrollada con mayor o menor intensidad durante 4 gobiernos distintos y en un raro ejemplo de aprobación unánime en su última fase de tramitación, se promulgó y publicó en el Diario Oficial, con fecha 4 de abril de 2022, la Ley "Reforma al Código de Aguas". Entre otros aspectos muy relevantes, esta Reforma consagra legalmente el derecho humano al agua y saneamiento; establece ordenes de prelación entre distintos posibles usos de agua tanto respecto a la posibilidad de constitución como del ejercicio de los derechos de aprovechamiento de aguas correspondientes; otorga nuevas atribuciones a la Dirección General de Aguas a fin de proteger usos prioritarios y asegurar la sustentabilidad, como la nueva posibilidad de disponer medidas de redistribución de aguas superficiales en ciertos casos y el reforzamiento de sus atribuciones para ordenar la reducción temporal del ejercicio de derechos de aprovechamiento de subterráneas y en situaciones de escasez; dispone la temporalidad de los nuevos derechos de aprovechamiento de aguas que se constituyan después de la Reforma y la posibilidad de que todos los derechos de aprovechamiento de aguas, independientemente de su fecha de otorgamiento o reconocimiento, puedan extinguirse por falta de uso; crea nuevas instituciones como son los derechos de aprovechamiento de aguas in-situ para fines no extractivos y los planes estratégicos de cuenca; introduce un plazo máximo de 5 años para iniciar procedimientos de reconocimiento y regularización de derechos no regularizados e introduce una serie de ajustes y mejoras a los procedimientos regulados por el mismo cuerpo legal.

La magnitud de los cambios introducidos por la Reforma es tal que, como ocurrió con la reforma al Código de 1951 introducida por la Ley de Reforma Agraria que dio pie al denominado Código de Aguas de 1969, muy probablemente el cuerpo legal resultante de la modificación introducida por la Ley 21.435 será conocido en el futuro como el "Código de Aguas de 2022", lo que exigirá diversas modificaciones y ajustes a nivel reglamentario y de normativa administrativa, en un proceso que recién está comenzando. En este sentido, estamos conscientes de que gran parte del contenido de la normativa complementaria de esta edición probablemente quedará obsoleta en el corto plazo y asumimos el compromiso de actualizar la misma en futuras ediciones.

En suma, esperamos sinceramente que esta edición que, por la fecha en que es lanzada, puede calificarse como "trabajo en progreso", sea de todas formas una contribución al estudio de esta disciplina.

Santiago, Julio de 2022

ARTÍCULO 19 N° 24 DE LA CONSTITUCIÓN POLÍTICA DE LA REPÚBLICA

Artículo 19.- La Constitución asegura a todas las personas:

24°.- El derecho de propiedad en sus diversas especies sobre toda clase de bienes corporales o incorporales.

Sólo la ley puede establecer el modo de adquirir la propiedad, de usar, gozar y disponer de ella y las limitaciones y obligaciones que deriven de su función social. Esta comprende cuanto exijan los intereses generales de la Nación, la seguridad nacional, la utilidad y la salubridad públicas y la conservación del patrimonio ambiental.

Nadie puede, en caso alguno, ser privado de su propiedad, del bien sobre que recae o de alguno de los atributos o facultades esenciales del dominio, sino en virtud de ley general o especial que autorice la expropiación por causa de utilidad pública o de interés nacional, calificada por el legislador. El expropiado podrá reclamar de la legalidad del acto expropiatorio ante los tribunales ordinarios y tendrá siempre derecho a indemnización por el daño patrimonial efectivamente causado, la que se fijará de común acuerdo o en sentencia dictada conforme a derecho por dichos tribunales.

A falta de acuerdo, la indemnización deberá ser pagada en dinero efectivo al contado.

La toma de posesión material del bien expropiado tendrá lugar previo pago del total de la indemnización, la que, a falta de acuerdo, será determinada provisionalmente por peritos en la forma que señale la ley. En caso de reclamo acerca de la procedencia de la expropiación, el juez podrá, con el mérito de los antecedentes que se invoquen, decretar la suspensión de la toma de posesión.

El Estado tiene el dominio absoluto, exclusivo, inalienable e imprescriptible de todas las minas, comprendiéndose en éstas las covaderas, las arenas metalíferas, los salares, los depósitos de carbón e hidrocarburos y las demás sustancias fósiles, con excepción de las arcillas superficiales, no obstante la propiedad de las personas naturales o jurídicas sobre los terrenos en cuyas entrañas estuvieren situadas. Los predios superficiales estarán sujetos a las obligaciones y limitaciones que la ley señale para facilitar la exploración, la explotación y el beneficio de dichas minas.

Corresponde a la ley determinar qué sustancias de aquellas a que se refiere el inciso precedente, exceptuados los hidrocarburos líquidos o gaseosos, pueden ser objeto de concesiones de exploración o de explotación. Dichas concesiones se constituirán siempre por resolución judicial y tendrán la duración, conferirán los derechos e impondrán las obligaciones que la ley exprese, la que tendrá el carácter de orgánica constitucional. La concesión minera obliga al dueño a desarrollar la actividad necesaria para satisfacer el interés público que justifica su otorgamiento. Su régimen de amparo será establecido por dicha ley, tenderá directa o indirectamente a obtener el cumplimiento de esa obligación y contemplará causales de caducidad para el caso de incumplimiento o de simple extinción del dominio sobre la concesión. En todo caso dichas causales y sus efectos deben estar establecidos al momento de otorgarse la concesión.

Será de competencia exclusiva de los tribunales ordinarios de justicia declarar la extinción de tales concesiones. Las controversias que se produzcan respecto de la caducidad o extinción del dominio sobre la concesión serán resueltas por ellos; y en caso de caducidad, el afectado podrá requerir de la justicia la declaración de subsistencia de su derecho.

El dominio del titular sobre su concesión minera está protegido por la garantía constitucional de que trata este número.

La exploración, la explotación o el beneficio de los yacimientos que contengan sustancias no susceptibles de concesión, podrán ejecutarse directamente por el Estado o por sus empresas, o por medio de concesiones administrativas o de contratos especiales de operación, con los requisitos y bajo las condiciones que el Presidente de la República fije, para cada caso, por decreto supremo. Esta norma se aplicará también a los yacimientos de cualquier especie existentes en las aguas marítimas sometidas a la jurisdicción nacional y a los situados, en todo o en parte, en zonas que, conforme a la ley, se determinen como de importancia para la seguridad nacional. El Presidente de la República podrá poner término, en cualquier tiempo, sin expresión de causa y con la indemnización que corresponda, a las concesiones administrativas o a los contratos de operación relativos a explotaciones ubicadas en zonas declaradas de importancia para la seguridad nacional.

Los derechos de los particulares sobre las aguas, reconocidos o constituidos en conformidad a la ley, otorgarán a sus titulares la propiedad sobre ellos;

DECRETO LEY N° 2.603 QUE MODIFICA Y COMPLEMENTA EL ACTA CONSTITUCIONAL N°3; Y ESTABLECE NORMAS SOBRE DERECHOS DE APROVECHAMIENTO DE AGUAS Y FACULTA AL PRESIDENTE DE LA REPÚBLICA PARA QUE ESTABLEZCA EL RÉGIMEN JURÍDICO GENERAL DE LAS AGUAS

NUM. 2.603.- Santiago, 18 de abril de 1979.- Visto: lo dispuesto en los decretos leyes 1 y 128, de 1973; 527 y 788, de 1974, y 991, de 1976, y

Considerando: que es necesidad nacional iniciar el proceso de normalización de todo cuanto se relaciona con las aguas y sus diferentes formas de aprovechamiento, y

Que la legislación vigente sobre esta materia no corresponde a los principios que inspiran al Supremo Gobierno en el proceso de institucionalidad del país, expresado, principalmente, a través de las Actas Constitucionales y las leyes que las complementan, La Junta de Gobierno, en ejercicio de sus potestades constituyente y legislativa, ha acordado dictar el siguiente

DECRETO LEY:

ARTÍCULO 1° Modificase el Acta Constitucional N° 3, en la forma siguiente:

a) Suprímese en el inciso final del N° 16 del artículo 1° la frase "y al dominio de las aguas".

b) Agrégase al N° 16 del artículo 1°, antes del inciso final, el siguiente nuevo inciso:

"Los derechos de los particulares sobre las aguas, reconocidos o constituidos en conformidad a la ley, otorgarán a sus titulares la propiedad sobre ellos".

c) Suprímense en el artículo 4° transitorio los términos "y décimo" e intercálase la conjunción "y" entre las expresiones "quinto" y "sexto", suprimiendo la coma (,) existente entre ellos.

ARTÍCULO 2° Facúltase al Presidente de la República para que, en el plazo de un año contado desde la fecha de vigencia del presente decreto ley, dicte las normas necesarias para el establecimiento del Régimen General de las Aguas, que modifique o reemplace, total o parcialmente, el Código de Aguas y las demás normas relativas a la misma materia.

ARTÍCULO 3° Facúltase, asimismo, al Presidente de la República para que, dentro del plazo señalado en el artículo precedente, dicte las normas necesarias para separar, dentro del avalúo total vigente de los bienes raíces agrícolas, el valor correspondiente al inmueble propiamente tal y el de los derechos de aprovechamiento de agua que actualmente estuviere utilizando el predio.

Las normas que el Presidente de la República dicte en uso de esta facultad, no podrán importar un aumento del avalúo vigente del predio, ni de sus impuestos territoriales, ni de los impuestos que, por aplicación de la ley de la renta, deben corresponder al propietario.

Las rentas que se presumen en relación con los avalúos de bienes raíces, se determinarán en relación con los avalúos conjuntos del inmueble propiamente tal y del derecho de aprovechamiento de aguas.

Las contribuciones del inmueble propiamente tal y las de los derechos de aprovechamiento se pagarán separadamente, quedando en igual forma sujetas a los procedimientos y sanciones legales por el incumplimiento en dichos pagos.

ARTÍCULO 4° Los derechos de aprovechamiento constituidos legalmente y que se encontraren caducados a la fecha de vigencia de la presente ley, serán enajenados en licitación pública por la Dirección General de Aguas en forma de derechos de aprovechamiento vacantes.

Lo mismo se aplicará a los derechos de aprovechamiento que emanen de obras nuevas construidas por el Estado cuando el beneficiario renuncie a ellas, o no sean aceptados por éstos.

Para tales efectos, la Dirección General de Aguas podrá establecer el número de derechos de aprovechamiento vacantes y la cantidad de agua que a cada uno corresponde, expresada en medida métrica y de tiempo, o solicitar las ofertas sin dichas especificaciones.

Los derechos de aprovechamiento enajenados en conformidad con este artículo se entenderán constituidos y se adquirirán por el adjudicatorio de la propuesta en el momento en que suscriba la correspondiente escritura pública de compraventa.

El Fisco y cualquiera de las instituciones del sector público podrán concurrir a la licitación en las mismas condiciones de los particulares y sometidos a las bases correspondientes.

ARTÍCULO 5° Derogado.

ARTÍCULO 6° Las personas que realizaren obras que permitan incorporar al uso nuevas aguas en conformidad a la ley, serán consideradas como titulares de derechos de aprovechamiento sobre ellas, los cuales deberán ser anotados en el Registro de Aguas que corresponda.

ARTÍCULO 7° Se presumirá dueño de derecho de aprovechamiento a quien lo sea del inmueble que se encuentre actualmente utilizando dichos derechos.

En caso de no ser aplicable la norma precedente, se presumirá que es titular del derecho de aprovechamiento quien se encuentre actualmente haciendo uso efectivo del agua.

ARTÍCULO 8° Derogado.

ARTÍCULOS TRANSITORIOS

ARTÍCULO 1° Sin perjuicio del ejercicio de las facultades otorgadas al Presidente de la República en los artículos 2° y 3° del presente decreto

ley, las modificaciones del Acta Constitucional contenidas en el artículo 1°
serán aplicables a partir de la fecha de vigencia de este mismo decreto ley.

Hasta la fecha en que entre en vigencia el Régimen General de las
Aguas, cualquier acto que implique enajenación del derecho de aprovecha-
miento de agua deberá ser otorgado por escritura pública y anotado en el
Registro de Aguas que corresponda.

ARTÍCULO 2° Las contiendas que se promuevan durante el período
a que se refiere el artículo 1° transitorio del presente decreto ley, serán
resueltas por el Juez de Letras de Mayor Cuantía del Departamento en
que se encuentre ubicado el inmueble o el establecimiento en el cual se
estuviera actualmente utilizando las aguas, aplicándose, en lo demás, las
normas sobre competencia que establece el Código Orgánico de Tribunales.

ARTÍCULO 3° Las causas a que se refiere el artículo anterior se tramitarán conforme al procedimiento sumario establecido en el Título XI del
Libro III del Código de Procedimiento Civil.

ARTÍCULO 4° Las disposiciones del Código de Aguas continuarán vigentes hasta la dictación del Régimen General de Aguas en todo aquello
que no sean contrarias a las normas constitucionales contenidas en el
artículo 1° o en las legales contenidas en los artículos 2° y siguientes del
presente decreto ley.

Regístrese en la Contraloría General de la República, publíquese en el
Diario Oficial e insértese en la Recopilación oficial de dicha Contraloría.-
AUGUSTO PINOCHET UGARTE.- JOSE T. MERINO CASTRO.- CESAR MENDOZA
DURAN.- FERNANDO MATTHIE AUBEL.- Alfonso Márquez de la Plata.

DECRETO CON FUERZA DE LEY N° 1.122 QUE FIJA EL TEXTO DEL CÓDIGO DE AGUAS

Santiago, 13 de Agosto de 1981.

Hoy se decretó lo que sigue:

D.F.L. N° 1.122. Visto: la facultad que me otorga el artículo 2°, del Decreto Ley N° 2.603, de 1979, prorrogada por el Decreto Ley N° 3.337, de 1980, y renovada por el Decreto Ley N° 3.549, de 1981, dicto el siguiente

DECRETO CON FUERZA DE LEY

LIBRO PRIMERO
DE LAS AGUAS Y DEL DERECHO DE APROVECHAMIENTO

TÍTULO I
DISPOSICIONES GENERALES

ARTÍCULO 1.- Las aguas se dividen en marítimas y terrestres. Las disposiciones de este Código sólo se aplican a las aguas terrestres.

Son aguas pluviales las que proceden inmediatamente de las lluvias, las cuales serán marítimas o terrestres según donde se precipiten.

ARTÍCULO 2.- Las aguas terrestres son superficiales o subterráneas.

Son aguas superficiales aquellas que se encuentran naturalmente a la vista del hombre y pueden ser corrientes o detenidas.

Son aguas corrientes las que escurren por cauces naturales o artificiales.

Son aguas detenidas las que están acumuladas en depósitos naturales o artificiales, tales como lagos, lagunas, pantanos, charcas, aguadas, ciénagas, estanques o embalses.

Son aguas subterráneas las que están ocultas en el seno de la tierra y no han sido alumbradas.

ARTÍCULO 3.- Las aguas que afluyen, continua o discontinuamente, superficial o subterráneamente, a una misma cuenca u hoya hidrográfica, son parte integrante de una misma corriente.

La cuenca u hoya hidrográfica de un caudal de aguas la forman todos los afluentes, subafluentes, quebradas, esteros, lagos y lagunas que afluyen a ella, en forma continua o discontinua, superficial o subterráneamente.

ARTÍCULO 4.- Atendida su naturaleza, las aguas son muebles, pero destinadas al uso, cultivo o beneficio de un inmueble se reputan inmuebles.

TÍTULO II
DEL APROVECHAMIENTO DE LAS AGUAS Y SUS FUNCIONES

ARTÍCULO 5.- Las aguas, en cualquiera de sus estados, son bienes nacionales de uso público. En consecuencia, su dominio y uso pertenece a todos los habitantes de la nación.

En función del interés público se constituirán derechos de aprovechamiento sobre las aguas, los que podrán ser limitados en su ejercicio, de conformidad con las disposiciones de este Código.

Para estos efectos, se entenderán comprendidas bajo el interés público las acciones que ejecute la autoridad para resguardar el consumo humano y el saneamiento, la preservación ecosistémica, la disponibilidad de las aguas, la sustentabilidad acuífera y, en general, aquellas destinadas a promover un equilibrio entre eficiencia y seguridad en los usos productivos de las aguas.

El acceso al agua potable y el saneamiento es un derecho humano esencial e irrenunciable que debe ser garantizado por el Estado.

No se podrán constituir derechos de aprovechamiento en glaciares.

En el caso de los territorios indígenas, el Estado velará por la integridad entre tierra y agua, y protegerá las aguas existentes para beneficio de las comunidades indígenas, de acuerdo a las leyes y a los tratados internacionales ratificados por Chile y que se encuentren vigentes.

ARTÍCULO 5 bis.- Las aguas cumplen diversas funciones, principalmente las de subsistencia, que incluyen el uso para el consumo humano, el saneamiento y el uso doméstico de subsistencia; las de preservación ecosistémica, y las productivas.

Siempre prevalecerá el uso para el consumo humano, el uso doméstico de subsistencia y el saneamiento, tanto en el otorgamiento como en la limitación al ejercicio de los derechos de aprovechamiento.

Se entenderá por usos domésticos de subsistencia, el aprovechamiento que una persona o una familia hace del agua que ella misma extrae, con el fin de utilizarla para satisfacer sus necesidades de bebida, aseo personal, la bebida de sus animales y cultivo de productos hortofrutícolas indispensables para su subsistencia.

La autoridad deberá siempre velar por la armonía y el equilibrio entre la función de preservación ecosistémica y la función productiva que cumplen las aguas.

La Dirección General de Aguas se sujetará a la priorización dispuesta en el inciso segundo cuando disponga la reducción temporal del ejercicio de los derechos de aprovechamiento o la redistribución de las aguas, de conformidad con lo dispuesto en los artículos 17, 62, 314 y demás normas pertinentes de este Código. Con todo, la autoridad deberá considerar la diversidad geográfica y climática del país, la disponibilidad efectiva de los recursos hídricos y la situación de cada cuenca hidrográfica.

Cuando se concedan derechos de agua para el consumo humano y el saneamiento, solo podrá utilizarse dicha agua para fines distintos en la medida que se destinen a un uso no consuntivo y prevalezca la preferencia del consumo humano y el saneamiento.

Tratándose de solicitudes realizadas por un comité o una cooperativa de servicio sanitario rural, y siempre que no excedan de 12 litros por segundo, durante la tramitación de la solicitud definitiva, la Dirección General de Aguas podrá autorizar transitoriamente, mediante resolución, la extracción del recurso hídrico por un caudal no superior al indicado. Para ello, la Dirección deberá efectuar una visita a terreno y confeccionar un informe técnico que respalde el caudal autorizado transitoriamente y dictará una resolución fundada al respecto dentro del plazo de noventa días, contado desde la presentación de la solicitud. Esta autorización se mantendrá vigente durante la tramitación de la solicitud definitiva, la que no podrá exceder de un año, prorrogable por una sola vez.

ARTÍCULO 5 ter.- Para asegurar el ejercicio de las funciones de subsistencia y de preservación ecosistémica, el Estado podrá constituir reservas de aguas disponibles, superficiales o subterráneas, de conformidad con lo dispuesto en el artículo 147 bis.

Sin perjuicio de lo anterior, como consecuencia del término, caducidad, extinción o renuncia de un derecho de aprovechamiento, las aguas quedarán libres para ser reservadas por el Estado, de conformidad con lo dispuesto en este artículo, y para la constitución de nuevos derechos sobre ellas.

Sobre dichas reservas, la Dirección General de Aguas podrá constituir derechos de aprovechamiento para los usos de la función de subsistencia.

Las aguas reservadas podrán ser entregadas a prestadores de servicios sanitarios para garantizar el consumo humano y el saneamiento. Para efectos del proceso de fijación de tarifas establecido en el decreto con fuerza de Ley N° 70, de 1988, del Ministerio de Obras Públicas, se considerará que las aguas entregadas en virtud del presente artículo son aportes de terceros y tienen un costo igual a cero.

Sin perjuicio de lo dispuesto en este artículo, las prestadoras de servicios sanitarios mantendrán la obligación de garantizar la continuidad y calidad del servicio, planificando y ejecutando las obras necesarias para ello, incluidas las de prevención y mitigación que correspondiere.

ARTÍCULO 5 quáter.- La solicitud y el otorgamiento de derechos de aprovechamiento sobre aguas reservadas, para los usos de la función de subsistencia, se sujetarán, en lo que sea compatible con su objeto, al procedimiento contenido en el Párrafo I del Título I del Libro Segundo.

ARTÍCULO 5 quinquies.- Los derechos de aprovechamiento que se otorguen sobre aguas reservadas podrán transferirse, siempre que se mantenga el uso para el cual fueron originariamente concedidos y las transferencias sean informadas a la Dirección General de Aguas.

Los derechos de aprovechamiento constituidos sobre aguas reservadas adquiridos por sucesión por causa de muerte o por cualquier otro modo derivativo, se transmiten o transfieren, según sea el caso, con las mismas cargas, gravámenes, limitaciones y restricciones que afectan al derecho adquirido originariamente, en todas sus sucesivas transferencias o transmisiones. Ello deberá constar en las respectivas inscripciones conservatorias.

Estos derechos de aprovechamiento se extinguirán, por resolución del Director General de Aguas, si su titular no realiza las obras para utilizar las aguas de conformidad con los plazos y suspensiones indicados en el artículo 6 bis, las usa para un fin diverso para aquel que han sido otorgadas, o cede su uso a cualquier otro título.

La extinción a la que hace referencia el inciso anterior podrá ser objeto de los recursos de reconsideración y reclamación dispuestos en los artículos 136 y 137. Estos recursos no suspenderán el cumplimiento de la resolución, sin perjuicio que, en el caso del recurso de reclamación, la Corte de Apelaciones respectiva ordene lo contrario.

ARTÍCULO 6.- El derecho de aprovechamiento es un derecho real que recae sobre las aguas y consiste en el uso y goce temporal de ellas, de conformidad con las reglas, requisitos y limitaciones que prescribe este Código. El derecho de aprovechamiento se origina en virtud de una concesión, de acuerdo a las normas del presente Código o por el solo ministerio de la ley.

El derecho de aprovechamiento que se origina en una concesión será de treinta años, el que se concederá de conformidad con los criterios de disponibilidad de la fuente de abastecimiento y/o de sustentabilidad del acuífero, según corresponda. En caso que la autoridad considere que el derecho de aprovechamiento deba otorgarse por un plazo menor, deberá justificar dicha decisión por resolución fundada.

La duración del derecho de aprovechamiento se prorrogará por el solo ministerio de la ley y sucesivamente, a menos que la Dirección General de

Aguas acredite, mediante una resolución fundada, el no uso efectivo del recurso o que existe una afectación a la sustentabilidad de la fuente que no ha podido ser superada con las herramientas que dispone el inciso quinto de este artículo. Esta prórroga se hará efectiva en la parte utilizada de las aguas en consideración a lo dispuesto en el artículo 129 bis 9, inciso primero, sin que pueda exceder el plazo establecido en el inciso anterior.

El titular podrá solicitar anticipadamente la prórroga de su derecho dentro de los diez años previos a su vencimiento, la cual será evaluada por la Dirección General de Aguas en consideración a los criterios indicados en los incisos primero y tercero del presente artículo. Otorgada la prórroga, el periodo prorrogado se regirá por las normas de este artículo y comenzará a regir desde la fecha de aprobación de la solicitud de prórroga anticipada. En caso de rechazarse la solicitud de prórroga anticipada, el derecho de aprovechamiento continuará estando vigente por el tiempo que le restare desde su otorgamiento, aplicándose al efecto lo establecido en el inciso precedente y las demás disposiciones pertinentes de este Código.

De existir riesgo de que el ejercicio de los derechos de aprovechamiento de aguas pueda generar una grave afectación al acuífero o a la fuente superficial de donde se extrae o, en caso de que este riesgo se haya materializado, la Dirección General de Aguas aplicará lo dispuesto en los artículos 17 y 62, según corresponda. En caso de persistir esta situación, suspenderá el ejercicio de todos aquellos derechos que provocan el riesgo o afectación, lo cual, en el caso de los derechos que se encuentren en situación de ser objeto de prórroga, deberá ser considerado en la ponderación a que se refiere el inciso tercero, a objeto de determinar la continuidad. Ésta podrá incluso ser parcial.

Para efectos de la ponderación del riesgo o de la afectación descritos en el inciso anterior, se considerará especialmente el resguardo de las funciones de subsistencia, consumo humano, saneamiento y preservación ecosistémica, de conformidad con lo dispuesto en el artículo 5 bis.

Si el titular renunciare total o parcialmente a su derecho de aprovechamiento, deberá hacerlo mediante escritura pública que se inscribirá o anotará, según corresponda, en el Registro de Propiedad de Aguas del Conservador de Bienes Raíces competente. El Conservador de Bienes Raíces informará de lo anterior a la Dirección General de Aguas, en los términos previstos por el artículo 122. En todo caso, la renuncia no podrá ser en perjuicio de terceros, en especial si disminuye el activo del renunciante en relación con el derecho de prenda general de los acreedores.

ARTÍCULO 6 bis.- Los derechos de aprovechamiento se extinguirán total o parcialmente si su titular no hace uso efectivo del recurso en los términos dispuestos en el artículo 129 bis 9°. En el caso de los derechos de aprovechamiento consuntivos el plazo de extinción será de cinco años, y en el caso de aquellos de carácter no consuntivos será de diez años. Estos plazos de extinción comenzarán a correr desde la publicación de la resolución que los incluya por primera vez en el listado de derechos de aprovechamiento afectos al pago de patente por no uso, de conformidad a lo dispuesto en el artículo 129 bis 7°. A este procedimiento de extinción se le aplicará lo dispuesto en el artículo 134 bis.

La contabilización de los plazos indicados en el inciso primero se suspenderá mientras dure la tramitación de los permisos necesarios para construir las obras a que se refiere el inciso primero del artículo 129 bis 9 y que deban ser otorgados por la Dirección General de Aguas o por la Dirección de Obras Hidráulicas, incluyendo la tramitación de los ajustes a que se refiere el inciso tercero del artículo 156. Las solicitudes de traslado del ejercicio del derecho de aprovechamiento y las de cambio de punto de captación de éste no quedarán comprendidas en la referida suspensión, salvo cuando dichas solicitudes se deban presentar a consecuencia del cumplimiento de un trámite exigido para la recepción de las obras por parte de la Dirección General de Aguas o en otros casos calificados determinados por resolución fundada de esa Dirección, donde se compruebe la diligencia del solicitante.

Asimismo, la Dirección General de Aguas, a petición del titular del derecho de aprovechamiento, podrá suspender este plazo hasta por un máximo de cuatro años cuando, respecto de la construcción de las obras necesarias para la utilización del recurso, se encuentre pendiente la obtención de una resolución de calificación ambiental, exista una orden de no innovar dictada en algún litigio pendiente ante la justicia ordinaria, o se hallen en curso otras tramitaciones que requieran autorizaciones administrativas. Lo dispuesto en este inciso regirá en la medida que en dichas solicitudes se encuentre debidamente justificada la necesidad de la suspensión, y siempre que se acredite por parte del titular la realización de gestiones, actos u obras de modo sistemático, ininterrumpido y permanente, destinadas a aprovechar el recurso hídrico en los términos contenidos en la solicitud del derecho.

A su vez, la contabilización de los plazos descritos en el inciso primero se suspenderá en caso que el titular del derecho de aprovechamiento justifique ante la autoridad administrativa que no ha podido construir las obras para hacer un uso efectivo del recurso por circunstancias de caso fortuito o fuerza mayor, debidamente acreditadas, y mientras ellas persistan.

Todo cambio de uso de un derecho de aprovechamiento deberá ser informado a la Dirección General de Aguas en los términos que ésta disponga. El incumplimiento de este deber de informar será sancionado con una multa a beneficio fiscal de segundo a tercer grado inclusive, en conformidad con lo dispuesto en el artículo 173 ter.

Sin perjuicio de lo anterior, en caso de constatar que el ejercicio de uno o más derechos de aprovechamiento de aguas, luego de un cambio de uso, causa una grave afectación al acuífero o a la fuente superficial de donde se extrae, la Dirección General de Aguas aplicará lo dispuesto en los incisos quinto y sexto del artículo 6.

Para los efectos de este artículo, se entenderá por cambio de uso aquel que se realiza entre distintas actividades productivas, tales como la agropecuaria, la minería, la industria o la generación eléctrica, entre otras.

La resolución que declare extinguido el derecho de aprovechamiento podrá ser objeto del recurso de reconsideración regulado en el artículo 136, en cuyo caso se suspenderá su cumplimiento, y del recurso de reclamación dispuesto en el artículo 137, en conformidad al procedimiento de extinción establecido en el artículo 134 bis.

ARTÍCULO 7.- El derecho de aprovechamiento se expresará en volumen por unidad de tiempo.

En el caso de aguas superficiales, el derecho de aprovechamiento se constituirá en la forma que establece este Código, considerando las variaciones estacionales de caudales a nivel mensual. En el título respectivo siempre deberá indicarse los caudales máximos autorizados a nivel mensual.

Tratándose de aguas subterráneas, el derecho de aprovechamiento se constituirá en la forma que establece este Código. En el título respectivo siempre deberá indicarse el caudal máximo instantáneo y el volumen total anual, conforme a los criterios establecidos en el Reglamento de Aguas Subterráneas.

ARTÍCULO 8.- El que tiene un derecho de aprovechamiento lo tiene, igualmente, a los medios necesarios para ejercitarlo. Así, el que tiene derecho a sacar agua de una fuente situada en la heredad vecina, tiene el derecho de tránsito para ir a ella, aunque no se haya establecido en el título.

ARTÍCULO 9.- El que goza de un derecho de aprovechamiento puede hacer, a su costa, las obras indispensables para ejercitarlo.

ARTÍCULO 10.- El uso de las aguas pluviales que caen o se recogen en un predio de propiedad particular corresponde al dueño de éste, mientras corran dentro de su predio o no caigan a cauces naturales de uso público.

En consecuencia, el dueño puede almacenarlas dentro del predio por medios adecuados, siempre que no se perjudique derechos de terceros.

ARTÍCULO 11.- El dueño de un predio puede servirse, de acuerdo con las leyes y ordenanzas respectivas, de las aguas lluvias que corren por un camino público y torcer su curso para utilizarlas. Ninguna prescripción puede privarle de este uso.

ARTÍCULO 12.- Los derechos de aprovechamiento son consuntivos o no consuntivos; de ejercicio permanente o eventual; continuo, discontinuo o alternado entre varias personas.

ARTÍCULO 13.- Derecho de aprovechamiento consuntivo es aquel que faculta a su titular para consumir totalmente las aguas en cualquier actividad.

ARTÍCULO 14.- Derecho de aprovechamiento no consuntivo es aquel que permite emplear el agua sin consumirla y obliga a restituirla en la forma que lo determine el acto de adquisición o de constitución del derecho.

La extracción o restitución de las aguas se hará siempre en forma que no perjudique los derechos de terceros constituidos sobre las mismas aguas, en cuanto a su cantidad, calidad, substancia, oportunidad de uso y demás particularidades.

ARTÍCULO 15.- El uso y goce que confiere el derecho de aprovechamiento no consuntivo no implica, salvo convención expresa entre las partes, restricción al ejercicio de los derechos consuntivos.

ARTÍCULO 16.- Son derechos de ejercicio permanente los que se otorguen con dicha calidad en fuentes de abastecimiento no agotadas, en conformidad a las disposiciones del presente Código, así como los que tengan esta calidad con anterioridad a su promulgación.

Los demás son de ejercicio eventual.

ARTÍCULO 17.- Los derechos de aprovechamiento de ejercicio permanente facultan para usar el agua en la dotación que corresponda, salvo que la fuente de abastecimiento no contenga la cantidad suficiente para satisfacerlos en su integridad, en cuyo caso el caudal se distribuirá en partes alícuotas.

De existir una junta de vigilancia, se aplicará lo dispuesto en los artículos 266, 274 y siguientes.

Cuando no exista una junta de vigilancia que ejerza la debida jurisdicción y si la explotación de las aguas superficiales por algunos usuarios ocasionare perjuicios a los otros titulares de derechos, la Dirección General de Aguas, de oficio o a petición de uno o más afectados, podrá establecer la reducción temporal del ejercicio de los derechos de aprovechamiento, a prorrata de ellos.

En aquellos casos en que dos o más juntas de vigilancia ejerzan jurisdicción en la misma fuente de abastecimiento, por encontrarse ésta seccionada, la Dirección General de Aguas podrá ordenar una redistribución de aguas entre las distintas secciones, cuando una de estas organizaciones se sienta perjudicada por las extracciones que otra realice y así lo solicite fundadamente.

Esta medida podrá ser dejada sin efecto cuando los titulares de derechos de aprovechamiento lo soliciten o cuando a juicio de la Dirección General de Aguas hubieren cesado las causas que la originaron.

ARTÍCULO 18.- Los derechos de ejercicio eventual sólo facultan para usar el agua en las épocas en que el caudal matriz tenga un sobrante después de abastecidos los derechos de ejercicio permanente.

Las aguas lacustres o embalsadas no son objeto de derechos de ejercicio eventual.

El ejercicio de los derechos eventuales queda subordinado al ejercicio preferente de los derechos de la misma naturaleza otorgados con anterioridad.

ARTÍCULO 19.- Son derechos de ejercicio continuo los que permiten usar el agua en forma ininterrumpida durante las veinticuatro horas del día.

Los derechos de ejercicio discontinuo sólo permiten usar el agua durante determinados períodos.

Los derechos de ejercicio alternado son aquellos en que el uso del agua se distribuye entre dos o más personas que se turnan sucesivamente.

TÍTULO III
DE LA CONSTITUCIÓN DEL DERECHO DE APROVECHAMIENTO

ARTÍCULO 20.- El derecho de aprovechamiento se constituye originariamente por acto de autoridad. La posesión de los derechos así constituidos se adquiere por la competente inscripción en el Conservador de Bienes Raíces correspondiente. El titular de un derecho de aprovechamiento inscrito podrá disponer de él con los requisitos y en las formas prescritas en este Código y demás disposiciones legales.

Exceptúanse los derechos de aprovechamiento sobre las aguas que corresponden a vertientes que nacen, corren y mueren dentro de una misma heredad, como, asimismo, sobre las aguas de lagos menores no navegables por buques de más de cien toneladas, de lagunas y pantanos situados dentro de una sola propiedad y en las cuales no existan derechos de aprovechamiento constituidos en favor de terceros, a la fecha de vigencia de este Código. Se reconoce el derecho real de uso y goce sobre dichas aguas al propietario de las riberas. Esta facultad se extingue, por el solo ministerio de la ley, en caso que el predio se subdivida o no se mantenga la condición descrita de las aguas, indistintamente. Los titulares de los predios subdivididos gozarán de un derecho preferente ante la solicitud de un tercero para solicitar la constitución del derecho de aprovechamiento en la parte proporcional que corresponda al predio adjudicado. Dicha preferencia tendrá la duración de un año, contado desde la fecha de la inscripción de la subdivisión.

Se entiende que mueren dentro de la misma heredad las vertientes o corrientes que permanentemente se extinguen dentro de aquélla sin confundirse con otras aguas, a menos que caigan al mar.

Excepcionalmente y con la sola finalidad de satisfacer las necesidades humanas de bebida y los usos domésticos de subsistencia, cualquier persona podrá extraer aguas provenientes de las vertientes, de las nacientes cordilleranas o de cualquier forma de recarga natural que aflore superficialmente, sin que esta extracción reporte utilidad económica alguna, salvo de aquellas fuentes descritas en el inciso segundo, en la medida que en el área no exista un sistema de agua potable concesionada o rural, u otra red para abastecer de agua potable a la población. En todo caso, si el ejercicio de este derecho causare un perjuicio superior al beneficio que reporta, deberá de inmediato suspenderse.

ARTÍCULO 21.- La transferencia, transmisión y la adquisición o pérdida por prescripción de los derechos de aprovechamiento se efectuará con arreglo a las disposiciones del Código Civil, salvo en cuanto estén modificadas por el presente Código. Las inscripciones que procedan se efectuarán en el Registro de Propiedad de Aguas del Conservador de Bienes Raíces competente.

ARTÍCULO 22.- La autoridad constituirá el derecho de aprovechamiento sobre aguas existentes en fuentes naturales y en obras estatales de desarrollo del recurso, no pudiendo perjudicar ni menoscabar derechos de terceros, y considerando la relación existente entre aguas superficiales y subterráneas, en conformidad a lo establecido en el artículo 3º.

ARTÍCULO 23.- La constitución del derecho de aprovechamiento se sujetará al procedimiento estatuido en el párrafo 2º del Título I, del Libro II de este Código.

ARTÍCULO 24.- Si el acto de constitución del derecho de aprovechamiento no expresa otra cosa, se entenderá que su ejercicio es continuo. Si se constituye el derecho como de ejercicio discontinuo o alternado, el uso sólo podrá efectuarse en la forma y tiempo fijados en dicho acto.

ARTÍCULO 25.- El derecho de aprovechamiento conlleva, por el ministerio de la ley, la facultad de imponer todas las servidumbres necesarias para su ejercicio, sin perjuicio de las indemnizaciones correspondientes.

ARTÍCULO 26.- El derecho de aprovechamiento comprenderá la concesión de los terrenos de dominio público necesarios para hacerlo efectivo. Abandonados estos terrenos o destinados a un fin distinto, volverán a su antigua condición.

ARTÍCULO 27.- El Ministerio de Obras Públicas podrá expropiar derechos de aprovechamiento tanto para satisfacer menesteres domésticos de una población como para satisfacer la conservación de los recursos hídricos, cuando no existan otros medios para obtener el agua. Para ello deberá dejarse al expropiado el agua necesaria para satisfacer sus usos domésticos de subsistencia. En ambos casos deberá aplicarse el procedimiento establecido en el decreto Ley N° 2.186 de 1978, que aprueba la Ley Orgánica de Procedimiento de Expropiaciones, o la norma que la reemplace.

ARTÍCULO 28.- Los derechos de aprovechamiento que se destinen a la producción de energía eléctrica, se someterán a las disposiciones del presente código y las centrales respectivas continuarán rigiéndose, en lo demás, por la Ley de Servicios Eléctricos.

ARTÍCULO 29.- El derecho de aprovechamiento de las aguas medicinales y mineromedicinales se adquirirá en conformidad a las disposiciones de este código, pero su ejercicio se someterá a las leyes que rijan la materia.

TÍTULO IV
DE LOS CAUCES DE LAS AGUAS

1. De los álveos o cauces naturales

ARTÍCULO 30.- Álveo o cauce natural de una corriente de uso público es el suelo que el agua ocupa y desocupa alternativamente en sus creces y bajas periódicas.

Para los efectos de este Código, se entiende por suelo desde la superficie del terreno hasta la roca madre.

Este suelo es de dominio público y no accede mientras tanto a las heredades contiguas, pero los propietarios riberanos podrán aprovechar y cultivar la superficie de ese suelo en las épocas en que no estuviere ocupado por las aguas.

Sin perjuicio de lo dispuesto en los incisos precedentes, las porciones de terrenos de un predio que, por avenida, inundación o cualquier causa quedaren separadas del mismo, pertenecerán siempre al dueño de éste y no formarán parte del cauce del río.

ARTÍCULO 31.- La regla del artículo anterior se aplicará también a los álveos de corrientes discontinuas de uso público. Se exceptúan los cauces naturales de corrientes discontinuas formadas por aguas pluviales, los cuales pertenecen al dueño del predio.

ARTÍCULO 32.- Sin permiso de la autoridad competente, no se podrá hacer obras o labores en los álveos, salvo lo dispuesto en los artículos 8º, 9º, 25, 26 y en el inciso 2º del artículo 30.

ARTÍCULO 33.- Son riberas o márgenes las zonas laterales que lindan con el álveo o cauce.

ARTÍCULO 34.- En los casos de aluvión, avenida, inundación, variación de curso de un río o división de éste en dos brazos, se estará a lo dispuesto sobre accesiones del suelo en el párrafo 2º del Título V, Libro II, del Código Civil.

2. De los álveos de aguas detenidas

ARTÍCULO 35.- Álveo o lecho de los lagos, lagunas, pantanos y demás aguas detenidas, es el suelo que ellas ocupan en su mayor altura ordinaria. Este suelo es de dominio privado, salvo cuando se trate de lagos navegables por buques de más de cien toneladas.

Es aplicable a estos álveos lo dispuesto en el artículo anterior.

3. De los cauces artificiales y de otras obras

ARTÍCULO 36.- Canal o cauce artificial es el acueducto construido por la mano del hombre. Forman parte de él las obras de captación, conducción, distribución y descarga del agua, tales como bocatomas, canoas, sifones, tuberías, marcos partidores y compuertas. Estas obras y canales son de dominio privado.

Embalse es la obra artificial donde se acopian aguas.

ARTÍCULO 37.- El titular de un derecho de aprovechamiento podrá construir canales a sus expensas, en suelo propio o ajeno, con arreglo a las normas del presente Código.

ARTÍCULO 38.- Las organizaciones de usuarios o el propietario exclusivo de un acueducto que extraiga aguas de una corriente natural, estarán obligados a construir y mantener, a su costa, a lo menos una bocatoma con compuertas de cierre y descarga y un canal que permita devolver las aguas o su exceso al cauce de origen, además de los dispositivos que permitan controlar y aforar el agua que se extrae y un sistema de transmisión instantánea de la información que se obtenga al respecto. Esta información deberá ser siempre entregada a la Dirección General de Aguas cuando ésta la requiera, la que, por resolución fundada, determinará los plazos y las condiciones técnicas para cumplir dicha obligación.

La autoridad dictará un reglamento en que se expliciten los plazos, criterios y condiciones necesarios para aplicar las resoluciones fundadas dispuestas en el inciso anterior. Ante el incumplimiento de las medidas a que se refiere el inciso anterior, la Dirección General de Aguas, mediante resolución fundada, impondrá las sanciones que establecen los artículos 173 y siguientes.

4. De la concesión de cauces de uso público para conducir aguas de aprovechamiento particular

ARTÍCULO 39.- Las aguas de aprovechamiento particular podrán vaciarse en cauces naturales de uso público para ser extraídas en otra parte de su curso, previa autorización de la Dirección General de Aguas.

Serán de cargo del concesionario los gastos que ocasionen la introducción y extracción de las aguas y los perjuicios que se causaren, como también los gastos de conservación de las nuevas obras.

ARTÍCULO 40.- El concesionario no podrá extraer del cauce mayor cantidad de agua que la vaciada, deducidas las mermas por evaporación e infiltración, tomando en cuenta la distancia recorrida por las aguas y la naturaleza del lecho.

La junta de vigilancia respectiva o cualquier interesado podrá, en caso justificado, solicitar la revocación de la autorización a que se refiere el artículo anterior.

5. Disposiciones especiales

ARTÍCULO 41.- El proyecto y construcción de las modificaciones que fueren necesarias realizar en cauces naturales o artificiales que puedan causar daño a la vida, salud o bienes de la población o que de alguna manera alteren el régimen de escurrimiento de las aguas, serán de responsabilidad del interesado y deberán ser aprobadas previamente por la Dirección General de Aguas de conformidad con el procedimiento establecido en el párrafo 1 del Título I del Libro Segundo del Código de Aguas. La Dirección General de Aguas determinará mediante resolución fundada cuáles son las obras y características que se encuentran o no en la situación anterior.

Se entenderá por modificaciones no sólo el cambio de trazado de los cauces, su forma o dimensiones, sino también la alteración o sustitución de cualquiera de sus obras de arte y la construcción de nuevas obras, como, abovedamientos, pasos sobre o bajo nivel o cualesquiera ii) otras de sustitución o complemento.

La contravención de lo dispuesto en los incisos anteriores será sancionada de conformidad a lo establecido en los artículos 173 y siguientes de este Código.

La operación y la mantención de las nuevas obras seguirán siendo de cargo de las personas o entidades que operaban y mantenían el sistema primitivo. Si la modificación introducida al proyecto original implica un aumento de los gastos de operación y mantención, quien la encomendó deberá pagar el mayor costo.

ARTÍCULO 42.- Cuando un ferrocarril, camino o instalación de cualquier naturaleza atravesare ríos, lagos, lagunas, tranques, represas o acueductos, deberán ejecutarse las obras de manera que no perjudiquen o entorpezcan la navegación ni el aprovechamiento de las aguas como tampoco el ejercicio de las servidumbres constituidas sobre ellas.

Las nuevas obras serán de cargo del dueño del ferrocarril, camino o instalación, quien deberá, además, indemnizar los perjuicios que se causaren.

TÍTULO V
DE LOS DERRAMES Y DRENAJES DE AGUA

1. De los derrames

ARTÍCULO 43.- Constituyen derrames las aguas que quedan abandonadas después de su uso, a la salida del predio.

Se presume el abandono de estas aguas desde que el titular del derecho de aprovechamiento hace dejación de ellas, en los linderos de la propiedad, sin volver a aprovecharlas.

ARTÍCULO 44.- Los derrames que escurren en forma natural a predios vecinos podrán ser usados dentro de éstos, sin necesidad de obtener un derecho de aprovechamiento.

ARTÍCULO 45.- La producción de derrames estará sujeta a las contingencias del caudal matriz y a la distribución o empleo que de las aguas se haga en el predio que los origina, por lo cual no es obligatoria ni permanente.

ARTÍCULO 46.- La existencia de un título respecto al uso de derrames, no importa limitación de una mejor forma de utilización de las aguas por el titular del derecho de aprovechamiento, salvo convención en contrario.

2. De los drenajes

ARTÍCULO 47.- Constituyen un sistema de drenaje todos los cauces naturales o artificiales que sean colectores de aguas que se extraigan con el objeto de recuperar terrenos que se inundan periódicamente, desecar terrenos pantanosos o vegosos y deprimir niveles freáticos cercanos a la superficie.

No podrán construirse sistemas de drenaje en las zonas de turberas existentes e identificadas por el Ministerio del Medio Ambiente en el Inventario Nacional de Humedales, en la provincia de Chiloé y en las Regiones de Aysén del General Carlos Ibáñez del Campo y de Magallanes y de la Antártica Chilena. La Dirección General de Aguas delimitará el área en la cual se entenderán prohibidos los sistemas de drenaje.

Excepcionalmente, y en la medida que cuenten con una resolución de calificación ambiental, podrán desarrollarse proyectos públicos y privados de conectividad vial en fajas acotadas, con el trazado menos invasivo para dichas zonas y con obras que permitan un flujo de las aguas que asegure la mantención de dichos sistemas ecológicos.

A las aguas extraídas de sistemas de drenaje les serán aplicables las normas establecidas en el artículo 129 bis.

ARTÍCULO 48.- Son beneficiarios del sistema de drenaje todos aquellos que lo utilizan para desaguar sus predios y de este modo aprovechar las aguas provenientes de los mismos. Estos beneficiarios deberán informar las características del sistema, la ubicación de la captación y el caudal drenado a la Dirección General de Aguas.

ARTÍCULO 49.- La obligación de mantener los cauces u obras que constituyen el sistema de drenaje, recae sobre todos aquellos que reportan beneficios del mismo, en conformidad a lo que establecen los artículos siguientes.

No se podrá construir obra alguna que eleve el nivel natural de los desagües y el nivel freático con perjuicio de terceros.

Sin embargo, la mantención de las obras de drenaje que sea necesario construir para evitar los daños a que se refiere el inciso anterior, serán de cargo del que ordene las obras.

ARTÍCULO 50.- Si el humedecimiento excesivo de los suelos se debiera a la existencia de obras artificiales, el o los afectados tendrán derecho a solicitar su modificación, la cual no podrá causar perjuicio al dueño de las obras ni a terceros.

Los gastos que irroguen dichas modificaciones serán de cargo de los beneficiados con ellas en proporción al beneficio que reporten.

ARTÍCULO 51.- Para los efectos de lo dispuesto en los artículos precedentes se entenderá en todo caso que los beneficiarios que sanean sus predios por medio de un mismo sistema de drenaje, constituyen por ese hecho, una comunidad de drenaje, que se regirá por las disposiciones del Título III, Párrafo 2º, del Libro II de este Código.

ARTÍCULO 52.- Las cuestiones que se susciten por la aplicación de las normas contempladas en este párrafo, serán resueltas por el Juez de Letras del lugar en que se encuentre ubicado el predio afectado.

3. Normas generales

ARTÍCULO 53.- Las aguas provenientes de derrames o drenajes, caídas a un cauce natural o artificial, se confunden con las de éstos.

ARTÍCULO 54.- El uso por terceros de derrames o drenajes, no constituye gravamen o servidumbre que afecte al predio que los produce. Son actos de mera tolerancia que no confieren posesión ni dan fundamento a prescripción.

ARTÍCULO 55.- Los derechos, gravámenes o servidumbres sobre derrames y drenajes sólo pueden constituirse a favor de terceros, por medio de un título. Ni aun el goce inmemorial bastará para constituirlos.

Para que produzca efectos respecto de terceros el título deberá constar en instrumento público e inscribirse en el Registro de Hipotecas y Gravámenes de Aguas del Conservador de Bienes Raíces.

TÍTULO VI
DE LAS AGUAS SUBTERRÁNEAS

1. Normas generales

ARTÍCULO 55 bis.- Acuífero es una formación geológica que contiene o ha contenido agua bajo la superficie de la tierra y posee la capacidad de almacenar y transmitir agua.

Sin perjuicio de la titularidad del dominio de este subsuelo, las aguas subterráneas contenidas en él son bienes nacionales de uso público a las que se tiene acceso en conformidad a las disposiciones del presente Código.

Se entenderá por Sector Hidrogeológico de Aprovechamiento Común, un acuífero o parte de un acuífero cuyas características hidrológicas espaciales y temporales permiten una delimitación para efectos de su evaluación hidrogeológica o gestión en forma independiente.

ARTÍCULO 55 ter.- Cuando se realicen actos u obras en el suelo o subsuelo que puedan menoscabar la disponibilidad de las aguas subterráneas o deterioren su calidad, en contravención a la normativa vigente, serán plenamente aplicables las facultades de policía y vigilancia de la Dirección General de Aguas, aunque estos actos u obras no tengan por finalidad aprovechar aguas subterráneas.

ARTÍCULO 56.- Cualquiera puede cavar en suelo propio pozos para las bebidas y usos domésticos de subsistencia, aunque de ello resulte menoscabarse el agua de que se alimente algún otro pozo; pero si de ello no reportare utilidad alguna, o no tanta que pueda compararse con el perjuicio ajeno, será obligado a cegarlo.

El mismo derecho, en iguales condiciones, podrán ejercer los servicios sanitarios rurales para hacer uso de aguas subterráneas destinadas al consumo humano, las que podrán extraer de pozos cavados en el suelo propio de la organización, de algunos de los integrantes de ella, o en terrenos del Estado, previa autorización en todos los casos señalados. Sin perjuicio de lo anterior, los prestadores de servicios sanitarios rurales que caven pozos y se beneficien de ellos deberán informar a la Dirección General de Aguas la existencia y la ubicación de dichas obras.

Quienes exploten estos pozos podrán extraer un volumen de agua subterránea igual o inferior al que determine la Dirección General de Aguas para cada cuenca, y siempre que estén destinados íntegra y exclusivamente a usos domésticos de subsistencia.

ARTÍCULO 56 bis.- Las aguas halladas por los concesionarios mineros en las labores de exploración y de explotación minera podrán ser utilizadas por éstos, en la medida que sean necesarias para las faenas de explotación y sean informadas para su registro a la Dirección General de Aguas, dentro de noventa días corridos desde su hallazgo. Deberán indicar su ubicación y volumen por unidad de tiempo y las actividades que justifican dicha necesidad. En caso de haber aguas sobrantes, igualmente deberán informarlas. El uso y goce de estas aguas se extinguirá por el cierre de la faena minera, por la caducidad o extinción de la concesión minera, porque dejen de ser necesarias para esa faena o porque se destinen a un uso distinto.

El uso y goce de las aguas referido en el inciso anterior no podrá poner en peligro la sustentabilidad de los acuíferos en conformidad con lo dispuesto en el artículo 5 bis, o los derechos de terceros, lo cual deberá ser verificado por la Dirección General de Aguas, la que deberá emitir un informe técnico en el plazo de noventa días corridos, contado desde la recepción de la información señalada en el inciso anterior. El referido informe deberá considerar la evaluación ambiental a la que se refiere el inciso cuarto de este artículo. Dicho plazo podrá ser prorrogado solo por una vez y justificadamente. En caso que se verificare una grave afectación de los acuíferos o a los derechos de terceros a consecuencia de estos aprovechamientos, la Dirección General de Aguas limitará su uso.

La Dirección General de Aguas, por resolución, determinará las formas, requisitos y periodicidad en que se deberá entregar la información, incluyendo un procedimiento simplificado para la minería artesanal y pequeña minería, de conformidad con lo establecido en el inciso segundo del artículo 142 del Código de Minería.

Lo expresado en el presente artículo, no obsta que en la exploración o explotación se aplique la correspondiente evaluación ambiental, conforme a la Ley N° 19.300 y su reglamento, como también respecto de su seguimiento y fiscalización, con el propósito de evaluar la sustentabilidad de la explotación del recurso.

ARTÍCULO 57.- El derecho de aprovechamiento de las aguas subterráneas para cualquier otro uso se regirá por las normas del Título III de este Libro y por las de los artículos siguientes.

2. De la exploración de las aguas subterráneas

ARTÍCULO 58.- Cualquiera persona puede explorar con el objeto de alumbrar aguas subterráneas, sujetándose a las normas que establezca la Dirección General de Aguas.

Si dentro del plazo establecido en el inciso primero del artículo 142 se hubieren presentado dos o más solicitudes de exploración de aguas subterráneas sobre una misma extensión territorial de bienes nacionales, la Dirección General de Aguas resolverá la adjudicación del área de exploración mediante remate entre los solicitantes. Las bases de remate determinarán la forma en que se llevará a cabo dicho acto, siendo aplicable a su respecto lo dispuesto en los artículos 142, 143 y 144, en lo que corresponda.

Sin perjuicio de lo dispuesto en el inciso anterior, y siempre que se haya otorgado el permiso para explorar aguas subterráneas, para los efectos de lo señalado en artículo 142 inciso primero, se entenderá que la fecha de presentación de la solicitud para constituir el derecho de aprovechamiento sobre aguas subterráneas será la de la resolución que otorgue tal permiso.

El terreno ajeno sólo se podrá explorar previo acuerdo con el dueño del predio, y en bienes nacionales con la autorización de la Dirección General de Aguas.

No se podrán efectuar exploraciones en terrenos públicos o privados de zonas que alimenten áreas de vegas, pajonales y bofedales en las regiones de Arica y Parinacota, de Tarapacá, de Antofagasta, de Atacama y de Coquimbo, sin la autorización fundada de la Dirección General de Aguas, la que previamente deberá identificar y delimitar dichas zonas.

Asimismo, no se podrán efectuar exploraciones en terrenos públicos o privados de zonas que correspondan a sectores acuíferos que alimenten humedales, que hayan sido declarados por el Ministerio del Medio Ambiente como ecosistemas amenazados, ecosistemas degradados o sitios prioritarios, en la medida que esa declaración, en coordinación con la Dirección General de Aguas, contenga entre sus fundamentos que la estructura y el funcionamiento de dicho humedal está dado por los recursos hídricos subterráneos que lo soportan. Con posterioridad a esa declaración, la Dirección General de Aguas delimitará el área de terrenos públicos o privados en los cuales no se podrán efectuar exploraciones para los fines de este artículo.

ARTÍCULO 58 bis.- Comprobada la existencia de aguas subterráneas en bienes nacionales, el beneficiario del permiso de exploración tendrá la preferencia para que se le otorgue el derecho sobre las aguas alumbradas durante la vigencia del mismo por sobre todo otro peticionario, salvo que otro solicitante, dentro del plazo que señala el inciso primero del artículo 142 de este Código, haya presentado una solicitud para constituir un derecho de aprovechamiento sobre las mismas aguas que se alumbraron y solicitaron durante la vigencia del período de exploración, en cuyo caso, y si no existe disponibilidad para constituir ambos derechos, se aplicarán las normas sobre remate señaladas en los artículos 142, 143 y 144. Esta excepción no será aplicable si el permiso para explorar aguas subterráneas fue adquirido de conformidad con lo dispuesto en el inciso segundo del artículo anterior.

La preferencia consagrada en el inciso anterior, sólo podrá ejercerse dentro del plazo del permiso, y hasta tres meses después, y siempre que el concesionario haya dado cumplimiento a la obligación de presentar un informe completo sobre los trabajos realizados, sus resultados y las conclusiones obtenidas.

3. De la explotación de aguas subterráneas

ARTÍCULO 59.- La explotación de aguas subterráneas deberá efectuarse en conformidad a normas generales, previamente establecidas por la Dirección General de Aguas, las que deberán tener un interés principal en lograr el aprovechamiento sustentable de los recursos hídricos subterráneos.

ARTÍCULO 60.- Comprobada la existencia de aguas subterráneas, el interesado podrá solicitar el otorgamiento del derecho de aprovechamiento respectivo, el que se constituirá de acuerdo al procedimiento establecido en el Título I del Libro II de este Código.

ARTÍCULO 61.- La resolución que otorgue el derecho de aprovechamiento de aguas subterráneas establecerá un área de protección en la cual se prohibirá instalar obras similares, la que se constituirá como una franja paralela a la captación subterránea y en torno a ella. La dimensión de la franja o radio de protección será de 200 metros, medidos en terreno. En casos justificados se podrá autorizar una franja o radio superior a los metros indicados, como en los casos de los pozos pertenecientes a un servicio sanitario rural o a una cooperativa de servicio sanitario rural.

ARTÍCULO 62.- Si la explotación de aguas subterráneas produce una degradación del acuífero o de una parte de él, al punto que afecte su sustentabilidad, la Dirección General de Aguas, si así lo constata, de oficio o a petición de uno o más afectados, deberá limitar el ejercicio de los derechos de aprovechamiento en la zona degradada, a prorrata de ellos, de conformidad a sus atribuciones legales.

Se entenderá que se afecta la sustentabilidad del acuífero cuando con el volumen de extracción actual se produce un descenso sostenido o abrupto de sus niveles freáticos.

Sin perjuicio de lo dispuesto en el inciso primero, si la explotación de aguas subterráneas por algunos usuarios ocasionare perjuicios a los otros titulares de derechos, la Dirección General de Aguas, de oficio o a petición de parte, podrá establecer la reducción temporal del ejercicio de los derechos de aprovechamiento, a prorrata de ellos, mediante resolución fundada.

Esta medida quedará sin efecto cuando a juicio de dicha Dirección hubieren cesado las causas que la originaron.

ARTÍCULO 63.- La Dirección General de Aguas podrá declarar zonas de prohibición para nuevas explotaciones, mediante resolución fundada en la protección de acuífero, la cual se publicará en el Diario Oficial.

La declaración de una zona de prohibición dará origen a una comunidad de aguas formada por todos los usuarios de aguas subterráneas comprendidos en ella, quienes deberán organizarla de conformidad con lo indicado en el inciso primero del artículo 196, dentro del plazo de un año. Toda vez que dicha comunidad se origina por el solo mérito de la ley, no se podrá promover cuestión sobre su existencia conforme a lo señalado en el artículo 188. Transcurrido este plazo sin que la comunidad de aguas se haya organizado, la Dirección General de Aguas no podrá autorizar cambios de punto de captación en dicha zona respecto de aquellas personas que no se hayan hecho parte en el proceso de organización de la comunidad.

Las zonas que correspondan a acuíferos que alimenten vegas, pajonales y bofedales de las regiones de Arica y Parinacota, de Tarapacá, de Antofagasta, de Atacama y de Coquimbo se entenderán prohibidas para mayores extracciones que las autorizadas, así como para nuevas explotaciones, sin necesidad de declaración expresa.

Lo dispuesto en el inciso anterior también se aplica a aquellas zonas que corresponden a sectores acuíferos que alimentan humedales que hayan sido declarados por el Ministerio del Medio Ambiente como ecosistemas amenazados, ecosistemas degradados, sitios prioritarios o humedales urbanos declarados en virtud de la Ley N° 21.202, en la medida que dicha declaración, en coordinación con la Dirección General de Aguas, contenga entre sus fundamentos los recursos hídricos subterráneos que los soportan. Con posterioridad a esa declaración, la Dirección General de Aguas delimitará el área en la cual se entenderán prohibidas mayores extracciones que las autorizadas, así como nuevas explotaciones.

Ante la solicitud de cambio de punto de captación de los derechos de aprovechamiento que queden comprendidos en la zona de prohibición, la Dirección General de Aguas podrá denegarla o autorizarla, total o parcialmente, si la situación hidrogeológica del acuífero presenta descensos significativos y sostenidos que puedan poner en riesgo su sustentabilidad, implica un grave riesgo de intrusión salina o afecta derechos de terceros. Si el Servicio no contare con toda la información pertinente, podrá requerir al peticionario los estudios o antecedentes necesarios para mejor resolver. La información que respalde dicho cambio de punto de captación tendrá carácter público.

En ningún caso se podrá autorizar el cambio de punto de captación a quien tenga litigios pendientes, en calidad de demandado, relativos a extracción ilegal de aguas en la misma zona de prohibición.

Las resoluciones dictadas con motivo de este artículo se entenderán notificadas desde su publicación en el Diario Oficial, la que se efectuará los días primero o quince de cada mes o el primer día hábil siguiente, si aquellos fueren feriados.

A excepción de lo dispuesto en los incisos tercero y cuarto, la Dirección General de Aguas podrá alzar la prohibición de explotar, de acuerdo con el procedimiento indicado en el artículo siguiente.

ARTÍCULO 64.- La autoridad deberá dictar una nueva resolución sobre la mantención o alzamiento de la prohibición de explotar, a petición justificada de parte, si así lo aconsejan los resultados de nuevas investigaciones respecto de las características del acuífero o la recarga artificial del mismo.

ARTÍCULO 65.- Serán áreas de restricción aquellos sectores hidrogeológicos de aprovechamiento común en los que exista el riesgo de grave disminución de un determinado acuífero o su sustentabilidad, con el consiguiente perjuicio de derechos de terceros ya establecidos en él.

Cuando los antecedentes sobre la explotación del acuífero demuestren la conveniencia de declarar área de restricción de conformidad con lo dispuesto en el inciso anterior, la Dirección General de Aguas deberá así decretarlo. Esta medida también podrá ser declarada a petición de cualquier usuario del respectivo sector, si concurren las circunstancias que lo ameriten.

Será aplicable al área de restricción lo dispuesto en el artículo precedente y la limitación a la autorización de los cambios de punto de captación indicada en el inciso quinto del artículo 63.

La declaración de un área de restricción dará origen a una comunidad de aguas formada por todos los usuarios de aguas subterráneas comprendidas en ella.

Alzada el área de restricción, la Dirección General de Aguas, para la constitución de nuevos derechos sobre las aguas subterráneas, de acuerdo con lo dispuesto en los artículos 5, 5 bis y 6, preferirá al titular del derecho de aprovechamiento constituido provisionalmente, en función del orden de prelación en que se hubieren ingresado las solicitudes que dieron origen a dichos derechos provisionales. Con todo, siempre prevalecerá respecto de cualquier otra preferencia o consideración el uso para el consumo humano, de subsistencia y saneamiento.

ARTÍCULO 66.- Declarada un área de restricción en uno o más sectores del acuífero o en su totalidad, la Dirección General de Aguas no podrá otorgar derechos de aprovechamiento definitivos. De modo excepcional, y previo informe técnico de disponibilidad a nivel de la fuente de abastecimiento, sólo podrá conceder derechos provisionales en la medida que no se afecten derechos preexistentes y/o la sustentabilidad del acuífero o de uno o más sectores de él.

El informe técnico a que refiere el inciso anterior deberá considerar la opinión de las comunidades de agua existentes en la zona.

La Dirección General de Aguas siempre podrá limitar, total o parcialmente, e incluso dejar sin efecto estos derechos. Podrá, a su vez, suspender total o parcialmente su ejercicio, en caso que se constate una afectación temporal a la sustentabilidad del acuífero o perjuicios a los derechos de aprovechamiento ya constituidos, mientras estas situaciones se mantengan.

ARTÍCULO 66 bis.- Sin perjuicio de otros permisos regulados en este Código, previo informe favorable de la Dirección General de Aguas sobre la no afectación a extracciones de agua para consumo humano y aspectos relativos a la calidad de las aguas, cualquier persona podrá ejecutar obras para recargar artificialmente un acuífero.

Se entenderá por recarga natural el flujo o caudal de agua que alimenta un acuífero proveniente de aguas pluviales, corrientes, detenidas o subterráneas, que no sea a consecuencia de la intervención humana.

No requerirá del informe a que se refiere el inciso primero la obra de recarga de aguas lluvias, que para estos efectos se considerará recarga natural.

La recarga artificial de aguas podrá realizarse para distintos fines, tales como resguardar la preservación ecosistémica, incluyendo la mejora o mantención de la sustentabilidad del acuífero; evitar la intrusión salina; aprovechar la capacidad depuradora del subsuelo; infiltrar agua desalinizada o residuos líquidos regulados por la normativa ambiental; o aprovechar la capacidad de almacenamiento y conducción de los acuíferos para posteriormente posibilitar la reutilización de estas aguas.

El titular de un derecho de aprovechamiento que haya efectuado las obras a que se refiere el inciso primero y que desee reutilizar las aguas infiltradas, sea en el mismo u otro punto del acuífero, podrá solicitar a la Dirección General de Aguas que le autorice a ejercer su derecho sobre la mayor parte de las aguas recargadas que, de acuerdo al análisis técnico de los antecedentes presentados, considere las pérdidas propias del proceso, la sustentabilidad del acuífero y los derechos de terceros.

La solicitud a la que se refiere el inciso anterior contendrá las especificaciones técnicas de la obra; la información sobre el sector hidrogeológico del acuífero que permita justificar la cantidad de agua que se pretende extraer; los puntos de recarga y aquellos desde los cuales se pretende extraer las aguas; y un sistema de medición y de transmisión de la información en ambos puntos, la que se tramitará de conformidad a lo dispuesto en el Título I del Libro Segundo.

La Dirección General de Aguas con el propósito de emitir el informe respectivo, deberá oír a las organizaciones de usuarios interesadas.

ARTÍCULO 66 ter.- Si el proyecto de recarga artificial utiliza aguas provenientes desde una fuente ajena a la cuenca o tiene por objeto aumentar la disponibilidad para constituir nuevos derechos, deberá contar con la aprobación de la Dirección General de Aguas. La solicitud deberá tramitarse en los términos que establecen los artículos 130 y siguientes.

ARTÍCULO 66 quáter.- No se podrá operar obra alguna de recarga artificial con perjuicio de terceros. El responsable será obligado a la indemnización de perjuicios.

Las obras urgentes que sea necesario construir o modificar para evitar los daños a que se refiere el inciso anterior serán de cargo de quien se encuentre operando el proyecto de recarga, sin perjuicio de sus acciones para repetir en contra del causante del perjuicio.

ARTÍCULO 67.- Cuando la suma de los derechos de aprovechamiento definitivos y provisionales existentes en un área de restricción comprometa toda la disponibilidad determinada en los respectivos estudios técnicos, dicha área deberá ser declarada como zona de prohibición para nuevas explotaciones, de acuerdo con lo dispuesto en el artículo 63.

En caso que los antecedentes técnicos señalen que el efecto sobre la sustentabilidad no obedece a razones ocasionales, sino que a una situación de carácter permanente, también deberá declararse zona de prohibición.

La Dirección General de Aguas podrá revisar, en cualquier momento, las circunstancias que dieron origen a la declaración de área de restricción; sin embargo, transcurridos cinco años contados desde la citada declaración, será obligatorio para el Servicio reevaluar dichas circunstancias. En caso de comprobar que la disponibilidad está comprometida, de conformidad a lo indicado precedentemente, dicha área se declarará zona de prohibición.

De conformidad con lo dispuesto en el artículo 63, al declarar una zona de prohibición de nuevas explotaciones, la Dirección General de Aguas no podrá constituir nuevos derechos de aprovechamiento, ya sean definitivos o provisionales, y deberá prohibir cualquier nueva explotación de derechos o de aquella parte de ellos que no se hubiesen explotado con anterioridad a dicha declaración. Adicionalmente, el Servicio deberá reevaluar la situación de sustentabilidad del Sector Hidrogeológico de Aprovechamiento Común y, consecuentemente, podrá ejercer las atribuciones descritas en el inciso anterior. Lo dispuesto en este inciso es sin perjuicio de lo señalado en el artículo 62.

Los titulares de los derechos de aprovechamiento concedidos, tanto en zonas declaradas de prohibición como en áreas de restricción, deberán instalar y mantener un sistema de medición de caudales y volúmenes extraídos, de control de niveles freáticos y un sistema de transmisión de la información que se obtenga. Los titulares, por sí o por medio de las Comunidades de Aguas Subterráneas, serán responsables de transmitir la información que se recabe a la Dirección General de Aguas. El Servicio, mediante resolución fundada, determinará los plazos y condiciones para cumplir dicha obligación, y deberá comenzar siempre por aquellos concedidos provisionalmente.

Ante el incumplimiento de estas medidas, la Dirección General de Aguas, mediante resolución fundada, impondrá las sanciones que establecen los artículos 173 y siguientes.

ARTÍCULO 67 bis.- La declaración o el alzamiento de las zonas de restricción y de prohibición, se publicarán en el sitio web institucional y en el Diario Oficial, los días primero o quince de cada mes o el primer día hábil siguiente, si aquéllos fueren feriados.

ARTÍCULO 68.- La Dirección General de Aguas podrá exigir la instalación y mantención de sistemas de medición de caudales, de volúmenes extraídos y de niveles freáticos en las obras, además de un sistema de transmisión de la información que La Dirección General de Aguas podrá exigir la instalación y mantención de sistemas de medición de caudales, de volúmenes extraídos y de niveles estáticos o dinámicos en las obras, además de un sistema de transmisión de la información que se obtenga. En el caso de los derechos de aprovechamiento no consuntivos esta exigencia se aplicará también en la obra de restitución al acuífero. La Dirección General, por resolución fundada, determinará los plazos y las condiciones técnicas para cumplir la obligación dispuesta en este artículo.

Ante el incumplimiento de las medidas a que se refiere el inciso anterior, la Dirección General de Aguas, mediante resolución fundada, impondrá las multas y sanciones que establecen los artículos 173 y siguientes.

TÍTULO VII
DE LAS SERVIDUMBRES E HIPOTECAS

1. De las servidumbres

a) Disposiciones generales

ARTÍCULO 69.- Son aplicables a las servidumbres relacionadas con las aguas de que se ocupa este Código, las disposiciones del Código Civil y leyes especiales, en cuanto no estén modificadas por la presente ley.

ARTÍCULO 70.- Las servidumbres legales no podrán aprovecharse en fines distintos de aquellos para los cuales se han constituido, salvo acuerdo de los interesados.

ARTÍCULO 71.- Si hubiere desacuerdo en cuanto al monto de la indemnización, resolverá el Juez, con informe de peritos, debiendo autorizar la constitución sólo una vez pagada la suma que fije provisionalmente para responder de la indemnización que se determine en definitiva.

ARTÍCULO 72.- Las servidumbres relativas a las aguas que establece el Código de Minería, se constituirán y ejercerán con arreglo a las disposiciones del presente Código.

b) De la servidumbre natural de escurrimiento

ARTÍCULO 73.- El predio inferior está sujeto a recibir las aguas que descienden del predio superior naturalmente, es decir, sin que la mano del hombre contribuya a ello.

No se puede, por consiguiente, dirigir un albañal o acequia sobre un predio vecino, si no se ha constituido esta servidumbre especial.

ARTÍCULO 74.- En el predio sirviente no se puede hacer cosa alguna que estorbe la servidumbre natural, ni en el predio dominante que la agrave.

Con todo, el dueño del predio inferior tiene derecho a hacer dentro de él, pretiles, malecones, paredes u otras obras que, sin impedir el normal descenso de las aguas, sirvan para regularizarlas o aprovecharlas, según el caso.

ARTÍCULO 75.- El derecho que establece el inciso final del artículo anterior se concede también al dueño del predio superior dentro de éste, pero sin hacer más gravosa la servidumbre que deba soportar el predio inferior.

c) De la servidumbre de acueducto

ARTÍCULO 76.- La servidumbre de acueducto es aquella que autoriza a conducir aguas por un predio ajeno a expensas del interesado.

La servidumbre comprende el derecho de construir obras de arte en el cauce y de desagües para que las aguas se descarguen en cauces naturales.

ARTÍCULO 77.- Toda heredad está sujeta a la servidumbre de acueducto en favor de un pueblo, industria, mina u otra heredad que necesite conducir aguas para cualquier fin.

ARTÍCULO 78.- La conducción de las aguas se hará por un acueducto que no permita filtraciones, derrames ni desbordes que perjudiquen a la heredad sirviente; que no deje estancar el agua ni acumular basuras y que tenga los puentes, canoas, sifones y demás obras necesarias para la cómoda y eficaz administración y explotación de las heredades sirvientes.

La obligación de construir las obras se refiere a la época de la constitución de la servidumbre.

ARTÍCULO 79.- La servidumbre comprende el derecho de llevar el acueducto por un rumbo que permita el libre descenso de las aguas y que, por la naturaleza del suelo, no haga excesivamente dispendiosa la obra.

Verificadas estas condiciones, se llevará el cauce por el rumbo que menos perjuicio ocasione al predio o heredad sirviente.

El rumbo más corto se mirará como el menos perjudicial a la heredad sirviente y el menos costoso al interesado, si no se probare lo contrario.

El Juez conciliará, en lo posible, los intereses de las partes y en los puntos dudosos decidirá a favor de las heredades sirvientes.

ARTÍCULO 80.- Los edificios, instalaciones industriales y agropecuarias, estadios, canchas de aterrizaje y las dependencias de cada uno de ellos, no están sujetos a la servidumbre de acueducto.

ARTÍCULO 81.- El trazado y construcción del acueducto en los caminos públicos se sujetarán a la ley respectiva.

ARTÍCULO 82.- El dueño del predio sirviente tendrá derecho a que se le pague, por concepto de indemnización, el precio de todo el terreno que fuere ocupado y las mejoras afectadas por la construcción del acueducto; el de un espacio a cada uno de los costados, que no será inferior al cincuenta por ciento del ancho del canal, con un mínimo de un metro de anchura en toda la extensión de su curso, y que podrá ser mayor por convenio de las partes o por disposición del Juez, cuando las circunstancias lo exigieren, para contener los escombros provenientes de la construcción del acueducto y de sus limpias posteriores y un diez por ciento adicional sobre la suma total. Dicho espacio, en caso de canales que se desarrollen por faldeos pronunciados, se extenderá en su ancho total por el lado del valle.

Tendrá, además, derecho a que se le indemnice de todo perjuicio ocasionado por la construcción del acueducto y por sus filtraciones, derrames y desbordes que puedan imputarse a defectos de construcción o mal manejo del mismo.

ARTÍCULO 83.- El dueño del acueducto podrá impedir toda plantación u obra nueva en el espacio lateral a que se refiere el artículo anterior. Podrá además, reforzar los bordes del canal sin perjudicar el predio sirviente.

ARTÍCULO 84.- El que tiene a beneficio suyo un acueducto en su heredad, puede oponerse a que se construya otro en ella, ofreciendo paso por el suyo a las aguas que otra persona quiera conducir, con tal que de ello no se siga perjuicio notable al que quiera abrir el nuevo acueducto.

En las mismas condiciones podrá oponerse a la constitución de una nueva servidumbre de acueducto cuando su predio esté gravado con otra que haga innecesaria la construcción de un nuevo acueducto.

Con todo, si con motivo de la utilización de los canales existentes a que se alude en los incisos anteriores debieren efectuarse ensanches, ampliaciones o modificaciones en el cauce, se procederá en la forma señalada en el artículo siguiente.

ARTÍCULO 85.- El que tuviere un derecho de aprovechamiento en un cauce natural de uso público podrá utilizar la bocatoma de un canal existente, que se derive del mismo cauce, para captar sus aguas.

Podrá además, utilizar el canal en la extensión indispensable para conducir las aguas hasta el punto en que pueda derivarlas independientemente hacia el lugar de aprovechamiento.

Si el canal y sus obras complementarias tuvieran capacidad suficiente para conducir las nuevas aguas, el interesado deberá pagar, en todo caso, al propietario del acueducto una indemnización equivalente al valor de los terrenos ocupados por él y de las obras existentes en la parte que efectivamente utilice a prorrata de su derecho.

En caso que para el ejercicio de un derecho de aprovechamiento no consuntivo fuere innecesario introducir más aguas al canal, porque se usa parte o el total de las que por él escurren, la indemnización se determinará de común acuerdo entre las partes o a falta de éste, por el Juez.

El interesado, en caso necesario, ensanchará el acueducto a su costa y pagará, a quien corresponda, el valor del nuevo terreno y el del espacio lateral ocupado por el ensanche.

Si se tratare de una bocatoma, serán de su exclusivo cargo todas las obras de reforma o de cualquier otra naturaleza, necesarias para extraer el nuevo volumen de agua.

Todo otro perjuicio será también de cargo del interesado, quien, además, deberá concurrir a los gastos de mantención y operación de las obras en la forma prevista en el artículo 91.

ARTÍCULO 86.- El que tiene un acueducto en heredad ajena, podrá introducir mayor volumen de agua en él, siempre que no afecte la seguridad del cauce y deberá indemnizar todo perjuicio al propietario de la heredad sirviente. Si para ello fuere necesaria la construcción de nuevas obras o la modificación de las existentes, se observará respecto a ellas lo dispuesto en el artículo 82.

ARTÍCULO 87.- La servidumbre de acueducto se ejercerá, por regla general, en cauce a tajo abierto.

El acueducto será protegido, cubierto o abovedado cuando atraviese áreas pobladas y pudiere causar daños o cuando las aguas que conduzca produjeren emanaciones molestas o nocivas para sus habitantes.

Asimismo, se deberán instalar las protecciones que el dueño del predio sirviente, con expresión de causa, requiera. La obligación de abovedar el cauce, instalar protecciones u obras destinadas a evitar daños o molestias, no será de cargo de su dueño, cuando esta necesidad se origine después de la construcción de aquél, sin perjuicio de que contribuya a los gastos de las obras, en la medida que éstas le reporten beneficios.

Las dificultades que se produzcan con motivo de la aplicación de lo dispuesto en los incisos anteriores, serán resueltas por la Justicia Ordinaria.

ARTÍCULO 88.- Cuando una heredad se divide por partición, venta, permuta o por cualquiera otra causa entre dos o más personas y se dividen también los derechos de aprovechamiento que la benefician, las hijuelas superiores quedarán gravadas con servidumbre de acueducto en beneficio de las inferiores, sin indemnización alguna, salvo estipulación en contrario y todo sin perjuicio de lo dispuesto en el artículo 881 del Código Civil.

ARTÍCULO 89.- El que tiene constituida a su favor una servidumbre de acueducto, podrá hacer a su costa las variantes de trazado necesarias para un mejor y más económico aprovechamiento de las aguas, sin perjuicio de las indemnizaciones que correspondan.

Igualmente, el dueño del predio sirviente podrá efectuar a su costa, dentro de su heredad, las variantes que hagan menos oneroso el ejercicio de la servidumbre, sin perjudicar el acueducto.

El Juez conciliará en lo posible los intereses de las partes, y, en los puntos dudosos, decidirá a favor de las heredades sirvientes.

ARTÍCULO 90.- El dueño del predio sirviente está obligado a permitir la entrada de trabajadores y el transporte de materiales para la limpia y reparación del acueducto, con tal que se dé aviso al encargado de dicho predio.

Está obligado, asimismo, a permitir, con este aviso, la entrada de un inspector o cuidador del canal, quien podrá circular por las orillas del acueducto e ingresar por las puertas que instalará el dueño del canal para este efecto.

El inspector o cuidador podrá solicitar directamente a la autoridad el auxilio de la fuerza pública para ejercitar este derecho, exhibiendo el título de su nombramiento.

ARTÍCULO 91.- El o los dueños del acueducto deben mantenerlo en perfecto estado de funcionamiento, de manera de evitar daños o perjuicios a las personas o bienes de terceros. En consecuencia, deberán efectuar las limpias y reparaciones que corresponda.

El incumplimiento de estas obligaciones hará responsables al o a los dueños del acueducto del pago de las indemnizaciones que procedan, sin perjuicio del pago de la multa que fije el tribunal competente.

ARTÍCULO 92.- Prohíbese botar a los canales substancias, basuras, desperdicios y otros objetos similares, que alteren la calidad de las aguas.

Será responsabilidad de las Municipalidades respectivas, establecer las sanciones a las infracciones de este artículo y obtener su aplicación.

Además, dentro del territorio urbano de la comuna las Municipalidades deberán concurrir a la limpieza de los canales obstruidos por basuras, desperdicios u otros objetos botados en ellos.

La organización de usuarios observará el cumplimiento de la prohibición establecida en el inciso primero de este artículo e informará a la municipalidad correspondiente las infracciones de las que tome conocimiento. Del mismo modo, la organización de usuarios respectiva notificará a la municipalidad, con copia a la Dirección General de Aguas para el cumplimiento de sus funciones, de la obstrucción de canales en los casos a que se refiere el inciso tercero, señalando, al menos, el lugar en que ocurre dicha obstrucción y, de conocerse, los responsables de los hechos.

Estas presentaciones se tramitarán por el municipio de conformidad con lo indicado en el artículo 98 de la ley orgánica constitucional de Municipalidades, y su omisión podrá ser reclamable de conformidad a los artículos 151 y siguientes del referido texto legal.

ARTÍCULO 93.- Abandonado un acueducto, vuelve el terreno al goce y uso exclusivo del dueño de la heredad sirviente, que no deberá restitución alguna. Se presumirá el abandono cuando no se usare o mantuviere por cinco años consecutivos, habiendo agua disponible para su conducción por el acueducto.

d) De las servidumbres de derrames y de drenaje

ARTÍCULO 94.- Las reglas establecidas en los artículos anteriores para la servidumbre de acueducto se extienden a los cauces que se construyan para dar salida o dirección a las aguas sobrantes y derrames de predios y minas, y para desecar pantanos, bajos, vegas y filtraciones naturales, por medio de zanjas o canales de desagüe.

ARTÍCULO 95.- Las mismas reglas se aplicarán a las aguas provenientes de las lluvias o filtraciones que se recojan en los fosos de los caminos para darles salida a cauces vecinos. Para este fin, los predios intermedios quedan sujetos a servidumbre.

e) De otras servidumbres necesarias para ejercer
el derecho de aprovechamiento

ARTÍCULO 96.- El titular de los derechos de aprovechamiento que no sea dueño de las riberas, terrenos o cauces en que deba usar, extraer, descargar o dividir las aguas, podrá construir en el predio sirviente las obras necesarias para el ejercicio de su derecho, tales como presas, bocatomas, descargas, estribos, centrales hidroeléctricas, casas de máquinas u otras, pagando al dueño del predio, embalse u otra obra, el valor del terreno que ocupare por las obras, más las indemnizaciones que procedan, en la forma establecida en los artículos 71 y 82.

ARTÍCULO 97.- El ejercicio de las servidumbres que está facultado a imponer el titular de un derecho de aprovechamiento no consuntivo, se sujetará, además de las que corresponda según la clase de servidumbre, a las reglas siguientes:

1. Cuando su ejercicio pueda producir perturbaciones en el libre escurrimiento de las aguas, deberá mantenerse un cauce alternativo que lo asegure y colocarán y mantendrán corrientes para su adecuado manejo a las compuertas que requiera el desvío de las aguas, según fueren las necesidades del predio sirviente y el funcionamiento de las instalaciones para el uso no consuntivo;

2. La construcción y conservación de puentes, canoas, sifones y demás obras y las limpias del acueducto, serán de cuenta del titular del derecho de aprovechamiento no consuntivo, en la sección del cauce comprendida entre el punto en que el agua se toma y aquel en que se restituye, cuando sea necesario construir un cauce de desvío;

3. Sin permiso de los titulares de derechos de aprovechamiento consuntivo no podrá detenerse el curso de las aguas;

4. Deberá evitarse, en todo caso, los golpes y mermas de agua, y

5. El titular de los derechos no consuntivos, no podrá impedir que el titular del consuntivo varíe el rumbo de un acueducto o cierre la bocatoma en épocas de limpia y cuando los trabajos en el canal lo hagan necesario.

ARTÍCULO 98.- Se aplicarán a estas servidumbres las disposiciones referentes a las servidumbres de acueducto, en lo que fueren pertinentes.

Los cauces de descarga o aliviaderos seguirán la suerte del cauce principal.

f) De la servidumbre de abrevadero

ARTÍCULO 99.- Todo pueblo, caserío o predio que carezca del agua necesaria para la bebida de sus animales, tendrá derecho a imponer servidumbre de abrevadero.

Esta servidumbre consiste en el derecho de conducir el ganado a beber dentro del predio sirviente en días, horas y puntos determinados, por los caminos y sendas usuales.

Con todo, el dueño del predio sirviente podrá enajenar los derechos de aprovechamiento o variar el rumbo del acueducto.

ARTÍCULO 100.- No podrá imponerse esta servidumbre sobre pozos ordinarios o artesianos, ni en aljibes que se encuentren en terrenos cercados.

ARTÍCULO 101.- La servidumbre de abrevadero grava también el predio superficial y los inmediatos a una mina, en beneficio de las personas y de los animales empleados en el laboreo de ésta.

ARTÍCULO 102.- El dueño del predio sirviente podrá variar la dirección del camino o senda destinada al uso de esta servidumbre, si con ello no impidiere su ejercicio.

g) De la servidumbre de camino de sirga

ARTÍCULO 103.- Los dueños de las riberas serán obligados a dejar el espacio necesario para la navegación o flote a la sirga.

ARTÍCULO 104.- El Director General de Aguas clasificará los ríos navegables y flotables, y determinará al mismo tiempo la margen y el ancho de ellos por donde haya de llevarse el camino de sirga.

Sólo en estos ríos podrá imponerse la servidumbre de que trata este párrafo.

Si el camino abarcare más de la zona señalada, se abonará a los dueños de los predios sirvientes el valor del terreno que se ocupe.

ARTÍCULO 105.- Cuando un río navegable o flotable deje de serlo permanentemente, cesará también la servidumbre del camino de sirga, sin que los dueños de los predios tengan que devolver las indemnizaciones recibidas.

ARTÍCULO 106.- La servidumbre de camino de sirga es exclusiva para las necesidades de la navegación o flotación. No podrá emplearse en otros usos.

h) De la servidumbre para investigar

ARTÍCULO 107.- Los interesados en desarrollar las mediciones e investigaciones de los recursos hidrológicos o hidrogeológicos, y los que deseen efectuar los estudios de terreno a que se refiere el artículo 151 podrán ingresar a terrenos de propiedad particular, previa constitución de las servidumbres correspondientes.

i) De las servidumbres voluntarias

ARTÍCULO 108.- Las servidumbres voluntarias sobre aguas se regirán por las disposiciones del párrafo 3º del Título XI del Libro II del Código Civil.

j) De la extinción de las servidumbres

ARTÍCULO 109.- Las servidumbres a que se refiere este código se extinguen:

1. Por la nulidad o resolución del derecho del que las ha constituido;

2. Por la llegada del día o de la condición, si se ha establecido de uno de estos modos;

3. Por la confusión, en los términos del número 3º del inciso primero del artículo 885 del Código Civil;

4. Por la renuncia del dueño del predio dominante;

5. Por haberse dejado de gozar durante 5 años. En las servidumbres discontinuas corre el tiempo desde que han dejado de gozarse; en las continuas, desde que se haya ejecutado un acto contrario a la servidumbre y siempre que éste impida absolutamente el uso, y

6. Por el cambio del destino de las aguas o del rumbo del acueducto tratándose de la servidumbre del abrevadero.

2. De la hipoteca del derecho de aprovechamiento

ARTÍCULO 110.- Los derechos de aprovechamiento inscritos pueden ser hipotecados independientemente del inmueble al cual su propietario los tuviere destinados. Los no inscritos sólo podrán hipotecarse conjuntamente con dicho inmueble.

ARTÍCULO 111.- La hipoteca de los derechos de aprovechamiento inscritos deberá otorgarse por escritura pública e inscribirse en el Registro de Hipotecas y Gravámenes de Aguas del Conservador de Bienes Raíces respectivo.

TÍTULO VIII
DEL REGISTRO DE AGUAS, DE LA INSCRIPCIÓN DE LOS DERECHOS DE APROVECHAMIENTO Y DEL INVENTARIO DEL RECURSO

ARTÍCULO 112.- Los Conservadores de Bienes Raíces llevarán un Registro de Aguas, en el cual deberán inscribir los títulos a que se refieren los artículos siguientes.

Los deberes y funciones del Conservador, en lo que se refiere al mencionado Registro, los libros que éste deberá llevar y la forma y solemnidad de las inscripciones, se regularán por las disposiciones de este Título, del párrafo 2º del Título precedente y, en lo no previsto, por las normas contenidas en el Código Orgánico de Tribunales y en el Reglamento del Registro Conservatorio de Bienes Raíces.

ARTÍCULO 113.- Se perfeccionarán por escritura pública los actos y contratos traslaticios de dominio de derechos de aprovechamiento, como también la constitución de derechos reales sobre ellos y los actos y contratos traslaticios de los mismos.

ARTÍCULO 114.- Deberán inscribirse en el Registro de Propiedad de Aguas del Conservador de Bienes Raíces:

1. Los instrumentos públicos que contengan el acto formal del otorgamiento definitivo de un derecho de aprovechamiento, así como las que contengan la renuncia a tales derechos;

2. Los actos y contratos que constituyan títulos traslaticios de dominio de los derechos de aprovechamiento a que se refieren los números anteriores;

3. Los actos, resoluciones e instrumentos señalados en el artículo 688 del Código Civil en el caso de transmisión por causa de muerte de los derechos de aprovechamiento;

4. Las resoluciones judiciales ejecutoriadas que reconozcan la existencia de un derecho de aprovechamiento.

ARTÍCULO 115.- Derogado.

ARTÍCULO 115 bis.- Deberán inscribirse en los Registros de Hipotecas y Gravámenes y de Interdicciones y Prohibiciones de Enajenar relativos a las aguas, las condiciones suspensivas o resolutorias del dominio de los derechos de aprovechamiento o de otros derechos reales constituidos sobre ellos, así como todo impedimento o prohibición referente a derechos de aprovechamiento, sea convencional, legal o judicial que embarace o limite, de cualquier modo, el libre ejercicio de la facultad de enajenarlos.

ARTÍCULO 116.- Podrán inscribirse en los Registros de Hipotecas y Gravámenes y de Interdicciones y Prohibiciones de Enajenar, relativos a las aguas, según el caso:

1. La constitución y tradición de los derechos reales sobre derechos de aprovechamiento;

2. Derogado.

3. El arrendamiento, en el caso del artículo 1962 del Código Civil y cualquier otro acto o contrato cuya inscripción sea permitida por la ley, y

4. Derogado.

ARTÍCULO 117.- La tradición de los derechos de aprovechamiento se efectuará por la inscripción del título en el Registro de Propiedad de Aguas del Conservador de Bienes Raíces.

La constitución y la tradición de los derechos reales constituidos sobre ellos, se efectuará por la inscripción de su título en el Registro de Hipotecas y Gravámenes de Aguas del Conservador de Bienes Raíces respectivo.

ARTÍCULO 118.- Las inscripciones se practicarán en el Conservador de Bienes Raíces que tenga competencia en la comuna en que se encuentre ubicada la bocatoma del canal matriz en el cauce natural.

Tratándose de derechos de aprovechamiento que recaigan sobre aguas embalsadas o aguas subterráneas, las inscripciones deberán hacerse en el Conservador de Bienes Raíces que tenga competencia en la comuna donde se encuentre ubicado el embalse o el pozo respectivo, pero si el embalse cubriere territorios de dos o más comunas, se inscribirán en aquélla donde se encuentre ubicada la obra de entrega.

Sin perjuicio de las inscripciones que procedan, los Conservadores deberán anotar, al margen de las inscripciones relativas a las organizaciones de usuarios o de las comunidades de aguas, las mutaciones de dominio que se efectúen y que se refieran a ellas.

ARTÍCULO 119.- Las inscripciones originarias y las transferencias contendrán los siguientes datos:

1. El nombre del titular del derecho de aprovechamiento;

2. La individualización del canal por donde se extraen las aguas de la corriente natural y la ubicación de su bocatoma o la individualización de la captación de aguas subterráneas y la ubicación de su dispositivo expre-

sados en coordenadas UTM con indicación del datum y huso, y complementariamente, en los casos que fuere posible, una relación de los puntos de referencia permanentes y conocidos;

3. La individualización de la fuente de la que proceden las aguas;

4. Las indicaciones referentes a los títulos de la comunidad u organización de usuarios a que estén sometidos los derechos de agua;

5. La forma en que estos derechos se dividen entre los usuarios de la obra, si fueren varios. Si el titular de la inscripción fuere uno, deberá indicarse la cuota que le corresponde en la fuente, y

6. Las características del derecho de aprovechamiento y demás especificaciones contenidas en el artículo 149, en la medida que el título las contenga.

ARTÍCULO 120.- La Dirección General de Aguas, sin perjuicio de la facultad de los interesados para ello, podrá requerir de los Conservadores de Bienes Raíces la anotación de los derechos que correspondan a los respectivos canales, de conformidad a lo dispuesto en el artículo 114 y de las sentencias ejecutoriadas que alteren la distribución de las aguas en los cauces naturales al margen de las respectivas inscripciones de los derechos de aprovechamiento de aguas afectados.

ARTÍCULO 121.- A los derechos de aprovechamiento inscritos en los Registros de Aguas de los Conservadores de Bienes Raíces, se les aplicarán todas las disposiciones que rijan la propiedad raíz inscrita, en cuanto no hayan sido modificadas por el presente Código.

ARTÍCULO 122.- La Dirección General de Aguas deberá llevar un Catastro Público de Aguas, en el que constará toda la información que tenga relación con ellas.

En dicho catastro, que estará constituido por los archivos, registros e inventarios que el reglamento establezca, el que deberá ser suscrito, además, por el Ministro de Justicia y Derechos Humanos, se consignarán todos los datos, actos y antecedentes que digan relación con el recurso, con las obras de desarrollo del mismo, con los derechos de aprovechamiento, con los derechos reales constituidos sobre éstos y con las obras construidas o que se construyan para ejercerlos.

En especial, en el Catastro Público de Aguas existirá un Registro Público de Derechos de Aprovechamiento de Aguas, el cual deberá ser mantenido al día, en el sitio web institucional, utilizando entre otras fuentes, la información que emane de escrituras públicas y de inscripciones que se practiquen en los Registros de los Conservadores de Bienes Raíces.

Para los efectos señalados en el inciso anterior, los conservadores de bienes raíces deberán enviar a la Dirección General de Aguas, dentro de los treinta días siguientes a la fecha del acto que se realice ante ellos y en la forma que determine el reglamento del Catastro Público de Aguas del Ministerio de Obras Públicas, la información de las inscripciones relativas a los derechos de aprovechamiento de aguas y sus antecedentes. El incumplimiento de esta obligación por parte de los conservadores será sancionado según lo previsto en el artículo 440 del Código Orgánico de Tribunales.

Sin perjuicio de lo señalado en este artículo y de lo establecido en el artículo 150 inciso segundo, los titulares de derechos de aprovechamiento de aguas, cualquiera sea el origen de éstos, deberán inscribirlos en el Registro Público de Derechos de Aprovechamiento de Aguas, bajo el apercibimiento de sanción establecida en los artículos 173 y siguientes. Con relación a los derechos de aprovechamiento que no se encuentren inscritos en el Registro Público de Derechos de Aprovechamiento de Aguas, no se podrá realizar respecto de ellos acto alguno ante la Dirección de Aguas ni la Superintendencia de Servicios Sanitarios. Los titulares de derechos de aprovechamiento de aguas, cuyos derechos reales se encuentren en trámite de inscripción en el Registro Público de Derechos de Aprovechamiento de Aguas, podrán participar en los concursos públicos a que llame la Comisión Nacional de Riego de acuerdo con la Ley N° 18.450, que aprobó normas para el fomento de la inversión privada en obras de riego y drenaje, pero la orden de pago del Certificado de Bonificación al Riego y Drenaje, sólo podrá cursarse cuando el beneficiario haya acreditado con la exhibición de copia autorizada del registro ya indicado, que sus derechos se encuentran inscritos.

La Dirección General de Aguas deberá publicar en el sitio web institucional la información contenida en el Catastro Público de Aguas y la actualizará periódicamente.

Los Registros que la Dirección General de Aguas debe, llevar en virtud de lo dispuesto en el presente artículo, no reemplazarán en caso alguno los Registros que los Conservadores de Bienes Raíces llevan en virtud de lo dispuesto en los artículos 112, 114 y 116 de este Código. Asimismo, los Registros que aquel servicio lleva, en caso alguno acreditarán posesión inscrita ni dominio sobre los derechos de aprovechamiento de aguas o de los derechos reales constituidos sobre ellos.

ARTÍCULO 122 bis.- Las organizaciones de usuarios deberán remitir a la Dirección General de Aguas una vez al año, antes del 31 de diciembre, la información actualizada que conste en el Registro a que se refiere el artículo 205, que diga relación con los usuarios, especialmente aquella referida a las mutaciones en el dominio de los derechos de aprovechamiento a que se refiere el inciso cuarto del artículo 122 y la incorporación de nuevos derechos a las mismas. La información requerida deberá enviarse en la forma que determine el reglamento previsto en el artículo anterior.

La Dirección General de Aguas, mientras no se dé cumplimiento a lo señalado en el inciso anterior, no recepcionará solicitud alguna referida a registros de modificaciones estatutarias o cualquier otra relativa a derechos de aprovechamiento, respecto de las organizaciones de usuarios que no cumplan con la obligación establecida en el inciso precedente.

Asimismo, el incumplimiento de la obligación establecida en el inciso primero del presente artículo, será sancionado, de oficio o a petición de cualquier interesado, con la multa a que se refieren los artículos 173 y siguientes.

TÍTULO IX
DE LAS ACCIONES POSESORIAS SOBRE AGUAS Y DE LA EXTINCIÓN DEL DERECHO DE APROVECHAMIENTO

ARTÍCULO 123.- Si se hicieren estacadas, paredes u otras labores que tuerzan la dirección de las aguas corrientes, de manera que se derramen sobre el suelo ajeno, o estancándose lo humedezcan o priven de su beneficio a los predios que tienen derecho a aprovecharse de ellas, mandará el Juez, a petición de los interesados, que tales obras se deshagan o modifiquen y se resarzan los perjuicios.

ARTÍCULO 124.- Lo dispuesto en el artículo precedente se aplica no sólo a las obras nuevas, sino a las ya hechas, mientras no haya transcurrido tiempo bastante para constituir un derecho de servidumbre.

Sin embargo, ninguna prescripción se admitirá a favor de las obras que corrompan el aire y lo hagan conocidamente dañoso.

ARTÍCULO 125.- El que hace obras para impedir la entrada de aguas que no está obligado a recibir, no es responsable de los daños que, atajadas de esa manera y sin intención de ocasionarlos, puedan causar en las tierras o edificios ajenos.

ARTÍCULO 126.- Si corriendo el agua por una heredad se estancare o torciere su curso, embarazada por el cieno, piedras, palos u otras materias que acarrea y deposita, los dueños de las heredades en que esta alteración del curso del agua cause perjuicio, tendrán derecho para obligar al dueño de la heredad en que ha sobrevenido el embarazo, a removerlo o les permita a ellos hacerlo, de manera que se restituyan las cosas al estado anterior.

El costo de la limpia o desembarazo se repartirá entre los dueños de todos los predios a prorrata del beneficio que reporten del agua.

ARTÍCULO 127.- Siempre que las aguas de que se sirve un predio, por negligencia del dueño en darles salida sin daño de sus vecinos, se derramen sobre otro predio, el dueño de éste tendrá derecho para que se le resarza el perjuicio sufrido y para que en el caso de reincidencia se le pague el doble de lo que el perjuicio importare.

ARTÍCULO 128.- En lo demás regirán para las acciones posesorias sobre aguas las disposiciones contenidas en los Títulos XIII y XIV del Libro II del Código Civil.

ARTÍCULO 129.- Los derechos de aprovechamiento se extinguen por la renuncia señalada en el inciso final del artículo 6º y, además, por las causas y en las formas establecidas en el derecho común.

TÍTULO X
DE LA PROTECCIÓN DE LAS AGUAS Y CAUCES

ARTÍCULO 129 bis.- Si de la ejecución de obras de recuperación de terrenos húmedos o pantanosos resultara perjuicio a terceros, las aguas provenientes de tales obras deberán ser vertidas al cauce natural más próximo. De no ser posible lo anterior, ellas serán vertidas a cauces artificiales, con autorización de sus propietarios, o a otros cauces naturales. En este último caso, deberá obtenerse autorización de la Dirección General de Aguas en conformidad al Párrafo 1º del Título I del Libro II de este Código.

ARTÍCULO 129 bis 1.- Respecto de los derechos de aprovechamiento de aguas por otorgar, la Dirección General de Aguas velará por la preservación de la naturaleza y la protección del medio ambiente. Para ello establecerá un caudal ecológico mínimo, para lo cual deberá considerar también las condiciones naturales pertinentes para cada fuente superficial.

Un reglamento, que deberá llevar la firma de los ministros del Medio Ambiente y de Obras Públicas, determinará los criterios en virtud de los cuales se establecerá el caudal ecológico mínimo. El caudal ecológico mínimo no podrá ser superior al 20 por ciento del caudal medio anual de la respectiva fuente superficial.

En casos calificados, y previo informe favorable del Ministerio del Medio Ambiente, el Presidente de la República podrá fijar caudales ecológicos mínimos diferentes, mediante decreto fundado, sin atenerse a la limitación establecida en el inciso anterior. El caudal ecológico que se fije en virtud de lo dispuesto en el presente inciso no podrá ser superior al 40 por ciento del caudal medio anual de la respectiva fuente superficial.

La Dirección General de Aguas podrá establecer un caudal ecológico mínimo respecto de aquellos derechos existentes en las áreas declaradas bajo protección oficial de la biodiversidad, como los parques nacionales, reservas nacionales, reservas de región virgen, monumentos naturales, santuarios de la naturaleza, los humedales de importancia internacional y los sitios prioritarios de primera prioridad.

Sin perjuicio de lo dispuesto en los incisos anteriores, la Dirección General de Aguas siempre podrá establecer, en el nuevo punto de extracción, un caudal ecológico mínimo en la resolución que autorice el traslado del ejercicio del derecho de aprovechamiento de aguas superficiales. Podrá, a su vez, en su calidad de organismo sectorial con competencia ambiental y en el marco de la evaluación ambiental de un proyecto, proponer un caudal ecológico mínimo o uno superior al mínimo establecido en el momento de la constitución del o los derechos de aprovechamiento de aguas superficiales en aquellos casos en que éstos se aprovechen en las obras a que se refieren los literales a), b) y c) del artículo 294. Con todo, la resolución de calificación ambiental no podrá establecer un caudal ambiental inferior al caudal ecológico mínimo definido por la Dirección General de Aguas.

ARTÍCULO 129 bis 1 A.- Al solicitarse un derecho de aprovechamiento de aguas o mientras se tramita dicha solicitud, el titular podrá declarar que las aguas serán aprovechadas en su propia fuente sin requerirse su extracción, ya sea para fines de conservación ambiental, o para el desarrollo de un proyecto de turismo sustentable, recreacional o deportivo.

Sin perjuicio de lo señalado en el inciso tercero del artículo 129 bis 2, podrán concederse derechos de aprovechamiento in situ o no extractivos fuera de aquellas áreas que se encuentren declaradas bajo protección oficial para la protección de biodiversidad, ya sea porque la Dirección General de Aguas acredita que la no extracción de estas aguas benefician a dichas áreas de protección oficial o porque el Ministerio del Medio Ambiente ha declarado zona protegida el área donde se concede el derecho de aprovechamiento. El titular no podrá solicitar que se modifique esta modalidad no extractiva de este derecho de aprovechamiento, salvo que el Ministerio del Medio Ambiente declare que el área donde se concedió ha dejado de ser protegida y la Dirección General de Aguas así lo autorice.

Igualmente se podrá solicitar a esa Dirección un derecho de aprovechamiento in situ o no extractivo para el desarrollo de un proyecto de turismo sustentable, recreacional o deportivo, lo cual deberá haberse declarado de ese modo en la memoria explicativa de que da cuenta el numeral 7 del artículo 140, o por acto posterior acompañando dicha memoria actualizada. La solicitud deberá cumplir con lo dispuesto en el reglamento dictado al efecto, el que establecerá las condiciones que debe contener la solicitud cuya finalidad sea el desarrollo de los proyectos descritos y que impliquen no extraer las aguas, la justificación del caudal requerido, los puntos de la fuente natural donde se realizará el aprovechamiento y los plazos para desarrollar la iniciativa. El titular no podrá solicitar que se modifique esta modalidad no extractiva de este derecho de aprovechamiento, salvo que no habiendo desarrollado el proyecto en cuestión, acredite el pago de una multa a beneficio fiscal ante la Tesorería General de la República, en un monto equivalente a la suma de las patentes por no uso expresadas en unidades tributarias mensuales, que hubiese debido pagar desde la fecha de afectación del derecho para estos fines, debidamente capitalizada según la tasa de interés máximo convencional aplicable a operaciones reajustables en moneda nacional. Lo anterior, con un recargo del 5 por ciento.

Respecto de los derechos existentes, para acogerse al beneficio establecido en el artículo 129 bis 9 por el cambio de la modalidad de aprovechamiento preexistente a una de carácter no extractiva, como las mencionadas en el inciso primero; su titular deberá obtener la autorización de la Dirección General de Aguas. El Reglamento señalado en el inciso precedente regulará también el procedimiento para el caso de la solicitud de modificación del modo de aprovechamiento al que se refiere este artículo.

Los derechos que se constituyan en función de lo dispuesto en el presente artículo, así como los que se acojan al cambio de modalidad de aprovechamiento, deberán dejar expresa constancia de ello en el correspondiente título que se inscribirá en el Registro del Conservador de Bienes Raíces y en el Catastro Público de Aguas.

ARTÍCULO 129 bis 2.- La Dirección General de Aguas podrá ordenar la inmediata paralización de las obras o labores que se ejecuten en los cauces naturales de aguas corrientes o detenidas que afectaren la cantidad o la calidad de éstas o que no cuenten con la autorización competente y que pudieran ocasionar perjuicios a terceros, para lo cual podrá requerir el auxilio de la fuerza pública en los términos establecidos en el artículo 138 de este Código, previa autorización del juez de letras competente en el lugar en que se realicen dichas obras. Estas resoluciones se publicarán en el sitio web institucional.

Asimismo, en las autorizaciones que otorgue la Dirección General de Aguas referidas a modificaciones o a nuevas obras en cauces naturales que signifiquen una disminución en la recarga natural de los acuíferos, dispondrá las medidas mitigatorias apropiadas. De no cumplirse dichas medidas, el Servicio aplicará las sanciones correspondientes, pudiendo ejercer las atribuciones dispuestas en el artículo 172 de este Código.

Sin perjuicio de lo establecido en los artículos anteriores, no podrán otorgarse derechos de aprovechamiento en las áreas declaradas bajo protección oficial para la protección de la biodiversidad, como los parques nacionales, reserva nacional, reserva de regiones vírgenes, monumento natural, santuario de la naturaleza, los humedales de importancia internacional y aquellas zonas contempladas en los artículos 58 y 63, a menos que se trate de actividades compatibles con los fines de conservación del área o sitios referidos, lo que deberá ser acreditado mediante informe del Ministerio del Medio Ambiente.

Los derechos de aprovechamiento ya existentes en las áreas indicadas en el inciso anterior sólo podrán ejercerse en la medida que ello sea compatible con la actividad y fines de conservación de éstas. La contravención a lo dispuesto en este inciso se sancionará de conformidad con lo establecido en el artículo 173.

Sin perjuicio de lo señalado en los incisos anteriores, y en caso de que exista actividad turística en alguno de los lugares descritos en este artículo, podrán constituirse derechos de aprovechamiento a favor de la Corporación Nacional Forestal para que ésta haga uso de ellos en la respectiva área protegida.

ARTÍCULO 129 bis 3.- La Dirección General de Aguas deberá establecer y mantener una red de estaciones de control de calidad, cantidad y niveles de las aguas tanto superficiales como subterráneas y de los glaciares y nieves en cada cuenca u hoya hidrográfica. La información que se obtenga deberá ser pública y actualizada, sin perjuicio de su publicación en la página web de la Dirección.

Para los efectos de esta ley, se entenderá por calidad, al menos, los parámetros físicos y químicos del recurso hídrico.

TÍTULO XI
DEL PAGO DE UNA PATENTE POR LA NO UTILIZACIÓN DE LAS AGUAS

ARTÍCULO 129 bis 4.- Los derechos de aprovechamiento no consuntivos de ejercicio permanente respecto de los cuales su titular no haya construido las obras señaladas en el inciso primero del artículo 129 bis 9, estarán afectos, en la proporción no utilizada de sus respectivos caudales, al pago de una patente anual a beneficio fiscal.

1.- 1.- La patente se regirá por las siguientes reglas:

a) En los primeros cinco años contados desde la fecha en que se constituya, reconozca o autorice el derecho de aprovechamiento de aguas, la patente será equivalente, en unidades tributarias mensuales, al valor que resulte de la siguiente operación aritmética:

Valor anual de la patente en UTM=0.33xQxH.

El factor Q corresponderá al caudal medio no utilizado expresado en metros cúbicos por segundo, y el factor H, al desnivel entre los puntos de captación y de restitución expresado en metros.

b) Entre los años sexto y décimo inclusive, la patente calculada de conformidad con la letra anterior se multiplicará por el factor 2, y

c) Entre los años undécimo y décimo quinto inclusive, la patente calculada de conformidad con la letra a) precedente se multiplicará por el factor 4, y en los quinquenios siguientes su monto se calculará duplicando el factor anterior, y así sucesivamente.

d) El titular de un derecho de aprovechamiento constituido con anterioridad a la publicación de esta ley que no haya construido las obras descritas en el inciso primero del artículo 129 bis 9, habiendo transcurrido diez años contados desde dicha fecha de publicación, quedará afecto a la extinción de su derecho de aprovechamiento en aquella parte no efectivamente utilizada, de conformidad con las disposiciones y las suspensiones señaladas en el artículo 6 bis y sujeto al procedimiento descrito en el artículo 134 bis. Sin perjuicio de los plazos de las suspensiones establecidos en el artículo 6 bis, la contabilización del plazo para abrir el expediente administrativo de extinción del derecho se suspenderá por todo el tiempo que dure la tramitación de los permisos necesarios para construir las obras que deban ser otorgados por la Dirección General de Aguas y/o la Dirección de Obras Hidráulicas, incluyendo los ajustes a que se refiere el inciso tercero del artículo 156. Las solicitudes de traslado del ejercicio del derecho de aprovechamiento y las de cambio de punto de captación de él no quedarán comprendidas en la referida suspensión, salvo que deban presentarse a consecuencia del cumplimiento de un trámite exigido para la recepción de las obras por parte de la Dirección General de Aguas o en otros casos calificados determinados por resolución fundada de esa Dirección, donde se compruebe la diligencia del solicitante.

2.- Para los efectos del cálculo de la patente establecida en el presente artículo, si la captación de las aguas se hubiere solicitado realizar a través de un embalse, el valor del factor H corresponderá, en todo caso, al desnivel entre la altura máxima de inundación y el punto de restitución expresado en metros.

En todos aquellos casos en que el desnivel entre los puntos de captación y restitución resulte inferior a 10 metros, el valor del factor H, para los efectos de esa operación, será igual a 10.

Para los efectos de la contabilización de los plazos de no utilización de las aguas, éstos comenzarán a regir a contar del 1 de enero del año siguiente al de la fecha de publicación de la Ley N° 20.017, salvo que se trate de derechos de aprovechamientos que se constituyan, autoricen o reconozcan con posterioridad a esa fecha.

ARTÍCULO 129 bis 5.- Los derechos de aprovechamiento consuntivos de ejercicio permanente, respecto de los cuales su titular no haya construido las obras señaladas en el inciso primero del artículo 129 bis 9, estarán afectos, en la proporción no utilizada de sus respectivos caudales medios, al pago de una patente anual a beneficio fiscal.

La patente a que se refiere este artículo se regirá por las siguientes normas:

a) En los primeros cinco años, los derechos de ejercicio permanente pagarán una patente anual cuyo monto será equivalente a 1,6 unidades tributarias mensuales por cada litro por segundo

b) Entre los años sexto y décimo inclusive, la patente calculada de conformidad con la letra anterior se multiplicará por el factor 2, y

c) Entre los años undécimo y décimo quinto inclusive, la patente calculada de conformidad con la letra a) precedente se multiplicará por el factor 4, y en los quinquenios siguientes su monto se calculará duplicando el factor anterior, y así sucesivamente.

d) El titular de un derecho de aprovechamiento constituido con anterioridad a la publicación de esta ley, que no haya construido las obras descritas en el inciso primero del artículo 129 bis 9, habiendo transcurrido cinco años contados desde la fecha de publicación de esta ley, quedará afecto a la extinción de su derecho de aprovechamiento en aquella parte no efectivamente utilizada, de conformidad con las disposiciones y las suspensiones señaladas en el artículo 6 bis y sujeto al procedimiento descrito en el artículo 134 bis. Sin perjuicio de los plazos de las suspensiones establecidos en el artículo 6 bis, la contabilización del plazo para abrir el expediente administrativo de extinción del derecho se suspenderá por todo el tiempo que dure la tramitación de los permisos necesarios para construir las obras, que deban ser otorgados por la Dirección General de Aguas y/o la Dirección de Obras Hidráulicas, incluyendo los ajustes a que se refiere el inciso tercero del artículo 156. Las solicitudes de traslado del ejercicio del derecho de aprovechamiento y las de cambio de punto de captación de él no quedarán comprendidas en la referida suspensión, salvo cuando deban presentarse a consecuencia del cumplimiento de un trámite exigido para la recepción de las obras por parte de la Dirección General de Aguas.

Para los efectos de la contabilización de los plazos de no utilización de las aguas de que dan cuenta los literales a), b) y c) anteriores, éstos comenzarán a regir a contar del 1 de enero del año siguiente al de la fecha de publicación de la Ley N° 20.017, a menos que se trate de derechos de aprovechamiento que se constituyan o reconozcan con posterioridad a tal fecha, caso en el cual los plazos se computarán desde la fecha de su constitución o reconocimiento.

ARTÍCULO 129 bis 6.- Los derechos de aprovechamiento de ejercicio eventual, que no sean utilizados total o parcialmente, pagarán un tercio del valor de la patente asignada a los derechos de ejercicio permanente.

ARTÍCULO 129 bis 7.- El pago de la patente se efectuará dentro del mes de marzo de cada año, en cualquier banco o institución autorizados para recaudar tributos. La Dirección General de Aguas publicará la resolución que contenga el listado de los derechos sujetos a esta obligación, en las proporciones que correspondan. El listado deberá contener: la individualización del propietario, la naturaleza del derecho, el volumen por unidad de tiempo involucrado en el derecho y la capacidad de las obras de captación, la fecha y número de la resolución de la Dirección General de Aguas o de la sentencia judicial que otorgó el derecho y la individualización de su inscripción en el Registro de Aguas del Conservador de Bienes Raíces respectivo en el caso en que estos datos se encuentren en poder de la autoridad. La publicación será complementada mediante mensaje radial de un extracto de ésta, en una emisora con cobertura territorial del área correspondiente. Esta publicación se efectuará el 15 de enero de cada año o el primer día hábil inmediato si aquél fuere feriado, en el Diario Oficial y en forma destacada en el sitio web institucional y en un diario o periódico de la provincia respectiva y, si no lo hubiere, en uno de la capital de la Región correspondiente.

Esta publicación se considerará como notificación suficiente para los efectos de lo dispuesto en el artículo 129 bis 10.

Sin perjuicio de lo señalado en el presente artículo, el pago de la patente se suspenderá durante el tiempo que se encuentre vigente cualquier medida de un tribunal que ordene la paralización total o parcial de la construcción de las obras que se señalan en el artículo 129 bis 9.

ARTÍCULO 129 bis 8.- Corresponderá al Director General de Aguas, previa consulta a la organización de usuarios respectiva, determinar los derechos de aprovechamiento cuyas aguas no se encuentren total o parcialmente utilizadas, al 31 de agosto de cada año, para lo cual deberá confeccionar un listado con los derechos de aprovechamiento afectos a la patente, indicando el volumen por unidad de tiempo involucrado en los derechos. En el caso que los derechos tengan obras de captación, se deberá señalar la capacidad de dichas obras y se individualizará la resolución que las hubiese aprobado.

ARTÍCULO 129 bis 9.- Para los efectos del artículo anterior, el Director General de Aguas no podrá considerar como sujetos al pago de la patente a que se refieren los artículos 129 bis 4, 129 bis 5 y 129 bis 6, aquellos derechos de aprovechamiento para los cuales existan obras de captación de las aguas. Se entenderá por obras de captación de aguas superficiales, aquellas que permitan incorporarlas a los canales y a otras obras de conducción, aun cuando tales obras sean de carácter temporal y se renueven periódicamente. Tratándose de aguas subterráneas, se entenderá por obras de captación aquéllas que permitan su alumbramiento, tales como, bombas de extracción, instalaciones mecánicas, instalaciones eléctricas y tuberías, entre otras. En ambos casos, dichas obras deberán ser suficientes y aptas para la efectiva utilización de las aguas, capaces de permitir su captación o alumbramiento, y su restitución al cauce, en el caso de los derechos de aprovechamiento no consuntivos.

El no pago de patente a que se refiere el inciso anterior se aplicará en proporción al caudal correspondiente a la capacidad de captación de tales obras.

Estarán exentos del pago de la patente a la que se refiere este Título:

1. Aquellos derechos de aprovechamiento de aguas inscritos a nombre de un comité u otra asociación de agua potable rural o de servicios sanitarios rurales, según corresponda, destinados al servicio sanitario rural mediante contratos, circunstancias que deberá certificar el administrador del servicio o, cuando corresponda, la Dirección de Obras Hidráulicas.

2. Aquellos derechos de aprovechamiento que posean las empresas de servicios públicos sanitarios y que se encuentren afectos a su respectiva concesión, hasta la fecha en que, de acuerdo con su programa de desa-

rrollo, deben comenzar a utilizarse, circunstancias que deberá certificar la Superintendencia de Servicios Sanitarios.

3. Aquellos derechos de aprovechamiento de aguas de los que sean titulares las comunidades agrícolas definidas en el artículo 1 del decreto con fuerza de Ley N° 5, de 1967, del Ministerio de Agricultura.

4. Aquellos derechos de aprovechamiento destinados a fines no extractivos, de conformidad con lo dispuesto en el artículo 129 bis 1 A y su reglamento. Este reglamento definirá el plazo para desarrollar los proyectos a que se refiere el inciso primero de ese artículo, cumplido el cual, y no habiéndose desarrollado el referido proyecto, dejará de aplicar la exención que se regula en esta disposición.

5. Aquellos derechos de aprovechamiento de ejercicio eventual, cualquiera sea su caudal, que sean de propiedad fiscal.

6. Aquellos de los que sean titulares indígenas o comunidades indígenas, entendiendo por tales los regulados en el artículo 5 de este Código, y considerados en los artículos 2 y 9 de la ley.

ARTÍCULO 129 bis 10.- Serán aplicables a las resoluciones de la Dirección General de Aguas, dictadas en conformidad con lo dispuesto en el presente Título, los recursos contemplados en los artículos 136 y 137 de este Código.

La interposición del recurso de reclamación señalado en el artículo 137, no suspenderá el pago de la patente, salvo que la Corte de Apelaciones respectiva ordene dicha medida.

ARTÍCULO 129 bis 11.- Si el titular del derecho de aprovechamiento no pagare la patente dentro del plazo indicado en el artículo 129 bis 7, se iniciará un procedimiento judicial para efectuar un remate público de ese derecho.

La ejecución de la obligación de pagar la patente sólo podrá hacerse efectiva sobre la parte no utilizada del respectivo derecho de aprovechamiento.

La referida acción prescribirá en el plazo de tres años, contado desde el 1 de abril del año en que debió pagarse la patente.

ARTÍCULO 129 bis 12.- Antes del 1 de junio de cada año, el Tesorero General de la República enviará a los juzgados competentes la nómina de los derechos de aprovechamiento de aguas, cuyas patentes no hayan sido pagadas, especificando su titular y el monto adeudado para iniciar el procedimiento de cobranza. La nómina tendrá mérito ejecutivo y deberá indicar a lo menos: nombre del titular, fecha de constitución y número del acto administrativo que otorgó el derecho, la parte que está afecta a tributo y resolución respectiva e inscripción en el Registro de Aguas del Conservador de Bienes Raíces y en el Catastro Público de Aguas, si se tuviesen estas dos últimas. Dentro de los treinta días siguientes de iniciado el proceso judicial, la Tesorería General de la República enviará copia de dichas nóminas, con la constancia de haber sido presentada al tribunal, a la Dirección General de Aguas, la que deberá velar por el cumplimiento de esta disposición y prestará su colaboración a la Tesorería General de la República, pudiendo actuar como tercero coadyuvante en estos procedimientos.

Mientras no se haya dado cumplimiento al trámite señalado en el inciso anterior, el pago de la patente vencida deberá hacerse con un recargo del 10 por ciento del monto adeudado, más un interés penal del 1,5 por ciento mensual por cada mes o fracción de mes, en caso de mora del pago del todo o parte que adeudare. Este interés se calculará sobre el monto reajustado.

Recibida la nómina, el juez dictará una resolución decretando el remate, la que deberá ser notificada al deudor por el recaudador fiscal del Servicio de Tesorerías, de conformidad a sus facultades legales, en especial aquellas dispuestas en el artículo 171 del Código Tributario. Si el domicilio se encontrare en áreas urbanas, dicha notificación será realizada mediante carta certificada. Efectuada la notificación y transcurrido el plazo que el deudor tiene para oponerse a la ejecución sin que lo hubiere hecho o, habiendo deducido oposición, ésta fuere rechazada, el juez dictará una resolución señalando día y hora para el remate y ordenará que su publicación junto a la nómina de los derechos a subastar se realice en dos días distintos en un diario o periódico de la provincia respectiva y, si no lo hubiere, en uno de la capital de la región correspondiente, con independencia de su soporte, sea éste impreso, digital o electrónico. Corresponderá a la Tesorería General de la República efectuar estas publicaciones y cubrir sus gastos.

El remate no podrá efectuarse antes de los treinta días siguientes a la fecha del último aviso.

Las omisiones o errores en que la Tesorería General de la República haya incurrido en la nómina referida en el inciso primero podrán ser rectificados antes del remate, a solicitud de cualquiera que tenga interés en ello o de la Dirección General de Aguas.

El juez procederá con conocimiento de causa. Las rectificaciones se publicarán de igual forma que la publicación original y el remate se postergará para una fecha posterior en treinta días, a lo menos, a la última publicación.

El secretario del tribunal dará testimonio en los autos de haberse publicado el aviso en la forma y oportunidad señaladas.

Será juez competente para conocer de este procedimiento el de la comuna donde tenga su oficio el Conservador de Bienes Raíces en cuyo Registro se encuentren inscritos los derechos de aprovechamiento o el de la comuna en que se encuentre ubicada la captación, en caso de no estar inscrito. En caso de no estar inscritos tales derechos, la Dirección General de Aguas podrá subrogarse en los derechos del titular no inscrito, sólo para los efectos de proceder a su inscripción en el Registro de Propiedad de Aguas del Conservador de Bienes Raíces competente. Los notarios, conservadores, archiveros y oficiales civiles estarán obligados a proporcionar preferentemente las copias, inscripciones y anotaciones que les pida, para estos efectos, el Director General de Aguas. El valor de sus actuaciones lo percibirán a medida que los ejecutados enteren en Tesorería las respectivas costas de cobranza. En caso de no estar inscritos tales derechos, la Dirección General de Aguas podrá subrogarse en los derechos del titular no inscrito, sólo para los efectos de proceder a su inscripción en el Registro de Propiedad del conservador que sea competente, a costa del particular. Si hubiere más de uno, lo será el que estuviere de turno al tiempo de la recepción de la nómina a que se refiere el inciso anterior.

ARTÍCULO 129 bis 12 A.- El deudor podrá oponerse a la ejecución dentro del plazo de quince días hábiles, contado desde la fecha de la notificación señalada en el artículo 129 bis 12.

La oposición sólo será admisible cuando se funde en alguna de las siguientes excepciones:

1. Pago de la deuda, siempre que conste por escrito.

2. Prescripción de la deuda.

3. Que se encuentren pendientes de resolución algunos de los recursos a que se refiere el artículo 129 bis 10. En este caso, y mientras se encuentre pendiente la resolución de dichos recursos, se suspenderá el procedimiento.

4. Que el pago de la patente se encuentre suspendido por aplicación de lo dispuesto en el inciso final del artículo 129 bis 7.

La oposición se tramitará en forma incidental, pero si las excepciones no reúnen los requisitos exigidos en el inciso anterior se rechazarán de plano. El recurso de apelación que se interponga en contra de la resolución que rechace las excepciones se concederá en el solo efecto devolutivo. El tribunal de segunda instancia sólo podrá ordenar la suspensión de la ejecución cuando la oposición se funde en el pago de la deuda que conste en un antecedente escrito o en que se encuentren pendientes de resolución algunos de los recursos a que se refiere el artículo 129 bis 10. La apelación que se interponga en contra de la resolución que acoja las excepciones se concederá en ambos efectos.

Si se acogieren parcialmente las excepciones, proseguirá la ejecución por el monto que determine el tribunal. Si los recursos a los que alude el número 3 del presente artículo son acogidos, el tribunal dispondrá el archivo de los antecedentes. En caso contrario, continuará con la tramitación del procedimiento de remate.

ARTÍCULO 129 bis 13.- El mínimo de la subasta será el valor de las patentes adeudadas, o la parte que corresponda. El titular del derecho podrá liberarlo pagando dicho valor, con el recargo del 100 por ciento de éste.

Para tomar parte en el remate, todo postor deberá rendir caución suficiente a beneficio fiscal, calificada por el tribunal sin ulterior recurso, para asegurar el pago de los derechos de aprovechamiento rematados. La garantía será equivalente al 10 por ciento de la suma adeudada, o la parte que corresponda, y subsistirá hasta que se otorgue la escritura definitiva de adjudicación.

Si el adjudicatario no enterare el precio de la subasta dentro del plazo de quince días contado desde la fecha del remate, la adjudicación quedará sin efecto por el solo ministerio de la ley y el juez hará efectiva la garantía a beneficio fiscal. En ese mismo acto, el juez ordenará cancelar total o parcialmente las correspondientes inscripciones del Registro de Propiedad de Aguas del Conservador de Bienes Raíces competente y enviará copia de dicha resolución a la Dirección General de Aguas. La deuda se entenderá extinta una vez inscrita la cancelación ordenada por el juez. Por el solo ministerio de la ley quedarán libres las aguas para ser reservadas de conformidad con el artículo 5 ter o disponibles para la constitución de nuevos derechos de aprovechamiento de conformidad con las normas generales, priorizando los usos de subsistencia y preservación eco-sistémica.

Si la suma obtenida del remate excediere lo adeudado por concepto de patentes, gastos y costas, el remanente será entregado al ejecutado, una vez descontado el recargo, gastos y costas asociados al remate.

La venta en remate se hará por el tribunal que corresponda y a ella podrán concurrir el Fisco, representado para estos efectos por el abogado del Servicio de Tesorerías, las instituciones del sector público y cualquier persona, natural o jurídica, en igualdad de condiciones. El Fisco podrá imputar al precio del remate el monto adeudado por concepto de patentes.

En aquellos casos en que no se presentaren postores el día señalado para el remate, el juez deberá proceder de conformidad con lo dispuesto en el inciso tercero. En aquellos casos en que el Fisco se adjudique el derecho de aprovechamiento de aguas y su representante manifieste que lo hace en favor de un servicio público para el desarrollo de un proyecto específico o para los fines contemplados en el artículo 5 bis, el derecho de aprovechamiento de las aguas podrá asignarse a dicho servicio a excepción de la Dirección General de Aguas. En caso contrario, se procederá de conformidad con lo dispuesto en el inciso tercero.

Será aplicable al procedimiento de remate del derecho de aprovechamiento lo dispuesto en los artículos 2428 del Código Civil y 492 del Código de Procedimiento Civil. Sin perjuicio de lo anterior, el Fisco tendrá preferencia sobre todo otro acreedor para cobrar la patente adeudada con el producto del remate.

ARTÍCULO 129 bis 14.- Los demás procedimientos relativos al remate, al acta correspondiente, a la escritura de adjudicación y a su inscripción, se regirán por las disposiciones del Código de Procedimiento Civil relativas a la subasta de bienes inmuebles embargados, pero los plazos allí establecidos no serán fatales para el Fisco, cuando actúe como adjudicatario.

ARTÍCULO 129 bis 15.- Una cantidad igual al 75% del producto neto de las patentes por no utilización de los derechos de aprovechamiento y de lo recaudado en los remates de estos últimos, será distribuida, a contar del ejercicio presupuestario correspondiente al cuarto año posterior al de publicación de la Ley N° 20.017, entre las regiones y comunas del país en la forma que a continuación se indica:

a) El 65% de dichos producto neto y recaudación por remates se incorporará a la cuota del Fondo Nacional de Desarrollo Regional que anualmente le corresponda, en el Presupuesto Nacional, a la Región donde tenga su oficio el Conservador de Bienes Raíces en cuyo Registro se encuentren inscritos los derechos de aprovechamiento.

b) El 10% restante se distribuirá proporcionalmente a la superficie de las cuencas de las respectivas comunas donde sea competente el Conservador de Bienes Raíces, en cuyo Registro se encuentren inscritos los derechos de aprovechamiento.

La proporción de la cantidad señalada en la letra a) anterior, que corresponda a cada Región, se determinará como el cuociente entre el monto recaudado por patentes y remates correspondiente a la Región en donde tenga su oficio el Conservador de Bienes Raíces en cuyo Registro se encuentren inscritos los derechos de aprovechamiento y el monto total recaudado por estos conceptos en todas las Regiones del país. Igual criterio se aplicará tratándose de las municipalidades a que se refiere la letra b). En este último caso, si un derecho de aprovechamiento se encuentra situado en el territorio de dos o más comunas, la Dirección General de Aguas determinará la proporción que le corresponderá a cada una de ellas, dividiendo el monto correspondiente a prorrata de la superficie de cada comuna comprendida en la extensión territorial del derecho de aprovechamiento.

La Ley de Presupuestos incluirá, en los presupuestos de los Gobiernos Regionales y municipalidades que correspondan, las cantidades que resulten de la aplicación de los incisos anteriores.

Para los efectos de este artículo, se entenderá por producto neto las cantidades que resulten de restar a la recaudación bruta, obtenida de la aplicación de las patentes que establecen los artículos 129 bis 4, 129 bis 5 y 129 bis 6, las sumas imputadas al pago de impuestos fiscales en la forma dispuesta en el artículo siguiente, ambos valores correspondientes al período de doce meses, contado hacia atrás desde el mes de junio del año anterior al de vigencia de la Ley de Presupuestos que incluya la distribución que proceda de acuerdo a esta disposición.

ARTÍCULO 129 bis 16.- El valor de las patentes no se considerará como gasto tributario para efectos de la determinación de la base imponible del impuesto de Primera Categoría de la Ley sobre Impuesto a la Renta. Sin perjuicio de ello, a dicho monto no le será aplicable lo dispuesto en el artículo 21 de dicha ley.

Los titulares de derechos de aprovechamiento podrán deducir del monto de sus pagos provisionales obligatorios de la Ley sobre Impuesto a la Renta, las cantidades mensuales que paguen por concepto de patentes en los años anteriores a aquél en que se inicie la utilización de las aguas. El remanente que resultare de esta imputación, por ser inferior el pago provisional obligatorio o por no existir la obligación de hacerlo en dicho período, podrá imputarse a cualquier otro impuesto fiscal de retención o recargo de declaración mensual y pago simultáneo que deba pagarse en la misma fecha, y el saldo que aún quede podrá imputarse a los mismos impuestos indefinidamente en los meses siguientes, hasta su total agotamiento, reajustado en la forma que prescribe el artículo 27 del decreto Ley N° 825, de 1974.

ARTÍCULO 129 bis 17.- Respecto a los derechos de aprovechamiento no consuntivos, podrán imputarse en conformidad al artículo anterior, todos los pagos efectuados durante los ocho años anteriores a aquél en que se inicie la utilización de las aguas.

Respecto a los derechos de aprovechamiento consuntivos, podrán imputarse asimismo todos los pagos efectuados durante los seis años anteriores a aquél en que se inicie la utilización de las aguas.

Si el derecho de aprovechamiento fuere adquirido mediante remate de conformidad con lo dispuesto en los artículos 129 bis 11 y siguientes y artículos 142 y siguientes del presente Código, la cantidad pagada, debidamente reajustada, por concepto de precio del referido derecho por el titular del mismo podrá ser imputada al pago de la patente señalada en los artículos 129 bis 4, 129 bis 5 y 129 bis 6. Un reglamento determinará la forma de efectuar la imputación señalada en el presente inciso.

LIBRO SEGUNDO
DE LOS PROCEDIMIENTOS

TÍTULO I
DE LOS PROCEDIMIENTOS ADMINISTRATIVOS

1. Normas comunes

ARTÍCULO 130.- Toda cuestión o controversia relacionada con la adquisición o ejercicio de los derechos de aprovechamiento y que de acuerdo con este código sea de competencia de la Dirección General de Aguas, deberá presentarse ante la oficina de este servicio del lugar o en el sitio web institucional, o ante el Gobernador respectivo.

La presentación y su tramitación se efectuará de acuerdo a las disposiciones de este párrafo, sin perjuicio de las normas particulares contenidas en este Código.

Recibida una solicitud por parte del delegado presidencial provincial respectivo, o en la oficina de la Dirección General de Aguas, el funcionario a cargo deberá entregar un comprobante de ingreso; procederá a registrar inmediatamente la solicitud en el sitio web institucional, y anexará todos los antecedentes.

ARTÍCULO 131.- La Dirección General de Aguas tendrá el plazo de treinta días, contado desde la emisión del comprobante de ingreso señalado en el artículo anterior, para revisar si cumple con los requisitos formales según el tipo de solicitud de que se trate y si se han acompañado los antecedentes en que se sustenta. De cumplirse las señaladas exigencias, se declarará admisible la solicitud.

Si de la revisión de los antecedentes se advierte el incumplimiento de alguna de las exigencias, se declarará inadmisible la solicitud, y se comunicará dicha situación al solicitante. En la comunicación se señalarán los antecedentes que hayan sido omitidos o que requieran complemento. El solicitante podrá acompañarlos o complementarlos dentro del plazo de treinta días, contado desde la notificación de la comunicación anterior. En caso de que los antecedentes fueren insuficientes o no fueren presentados dentro del plazo, se desechará la solicitud de plano, lo que pondrá fin al procedimiento.

Declarada admisible dicha solicitud, deberá publicarse a costa del interesado, dentro de los treinta días contados desde la fecha de su admisibilidad y por una sola vez, un extracto en el Diario Oficial los días primero o quince de cada mes o el primer día hábil inmediato si aquéllos fueren feriados, e íntegramente en el sitio web institucional de la Dirección General de Aguas.

La solicitud o extracto se comunicará, a costa del interesado, además, por medio de tres mensajes radiales. Estos mensajes deberán emitirse dentro del plazo que establece el inciso tercero de este artículo. El Director General de Aguas determinará, mediante resolución, las radioemisoras donde deben difundirse los mensajes aludidos que deberán cubrir el sector que involucre el punto de la respectiva solicitud tales como la ubicación de la bocatoma, el punto donde se desea captar el agua y el lugar donde se encuentra la aprobación de la obra hidráulica, entre otros, además, de los días y horarios en que deben emitirse, como asimismo sus contenidos y la forma de acreditar el cumplimiento de dicha exigencia.

Excepcionalmente, el jefe de la oficina del lugar o el Gobernador, según el caso, dispondrá la notificación personal cuando aparezca de manifiesto la individualidad de la o las personas afectadas con la presentación y siempre que el número de éstas no haga dificultosa la medida.

ARTÍCULO 132.- Los terceros titulares de derechos de aprovechamiento constituidos e inscritos en el Registro de Propiedad de Aguas del Conservador de Bienes Raíces respectivo que se sientan afectados en sus derechos, podrán oponerse a la presentación dentro del plazo de treinta días contados desde la fecha de la última publicación o de la notificación, en su caso.

Dentro del quinto día de recibida la oposición, la autoridad dará traslado de ella al solicitante, para que éste responda dentro del plazo de quince días.

ARTÍCULO 133.- Cumplidos estos trámites, la presentación y demás antecedentes serán remitidos a la Dirección General de Aguas, si hubieren sido presentados a la Gobernación, dentro del plazo de tres días hábiles contados desde la recepción de la contestación a la oposición.

Si dentro de los plazos previstos en el artículo anterior, no se hubiere deducido oposición o habiendo oposición, ésta no fuere contestada, el plazo de tres días se contará, respectivamente, desde el vencimiento de los plazos de treinta y quince días a que se refiere el mencionado artículo.

ARTÍCULO 134.- La Dirección General de Aguas, de oficio o a petición de parte y dentro del plazo de treinta días contados desde la recepción de los antecedentes que le enviaren los Gobernadores o desde la contestación de la oposición o desde el vencimiento del plazo para oponerse o para contestar la oposición, según sea el caso, podrá, mediante resolución fundada, solicitar las aclaraciones, decretar las inspecciones oculares y pedir los informes correspondientes para mejor resolver.

Reunidos los antecedentes solicitados, la Dirección General de Aguas deberá emitir un informe técnico y dictar resolución fundada que dirima la cuestión sometida a su consideración, en un plazo máximo de cuatro meses, a partir del vencimiento del plazo de 30 días a que se refiere el inciso anterior.

ARTÍCULO 134 bis.- Respecto de los derechos de aprovechamiento de aguas consuntivos que han sido incorporados en el listado de patentes por no uso durante cinco años o más y los no consuntivos durante diez años o más y que, por tanto, se encuentran en condición de ser sometidos a un procedimiento de extinción, de conformidad con lo preceptuado en los artículos 6 bis, 129 bis 4, 129 bis 5 y 129 bis 9, inciso primero, la Dirección General de Aguas aplicará el siguiente procedimiento:

1. Anualmente dictará una resolución que contenga el listado de los derechos de aprovechamiento de aguas cuyos titulares no han hecho uso efectivo del recurso en los términos dispuestos en el encabezado de este artículo. Dicho listado deberá contener la enunciación clara y precisa del derecho de aprovechamiento sobre el cual recae el procedimiento, en los términos dispuestos en el inciso primero del artículo 129 bis 7, y especificará la proporción del caudal afecto al proceso de extinción y los listados de cobro de patentes en los que ha sido incorporado. Esta resolución se publicará en el sitio web institucional.

2. La resolución indicada se notificará al titular del derecho de aprovechamiento de aguas, antes del 10 de enero de cada año, por carta certificada dirigida a su domicilio, en caso de que se cuente con esta información, o a la dirección de correo electrónico que el titular hubiere registrado especialmente para efectos de notificaciones o comunicaciones con el Servicio. La notificación mediante carta certificada se entenderá practicada a contar del tercer día siguiente a su recepción en la oficina de correos que corresponda y la efectuada mediante correo electrónico se entenderá practicada al tercer día desde su envío. Sin perjuicio de lo anterior, para efectos del cómputo del plazo para el procedimiento de extinción se estará a lo dispuesto en el numeral 4 y siguientes. Si esta notificación no ha podido realizarse por alguno de los medios indicados, sea por ignorarse el

domicilio del titular o por no haber éste registrado una casilla de correo electrónico, la publicación en el Diario Oficial a que se refiere el numeral siguiente se entenderá como notificación suficiente.

3. La Dirección General de Aguas publicará en el Diario Oficial, el 15 de enero del mismo año a que se refiere el numeral anterior o el día hábil siguiente, el listado de los derechos de aprovechamiento de aguas contenidos en la resolución a que se refiere el numeral 1.

4. El titular del derecho de aprovechamiento de aguas que está siendo objeto del procedimiento de extinción tendrá el plazo de treinta días, contado desde la publicación contemplada en el numeral anterior, para oponerse a dicho procedimiento, y aportará toda la prueba que considere necesaria y pertinente para acreditar el uso efectivo del recurso o encontrarse dentro de otras circunstancias eximentes previstas por este Código. Además, el titular podrá solicitar diligencias pertinentes, entendiéndose por tales aquellas destinadas a probar la existencia de las obras de aprovechamiento, diligencias a las que la Dirección General de Aguas deberá acceder en consideración a su pertinencia. El plazo indicado se prorrogará por treinta días, a petición del titular del derecho afectado.

5. Dentro de los treinta días siguientes al vencimiento del plazo indicado en el número anterior o de su prórroga, la Dirección General de Aguas podrá solicitar aclaraciones, decretar inspecciones oculares, pedir informes o realizar cualquier otra diligencia para mejor resolver.

6. La Dirección General de Aguas para desarrollar las diligencias probatorias solicitadas o decretadas tendrá el plazo de treinta días, contado desde el vencimiento del término indicado en el número anterior o de su prórroga, y podrá extenderlo justificadamente y por una sola vez por treinta días adicionales.

7. Completadas las diligencias a las que se refieren los números 4, 5 y 6, el funcionario a cargo del procedimiento tendrá el plazo de treinta días para emitir un informe técnico, en el que analizará las cuestiones sometidas a su conocimiento relativas a la procedencia o no de la extinción del derecho de aprovechamiento por la no utilización efectiva del recurso, en los términos señalados en este artículo, y propondrá un pronunciamiento al Director General de Aguas.

8. El Director General de Aguas, por resolución fundada, resolverá el expediente de extinción de un derecho de aprovechamiento, pronunciándose única y exclusivamente sobre si procede o no la extinción. Para adoptar esta resolución tendrá el plazo de quince días contado desde que se emitió el informe técnico a que se refiere el número anterior. Esta resolución se notificará según lo dispuesto en los incisos primero y segundo del artículo 139, o en su defecto a la dirección de correo electrónico que el titular hubiere registrado en su primera presentación en este procedimiento o en cualquier otro momento dentro de él. Sin perjuicio de lo anterior, y para el solo efecto de publicidad de terceros, la resolución se publicará en la página web institucional. Contra esta resolución procederán los recursos de reconsideración y de reclamación establecidos respectivamente en los artículos 136 y 137, y se suspenderán por su interposición los efectos del acto recurrido.

9. En lo no regulado en este inciso se estará a lo dispuesto en el procedimiento general del Título I del Libro Segundo de este Código.

El recurso de reclamación respecto de la resolución que extingue un derecho de aprovechamiento de aguas, conforme al artículo 137 de este Código, se sujetará a lo dispuesto en el Título XVIII del Libro I del Código de Procedimiento Civil, con las siguientes particularidades:

a) El reclamante señalará en su escrito, con precisión, el acto, omisión o circunstancia en que se funda el reclamo, la norma legal que se supone infringida, las razones por las que no se ajusta a la ley, los reglamentos o demás disposiciones que le sean aplicables y podrá ofrecer prueba, especificando lo que se quiere probar y cómo se quiere probar el uso efectivo del recurso o encontrarse dentro de otras circunstancias eximentes.

b) La Corte rechazará de plano el reclamo si éste se presenta fuera de plazo. En caso de declararlo admisible, dará traslado por diez días, y notificará por la vía que se estime más rápida y eficiente esta resolución al Director General de Aguas. Evacuado el traslado o teniéndosele por evacuado en rebeldía, la Corte podrá abrir un término de prueba, si así lo estima necesario, el que se regirá por las reglas de los incidentes que contempla el artículo 90 del Código de Procedimiento Civil, y serán admisibles los medios de prueba a que se refiere el artículo 341 de ese Código.

Una vez que la resolución de extinción a que se refiere el numeral 8 se encuentre ejecutoriada, la Dirección General de Aguas deberá comunicarla, dentro de los quince días siguientes a los respectivos conservadores de bienes raíces, por la vía que estime más rápida y eficiente, para que practiquen las cancelaciones e inscripciones que procedan.

ARTÍCULO 135.- Los gastos que irroguen las presentaciones ante la Dirección General de Aguas, serán de cargo del interesado y los que originen las medidas que dicha Dirección adopte de oficio, serán de cargo de ella.

Si la Dirección estimare necesario practicar inspección ocular, determinará y solicitará los medios y las condiciones necesarias para acceder al lugar y, en su caso, la suma que el interesado debe consignar para cubrir los gastos de esta diligencia. En caso de que el interesado no cumpla con dichas exigencias, la Dirección podrá denegar la solicitud de que se trate.

Para realizar dicha inspección, los funcionarios de la Dirección General de Aguas podrán, previa resolución del Servicio, ingresar a terrenos de propiedad privada, debiendo levantar acta y dejar registro de la diligencia.

ARTÍCULO 136.- Las resoluciones que se dicten por el Director General de Aguas, por funcionarios de su dependencia o por quienes obren en virtud de una delegación que el primero les haga en uso de las atribuciones conferidas por la ley, podrán ser objeto de un recurso de reconsideración que deberá ser deducido por los interesados, ante el Director General de Aguas, dentro del plazo de 30 días contados desde la notificación de la resolución respectiva.

El Director deberá dictar resolución dentro del mismo plazo, contado desde la fecha de la recepción del recurso.

ARTÍCULO 137.- Las resoluciones de término que dicte el Director General de Aguas en conocimiento de un recurso de reconsideración y toda otra que dicte en el ejercicio de sus funciones serán reclamables ante la Corte de Apelaciones de Santiago, mientras que las resoluciones dictadas por los directores regionales serán reclamables ante la Corte de Apelaciones del lugar en que se dictó la resolución impugnada. En ambos casos, el plazo para la reclamación será de treinta días contado desde la notificación de la correspondiente resolución.

Serán aplicables a la tramitación del recurso de reclamación, en lo pertinente, las normas contenidas en el Título XVIII del Libro I del Código de Procedimiento Civil, relativas a la tramitación del recurso de apelación debiendo, en todo caso, notificarse a la Dirección General de Aguas, la cual deberá informar al tenor del recurso.

Los recursos de reconsideración y reclamación no suspenderán el cumplimiento de la resolución, salvo orden expresa que disponga la suspensión.

ARTÍCULO 138.- El cumplimiento de las resoluciones de la Dirección General de Aguas será de cargo de aquellos que deban ejecutarlas.

El Director General de Aguas, por sí o por delegado, podrá requerir el auxilio de la fuerza pública, con facultades de allanamiento y descerrajamiento para el cumplimiento de las resoluciones que dicte en el ejercicio de las atribuciones que le confiere el presente título.

En caso de incumplimiento o cumplimiento parcial de las resoluciones a que se refieren los incisos precedentes, el Servicio dictará una resolución que aplicará la multa correspondiente y, en caso de proceder, ordenará la ejecución de las medidas, acciones u obras que correspondan por parte del mismo Servicio o por parte de la Dirección de Obras Hidráulicas o cualquier otro servicio dependiente del Ministerio de Obras Públicas.

La Dirección General de Aguas dictará una resolución que determine el valor de las medidas, acciones u obras efectivamente realizadas, pudiendo establecer un recargo de hasta el 100% para aquellos originalmente obligados a cumplirlas. La copia autorizada de esta última resolución tendrá mérito ejecutivo para efectos de su cobro.

ARTÍCULO 139.- Las resoluciones de la Dirección General de Aguas se notificarán en el domicilio del afectado en la forma dispuesta en los artículos 44, inciso 2º y 48, del Código de Procedimiento Civil. Estas notificaciones las efectuará el funcionario que se designe en la respectiva resolución, quien tendrá el carácter de Ministro de Fe para esa actuación y todos sus efectos.

En la primera presentación el interesado deberá designar un domicilio dentro de los límites urbanos del lugar en que funcione la oficina donde se haya efectuado la presentación, designación que se considerará subsistente mientras no haga otra, aun cuando de hecho lo haya cambiado.

Si no se hace esta designación la resolución se entenderá notificada desde la fecha de su dictación. Sin perjuicio de lo señalado en los incisos precedentes, la Dirección General de Aguas deberá comunicar la resolución a la dirección de correo electrónico que las partes hubieren registrado en su primera presentación. Dicha comunicación deberá ser enviada por la Dirección General de Aguas y suscrita mediante firma electrónica avanzada.

2. Normas Especiales

a) De la constitución del derecho de aprovechamiento

ARTÍCULO 140.- La solicitud para adquirir el derecho de aprovechamiento deberá contener:

1. El nombre, cédula nacional de identidad o rol único tributario y demás antecedentes para individualizar al solicitante. El nombre del álveo, el acuífero o el Sector Hidrogeológico de Aprovechamiento Común desde donde provengan las aguas que se necesita aprovechar, su naturaleza, esto es, si son superficiales o subterráneas, corrientes o detenidas, y la provincia en que estén ubicadas o que recorren.

Tratándose de aguas subterráneas, se precisará la comuna en que se ubicará la captación y el área de protección que se solicita;

2. El uso que se le dará a las aguas solicitadas.

3. La cantidad de agua que se necesita aprovechar, expresada en medidas métricas y de tiempo. Tratándose de aguas subterráneas, deberá indicarse el caudal máximo que se necesita aprovechar en un instante dado, expresado en medidas métricas y de tiempo, y el volumen total anual que se desea aprovechar desde el acuífero, expresado en metros cúbicos;

4. El o los puntos donde se desea captar el agua.

Si la captación se efectúa mediante un embalse o barrera ubicado en el álveo, se entenderá por punto de captación aquél que corresponda a la intersección del nivel de aguas máximas de dicha obra con la corriente natural.

En el caso de los derechos a que se refiere el artículo 129 bis 1 A, se indicarán los puntos de la fuente natural donde se realizará su aprovechamiento.

En todos estos casos, los puntos deberán ser expresados en coordenadas UTM con indicación del datum y huso y, complementariamente, en relación a los puntos de referencia permanentes y conocidos, en los casos que fuere posible.

En el caso de los derechos no consuntivos, se indicará, además, el punto de restitución de las aguas y la distancia y desnivel entre la captación y la restitución;

5. El modo de extraer las aguas;

6. La naturaleza del derecho que se solicita, esto es, si es consuntivo o no consuntivo, de ejercicio permanente o eventual, continuo o discontinuo o alternado con otras personas, y

7. El solicitante deberá acompañar una memoria explicativa en la que se señale la cantidad de agua que se necesita aprovechar, según el uso que se le dará. Para estos efectos, la Dirección General de Aguas dispondrá de formularios con los antecedentes necesarios para el cumplimiento de esta obligación, pudiendo diferenciar la situación descrita en el artículo 129 bis 1 A, las extracciones de volúmenes inferiores a 10 litros por segundo y demás casos. Dicha memoria se presentará como una declaración jurada sobre la veracidad de los antecedentes que en ella se incorporen.

ARTÍCULO 141.- Las solicitudes se publicarán en la forma establecida en el artículo 131, dentro de 30 días contados desde la fecha de su presentación.

Los que se crean perjudicados por la solicitud y la junta de vigilancia, podrán oponerse dentro del plazo establecido en el artículo 132.

Si no se presentaren oposiciones dentro del plazo se constituirá el derecho mediante resolución de la Dirección General de Aguas, siempre que exista disponibilidad del recurso y fuere legalmente procedente. En caso contrario denegará la solicitud.

ARTÍCULO 142.- Si dentro del plazo de seis meses contados desde la presentación de la solicitud, se hubieren presentado dos o más solicitudes sobre las mismas aguas y no hubiere recursos suficientes para satisfacer todos los requerimientos, la Dirección General de Aguas, una vez reunidos los antecedentes que acrediten la existencia de aguas disponibles para la constitución de nuevos derechos sobre ellas, citará a un remate de estos derechos. Las bases de remate determinarán la forma en que se llevará a cabo dicho acto.

La citación se hará mediante un aviso, publicado en extracto en un diario o periódico de la provincia o capital de la región en que se encuentra ubicada la sección de la corriente o la fuente natural en la que se solicitó la concesión de derechos. Asimismo la citación será publicada en el sitio web institucional y en el Diario Oficial.

En dicho aviso se indicarán la fecha, hora y lugar de la celebración de la subasta, debiendo mediar, a lo menos, diez días entre la última publicación y el remate. La Dirección General de Aguas comunicará por carta certificada los antecedentes antes señalados, a los solicitantes que dentro del plazo establecido en el inciso primero del presente artículo, hubieren presentado solicitudes sobre las mismas aguas involucradas en el remate. La misma notificación podrá efectuarla a la respectiva organización de usuarios. En estos avisos y las comunicaciones señaladas, la Dirección General de Aguas deberá señalar el área que queda comprometida, desde el punto de vista de la disponibilidad para la constitución de nuevos derechos de aprovechamiento de aguas una vez que se adjudiquen los derechos involucrados en el remate. La omisión del envío de la carta certificada a que se refiere el presente inciso no invalidará el remate respectivo, sin perjuicio de hacer efectiva la responsabilidad del funcionario que incurrió en tal omisión.

El remate deberá llevarse a cabo cuando estén resueltas todas las oposiciones a que se refiere el inciso 2º del artículo anterior. El Director General de Aguas podrá ordenar la acumulación de los procesos.

El procedimiento de remate de que dan cuenta los incisos anteriores no podrá aplicarse a los casos en que las solicitudes presentadas se refieran a los usos de la función de subsistencia. La preferencia para la constitución de los derechos de aprovechamiento originados en dichas solicitudes se aplicará considerando la relación existente entre el caudal solicitado y el uso equivalente, respecto de una misma persona, de conformidad con la normativa en vigor.

ARTÍCULO 143.- Las ofertas se efectuarán sobre la base de un precio al contado; sin embargo, el o los adjudicatarios podrán pagar el valor de la adjudicación en anualidades iguales y en un plazo que no exceda de diez años.

Las bases de licitación establecerán los antecedentes y condiciones que el Director General de Aguas estime conveniente, los reajustes e intereses que se aplicarán al saldo del precio y las cauciones y garantías que se estimen pertinentes. Estas condiciones se incluirán, en todo caso, en el extracto a que se refiere el artículo anterior.

Las bases establecerán también, las sanciones por incumplimiento de las condiciones específicas que se exijan a los adjudicatarios.

ARTÍCULO 144.- La subasta de los derechos de aprovechamiento solicitados, la efectuará el funcionario que designe el Director General de Aguas y a ella podrán concurrir las personas que hubieren presentado la solicitud dentro del plazo señalado en el inciso primero del artículo 142, el Fisco y cualquiera de las instituciones del sector público en igualdad de condiciones. Si la solicitud recae sobre aguas superficiales podrá concurrir, además, cualquier persona.

Sin perjuicio de lo señalado en el inciso anterior, los solicitantes que se adjudiquen el derecho de aprovechamiento, podrán imputar al pago del precio del remate los costos procesales en que hubiesen incurrido en la tramitación de sus solicitudes, que correspondan a los gastos de publicación de las mismas efectuadas de conformidad a la ley y aquellos originados con ocasión de la inspección ocular que señala el artículo 135 de este Código.

ARTÍCULO 145.- El caudal disponible deberá dividirse, para los efectos del remate, en unidades no superiores a lo pedido en la solicitud que menos cantidad requiera.

El derecho de aprovechamiento por cada unidad se adjudicará al mejor postor y así sucesivamente hasta que se termine el total del caudal ofrecido.

Sin perjuicio de lo dispuesto en el inciso anterior, quien obtenga en el remate una cuota tendrá derecho a que se le adjudique, por el mismo precio, el número de unidades que desee hasta completar la cantidad que haya solicitado.

ARTÍCULO 146.- La Dirección General de Aguas podrá de oficio ofrecer en remate público el otorgamiento de derechos de aprovechamiento que estén disponibles y que no hayan sido solicitados.

Para estos efectos, deberá publicar avisos en la forma dispuesta en el artículo 142º y en el plazo de treinta días podrán presentarse oposiciones.

Si vencido el plazo no se presentaren oposiciones o bien si éstas fueren denegadas, la Dirección llevará a efecto el remate, de acuerdo a las normas establecidas en este Título.

ARTÍCULO 147.- Terminada la subasta, el funcionario encargado de ella levantará un acta que se incorporará a la resolución que constituya el derecho a que se refiere el artículo 149º.

En dicha acta se dejará constancia expresa del acuerdo entre el adjudicatario y la Dirección General de Aguas.

ARTÍCULO 147 bis.- El derecho de aprovechamiento de aguas se constituirá mediante resolución de la Dirección General de Aguas, o bien, mediante decreto supremo del Presidente de la República, en el caso previsto en el artículo 148.

El Director General de Aguas si no se dan los casos señalados en el inciso primero del artículo 142, podrá, mediante resolución fundada, limitar el caudal de una solicitud de derechos de aprovechamiento, si manifiestamente no hubiera equivalencia entre la cantidad de agua que se necesita extraer, atendidos los fines invocados por el peticionario en la memoria explicativa señalada en el N° 7 del artículo 140 de este Código, y los caudales señalados en una tabla de equivalencias entre caudales de agua y usos, que refleje las prácticas habituales en el país en materia de aprovechamiento de aguas. Dicha tabla será fijada mediante decreto supremo firmado por los Ministros de Obras Públicas, Minería, Agricultura y Economía.

Asimismo, cuando sea necesario reservar el recurso para satisfacer los usos de la función de subsistencia o para fines de preservación ecosistémica, de conformidad con el artículo 5 ter, el Presidente de la República podrá reservar el recurso hídrico, mediante decreto fundado, previo informe de la Dirección General de Aguas. Igualmente, por circunstancias excepcionales y de interés nacional, podrá disponer la denegación parcial o total de solicitudes de derechos de aprovechamiento, sean éstas para usos consuntivos o no consuntivos. Este decreto se publicará por una sola vez en el Diario Oficial, el día primero o quince de cada mes, o el primer día hábil inmediatamente siguiente si aquéllos fueran feriados, y en el sitio web institucional de la Dirección. Esta facultad se ejercerá por el Ministro de Obras Públicas, quien firmará el respectivo decreto "Por orden del Presidente de la República".

Si no existe disponibilidad para otorgar los derechos de aprovechamiento en la forma solicitada, el Director General de Aguas podrá hacerlo en la cantidad o con características diferentes, y podrá incluso denegar total o parcialmente las solicitudes respectivas, según corresponda.

Sin perjuicio de lo dispuesto en los artículos 22, 65, 66, 67, 129 bis 1 y 141 inciso final, procederá la constitución de derechos de aprovechamiento sobre aguas subterráneas, siempre que la explotación del respectivo acuífero sea la apropiada para su sustentabilidad, conservación y protección en el largo plazo, considerando los antecedentes técnicos de recarga y descarga, así como las condiciones de uso existentes, todos los cuales deberán ser de conocimiento público.

ARTÍCULO 147 ter.- El afectado por un decreto del Presidente de la República que disponga la denegación total o parcial de una petición de derecho de aprovechamiento podrá reclamar ante la Corte de Apelaciones de Santiago, dentro del plazo de treinta días contado desde la fecha de su publicación. Será aplicable a esta reclamación el procedimiento establecido en el artículo 137.

ARTÍCULO 147 quáter.- Excepcionalmente, el Presidente de la República, en atención a lo dispuesto en el inciso segundo del artículo 5 bis y fundado en el interés público, podrá constituir derechos de aprovechamiento aun cuando no exista disponibilidad. Para ello, deberá contar con un informe previo y favorable de la Dirección General de Aguas, que justifique tanto que se constituyen con la sola finalidad de garantizar el consumo humano, saneamiento o el uso doméstico de subsistencia, como que no ha sido posible la aplicación de otras normas de este Código o que éstas no han sido efectivas. Esta facultad se ejercerá por el Ministro de Obras Públicas, quien firmará el decreto respectivo "Por orden del Presidente de la República", y se aplicarán a los beneficiarios las limitaciones del artículo 5 quinquies.

ARTÍCULO 148.- El Presidente de la República podrá, previo informe de la Dirección General de Aguas, constituir directamente el derecho de aprovechamiento prescindiendo del procedimiento de constitución consagrado en este Código, con el fin de satisfacer usos domésticos de subsistencia de población o para la conservación del recurso. De igual forma podrá constituirlo directamente por circunstancias excepcionales y de interés general cuando en conformidad con lo señalado en el inciso primero del artículo 142 se hubieren presentado dos o más solicitudes sobre las mismas aguas y no hubiere recursos suficientes para satisfacer todos los requerimientos. En este último caso, se podrá dar preferencia a organizaciones sin fines de lucro, velando por el interés público.

El decreto deberá contener lo dispuesto en el artículo 149 y se aplicarán las limitaciones establecidas en el artículo 5 quinquies, y en caso de concederse a prestadores de servicios sanitarios los incisos cuarto y quinto del artículo 5 ter. Finalmente, corresponderá a la Dirección General de Aguas realizar la inscripción en el correspondiente registro del Conservador de Bienes Raíces y en el Catastro Público de Aguas de esa misma Dirección, en conformidad a lo dispuesto en el artículo 150.

ARTÍCULO 149.- El acto administrativo en cuya virtud se constituye el derecho contendrá:

1. El nombre del titular, cédula nacional de identidad o rol único tributario y demás antecedentes para individualizarlo.;

2. El nombre del álveo acuífero o Sector Hidrogeológico de Aprovechamiento Común y/o individualización de la comuna en que se encuentre la captación de las aguas subterráneas que se necesita aprovechar y el área de protección;

3. La cantidad de agua que se autoriza extraer, expresada en la forma prevista en el artículo 7° de este Código, o la cantidad que se autorice a no extraer de conformidad con lo dispuesto en el artículo 129 bis 1 A.;

4. El o los puntos precisos donde se captará el agua y el modo de extraerla. En el caso de lo dispuesto en el artículo 129 bis 1 A, los puntos de la fuente natural donde se realizará el aprovechamiento. Tanto en estos casos, como en lo dispuesto en el numeral siguiente, dichos puntos deberán ser expresados en coordenadas UTM con indicación del datum y huso.

5. La distancia, el desnivel y la distancia entre el punto de captación y el punto de restitución de las aguas si se trata de usos no consuntivos.

6. El uso específico, como el dispuesto para el caso de las concesiones sobre aguas reservadas.

7. La extensión temporal del derecho de aprovechamiento.

8. Si el derecho es consuntivo o no consuntivo, de ejercicio permanente o eventual, continuo o discontinuo o alternado con otras personas, y

9. Otras especificaciones técnicas relacionadas con la naturaleza especial del respectivo derecho y las modalidades que lo afecten, con el objetivo de conservar el medio ambiente o proteger derechos de terceros.

Sin perjuicio de lo dispuesto en los incisos quinto, sexto y séptimo del artículo 6 bis, el derecho de aprovechamiento quedará condicionado a su uso en los casos en que la ley lo disponga expresamente.

ARTÍCULO 150.- Previo a dictarse el acto administrativo de constitución del derecho, la Dirección General de Aguas requerirá al interesado que deposite los fondos necesarios para que la Dirección proceda a solicitar la inscripción de la resolución que otorga el derecho. Consignados los recursos, la Dirección General de Aguas dictará la resolución correspondiente, la que, una vez que quede firme y ejecutoriada, procederá a inscribirla, mediante copia autorizada, dentro de los quince días siguientes, en el Conservador de Bienes Raíces y en el Catastro Público de Aguas al que se refiere el artículo 122. Este mismo procedimiento se aplicará para las regularizaciones de derechos de aprovechamientos de que trata el artículo segundo transitorio de este Código.

b) De la construcción, modificación, cambio y unificación de bocatomas

ARTÍCULO 151.- Toda solicitud de construcción, modificación, cambio y unificación de bocatomas, deberá expresar, además de la individualización del peticionario, la ubicación precisa de las obras de captación, en coordenadas UTM o en relación a puntos de referencia permanentes y conocidos, la manera de extraer el agua y los títulos que justifiquen el derecho del particular para usar y gozar de las aguas que se captarán con las obras que se pretende ejecutar.

El interesado podrá ingresar a un predio ajeno en la forma prevista en el artículo 107°, para efectuar los estudios de terreno necesarios para la elaboración del proyecto de obras.

ARTÍCULO 152.- La Dirección General de Aguas ordenará las publicaciones previstas en el artículo 131°.

Si no se presentaren oposiciones o si éstas fueren desechadas, el solicitante presentará a la Dirección General de Aguas el proyecto que comprenderá planos, memorias y otros antecedentes justificativos. Este servicio aprobará, si procede, el proyecto presentado y fijará los plazos en que las obras deberán iniciarse y terminarse.

ARTÍCULO 153.- La aprobación de los proyectos por la Dirección General de Aguas confiere al solicitante los siguientes derechos:

1. De usar provisionalmente los terrenos necesarios para la constitución de las servidumbres de bocatomas;

2. De proveerse en el punto en que está ubicada la bocatoma, de la piedra y arena necesarias para las obras destinadas a la captación de las aguas;

3. De apoyar en las riberas del álveo o cauces las obras de captación o de bocatomas de las aguas, y

4. De usar, si fuere el caso, el terreno necesario para el transporte de la energía eléctrica desde la estación generadora hasta los lugares de consumo, con arreglo a las leyes respectivas.

Para ejercitar cualquiera de los derechos a que se refiere este artículo, el interesado deberá indemnizar previamente al perjudicado.

Si hubiere desacuerdo entre el dueño del terreno y el peticionario, resolverá el Juez, pudiendo éste autorizar el ejercicio de cualesquiera de los derechos que señala este artículo, previa consignación de la suma que fije provisionalmente para responder del pago de la indemnización que fuere procedente.

ARTÍCULO 154.- El titular del derecho de aprovechamiento podrá solicitar modificaciones durante la ejecución de las obras o antes de iniciarlas, acompañando los antecedentes del caso, en la forma señalada en el artículo 152º.

ARTÍCULO 155.- Durante el período de ejecución de las obras, la Dirección General de Aguas podrá inspeccionarlas en cualquier momento.

ARTÍCULO 156.- Terminadas las obras, el interesado comunicará este hecho a la Dirección.

Si las obras merecieran reparos, la Dirección General de Aguas ordenará que el interesado haga las modificaciones o las obras complementarias que determine dentro del plazo que fijará al efecto.

Si las obras no coincidieran con el punto preciso de la captación y/o de la restitución de las aguas determinados en la resolución que otorga el derecho de aprovechamiento, en la que lo reconoce o en la que aprueba su traslado, la Dirección, a solicitud de su titular, ajustará los puntos georreferenciados del derecho a las obras, en la medida que este ajuste no perjudique o menoscabe derechos de terceros. En caso contrario, se aplicará lo dispuesto en el artículo 163.

ARTÍCULO 157.- Cumplidos todos los trámites y requisitos indicados en los artículos anteriores, la Dirección General de Aguas procederá a dictar la resolución de aprobación de las obras.

Quedan exceptuados de cumplir con los trámites y requisitos establecidos en los artículos anteriores, los Servicios dependientes del Ministerio de Obras Públicas, los cuales deberán remitir los proyectos de obras a la Dirección General de Aguas, para su conocimiento, informe e inclusión en el Catastro Público de Aguas.

c) Del cambio de fuente de abastecimiento

ARTÍCULO 158.- La Dirección General de Aguas estará facultada para, dentro de una misma corriente o cuenca, cambiar la fuente de abastecimiento, ya sea en el cauce o en el sector hidrogeológico de aprovechamiento común, y el punto de restitución del titular del derecho de aprovechamiento de aguas, a petición de éste o de terceros interesados, cuando así lo aconseje el más adecuado empleo de ellas.

Si la solicitud se refiere al cambio de fuente de abastecimiento de una cuenca a otra, la Dirección General de Aguas antes de resolver deberá evaluar el interés público comprometido en dicho traslado de derechos, en virtud de lo dispuesto en el inciso segundo del artículo 5 bis.

ARTÍCULO 159.- El cambio de fuente de abastecimiento sólo podrá efectuarse si las aguas de reemplazo son de igual cantidad, de variación semejante de caudal estacional, de calidad similar y siempre que la sustitución no cause perjuicio a los usuarios, no comprometa la función de subsistencia o el interés público y se haya demostrado la directa interrelación entre las aguas, en el caso de que la solicitud se refiera a un cambio de fuente superficial a subterránea o desde una fuente subterránea a una superficial.

En caso que el cambio de fuente tenga su origen en la recarga artificial de un acuífero, deberá aplicarse lo dispuesto en el artículo 66 bis, en lo que sea pertinente.

ARTÍCULO 160.- La solicitud se publicará de conformidad con lo dispuesto en el artículo 131.

Será aplicable, en lo demás, lo dispuesto en los artículos 151 al 157, ambos inclusive.

ARTÍCULO 161.- Los afectados podrán efectuar las observaciones que estimen procedentes, directamente o por intermedio de las organizaciones de usuarios a que pertenezcan, dentro del plazo de treinta días, contados desde la última publicación.

ARTÍCULO 162.- Con todos los antecedentes reunidos, y si se cumple con los requisitos señalados en el artículo 159, la Dirección General de Aguas acogerá la solicitud de cambio de fuente de abastecimiento. En caso contrario, la solicitud será denegada.

La resolución que acepte una solicitud se reducirá a escritura pública, la que será suscrita por el funcionario que se designe en ella y por los interesados, debiendo practicarse las inscripciones, anotaciones y cancelaciones que procedan, en el Registro de Aguas del Conservador de Bienes Raíces. Se agregará a estas inscripciones el tiempo de las reemplazadas.

d) Del traslado del ejercicio de los derechos de aprovechamiento

ARTÍCULO 163.- Todo traslado del ejercicio de los derechos de aprovechamiento de aguas superficiales en cauces naturales y todo cambio de punto de captación definitivo de derechos de aprovechamiento de aguas subterráneas deberá efectuarse mediante una autorización del Director General de Aguas, la que se tramitará en conformidad al párrafo 1° de este Título.

Si la solicitud fuera legalmente procedente, no se afectan derechos de terceros y existe disponibilidad del recurso en el nuevo punto de captación, la Dirección General de Aguas deberá autorizar el traslado o cambio de punto de captación definitivo, según corresponda.

Con todo, el o los nuevos puntos de captación mantendrán la naturaleza, uso y características del derecho de aprovechamiento. En consecuencia, los traslados de ejercicio o los cambios de punto de captación no constituyen nuevos derechos. No obstante, les será aplicable lo dispuesto en el inciso final del artículo 129 bis 1.

e) De la formación de roles provisionales de
usuarios por la Dirección General de Aguas

ARTÍCULO 164.- La Dirección General de Aguas deberá formar el rol provisional de usuarios y de derechos en el caso del artículo 197, de este Código.

ARTÍCULO 165.- Para constituir el rol provisional de usuarios, la Dirección General de Aguas deberá formar un listado de ellos y de los correspondientes derechos de aprovechamiento constituidos.

A falta de derechos constituidos, la mencionada Dirección deberá formar un listado de usuarios y de derechos, con indicación de la superficie regada, la cantidad de agua aprovechada de acuerdo con la superficie normalmente regada de los suelos efectivamente explotados o el establecimiento en que se utiliza el agua y el gasto normalmente utilizado por éste, según sea el caso.

ARTÍCULO 166.- Una vez elaborado dicho listado, se citará a una reunión a todos los interesados, mediante un aviso publicado en un diario o periódico de la provincia en que estuviere ubicada la bocatoma respectiva y, además, si el número lo permite, mediante una notificación que se entregará en los respectivos domicilios con indicación de la fecha, hora y lugar de su celebración.

ARTÍCULO 167.- En la reunión a que se refiere el artículo precedente, se dará a conocer el listado de usuarios y se le harán las correcciones que se acuerden por unanimidad.

ARTÍCULO 168.- El listado resultante de la reunión se publicará, mediante un aviso en un diario o periódico de la capital de la provincia o región y en un matutino de Santiago, para que los interesados puedan formular sus observaciones en el plazo máximo de 15 días.

ARTÍCULO 169.- Conocidas las observaciones al listado, ellas serán resueltas por la Dirección General de Aguas, la que dictará la resolución que fije el rol provisional de usuarios.

ARTÍCULO 170.- Los gastos que irrogue a la Dirección General de Aguas la formación de un rol provisional de usuarios, serán determinados por dicha Dirección y cobrados a los integrantes del rol, a prorrata de sus derechos.

f) Del perfeccionamiento del derecho de aprovechamiento

ARTÍCULO 170 bis.- Toda solicitud destinada a perfeccionar o completar los elementos o características esenciales del título del derecho de aprovechamiento de aguas se someterá a la Dirección General de Aguas, por medio de un procedimiento administrativo especial que se tramitará en conformidad al Párrafo 1 de este Título. Para estos efectos se tendrá a la vista lo dispuesto en los artículos 7, 309, 312, 313 y demás disposiciones de este Código, en lo que correspondan.

Una vez que se encuentre firme y ejecutoriada la resolución administrativa que perfeccione el título del derecho de aprovechamiento de aguas, la Dirección General de Aguas, dentro del plazo de quince días hábiles, procederá a registrar el derecho en el Catastro Público de Aguas dispuesto en el artículo 122. Asimismo, el titular del derecho, cuando corresponda, deberá requerir al Conservador de Bienes Raíces respectivo que deje constancia del registro efectuado en el Catastro Público de Aguas, al margen de la inscripción del derecho de aprovechamiento de aguas.

Lo dispuesto en los incisos anteriores también será aplicable a la solicitud de perfeccionamiento del título del derecho de aprovechamiento de aguas que hubiese sido determinado en una resolución dictada por el Servicio Agrícola y Ganadero.

g) De las modificaciones en cauces naturales o artificiales

ARTÍCULO 171.- Las personas naturales o jurídicas que desearen efectuar las modificaciones a que se refiere el artículo 41 de este Código, presentarán los proyectos correspondientes a la Dirección General de Aguas, para su aprobación previa, aplicándose a la presentación el procedimiento previsto en el párrafo 1° de este Título.

Cuando se trate de obras de regularización o defensa de cauces naturales, los proyectos respectivos deberán contar, además, con la aprobación de la Dirección de Obras Hidráulicas del Ministerio de Obras Públicas.

Quedan exceptuados de los trámites y requisitos establecidos en los incisos precedentes los servicios dependientes del Ministerio de Obras Públicas, así como los proyectos financiados por servicios públicos que cuenten con la aprobación técnica de la Dirección de Obras Hidráulicas. Estos servicios deberán informar a la Dirección General de Aguas las características generales de las obras y ubicación del proyecto antes de iniciar su construcción y remitir los proyectos definitivos de las obras para su conocimiento e inclusión en el Catastro Público de Aguas, dentro del plazo de seis meses, contado desde la recepción final de la obra.

ARTÍCULO 172.- Si se realizaren obras con infracción de lo dispuesto en el artículo anterior, la Dirección General de Aguas impondrá una multa del primer al segundo grado, de conformidad al artículo 173 ter, pudiendo apercibir al infractor y fijar un plazo perentorio para que modifique o destruya total o parcialmente las obras. En el caso de que se disponga la modificación de las obras, la Dirección General de Aguas podrá ordenar que se presente el correspondiente proyecto, de acuerdo a las normas de este Código. En caso de que el infractor no diere cumplimiento a lo ordenado, destruyendo la obra o presentando el proyecto de modificación, la Dirección impondrá una multa del tercer grado.

Si las obras que no cuentan con la debida autorización entorpecen el libre escurrimiento de las aguas o significan peligro para la vida o salud de los habitantes, la Dirección General de Aguas impondrá una multa del segundo al tercer grado, de conformidad al artículo 173 ter, y apercibirá al infractor fijándole un plazo perentorio para que destruya las obras o las modifique, ordenándole que presente el correspondiente proyecto de acuerdo a las normas de este Código. Si el infractor no diere cumplimiento a lo ordenado, la Dirección le impondrá una multa mínima de 100 y máxima de 1.000 unidades tributarias anuales, según fuere la magnitud del entorpecimiento ocasionado al libre escurrimiento de las aguas o el peligro para la vida o salud de los habitantes, y podrá adoptar las medidas para su cumplimiento de conformidad a lo dispuesto en el artículo 138.

h) De la fiscalización

ARTÍCULO 172 bis.- La Dirección General de Aguas fiscalizará el cumplimiento de las normas de este Código.

Para el cumplimiento de su labor, la Dirección podrá iniciar un procedimiento sancionatorio de oficio cuando tomare conocimiento de hechos que puedan constituir infracciones de dichas normas, por denuncia de un particular, por medio de una autodenuncia, o a requerimiento de otro servicio del Estado.

Las denuncias se presentarán ante la Dirección General de Aguas de la región o de la provincia correspondiente y deberán señalar el lugar y fecha de presentación y la individualización completa del denunciante, quien deberá suscribirla personalmente, o por su mandatario o representante habilitado. Las denuncias también podrán ser presentadas en la forma que determine la Dirección General de Aguas, mediante resolución fundada, privilegiando medios electrónicos. En todo caso, la denuncia deberá contener una descripción de los hechos concretos que se estiman constitutivos de infracción, el lugar y las referencias suficientes para determinar su locación, la fecha probable de su comisión, las normas infringidas si las conociera el denunciante, y la individualización del presunto infractor, en caso de que pudiera identificarlo.

La Dirección deberá declarar admisible la denuncia cuando cumpla con los requisitos señalados en el inciso anterior, esté revestida de seriedad y tenga mérito suficiente. Si la denuncia no contiene una descripción del hecho denunciado y el lugar de su comisión, será archivada, sin perjuicio de la facultad de la Dirección de proceder de oficio.

Declarada admisible la denuncia, se abrirá el expediente del procedimiento sancionatorio, el que deberá ser resuelto en un plazo máximo de seis meses. Éste será resuelto por el Director General de Aguas o por el respectivo director regional, previa delegación de funciones de conformidad a lo dispuesto en la letra g) del artículo 300 de este Código.

ARTÍCULO 172 ter.- En el caso de los procedimientos de fiscalización iniciados por denuncia, dentro del plazo de quince días contado desde la apertura del expediente, la Dirección efectuará una inspección a terreno, debiendo notificar del motivo de la actuación en ese mismo acto. El presunto infractor deberá entregar todas las facilidades para que se lleve a cabo el referido proceso de inspección y no podrá negarse, de manera injustificada, a proporcionar la información que le sea requerida. Las inspecciones a que se refiere el presente artículo en lugares que constituyan una habitación actualmente ocupada, cuyo ocupante se haya opuesto a la realización de la inspección, de lo que deberá dejarse constancia por escrito, podrán también realizarse con auxilio de la fuerza pública, previa autorización del juez de letras competente en el territorio jurisdiccional del lugar donde se fiscaliza, quien la podrá conceder de inmediato a solicitud del Servicio, sin forma de juicio, a través del medio más expedito.

En ejercicio de la labor fiscalizadora, el personal de la Dirección deberá siempre informar al sujeto fiscalizado de la materia específica objeto de la fiscalización y de la normativa pertinente, realizando las diligencias estrictamente indispensables y proporcionales al objeto de la fiscalización. El personal fiscalizador deberá, además, guardar reserva de aquellos antecedentes y documentos que no tengan el carácter de públicos. Los fiscalizados podrán denunciar conductas abusivas de los funcionarios ante sus superiores jerárquicos, sin perjuicio de las sanciones penales que correspondan.

Quienes realicen esta inspección deberán levantar un acta de la misma, dejando constancia de si existen o no hechos que se estimen constitutivos de una infracción y, en caso afirmativo, la indicación de la o las normas eventualmente infringidas.

El personal fiscalizador de la Dirección tendrá el carácter de ministro de fe respecto de los hechos que consignen en el cumplimiento de sus funciones y que consten en el acta a que se refiere este artículo. Los hechos establecidos por los ministros de fe constituirán presunción legal.

ARTÍCULO 172 quáter.- Cuando constaren en el acta de inspección hechos que se estimen constitutivos de infracción, deberá notificarse personalmente al presunto infractor, entregándole copia del acta y señalándole que podrá presentar sus descargos dentro del plazo de quince días contado desde esa fecha. Si éste no es habido en el lugar fiscalizado, podrá ser notificado del acta y del plazo para los descargos en la forma dispuesta en el artículo 44 del Código de Procedimiento Civil.

En caso de que no se hubieren detectado hechos constitutivos de infracción, se le entregará copia del acta al fiscalizado y se cerrará el expediente, poniendo fin al procedimiento respectivo.

ARTÍCULO 172 quinquies.- Evacuados los descargos por el presunto infractor, o vencido el plazo para ello, la Dirección General de Aguas resolverá sin más trámite cuando no existan hechos controvertidos o sean de pública notoriedad. En caso contrario, abrirá un término de prueba de quince días. Dicho plazo se ampliará, si corresponde, de conformidad a lo dispuesto en el artículo 26 de la Ley N° 19.880.

La Dirección dará lugar a las medidas o diligencias probatorias que solicite el presunto infractor en sus descargos, siempre que resulten pertinentes y conducentes. En caso contrario, las rechazará mediante resolución fundada, sin perjuicio de que la Dirección pueda decretar otras medidas o solicitar antecedentes adicionales previos a resolver.

Los hechos investigados y las responsabilidades a que éstos den lugar podrán acreditarse mediante cualquier medio de prueba admisible en derecho, los que se apreciarán conforme a las reglas de la sana crítica.

ARTÍCULO 172 sexies.- Dentro del plazo de quince días contado desde la evacuación de los descargos o vencido el plazo para ello, o desde el vencimiento del término probatorio, si se hubiere dado lugar a éste, la Dirección elaborará un informe técnico que servirá de base para resolver el procedimiento y deberá ser remitido al Director para su pronunciamiento.

Dicho informe deberá contener la individualización del o de los infractores, si se conociere; la relación de los hechos investigados y la forma en que se ha llegado a acreditarlos, y la proposición al Director de las sanciones que estimare procedente aplicar o de la absolución de uno o más de los infractores.

El Director pondrá término al procedimiento mediante resolución fundada, la que deberá pronunciarse sobre cada uno de los hechos investigados, infracciones detectadas y alegaciones o descargos realizados por el presunto infractor. Contra esta resolución podrán interponerse los recursos contemplados en los artículos 136 y 137 de este Código.

3. De las sanciones

ARTÍCULO 173.- La Dirección General de Aguas aplicará una multa a beneficio fiscal, y fijará el plazo para su pago, a quienes incurran en las infracciones que a continuación se describen, cuyo monto se determinará de conformidad a lo dispuesto en este párrafo, sin perjuicio de lo dispuesto en los artículos 172 y 307 de este Código y de las responsabilidades civiles y penales que procedan:

1. Una multa de primer grado cuando se trate de infracciones relativas a la obligación de entregar información en la forma y oportunidad que disponen este Código y las resoluciones de la Dirección General de Aguas.

Asimismo, se aplicará una multa de este grado al propietario, poseedor o mero tenedor de un predio, sea o no titular de derechos de aprovechamiento, en el que existan o no obras para aprovechar el recurso, que niegue injustificadamente el ingreso de los funcionarios de fiscalización para el cumplimiento de sus labores. Se entenderá que existe negativa del propietario, poseedor o mero tenedor aun cuando quien la realice sea una tercera persona, sin perjuicio de las acciones que tengan aquéllos para repetir en contra de esta última.

2. Una multa de segundo grado cuando se trate del incumplimiento de las obligaciones que dispone el presente Código o sus reglamentos referentes a la instalación y mantención de sistemas de medición de caudales, de volúmenes extraídos y de niveles freáticos de la obra y de sistemas de transmisión de dicha información.

La resolución que disponga la aplicación de esta multa fijará un plazo prudencial, no prorrogable, que no podrá ser inferior a un mes ni superior a seis meses, para que el infractor instale y opere dichos sistemas.

3. Una multa de tercer grado en caso de incumplimiento de la resolución que otorga nuevo plazo para la instalación de los sistemas señalados en el número anterior, previo procedimiento sancionatorio abreviado consistente en una visita a terreno, notificación del acta respectiva y recepción de los descargos pertinentes, dentro del plazo de treinta días contado desde la visita a terreno.

4. Una multa de cuarto grado cuando se realicen actos u obras, sin contar con el permiso de la autoridad competente, que afecten la disponibilidad de las aguas.

5. Una multa de quinto grado a quien, siendo titular actual de un derecho de aprovechamiento de aguas o no, de forma intencional obtenga una doble inscripción de su derecho en el Registro de Propiedad de Aguas del conservador de bienes raíces, para beneficio personal o en perjuicio de terceros. En caso de que proceda, al autor material del hecho se le sancionará, además, con la revocación de su título duplicado y la cancelación de la inscripción, conforme a lo dispuesto en el artículo 460 bis del Código Penal. Lo anterior es sin perjuicio de la responsabilidad que le corresponda al o a los funcionarios públicos por falsificación de instrumento público.

6. Las infracciones que no tengan una sanción específica serán sancionadas con una multa cuya cuantía puede variar entre el primer y tercer grado.

La Dirección comunicará la resolución a la Tesorería General de la República para efectos de su cobro, una vez que ésta se encuentre ejecutoriada.

ARTÍCULO 173 bis.- Para las sanciones dispuestas en los artículos 172 y 173, el monto de la multa podrá incrementarse en los siguientes casos:

1. Hasta el 100%, cuando la infracción afecte la disponibilidad de las aguas utilizadas para satisfacer el consumo humano, uso doméstico de subsistencia o el saneamiento.

2. Hasta el 75%:

a) Si las infracciones se cometen en las zonas declaradas como área de restricción o zona de prohibición, en acuíferos o sectores hidrogeológicos de aprovechamiento común sujetos a una reducción temporal del ejercicio, en ríos declarados agotados, o en cauces intervenidos producto de una declaración de escasez.

b) Si la infracción cometida perjudica gravemente el cauce, y siempre que no sea constitutiva de los hechos sancionados en el artículo 172.

c) Cuando, a consecuencia de la contravención, se produzca un descenso sostenido o abrupto de los niveles freáticos del acuífero.

d) Cuando se realicen actos u obras, sin permiso de la autoridad competente, que menoscaben o deterioren la calidad del agua en contravención a la normativa vigente, cuando dicha alteración no cuente con una sanción específica.

3. Hasta el 50%:

a) Cuando la infracción cometida modifique o destruya obras autorizadas destinadas al ejercicio del derecho de aprovechamiento de terceros.

b) Cuando la captación de agua además afecte el caudal ecológico mínimo impuesto en la resolución constitutiva.

Sin perjuicio de lo dispuesto en el inciso anterior, la reiteración de la infracción se sancionará duplicando el monto original.

El monto de la multa se rebajará en el 50% para aquellos infractores que se autodenuncien ante la Dirección General de Aguas por cualquier contravención de este Código. La autodenuncia no requerirá de formalidades especiales, y bastará que sólo contenga una enunciación de los hechos, el lugar y la época en la que ocurrieron, y la individualización de su autor o autores. La circunstancia señalada sólo procederá cuando la información proporcionada por el infractor sea precisa, verídica y comprobable respecto de los hechos que constituyen la infracción y ponga fin, de inmediato, a los mismos.

ARTÍCULO 173 ter.- Sin perjuicio de las sanciones específicas contempladas en los artículos 172 y 307, las infracciones que se establecen en este Código serán sancionadas con multas a beneficio fiscal, determinadas según los siguientes grados:

a) Primer grado: de 10 a 50 unidades tributarias mensuales.

b) Segundo grado: de 51 a 100 unidades tributarias mensuales.

c) Tercer grado: de 101 a 500 unidades tributarias mensuales.

d) Cuarto grado: 501 a 1.000 unidades tributarias mensuales.

e) Quinto grado: 1.001 a 2.000 unidades tributarias mensuales.

Para la determinación del monto de la multa al interior de cada grado, se deberá tener en consideración, entre otras, las siguientes circunstancias: el caudal de agua afectado, si son aguas superficiales o subterráneas, si se produce o no la afectación de derechos de terceros, la cantidad de usuarios perjudicados, el grado de afectación del cauce o acuífero, y la zona en que la infracción se produzca, según la disponibilidad del recurso.

ARTÍCULO 173 quáter.- Las infracciones establecidas en el presente Código prescribirán en el plazo de tres años contado desde su comisión.

ARTÍCULO 174.- Las multas que establece este código, y cuya aplicación corresponde a las organizaciones de usuarios se harán efectivas previa audiencia del interesado. Con lo que éste exponga dentro del plazo que se le fije, que no podrá ser inferior a diez días, o en su rebeldía, se resolverá sin más trámite.

Regirá en lo pertinente lo dispuesto en el artículo 247º.

La multa deberá pagarse dentro del plazo de cinco días, contados desde la fecha de la resolución que la aplique y, para hacer uso del derecho que confiere el inciso anterior, deberá depositarse previamente el veinte por ciento de su valor en la respectiva organización de usuarios o en la cuenta corriente bancaria que éstas tengan.

ARTÍCULO 175.- Si la ley no indicare la autoridad encargada de imponer la multa, ésta será aplicada por el Juez Letrado del lugar en que se hubiere cometido la infracción.

El tribunal comunicará la sentencia a la Tesorería General de la República para efectos de su cobro.

ARTÍCULO 176.- Las multas que no tuvieren un beneficiario determinado, se aplicarán a beneficio fiscal.

El procedimiento de cobro de las multas se realizará por la Tesorería General de la República de acuerdo a lo dispuesto en el artículo 35 del decreto Ley N° 1.263, de 1975, Orgánico de Administración Financiera del Estado.

Si la multa fuere pagada dentro de los nueve días siguientes a su notificación será rebajada en el 25%.

Este beneficio no será acumulable con otras rebajas de la pena, tales como aquella que beneficia al autodenunciante.

TÍTULO II
DE LOS PROCEDIMIENTOS JUDICIALES EN LOS JUICIOS SOBRE AGUAS EN GENERAL

1. Normas Generales

ARTÍCULO 177.- Los juicios sobre constitución, ejercicio y pérdida de los derechos de aprovechamiento de aguas y todas las demás cuestiones relacionadas con ellos, que no tengan procedimiento especial, se tramitarán conforme al procedimiento sumario establecido en el Título XI, del Libro III, del Código de Procedimiento Civil.

ARTÍCULO 178.- Será competente para conocer de estos juicios, el Juez de Letras que corresponda, de acuerdo con las normas sobre competencia establecidas en el Código Orgánico de Tribunales.

ARTÍCULO 179.- En estos juicios se podrá decretar de oficio la inspección personal del Tribunal, el nombramiento de peritos y el informe de la Dirección General de Aguas.

ARTÍCULO 180.- No obstante lo dispuesto en los artículos anteriores, los juicios ejecutivos y las acciones posesorias se regirán por las disposiciones del Código de Procedimiento Civil.

2. Del amparo judicial

ARTÍCULO 181.- El titular de un derecho de aprovechamiento o quien goce de la presunción a que se refiere el artículo 7° del decreto Ley N° 2.603, de 1979, que estimare estar siendo perjudicado en el aprovechamiento de las aguas, por obras o hechos recientes, podrá ocurrir ante el Juez competente a fin de que se le ampare en su derecho.

El ejercicio de este derecho no requerirá otras formalidades que las prescritas en los artículos siguientes y será innecesario, en primera instancia, el patrocinio de abogado.

En este amparo judicial procederá siempre la habilitación a que se refiere el artículo 60 del Código de Procedimiento Civil.

ARTÍCULO 182.- La solicitud de amparo deberá contener las siguientes menciones:

1. La individualización del recurrente;

2. Los entorpecimientos que le impiden el ejercicio de su derecho;

3. El daño que dichos entorpecimientos le ocasionen o pudieren ocasionar;

4. El o los presuntos responsables de tales entorpecimientos;

5. Las medidas que se solicitan para poner fin inmediato al entorpecimiento, y

6. La organización de usuarios a que pertenece el recurrente o, en su defecto, la nómina de las organizaciones constituidas en el canal, embalse o captación de donde provengan las aguas, y la individualización de sus representantes legales, cuando estas organizaciones existan.

Deberán acompañarse a la solicitud los antecedentes que justifiquen el derecho de aprovechamiento o la presunción.

ARTÍCULO 183.- La solicitud de amparo deberá ser proveída, dentro de las veinticuatro horas de recibida y se notificará en la forma prescrita en el artículo 44°, inciso 2°, del Código de Procedimiento Civil, al o los presuntos responsables, y a los representantes legales de las organizaciones señaladas en el número 6 del artículo anterior, para que éstos, dentro del plazo de cinco días, hagan sus descargos o formulen las observaciones que procedan según el caso.

El Juez dispondrá una inspección ocular, cuyo costo será de cargo del recurrente, y podrá, si lo estima conveniente, requerir a la Dirección General de Aguas, que informe al respecto, dentro del plazo que le señale, el que no podrá exceder de cinco días.

ARTÍCULO 184.- Transcurridos los plazos señalados en el artículo anterior, el Juez dictará, sin más trámite, una resolución acogiendo o denegando el amparo.

En el primer caso, la resolución expresará las medidas que se deberán adoptar para poner fin al entorpecimiento.

La resolución que se pronuncie sobre la solicitud de amparo, deberá ser notificada por cédula.

ARTÍCULO 185.- La resolución que resuelva el amparo será apelable en el solo efecto devolutivo.

3. Del arbitraje

ARTÍCULO 185 bis.- Sin perjuicio de lo dispuesto en los artículos 177 y 244 de este Código, los conflictos que se produzcan en el ejercicio de derechos de aprovechamiento de aguas, podrán ser resueltos por un árbitro con el carácter de arbitrador, el que podrá ser nombrado de común acuerdo y en subsidio, por el juez de letras en lo civil respectivo a que se refiere el artículo 178, el que deberá recaer en una persona que figure en una nómina que al efecto formarán las Cortes de Apelaciones. El carácter de árbitro será incompatible con el de funcionario público.

TÍTULO III
DE LAS ORGANIZACIONES DE USUARIOS

ARTÍCULO 186.- Si dos o más personas tienen derechos de aprovechamiento en las aguas de un mismo canal, embalse, o aprovechan las aguas de un mismo acuífero, podrán reglamentar la comunidad que existe como consecuencia de este hecho, constituirse en asociación de canalistas o en cualquier tipo de sociedad, con el objeto de tomar las aguas del caudal matriz, repartirlas entre los titulares de derechos, construir, explotar, conservar y mejorar las obras de captación, acueductos y otras que sean necesarias para su aprovechamiento. En el caso de cauces naturales podrán organizarse como junta de vigilancia.

1. De las Comunidades de Aguas

ARTÍCULO 187.- Las comunidades podrán organizarse por escritura pública suscrita por todos los titulares de derechos que se conducen por la obra común.

ARTÍCULO 188.- Si cualquier interesado o la Dirección General de Aguas promueve cuestión sobre la existencia de la comunidad o sobre los derechos de los comuneros en el agua o en la obra común, se citará a comparendo ante el Juez del lugar en que esté ubicada la bocatoma del canal principal.

La citación a comparendo se hará por medio de cuatro avisos, tres de los cuales se publicarán en un periódico de la provincia o región en que funcione el Tribunal, y uno en un diario de Santiago, debiendo mediar por lo menos entre la primera publicación y el comparendo un plazo no inferior a diez días. El o los periódicos serán designados por el Juez.

Si los interesados son menos de cuatro, se les notificará también personalmente y la notificación se hará en la forma determinada por el artículo 44°, del Código de Procedimiento Civil, aunque la persona a quien deba notificarse no se encuentre en el lugar de su morada o donde ejerce habitualmente su industria, profesión o empleo.

El comparendo se celebrará con los interesados que asistan, si son dos o más y si sólo asiste uno, se repetirá la citación en la misma forma, a excepción de la notificación que será hecha por cédula, expresándose en ésta y en los avisos que es segunda citación. En este caso, el comparendo se celebrará con el que asista.

No podrá organizarse una comunidad de aguas ante el Juez si existe otra organización ya constituida en la obra común, que tenga la misma jurisdicción.

La Dirección General de Aguas podrá participar y comprometer recursos en la organización de una comunidad de aguas desde la iniciación de la gestión judicial hasta su inscripción en el Catastro Público de Aguas.

ARTÍCULO 189.- En el comparendo a que se refiere el artículo anterior, los interesados harán valer los títulos o antecedentes que sirvan para establecer sus derechos en el agua o la obra común. A falta de acuerdo, el Juez resolverá sin más antecedentes que los acompañados.

Sin perjuicio de lo anterior, en el caso de aquellos titulares de derechos que hayan iniciado el proceso de regularización ante la Dirección General de Aguas, en conformidad con los procedimientos a que se refieren los artículos 2 y 5 transitorios de este Código, podrán acompañar al tribunal un certificado emitido por esa Dirección que acredite que han iniciado dicho proceso. En caso de que el juez resuelva que la presentación de uno o más de estos interesados es suficiente para determinar su incorporación a la comunidad, se registrará bajo un rol de miembros provisionales con los mismos derechos y deberes del resto de los comuneros. El interesado dejará esa condición de provisional una vez que la Dirección General de Aguas resuelva su solicitud de regularización. Si esa Dirección rechaza la regularización, el interesado será eliminado del registro de miembros provisionales y no será incorporado como comunero.

Cuando el Tribunal no alcance a conocer de las materias tratadas en este artículo en una sola audiencia, continuará en los días hábiles inmediatos hasta concluir.

El Tribunal, si lo estima necesario, podrá abrir un término de prueba como en los incidentes y designar un perito para que informe sobre la capacidad del canal, su gasto medio normal, los derechos de aprovechamiento del mismo y los correspondientes a cada uno de los usuarios.

ARTÍCULO 190.- Declarada por el Juez la existencia de la comunidad y fijados los derechos de los comuneros, en conformidad a los artículos anteriores, se procederá a elegir al directorio si los comuneros son más de cinco, o a uno o más administradores, con las mismas facultades que el directorio, en caso contrario.

ARTÍCULO 191.- Las resoluciones que se expidan en las gestiones contempladas en los artículos anteriores, serán apelables sólo en el efecto devolutivo y la apelación se tramitará como en los incidentes.

ARTÍCULO 192.- Los acuerdos o resoluciones que declaren la existencia de la comunidad y fijen los derechos de los comuneros, se notificarán en la forma señalada en el artículo 188. Las demás resoluciones se notificarán en la forma ordinaria indicada en el Código de Procedimiento Civil.

ARTÍCULO 193.- El derecho de cada uno de los comuneros sobre el caudal común será el que conste de sus respectivos títulos.

ARTÍCULO 194.- Los interesados que no hayan comparecido a la escritura pública de organización o que no hayan asistido al comparendo y a quienes no se haya asignado lo que les corresponde en la distribución de las aguas, podrán presentarse reclamándolo en cualquier tiempo.

A solicitud de ellos, se citará a todos los interesados, procediéndose como se indica en el artículo siguiente, pero sin que se altere mientras tanto lo que esté acordado o resuelto.

Las costas de las nuevas gestiones serán de cargo exclusivo de los que las soliciten.

Los acuerdos o resoluciones ejecutoriados que se produzcan en estas nuevas gestiones, prevalecerán sobre los acuerdos o resoluciones anteriores.

ARTÍCULO 195.- Los interesados que se sientan perjudicados con los acuerdos o resoluciones dictados en conformidad con los artículos anteriores, respecto de los derechos que les correspondan en la comunidad, podrán hacer valer esos derechos en juicio sumario.

Las sentencias ejecutoriadas que se dicten en el nuevo juicio, que modifiquen los acuerdos o las resoluciones anteriores, se aplicarán con preferencia a éstos desde que se reclame su cumplimiento.

No podrán, sin embargo, decretarse en estos juicios medidas precautorias que impidan o embaracen la ejecución de dichos acuerdos o resoluciones.

ARTÍCULO 196.- Las comunidades se entenderán organizadas por su registro en la Dirección General de Aguas.

Las comunidades de aguas que hayan cumplido con este requisito gozarán de personalidad jurídica y les serán aplicables las disposiciones del Título XXXIII del Libro I del Código Civil, con excepción de los artículos 562, 563 y 564.

ARTÍCULO 197.- Las cuestiones sobre preferencias que aleguen los dueños de derechos de aprovechamiento, no impedirán la organización de la comunidad. El Juez resolverá la forma en que dichos interesados se incorporarán a ella, tomando en cuenta exclusivamente los títulos y antecedentes que hagan valer.

La resolución judicial que reconozca la existencia de la comunidad y los titulares de los comuneros se reducirá a escritura pública, conjuntamente con los estatutos si hubiere acuerdo sobre ellos, la que deberá ser firmada por el Juez o por la persona que él designe.

Dicha resolución se notificará en extracto en la forma prescrita en el artículo 188.

Mientras se resuelve el litigio podrá organizarse la comunidad sobre la base del rol provisional a que se refieren los artículos 164 y siguientes. Declarado el abandono de la instancia a petición de cualquiera de los comuneros, el rol provisional se tendrá por definitivo.

Los estatutos se aprobarán por la mayoría de los derechos de aprovechamiento en las aguas comunes. A falta de acuerdo, la comunidad se regirá por las normas de este párrafo.

Las resoluciones que se dicten en conformidad a la presente disposición, serán apelables en el solo efecto devolutivo y la apelación se tramitará como en los incidentes.

ARTÍCULO 198.- La escritura de organización de una comunidad de aguas deberá contener:

1. Los nombres, apellidos y domicilios de los comuneros;
2. El nombre, domicilio y objeto de la comunidad;
3. El nombre de los cauces que conducen las aguas sometidas a su jurisdicción;
4. El derecho de agua que corresponde al canal en la corriente de uso público y la forma en que se divide ese derecho entre los comuneros;
5. El nombre y ubicación de los predios o establecimientos que aprovechen las aguas;
6. Los bienes comunes;
7. El número de miembros que formará el directorio, o el número de administradores, según sea el caso;
8. Las atribuciones que tendrá el directorio o los administradores, fuera de las que les confiere la ley;
9. La fecha anual en que debe celebrarse la junta general ordinaria, y
10. Los demás pactos que acordaren los comuneros.

El domicilio de la comunidad será la capital de la provincia en que se encuentre la obra de entrega o la bocatoma del canal principal, salvo que los interesados acuerden otro por mayoría de votos, determinados en conformidad al artículo 222.

ARTÍCULO 199.- Podrán ingresar convencionalmente a la comunidad quienes incorporen al canal nuevos derechos de agua. Los gastos de incorporación de nuevos derechos serán de cargo del interesado.

Los que a cualquier título sucedan en sus derechos a un comunero tendrán en la comunidad las obligaciones y derechos de su antecesor.

ARTÍCULO 200.- La competencia de la comunidad en lo concerniente a la administración de los canales, distribución de las aguas y a la jurisdicción que con arreglo al artículo 244 corresponde al directorio sobre los comuneros, se extenderá hasta donde exista comunidad de intereses, aunque sólo sea entre dos comuneros.

No obstante, en lo referente a la administración de los canales y a la distribución de las aguas, podrán los estatutos estipular una menor extensión de sus atribuciones.

ARTÍCULO 201.- Serán bienes comunes los recursos pecuniarios y de otra naturaleza con que contribuyan los titulares de los derechos de aprovechamiento, el producto de las multas y los bienes que se adquieran a cualquier título para los fines de la organización.

ARTÍCULO 202.- Las obras que formen parte de un sistema sometido a la jurisdicción de una comunidad de aguas pertenecerán a quienes hayan adquirido su dominio en conformidad a las normas de derecho común.

Se presume dueño de las obras a los titulares de derechos que extraigan, conduzcan o almacenen aguas en ellas, en la proporción de sus derechos.

ARTÍCULO 203.- Los créditos contra los comuneros y la maquinaria o equipos mecanizados adquiridos para los trabajos de la comunidad, podrán ser dados en prenda, en garantía de préstamos que contraten las comunidades, con el objeto de obtener capital necesario para el cumplimiento de sus fines.

La notificación de la prenda a los comuneros se hará por medio de un aviso en un diario o periódico de la capital de la provincia o región correspondiente al domicilio de la comunidad.

ARTÍCULO 204.- En el caso del artículo anterior el directorio, de acuerdo con el acreedor prendario, podrá requerir el pago de las cuotas y recibirlas válidamente en calidad de diputado para el cobro.

ARTÍCULO 205.- La comunidad deberá llevar un Registro de Comuneros en que se anotarán los derechos de agua de cada uno de ellos, el número de acciones y las mutaciones de dominio que se produzcan.

No se podrán inscribir dichas mutaciones mientras no se practiquen las inscripciones correspondientes en el Registro de Aguas del Conservador de Bienes Raíces.

ARTÍCULO 206.- Los comuneros extraerán el agua por medio de dispositivos que permitan aforarla, tales como compuertas, marcos partidores, bombas u otros. Éstos serán autorizados por el directorio.

ARTÍCULO 207.- Si dos o más comuneros extrajeren aguas en común por un mismo dispositivo, el directorio podrá exigirles que constituyan un representante común y serán solidariamente responsables del pago de las cuotas y multas respectivas.

Si requeridas a este efecto, no lo hicieren dentro del plazo de treinta días, el directorio efectuará el nombramiento.

Dichos comuneros podrán constituirse en comunidad de aguas independiente, o asociación de canalistas, según corresponda.

ARTÍCULO 208.- La construcción o reparación de los dispositivos se hará por el directorio a costa del interesado, o bajo la responsabilidad y vigilancia de aquél, si se permite hacerla a este último.

ARTÍCULO 209.- El comunero que se considere perjudicado por la construcción o reparación de su dispositivo, podrá reclamar al directorio para que, con citación de los demás interesados, resuelva la cuestión en la forma dispuesta por los artículos 243 y siguientes.

ARTÍCULO 210.- Las aguas de cualquier comunero podrán trasladarse de un canal a otro, o de un lugar a otro en un mismo acueducto, en ambos casos sometidos a la misma comunidad, a costa del comunero que solicite el traslado y en las épocas que fije el directorio.

ARTÍCULO 211.- Los estatutos podrán establecer normas permanentes para la distribución de las aguas.

ARTÍCULO 212.- Son obligaciones de los comuneros:

1. Asistir a las juntas de comuneros. Los inasistentes pagarán una multa siempre que no haya sala. Si los estatutos nada dijeren, la multa será determinada por el directorio;

2. Costear la construcción y reparación del dispositivo por el que extraen sus aguas del canal principal; y si fueren varios los interesados en el dispositivo, pagarán la obra a prorrata de sus derechos.

En la misma proporción los dispositivos calificados de partidores principales por las juntas generales, serán costeados por los comuneros de una y otra rama.

Cuando los dispositivos o canales costeados particularmente por los comuneros se inutilizaren por alguna medida de interés común acordada por el directorio o la junta, como ser, reforma del sistema de dispositivos, modificación de la rasante del acueducto u otra obra semejante, las nuevas obras que sean necesarias se harán a costa de los interesados en la obra;

3. Concurrir a los gastos de mantención de la comunidad, a prorrata de sus derechos, y

4. Las demás que impongan los estatutos.

ARTÍCULO 213.- Los acuerdos de las juntas sobre gastos y fijación de cuotas, serán obligatorios para todos los comuneros, y una copia de tales acuerdos debidamente autorizada por el secretario del directorio, tendrá mérito ejecutivo, en contra de aquéllos.

La misma norma se aplicará respecto de los acuerdos del directorio sobre fijación de cuotas, cuando proceda, y sobre multas.

ARTÍCULO 214.- Los derechos de aprovechamiento de aguas quedarán gravados de pleno derecho, con preferencia a toda prenda, hipoteca u otro gravamen constituido sobre ellos, en garantía de las cuotas de contribución para los gastos que fijan las juntas y directorios.

Los adquirentes a cualquier título de estos derechos, responderán solidariamente con su antecesor de las cuotas insolutas al tiempo de la adquisición.

ARTÍCULO 215.- Todos los gastos de construcción, explotación, limpia, conservación, mejoramiento y demás que se hagan en beneficio de los comuneros, serán de cuenta de éstos, a prorrata de sus derechos de aprovechamiento.

Los gastos que fueren en provecho de determinados comuneros, serán de cuenta exclusiva de éstos, también a prorrata de sus derechos.

Los comuneros que por sus títulos, estén exentos del pago de gastos, se entenderá que únicamente lo están de los ordinarios de explotación y conservación, pero no de los extraordinarios, salvo que estuvieren también exentos de tales gastos en forma expresa por dichos títulos.

ARTÍCULO 216.- Los comuneros morosos en el pago de sus cuotas podrán ser privados del agua durante la mora, sin perjuicio de la acción judicial en su contra.

Responderán, además, de los gastos que irrogue la contratación de un inspector encargado de aplicar y vigilar la privación del agua.

Los morosos podrán ser obligados al pago de sus cuotas con los reajustes, multas, y tasas de interés que determine la junta general ordinaria o el directorio, en su caso.

Las sanciones que se apliquen en conformidad a estas normas pasarán contra los sucesores a cualquier título.

ARTÍCULO 217.- Si algún comunero, por sí o por interpósita persona, alterase un dispositivo de distribución, éste será restablecido a su costa debiendo además pagar la multa que fije el directorio, lo cual es sin perjuicio de la privación del agua hasta que cumpla con estas obligaciones. Las reincidencias serán penadas con el doble o triple de la multa, según corresponda.

Las mismas reglas se aplicarán a los comuneros que hicieren estacadas u otras labores para aumentar su dotación de agua.

Las medidas a que se refiere este artículo, serán impuestas por el directorio, siendo aplicables los incisos 2° y 3° del artículo anterior.

Se presume autor de estos hechos al beneficiado con ellos.

ARTÍCULO 218.- Los negocios que interesen o afecten a la comunidad se resolverán en juntas generales las que serán ordinarias o extraordinarias.

A falta de disposición especial en los estatutos, las juntas generales ordinarias se celebrarán el primer Sábado hábil del mes de Abril de cada año, a las catorce horas, en el lugar que determine el directorio o administradores, según el caso.

Las juntas generales extraordinarias tendrán lugar en cualquier tiempo.

ARTÍCULO 219.- En las juntas generales habrá sala con la mayoría absoluta de los comuneros con derecho a voto.

Si en la primera reunión no hubiere sala, regirá la citación para el día siguiente hábil a la misma hora y en el mismo lugar y en este caso la habrá con los que asistan.

Con todo, podrá citarse para un mismo día en primera y segunda citación, siempre que entre una y otra haya lo menos 30 minutos de diferencia, caso en el cual regirá la norma sobre sala contenida en el inciso anterior.

Para que opere lo dispuesto en los dos incisos precedentes, deberá dejarse expresa constancia en la convocatoria, del día y hora para el cual se cita a una nueva reunión.

ARTÍCULO 220.- Las convocatorias a junta se harán saber a los comuneros por medio de un aviso que se publicará en un diario o periódico de la capital de la provincia en que tenga domicilio la comunidad.

A falta de ellos, la convocatoria se realizará por medio de un aviso publicado en un diario o periódico de la ciudad capital de la región correspondiente. Además, se dirigirá carta certificada al domicilio que el comunero haya registrado en la secretaría de la comunidad, en caso de citación a junta extraordinaria.

Adicionalmente, en caso que la convocatoria comprenda las materias referidas en los artículos 241, número 23, ó 274, número 9, ésta se publicará y comunicará en la forma prescrita por el artículo 131, con no menos de diez ni más de sesenta días de anticipación a la fecha de la junta.

ARTÍCULO 221.- Las convocatorias a juntas se harán con diez días de anticipación, a lo menos, indicándose el lugar, día, hora y objeto de la junta.

ARTÍCULO 222.- Cada comunero tendrá derecho a un voto por cada acción que posea.

Las fracciones de voto se sumarán hasta formar votos enteros, despreciándose las que no alcanzaren a completarlos, salvo el caso de empate, en que se computarán para decidirlo.

Si no hubiere fracciones, el empate lo dirimirá el presidente.

ARTÍCULO 223.- Sólo tendrán derecho a voto los comuneros cuyos derechos estén inscritos en el Registro de la Comunidad y estén al día en el pago de sus cuotas, los que podrán comparecer por sí o representados.

El mandato deberá constar en instrumento otorgado ante Notario Público, pero si se otorga a otro comunero, bastará una carta poder simple.

Las comunidades o sucesiones comparecerán por medio de un solo representante.

ARTÍCULO 224.- Los acuerdos de la junta se tomarán por mayoría absoluta de los votos emitidos en ella, salvo que este código o los estatutos establezcan otra mayoría.

ARTÍCULO 225.- Las sesiones de la junta serán presididas por el presidente del directorio; en su defecto, por su subrogante y, a falta de éste, por el comunero presente que posea más acciones.

ARTÍCULO 226.- Corresponde a las juntas generales ordinarias:
1. Elegir al directorio o administradores;

2. Acordar el presupuesto de gastos ordinarios o extraordinarios para el período de un año, y las cuotas de una y otra naturaleza que deben erogar los comuneros para cubrir esos gastos. Mientras no se apruebe el presupuesto, regirá el del año anterior, reajustado según la variación que haya experimentado el índice de precios al consumidor;

3. Pronunciarse sobre la memoria y la cuenta de inversión que debe presentar el directorio;

4. Nombrar inspectores para el examen de las cuentas y facultarlos para seleccionar los auditores externos de contabilidad y procedimientos, si fuere menester;

5. Fijar las sanciones que se aplicarán a los deudores morosos, y

6. Tratar cualquier materia que se proponga en ellas, salvo las que requieren citación especial.

ARTÍCULO 227.- Las juntas generales extraordinarias sólo podrán ocuparse de los asuntos para los cuales han sido convocadas.

ARTÍCULO 228.- La comunidad será administrada por un directorio o administradores nombrados por la junta de comuneros, que tendrá los deberes y atribuciones que determinen los estatutos y, en su defecto, por los que le encomiende este código.

El directorio será elegido por el término de un año.

Cuando la comunidad de aguas se constituya judicialmente, el primer directorio se elegirá en el comparendo de que trata el artículo 188. Este directorio será provisional y durará en funciones hasta la primera junta general ordinaria de comuneros.

ARTÍCULO 229.- El directorio se elegirá en cada junta general ordinaria de comuneros, sin perjuicio de las elecciones extraordinarias que contempla el artículo 233. En las elecciones resultarán elegidos los que, en una misma votación, hayan obtenido el mayor número de votos hasta completar el número de personas por elegir.

Sin embargo, con el acuerdo unánime de la sala, las elecciones podrán efectuarse en otra forma que la señalada en el inciso precedente.

ARTÍCULO 230.- Si por cualquier causa no se eligiere oportunamente el directorio, continuará en funciones el anterior.

Éste deberá citar a la mayor brevedad a la junta general para proceder a esa designación y si no lo hiciere, cualquier comunero podrá recurrir ante la Dirección General de Aguas, para que la convoque en la forma prescrita en los artículos 220 y 221. La reunión se efectuará en presencia de un Notario o de un funcionario designado por el Director General de Aguas, quien levantará acta de ella y actuará como Ministro de Fe.

ARTÍCULO 231.- Para ser director se requiere ser comunero con derecho a voto. Podrán serlo el mandatario y el representante legal, por las personas naturales o jurídicas. No podrán serlo los empleados de la comunidad.

Los directores podrán ser reelegidos.

ARTÍCULO 232.- La asistencia de los directores a las sesiones es obligatoria. Si faltaren a tres o más reuniones sin causa justificada, quedarán excluidos del directorio.

ARTÍCULO 233.- En caso de muerte, renuncia, pérdida de la calidad de comunero, representante legal, mandatario o inhabilidad de un director, el directorio le designará reemplazante por el tiempo que falte para completar su período.

Si se produjere la renuncia total del directorio o de su mayoría, el secretario citará, dentro de los cinco días hábiles siguientes, a junta general extraordinaria de comuneros, la que deberá celebrarse dentro de los quince días siguientes a la renuncia.

A falta de citación por el secretario, se procederá en la forma descrita en el artículo 230.

ARTÍCULO 234.- El comunero que esté siendo procesado por crimen o simple delito que merezca pena aflictiva, quedará suspendido del cargo de director o de cualquier empleo en la comunidad, mientras continúe en dicha situación; en tal caso, no podrá optar a ser elegido director de ella.

Si es condenado por sentencia de término, quedará inhabilitado para desempeñar el cargo de director o cualquier empleo en la comunidad.

ARTÍCULO 235.- Si el número de comuneros es superior a cinco, se elegirá el directorio de la comunidad. En caso contrario, se designará uno o más administradores con las mismas facultades que el directorio.

El directorio se compondrá por no menos de tres miembros, ni más de once y celebrará sesión con un quórum que represente la mayoría absoluta de éstos.

Las sesiones ordinarias tendrán lugar los días y horas que el directorio acuerde y las extraordinarias cuando lo ordene el presidente o lo pida la tercera parte de los directores.

El directorio celebrará por lo menos una sesión ordinaria en cada semestre.

ARTÍCULO 236.- Una copia de la parte pertinente del acta que consigne la elección de directores se enviará a la Dirección General de Aguas y otra al Gobernador de la provincia en que se encuentre ubicada la obra de entrega o la bocatoma del canal principal, según sea el caso.

Se enviará, asimismo, a esas autoridades, copia del acta de la sesión del directorio en que se haya nombrado reemplazante, en conformidad al inciso primero del artículo 233.

ARTÍCULO 237.- La asistencia de los directores a las sesiones podrá ser remunerada. Esta remuneración se pagará por sesión asistida, y su cuantía se fijará en junta general de comuneros.

ARTÍCULO 238.- Las resoluciones del directorio se tomarán por la mayoría absoluta de directores asistentes, salvo que la ley o los estatutos dispongan otra mayoría para determinadas materias.

Si se produjere empate, prevalecerá la opinión del que preside.

En caso de dispersión de votos, la votación deberá limitarse en definitiva a las opiniones que cuenten con las dos más altas mayorías y si, como consecuencia de ello, se produjere empate, resolverá la persona que presida.

ARTÍCULO 239.- El directorio, en su primera sesión, elegirá de su seno un presidente y fijará el orden en que los demás directores lo reemplazarán en caso de ausencia o imposibilidad.

Asimismo, determinará, por sorteo, el orden de precedencia de sus miembros, a fin de establecer entre ellos un director de turno mensual.

ARTÍCULO 240.- El presidente del directorio o quien haga sus veces, velará por el cumplimiento de los acuerdos de éste y tendrá la representación de la comunidad.

En el orden judicial, la representará en la forma que dispone el artículo 8º del Código de Procedimiento Civil.

ARTÍCULO 241.- El directorio tendrá los siguientes deberes y atribuciones:

1. Administrar los bienes de la comunidad;

2. Atender a la captación de las aguas por medio de obras permanentes o transitorias; a la conservación y limpia de los canales y drenajes sometidos a la comunidad; a la construcción y reparación de los dispositivos y acueductos y a todo lo que tienda al goce completo y correcta distribución de los derechos de aguas de los comuneros.

El directorio podrá, por sí solo, acordar los trabajos ordinarios en las materias indicadas y, en casos urgentes, los extraordinarios; pero deberá dar cuenta de estos últimos en la próxima junta ordinaria que se celebre;

3. Velar por que se respeten los derechos de agua en el prorrateo del caudal matriz, impidiendo que se extraigan aguas sin títulos;

4. Requerir la acción de la junta de vigilancia para los efectos del número anterior;

5. Distribuir las aguas, dar a los dispositivos la dimensión que corresponda y fijar turnos cuando proceda;

6. Resolver la forma y condiciones de incorporación de titulares de nuevos derechos de aprovechamiento a la comunidad;

7. Representar a los comuneros en los casos de imposición de servidumbres pasivas, en las obras de captación, conducción, regulación y descarga;

8. Vigilar las instalaciones de fuerza motriz u otras y el correcto ejercicio de las servidumbres;

9. Someter a la aprobación de la junta general los reglamentos necesarios para el funcionamiento del mismo directorio, de la junta general, de la secretaría y de las oficinas de contabilidad y administración;

10. Someter a la aprobación de la junta general ordinaria el presupuesto de entradas y gastos ordinarios y extraordinarios, fijando separadamente el monto de unos y otros con su correspondiente reajustabilidad. En esa junta dará cuenta de la inversión de los fondos y de la marcha de la comunidad en una memoria que comprenda todo el período de funciones.

La junta podrá acordar el presupuesto en la forma que estime conveniente o modificar el que se presente;

11. Aumentar hasta en un treinta por ciento en el año, las cuotas ordinarias o extraordinarias, cuando aparezca de manifiesto que las fijadas en junta general ordinaria fueren insuficientes para el buen funcionamiento de la comunidad; establecer cuotas especiales para hacer frente a gastos imprevistos que no puedan ser cubiertos con las reservas acumuladas. En todo caso dará cuenta en junta extraordinaria que deberá citar en el más breve plazo;

12. Fijar las multas que corresponda aplicar a los comuneros, la que no podrá exceder de diez unidades tributarias mensuales;

13. Contratar cuentas corrientes en los bancos y tomar dinero en mutuo por cantidades que no excedan del monto del presupuesto anual de entradas.

En caso que sea necesario efectuar obras para reparar las instalaciones afectadas por catástrofes o daños graves, se podrá contratar créditos hasta la concurrencia del valor de las obras;

14. Cumplir los acuerdos de las juntas generales;

15. Citar a la junta general ordinaria en la fecha que fija la ley o los estatutos;

16. Citar a la junta general extraordinaria cuando sea necesario o lo solicite, por lo menos la cuarta parte de los comuneros con derecho a voto, con indicación del objeto;

17. Velar por el cumplimiento de las obligaciones que la ley, los reglamentos y los estatutos imponen a los comuneros y a la comunidad;

18. Nombrar o remover al secretario y trabajadores de la comunidad y fijar sus remuneraciones, sin perjuicio de las facultades de la junta general;

19. Delegar sus atribuciones en uno o más directores;

20. Llevar una estadística de los caudales que se conducen por los canales de la comunidad;

21. Realizar programas de extensión para difundir entre los comuneros las técnicas y sistemas que tiendan a un mejor empleo de agua, pudiendo celebrar convenios para este objeto;

22. Comunicar a la junta de vigilancia de que forma parte, el nombre del ingeniero asesor y el de su reemplazante, en caso que los tuviera;

23. Representar a los comuneros en el procedimiento de perfeccionamiento de los títulos en que consten sus derechos de aprovechamiento de aguas, cuando no existiere Junta de Vigilancia, en dicho río, álveo o acuífero, y previo acuerdo adoptado por los dos tercios de los votos emitidos en junta extraordinaria convocada al efecto, y

24. Los demás que las leyes y los estatutos señalen.

ARTÍCULO 242.- El directorio podrá solicitar de la autoridad correspondiente, por intermedio del Juez, el auxilio de la fuerza pública para hacer cumplir y respetar las medidas de distribución de aguas que acordase.

Ordenado el auxilio de la fuerza pública ésta deberá ser concedida y de ella se hará uso con allanamiento y descerrajamiento, si fuere necesario.

Los dueños de inmuebles en que se haga la distribución de las aguas no podrán impedir que los directores, repartidores y delegados entren en sus predios cuando sea menester para el desempeño de sus funciones.

Si el dueño de un predio se opusiere, se solicitará por el directorio, en la misma forma, el auxilio de la fuerza pública, sin perjuicio de la multa que puede imponerle el Juez. Si el dueño de la heredad fuere comunero en las aguas, la multa la aplicará el directorio.

ARTÍCULO 243.- Cualquiera de los interesados podrá reclamar al directorio de los procedimientos de los repartidores de aguas o delegados.

El directorio resolverá previa audiencia de los interesados a quienes afecte directamente la resolución, y será aplicable lo dispuesto en los artículos 244 al 247.

ARTÍCULO 244.- El directorio resolverá como árbitro arbitrador, en cuanto al procedimiento y al fallo, todas las cuestiones que se susciten entre los comuneros sobre repartición de aguas o ejercicio de los derechos que tengan como miembros de la comunidad y las que surjan sobre la misma materia entre los comuneros y la comunidad.

Las resoluciones del directorio, en las cuestiones a que se refiere el inciso anterior, sólo podrán adoptarse con el acuerdo de la mayoría absoluta de los miembros asistentes, y los fallos llevarán por lo menos la firma de los que hayan concurrido al acuerdo de mayoría.

No habrá lugar a implicancias ni recusaciones y las resoluciones sólo serán reclamables en la forma establecida en el artículo 247.

Servirá de actuario y tendrá la calidad de Ministro de Fe, el secretario de la comunidad o, en su defecto, el que designe el directorio.

ARTÍCULO 245.- Presentada la reclamación, el secretario citará al directorio dentro de los cinco días hábiles siguientes para que tome conocimiento de ella.

El directorio deberá oír a las partes y resolver la cuestión dentro de los treinta días siguientes a la presentación del reclamo.

Si el directorio no fallare dentro de ese plazo, el interesado podrá recurrir directamente ante la Justicia Ordinaria, en la forma señalada en el artículo 247.

En este caso, cada director sufrirá una multa que será fijada por el Juez de la causa, dentro de los límites a que se refiere el artículo 173.

ARTÍCULO 246.- Las resoluciones que se dicten en estos juicios se notificarán por carta certificada y se dejará testimonio en autos de su envío. La fecha de notificación será el segundo día siguiente a su remisión.

Notificada la resolución, el directorio procederá a darle cumplimiento, para lo cual podrá requerir el auxilio de la fuerza pública, si fuere menester, en los términos señalados en el artículo 242.

ARTÍCULO 247.- El que se sienta perjudicado por algún fallo arbitral, podrá reclamar de él ante los Tribunales Ordinarios de Justicia dentro del plazo de seis meses contados desde la fecha de su notificación.

Esta reclamación, que se tramitará como juicio sumario, no obstará a que dicho fallo se cumpla y surta efecto durante el juicio, a menos que el Juez, a petición de parte y como medida precautoria, decrete su suspensión mediante resolución ejecutoriada. Las apelaciones que se interpongan con motivo de estas medidas precautorias, se agregarán extraordinariamente, sin necesidad de que las partes comparezcan y sin que se pueda suspender de manera alguna la vista del recurso ni inhabilitar a los miembros del Tribunal.

ARTÍCULO 248.- Habrá un secretario de la comunidad que, con el carácter de Ministro de Fe, estará encargado de autorizar las resoluciones de las juntas, del directorio y del presidente y de redactar y autorizar todas las actas.

Además de las atribuciones que le confieran los estatutos, corresponderá al secretario llevar los registros de la comunidad; autorizar las inscripciones; mantener bajo su vigilancia y cuidado el archivo; dar copia autorizada de las piezas que se soliciten; percibir las cuotas que deban pagar los comuneros y las demás entradas de la comunidad; llevar la contabilidad, siempre que el directorio no haya confiado a otros empleados estas funciones, y ejecutar los acuerdos del directorio cuyo cumplimiento se le hubiere encargado.

A petición de cualquiera de los comuneros, el secretario deberá dar, dentro del término de cinco días hábiles, copia autorizada de los acuerdos que se hubiesen adoptado y que afecten a algunos de aquéllos.

Si no se cumple con esta obligación, el secretario será sancionado con una multa, que no podrá exceder de una unidad tributaria mensual por cada día de retardo, que aplicará el Juez a petición de parte.

ARTÍCULO 249.- La reforma de los estatutos sólo podrá acordarse en junta extraordinaria, por la mayoría del total de votos en la comunidad y el acuerdo deberá reducirse a escritura pública.

ARTÍCULO 250.- La comunidad termina por la reunión de todos los derechos de agua en manos de un mismo titular.

ARTÍCULO 251.- Las comunidades de agua podrán establecer en sus estatutos disposiciones diferentes a las contenidas en los artículos 208; 220; 222, inciso 3º; 225; 228, inciso 2º; 233; 235, inciso 4º; 238, y 239, inciso 2º. Igual norma regirá en los casos en que expresamente se faculte para ello.

2. De la Comunidades de Obras de Drenaje

ARTÍCULO 252.- Por el hecho de que dos o más personas aprovechen obras de drenaje o desagüe en beneficio común, existe una comunidad que, salvo convención expresa de las partes, se regirá por las reglas contenidas en los artículos siguientes.

ARTÍCULO 253.- Estas comunidades se organizarán en la forma prescrita por los artículos 187 y siguientes. Será Juez competente para conocer de las materias indicadas en el artículo 188, el de la comuna en que se encuentre ubicado cualquiera de los predios de desagüe.

ARTÍCULO 254.- El domicilio de la comunidad será el que acuerden los interesados por mayoría de votos.

ARTÍCULO 255.- Son aplicables a estas comunidades las disposiciones de los párrafos 1º y 3º del presente Título, en cuanto no se contrapongan con su naturaleza ni con el artículo siguiente.

ARTÍCULO 256.- Los comuneros tendrán derecho a un voto por cada hectárea de dominio afecta al sistema, salvo convención en contrario.

Las fracciones de votos se sumarán hasta formar votos enteros, despreciándose las que no alcanzaren a completarlos, salvo en el caso de empate, en que se computarán para decidirlo.

Si no hubiere fracciones, el empate lo decidirá el presidente.

3. De las Asociaciones de Canalistas y otras Organizaciones de Usuarios

ARTÍCULO 257.- Las asociaciones de canalistas constituidas en conformidad a la ley gozarán de personalidad jurídica.

La constitución de la asociación y sus estatutos se hará por escritura pública suscrita por todos los titulares de derechos a que se refiere el artículo 186 y necesitarán de la aprobación del Presidente de la República, previo informe de la Dirección General de Aguas.

ARTÍCULO 258.- Son aplicables igualmente a las asociaciones de canalistas y a las otras organizaciones de usuarios, las disposiciones del párrafo 1º de este Título, en cuanto sean compatibles con su naturaleza y no contradigan lo dispuesto en sus estatutos.

A las primeras también les son aplicables las disposiciones del Título XXXIII, del Libro I, del Código Civil, con excepción de los artículos 562, 563 y 564.

ARTÍCULO 259.- Quienes no hayan sido incluidos en la asociación u organización de usuarios podrán hacer valer sus derechos en cualquier tiempo en la forma prevista en el artículo 194.

ARTÍCULO 260.- Formarán el patrimonio de estas entidades, los recursos pecuniarios y de otra naturaleza con que contribuyan los titulares de los derechos de aprovechamiento, el producto de las multas y los bienes que adquieran a cualquier título para los fines de la organización.

ARTÍCULO 261.- También podrán organizarse en la forma establecida en este párrafo, los que estén obligados a mantener las obras de drenaje y los que tengan interés en ellas.

ARTÍCULO 262.- La organización termina por la reunión de todos los derechos de agua en manos de un mismo titular y por las causales que indiquen los estatutos.

4. De las Juntas de Vigilancia

ARTÍCULO 263.- Las personas naturales o jurídicas y las organizaciones de usuarios que en cualquier forma aprovechen aguas superficiales o subterráneas de una misma cuenca u hoya hidrográfica, podrán organizarse como junta de vigilancia que se constituirá y regirá por las disposiciones de este párrafo.

La constitución de la Junta de Vigilancia y sus estatutos, constarán en escritura pública, la que deberá ingresarse a la Dirección General de Aguas, conjuntamente con una publicación en un diario o periódico de la provincia respectiva y, si no hubiera, en uno de la capital regional correspondiente, en el cual se notifique la constitución de la organización de usuarios de que se trata, con indicación de fecha y notaría del documento público constitutivo.

A contar de la fecha de ingreso a la Dirección General de Aguas de la escritura pública en que consten la constitución y estatutos de la Junta de Vigilancia, dicho Servicio tendrá un plazo de sesenta días hábiles para efectuar las observaciones legales y técnicas que sean del caso, las que deberán ser resueltas por los interesados en el plazo no fatal de sesenta días.

Transcurrido el plazo indicado en el inciso precedente, sin que la Dirección General de Aguas haya efectuado observaciones, o bien, habiéndolas realizado, ellas fueran resueltas satisfactoriamente, la escritura pública en que consten la constitución y estatutos de la Junta de Vigilancia deberá publicarse en extracto, previamente ingresado en la oficina de partes de dicho Servicio, por una vez, en el Diario Oficial, y en forma destacada en un diario o periódico de la provincia respectiva, y si no hubiera, en uno de la capital de la Región correspondiente. Esta publicación se efectuará dentro de los treinta días siguientes a la fecha de ingreso a la Dirección General de Aguas. Efectuada la referida publicación, la Junta de Vigilancia gozará de personalidad jurídica.

El extracto indicado en el inciso anterior, deberá contener las siguientes menciones:

1.- El nombre, domicilio y objeto de la Junta de Vigilancia.

2.- Hoya hidrográfica a que pertenece.

3.- El o los cauces o la sección del cauce, acuíferos o fuente natural sobre la que tiene jurisdicción.

4.- Enumeración de canales sometidos a su jurisdicción, con indicación de sus derechos de aprovechamiento en el cauce o fuente natural, expresados conjuntamente en acciones y en volumen por unidad de tiempo y las coordenadas de sus bocatomas expresados en coordenadas UTM, con indicación del datum y huso y, complementariamente, en los casos que fuere posible, una relación de los puntos de referencia permanentes y conocidos.

5.- Enumeración de usuarios individuales que capten directamente del cauce natural, a través de una bocatoma, con indicación de sus derechos de aprovechamiento, expresados conjuntamente en acciones y en volumen por unidad de tiempo y las coordenadas de sus bocatomas o puntos de captación de aguas subterráneas expresados en coordenadas UTM, con indicación del datum y huso y, complementariamente, en los casos que fuere posible, una relación de los puntos de referencia permanentes y conocidos.

6.- El número de miembros que formará el directorio, o el número de administradores, según el caso.

7.- La individualización de los miembros del primer directorio o de el o los administradores, según el caso.

En el caso de Juntas de Vigilancia constituidas por escritura pública, no habiendo acuerdo entre la Dirección General de Aguas y los interesados para resolver las observaciones hechas por la primera, será necesario recurrir al procedimiento judicial de constitución contemplado en el artículo 269 de este Código.

Los interesados deberán acompañar a la Dirección General de Aguas copia de la publicación indicada en el inciso cuarto para su registro en el referido Servicio.

ARTÍCULO 264.- Sin embargo, en cada sección de una corriente natural que hasta la fecha de promulgación de este Código y en conformidad a las leyes anteriores, se considere como corriente distinta para los efectos de su distribución, podrá organizarse una junta de vigilancia.

También podrá organizarse una junta de vigilancia para cada sección de una corriente natural en que se distribuyan sus aguas en forma independiente de las secciones vecinas de la misma corriente.

ARTÍCULO 265.- Cuando se planifiquen o construyan obras de embalse, trasvase o que constituyan campos de captación de aguas subterráneas, destinadas a regular el régimen de una corriente, el Presidente de la República podrá establecer, modificar o suprimir el seccionamiento de ella, con el objeto de obtener un mejor aprovechamiento de las aguas, sin perjuicio de los derechos adquiridos.

ARTÍCULO 266.- Las juntas de vigilancia tienen por objeto administrar y distribuir las aguas a que tienen derecho sus miembros en las fuentes naturales, explotar y conservar las obras de aprovechamiento común y realizar los demás fines que les encomiende la ley.

Podrán construir, también, nuevas obras relacionadas con su objeto o mejorar las existentes, con autorización de la Dirección General de Aguas.

ARTÍCULO 267.- En lo no modificado por el presente párrafo, serán aplicables a las juntas de vigilancia las disposiciones de los párrafos 1º y 3º de este Título, en lo que sean compatibles con su naturaleza.

ARTÍCULO 268.- El total de los derechos de aprovechamiento constituidos en junta de vigilancia, se entenderá dividido en acciones que se distribuirán entre los interesados, en proporción a sus derechos.

ARTÍCULO 269.- Para constituir la junta de vigilancia se citará a comparendo ante la Justicia Ordinaria, a solicitud de cualquiera de los interesados o de la Dirección General de Aguas.

Será juez competente el de la capital de la provincia si el cauce atraviesa sólo una y, si separa o atraviesa dos o más, lo será el juez de la capital de la provincia donde nace el cauce.

Asimismo, podrán constituirse por escritura pública siempre que concurra a suscribirla la mayoría absoluta de las personas u organizaciones señaladas en el artículo 263.

ARTÍCULO 270.- Si en el comparendo de estilo no se produjere acuerdo sobre los canales que deban quedar sometidos a la junta de vigilancia, sus dotaciones y la forma en que participarán en la distribución, el Juez resolverá con los títulos o antecedentes que hagan valer los interesados. Si lo estima necesario, podrá abrir un término de prueba como en los incidentes y designar un perito para que informe sobre la capacidad de los canales, su gasto medio normal, los derechos totales de la cuenca o sección y los correspondientes a cada uno de los canales y la mejor manera de aprovechar el agua en épocas de escasez.

El Juez, antes de resolver, existiendo o no controversia sobre los canales que deban quedar sometidos a la Junta de Vigilancia, sus dotaciones y la forma en que participarán en la distribución, pedirá informe a la Dirección General de Aguas, la que tendrá un plazo de sesenta días hábiles para evacuarlo, vencido el cual deberá resolver, prescindiendo de él.

La resolución que determine los canales y embalses, sus dotaciones y la forma en que deban participar en la distribución, será apelable en lo devolutivo.

ARTÍCULO 271.- Determinados los canales y las obras sometidas a la junta de vigilancia, sus dotaciones y la forma en que han de participar en la distribución, se procederá en el mismo comparendo o en uno nuevo citado al efecto, a resolver las modificaciones que, de conformidad al artículo 251, desearen los interesados introducir a las disposiciones del párrafo 1° de este Título, que sean aplicables.

En seguida se elegirá el directorio. En las juntas formadas por sólo dos canales, se designará uno o más administradores, quienes tendrán las mismas facultades que el directorio.

En lo demás, la formación de la junta de vigilancia se regirá por lo dispuesto en los incisos 2° y siguientes del artículo 197.

ARTÍCULO 272.- Si por otorgamiento de derechos, construcción de nuevas obras de riego o de regulación de la cuenca se constituye un nuevo derecho de agua, el que lo goce quedará incorporado a la junta de vigilancia respectiva.

El acto de otorgamiento del nuevo derecho o el que apruebe las nuevas obras deberá contener la declaración respectiva, según proceda.

ARTÍCULO 273.- El domicilio de la junta de vigilancia será la capital de la provincia donde se constituyó judicialmente en conformidad al artículo 271, salvo que los interesados, por mayoría de derechos de agua, acuerden otro distinto.

ARTÍCULO 274.- Son atribuciones y deberes del directorio los siguientes:

1. Vigilar que la captación de las aguas se haga por medio de obras adecuadas y, en general, tomar las medidas que tiendan al goce completo y a la correcta distribución de los derechos de aprovechamiento de aguas sometidos a su control;

2. Distribuir las aguas de los cauces naturales que administre, declarar su escasez y, en este caso, fijar las medidas de distribución extraordinarias con arreglo a los derechos establecidos y suspenderlas. La declaración de escasez de las aguas, como también la suspensión de las medidas de distribución extraordinarias, deberá hacerse por el directorio en sesión convocada especialmente para ese efecto;

3. Privar del uso de las aguas en los casos que determinen las leyes o los estatutos;

4. Conocer las cuestiones que se susciten sobre construcción o ubicación, dentro del cauce de uso público, de obras provisionales destinadas a dirigir las aguas hacia la bocatoma de los canales.

Las obras definitivas requerirán el permiso de la Dirección General de Aguas;

5. Mantener al día la matrícula de los canales;

6. Solicitar al Director General de Aguas la declaración de agotamiento de los caudales de agua sometidos a su jurisdicción;

7. Ejercitar las atribuciones señaladas en los números 1, 9, 10, 11, 12, 13, 14, 15, 16, 17, 18 y 19 del artículo 241, y las demás que se le confieren en los estatutos;

8. Exigir el cumplimiento de la obligación impuesta por el número 20 del artículo 241;

9. Representar a los titulares de derechos de aguas sometidos a su control en el procedimiento de perfeccionamiento de los títulos en que consten sus derechos de aprovechamiento de aguas, previo acuerdo adoptado por los dos tercios de los votos emitidos en junta extraordinaria convocada al efecto, y

10. Los demás que señalen las leyes.

ARTÍCULO 275.- Los miembros de la junta de vigilancia que se sientan perjudicados por un acuerdo adoptado por el directorio en uso de las atribuciones que le confieren los números 2, 3 y 4, del artículo anterior, podrán reclamar de él ante los Tribunales Ordinarios de Justicia.

Esta reclamación deberá deducirse en contra del directorio de la junta de vigilancia, representada por su presidente que se cursará sin más trámite que un comparendo al cual concurrirán las partes con todos sus medios de prueba. La reclamación deberá resolverse dentro de los ocho días siguientes a la celebración del comparendo.

La notificación inicial al presidente del directorio se hará por cédula. La resolución que el Juez dicte será apelable en lo devolutivo y el recurso se verá en la forma señalada por el artículo 247.

ARTÍCULO 276.- En las sesiones de la asamblea de la junta de vigilancia, las asociaciones de canalistas y las comunidades de aguas serán representadas por el presidente del directorio o el administrador designado al efecto, según el caso, o la persona especialmente designada para este efecto por el directorio o el administrador; las demás personas, en la forma que dispone el artículo 223.

La asamblea conocerá de aquellas materias que el párrafo 1º de este título encomienda a las juntas generales. Para los efectos de las votaciones, los derechos de aprovechamiento de ejercicio permanente y eventual tendrán un mismo valor. Sin embargo, el número de votos correspondientes a estos últimos, no podrá ser superior a la tercera parte de los votos de los derechos permanentes, debiendo hacerse la reducción proporcional cuando exceda de dicha parte.

Las cuotas que los titulares de derechos de ejercicio eventual deberán erogar con el objeto indicado en el número 2°, del artículo 226, serán fijadas por la asamblea y no podrán ser superiores a la tercera parte de la cantidad que correspondería pagar si se tratare de derechos de ejercicio permanente.

ARTÍCULO 277.- El directorio nombrará un repartidor de aguas o juez de río, el cual deberá contar con un título profesional de una carrera cuya duración sea de al menos ocho semestres, quien no podrá ser integrante del directorio ni titular de derechos de aprovechamiento de aguas dentro de la misma jurisdicción que administra, ya sea toda la corriente natural, o una sección de ella, en el caso de que dicha corriente se encuentre seccionada. El directorio dará cuenta a la Dirección General de Aguas de esta designación.

Para el ejercicio de sus funciones, el repartidor de aguas contará con los celadores que designe, con acuerdo del directorio.

ARTÍCULO 278.- Los repartidores de agua o jueces de río tendrán las siguientes atribuciones y deberes:

1. Cumplir los acuerdos del directorio sobre distribución de aguas, turnos y rateos, conforme a los derechos establecidos, y restablecerlos inmediatamente que sean alterados por actos de cualquiera persona o por accidente casual, denunciando estos hechos al directorio;

2. Velar porque el agua no sea sustraída o usada por quienes carezcan de derechos y, para que vuelva al cauce aquella empleada en usos no consuntivos;

3. Denunciar a la Justicia Ordinaria y a la Dirección General de Aguas las sustracciones de agua de los cauces matrices y las destrucciones o alteraciones de las obras existentes en los álveos de dichos cauces. En los juicios a que den lugar estas denuncias, el repartidor de agua o juez de río

tendrán la representación de la junta, sin perjuicio de la comparecencia y actuación de ésta;

4. Cumplir las órdenes del directorio sobre privación, de agua a los canales o titulares de derechos de aprovechamiento que no hayan pagado sus cuotas;

5. Vigilar la conservación de los cauces de la hoya y la construcción y conservación de las compuertas, bocatomas y demás obras que estén sometidas a la junta. Para tales efectos, la Junta de Vigilancia podrá solicitar al Servicio respectivo del Medio Ambiente, o a la Dirección de Obras Hidráulicas, o a la Dirección General de Aguas, o a la Superintendencia de Servicios Sanitarios o a la municipalidad correspondiente y, en general, a cualquier otra autoridad, que le entregue información sobre todos los proyectos y permisos aprobados en su respectiva repartición y que han de ser ejecutados en el cauce donde dicha Junta de Vigilancia ejerce su jurisdicción;

6. Denunciar ante la Dirección General de Aguas las labores de extracción de áridos que no cuenten con la autorización competente, la que podrá actuar con auxilio de la fuerza pública de conformidad a lo dispuesto en el artículo 138 en caso de ordenar su paralización. Podrá, a su vez, denunciar estos hechos ante la Contraloría General de la República cuando dichas extracciones, autorizadas por la municipalidad respectiva, no cuenten con el informe técnico de la Dirección de Obras Hidráulicas, establecido en el literal l) del artículo 14 del decreto con fuerza de Ley N° 850, de 1997, del Ministerio de Obras Públicas. En los procesos a que den lugar estas denuncias, el repartidor de agua o el juez de río tendrán la representación de la junta, sin perjuicio de la comparecencia y actuación de ésta;

7. Solicitar con arreglo a lo dispuesto en el artículo 242 el auxilio de la fuerza pública para hacer cumplir las obligaciones que le incumban, y

8. Ejercitar los demás derechos y atribuciones que señalen los estatutos.

ARTÍCULO 279.- Los celadores tendrán las atribuciones y deberes que fije el directorio o el repartidor de agua, en conformidad a los estatutos u ordenanzas y, en especial, ejercerán la policía y vigilancia para la justa y correcta distribución de las aguas, con arreglo a los derechos establecidos y a los acuerdos adoptados, debiendo dar cuenta inmediata de toda alteración o incorrección que notaren.

ARTÍCULO 280.- Si el repartidor de agua o los celadores maliciosamente alteraren en forma indebida el reparto o permitieren cualquier sustracción de aguas por bocatomas establecidas o por otros puntos de los cauces, incurrirán en la pena que señala el artículo 459 del Código Penal.

ARTÍCULO 281.- El que sacare agua fuera de su turno o alterare de cualquier manera la demarcación prescrita por el directorio o por el repartidor, será privado del agua por tiempo o cantidad doble al abuso cometido.

La privación será impuesta por el directorio, pero en todo caso se dejará el agua necesaria para la bebida.

Sin perjuicio de lo expuesto, el directorio podrá aplicarle multa en conformidad a las reglas generales, pudiendo duplicarlas en caso de reincidencia.

ARTÍCULO 282.- El Director General de Aguas podrá declarar en caso justificado, a petición fundada de la junta de vigilancia respectiva o de cualquier interesado y para los efectos de la concesión de nuevos derechos consuntivos permanentes, el agotamiento de las fuentes naturales de aguas, sean éstas cauces naturales, lagos, lagunas u otros.

Declarado el agotamiento no podrá concederse derechos consuntivos permanentes.

El Director podrá también, revocar la declaración de agotamiento a petición justificada de organizaciones de usuarios o terceros interesados.

Estas solicitudes se tramitarán ante la Dirección General de Aguas, de acuerdo al procedimiento del párrafo 1º, del Título I, del Libro II, de este código. La de revocación deberá estar fundada en antecedentes que demuestren que no se ocasionará perjuicio a los derechos permanentes y eventuales constituidos. Se considerará como tales la existencia de obras de regulación que modifiquen el régimen existente en la corriente, estadística que contenga los caudales captados en períodos normales y de sequía, en la corriente natural y en los canales derivados.

5. Normas comunes para las organizaciones

ARTÍCULO 283.- Si en una organización de usuarios se hubiesen cometido faltas graves o abusos por el directorio o administradores en la distribución de las aguas, cualquiera de los afectados podrá solicitar la fiscalización de la Dirección General de Aguas.

ARTÍCULO 284.- El interesado presentará a dicha Dirección la solicitud correspondiente, indicando el nombre, domicilio del organismo denunciado, de su presidente y los hechos en que la sustenta.

ARTÍCULO 285.- La Dirección dará traslado de la solicitud al presidente del organismo afectado por carta certificada, fijándole, en cada caso, plazo prudencial para contestar, el que se computará en la forma establecida en el artículo 246.

Transcurrido el plazo la Dirección resolverá, aunque no se haya evacuado el traslado.

ARTÍCULO 286.- Si la Dirección considera admisible la solicitud, dictará una resolución que así lo declare y designará un delegado para que practique una investigación de los hechos denunciados.

ARTÍCULO 287.- La Dirección fijará, en cada caso, la cantidad de dinero que deberá depositar el solicitante para responder a los gastos que se originen, dentro del plazo que fije al efecto. Sin este requisito no se hará gestión alguna y pasado el plazo se archivarán los antecedentes.

Terminada la gestión, la Dirección hará una liquidación de los gastos y, si hay excedente, lo devolverá al solicitante.

ARTÍCULO 288.- Según sea la naturaleza de la investigación, el delegado podrá fiscalizar la distribución de las aguas, visitar en cualquier tiempo las obras y lugares que estime conveniente, examinar la contabilidad, registros y demás libros y documentos del organismo denunciado.

ARTÍCULO 289.- Terminada la investigación, el delegado emitirá un informe fundado. Con el mérito de este informe y de los demás antecedentes acumulados, la Dirección General de Aguas dictará una resolución declarando comprobada o no la denuncia.

ARTÍCULO 290.- Si se verifican las faltas o abusos denunciados, la Dirección General de Aguas deberá requerir al directorio o administradores para que se corrijan las anomalías en el plazo que al efecto indique.

ARTÍCULO 291.- A petición de parte interesada, la Dirección General de Aguas podrá investigar la gestión económica de la respectiva organización de usuarios y en caso de comprobar graves faltas o abusos, podrá citar a asamblea o junta general extraordinaria, según el caso para que se pronuncien sobre las irregularidades verificadas.

Podrá, asimismo, denunciar los hechos a la Justicia Ordinaria, sin necesidad de rendir fianza, si estos hechos fueren constitutivos de delito.

ARTÍCULO 292.- Comprobada la denuncia, el reclamante tendrá derecho a ser reembolsado de los gastos de la investigación con fondos del organismo denunciado.

ARTÍCULO 293.- Si continuaren los errores, faltas o abusos denunciados, la Dirección General de Aguas podrá solicitar a la Justicia Ordinaria que decrete la intervención por dicho organismo en la distribución de las aguas, por períodos que no excedan de noventa días, con todas las facultades de los respectivos directorios o administradores. Esas facultades serán ejercidas por la o las personas que designe la Dirección General de Aguas

6. Planes Estratégicos de Recursos Hídricos en Cuencas

ARTÍCULO 293 bis.- Cada cuenca del país deberá contar con un Plan Estratégico de Recursos Hídricos tendiente a propiciar la seguridad hídrica en el contexto de las restricciones asociadas al cambio climático, el cual será público. Dicho plan será actualizado cada diez años o menos, y deberá considerar a lo menos los siguientes aspectos:

1. La modelación hidrológica e hidrogeológica de la cuenca.

2. Un balance hídrico que considere los derechos constituidos y usos susceptibles de regularización; la disponibilidad de recursos hídricos para la constitución de nuevos derechos, y el caudal susceptible de ser destinado a fines no extractivos.

3. Un plan de recuperación de los acuíferos cuya sustentabilidad, en cuanto a cantidad y calidad físico química, se encuentre afectada.

4. Un plan para hacer frente a las necesidades futuras de recursos hídricos con preferencia en el consumo humano. Una evaluación por cuenca de la disponibilidad de implementar e innovar en nuevas fuentes para el aprovechamiento y la reutilización de aguas, con énfasis en soluciones basadas en la naturaleza, tales como, la desalinización de agua de mar, la reutilización de aguas grises y servidas, la recarga artificial de acuíferos, la cosecha de aguas lluvias y otras. Dicha evaluación incluirá un análisis de costos de las distintas alternativas, la identificación de los potenciales impactos ambientales y sociales para una posterior evaluación, y las proyecciones de demanda para consumo humano a diez años.

5. Un programa quinquenal para la ampliación, instalación, modernización y/o reparación de las redes de estaciones fluviométricas, meteorológicas, sedimentométricas, y la mantención e implementación de la red de monitoreo de calidad de las aguas, de niveles de pozos, embalses, lagos, glaciares y rutas de nieve.

6. Adicionalmente, en el evento de que se hayan establecido en la cuenca los planes de manejo a los que hace referencia el artículo 42 de la Ley N° 19.300, deberán incorporarse al respectivo Plan Estratégico de Recursos Hídricos.

El referido Plan deberá ser consistente con las políticas para el manejo, uso y aprovechamiento sustentables de los recursos naturales renovables a los que hace referencia la letra a) del artículo 71 de la Ley N° 19.300.

Un reglamento dictado por el Ministerio de Obras Públicas establecerá el procedimiento y los requisitos específicos para confeccionar los Planes Estratégicos de Recursos Hídricos en cuencas.

ARTÍCULO 293 ter.- Créase un Fondo para la Investigación, Innovación y Educación en Recursos Hídricos, dependiente del Ministerio de Obras Públicas, que se ejecutará a través de la Dirección General de Aguas. El fondo estará destinado a financiar las investigaciones necesarias para la adopción de medidas para la gestión de recursos hídricos y, en particular, para la elaboración, implementación y seguimiento de los planes estratégicos de recursos hídricos en cuencas, establecidos en el artículo 293 bis y se distribuirá entre las regiones del país, para la elaboración de dichos planes.

Este fondo estará constituido por los aportes que se consulten cada año en la Ley de Presupuestos del Sector Público.

Anualmente se desarrollará un concurso público por medio del cual se efectuará la selección de las investigaciones y estudios que se postulen para ser financiados con cargo al fondo. El reglamento establecerá la composición del jurado, las bases generales, el procedimiento y la forma de postulación al concurso en base a criterios de distribución preferentemente regional. En todo caso, las postulaciones deberán expresar a lo menos los fines, componentes, acciones, presupuestos de gastos, estados de avance y los indicadores de verificación de éstos.

Para efectos de la selección, la Dirección General de Aguas llevará a cabo una evaluación técnica y económica de los proyectos que postulen. Esta evaluación, cuyos resultados serán públicos, se efectuará sobre la base de los criterios de elegibilidad que anualmente aprueba la Dirección General de Aguas, que deberá considerar, al menos, los efectos de la investigación o estudios a nivel nacional, regional o comunal, la población que beneficia o impacta, la situación social o económica del respectivo territorio y el grado de accesibilidad para la comunidad.

LIBRO TERCERO

TÍTULO I
DE LA CONSTRUCCIÓN DE CIERTAS OBRAS HIDRÁULICAS

ARTÍCULO 294.- Requerirán la aprobación del Director General de Aguas, de acuerdo al procedimiento indicado en el Título I del Libro Segundo, la construcción de las siguientes Obras:

a) Los embalses de capacidad superior a cincuenta mil metros cúbicos o cuyo muro tenga más de 5m. de altura;

b) Los acueductos que conduzcan más de dos metros cúbicos por segundo;

c) Los acueductos que conduzcan más de medio metro cúbico por segundo, que se proyecten próximos a zonas urbanas, y cuya distancia al extremo más cercano del límite urbano sea inferior a un kilómetro y la cota de fondo sea superior a 10 metros sobre la cota de dicho límite, y

d) Los sifones y canoas que cumplan con las características señaladas en las letras b) o c) precedentes que crucen cauces naturales.

Quedan exceptuados de cumplir los trámites y requisitos a que se refiere este artículo, los Servicios dependientes del Ministerio de Obras Públicas, los cuales deberán remitir. Estos Servicios deberán informar a la Dirección General de Aguas las características generales de las obras y ubicación del proyecto antes de iniciar su construcción y remitir los proyectos definitivos para su conocimiento e inclusión en el Catastro Público de Aguas, dentro del plazo de seis meses, contado desde la recepción final de la obra.

ARTÍCULO 295.- La Dirección General de Aguas otorgará la autorización una vez aprobado el proyecto definitivo y siempre que haya comprobado que la obra no afectará la seguridad de terceros ni producirá la contaminación de las aguas.

Un reglamento especial fijará las condiciones técnicas que deberán cumplirse en el proyecto, construcción y operación de dichas obras.

ARTÍCULO 296.- La Dirección General de Aguas supervisará la construcción de dichas obras, pudiendo en cualquier momento, adoptar las medidas tendientes a garantizar su fiel adaptación al proyecto autorizado.

Las resoluciones que se dicten en conformidad a estas normas deberán ser fundadas y en contra de ellas procederán los recursos a que se refieren los artículos 136° y 137°, de este código, que en estos casos no suspenderán su cumplimiento.

ARTÍCULO 297.- Los que construyan las obras de que trata este título deberán constituir las garantías suficientes para financiar el costo de su eventual modificación o demolición, para que no constituyan peligro, si fueren abandonadas durante su construcción.

La garantía se constituirá a favor del Fisco y será devuelta una vez recibida la obra por la Dirección General de Aguas. En el caso de que sea abandonada durante su construcción, se restituirá el saldo de la garantía no aplicada a la ejecución de las obras de modificación o demolición. Para reiniciar las obras, deberá constituirse la garantía a que se refiere el inciso primero.

El Director General de Aguas podrá eximir de la obligación de constituir las garantías a que se refiere este artículo, tratándose de obras que ejecuten los Servicios Públicos o las Empresas del Estado, siempre que en el proyecto respectivo se contemplen las medidas tendientes a asegurar que en el caso de una eventual paralización de las obras éstas no constituirán peligro.

TÍTULO II
DE LAS DIRECCIÓN GENERAL DE AGUAS

ARTÍCULO 298.- La Dirección General de Aguas es un servicio dependiente del Ministerio de Obras Públicas. El Jefe Superior de este servicio se denominará Director General de Aguas y será de la exclusiva confianza del Presidente de la República.

ARTÍCULO 299.- La Dirección General de Aguas tendrá las atribuciones y funciones que este código le confiere, y, en especial, las siguientes:

a) Planificar el desarrollo del recurso en las fuentes naturales, con el fin de formular recomendaciones para su aprovechamiento y arbitrar las medidas necesarias para prevenir y evitar el agotamiento de los acuíferos en concordancia con los planes estratégicos de cuencas señalados en el artículo 293 bis;

b) Investigar, medir el recurso y monitorear tanto su calidad como su cantidad, en atención a la conservación y protección de las aguas. Para ello deberá:

1. Mantener y operar el servicio hidrométrico nacional, el que incluye tanto mediciones de cantidad como calidad de aguas, y proporcionar y publicar la información correspondiente. Asimismo, mantener y operar la red de monitoreo e inventario de glaciares y nieves, el que incluye tanto mediciones de volumen y acumulación, como sus características y ubicación, debiendo proporcionar y publicar la información correspondiente, conforme al reglamento dictado al efecto.

2. Encomendar a empresas u organismos especializados los estudios e informes técnicos que estime conveniente y la construcción, implementación y operación de las obras de medición e investigación que se requiera.

3. Coordinar los programas de investigación e inversión que corresponda a las entidades del sector público y a las privadas que realicen esos trabajos con financiamiento parcial del Estado. Un reglamento establecerá el procedimiento, modalidad y plazos en que las respectivas entidades informarán a la Dirección General de Aguas sobre las inversiones, los llamados a concurso, las investigaciones y los informes finales de éstas. La negativa o el incumplimiento de la entrega de la información solicitada se estimará como una grave vulneración del principio de probidad administrativa, sin perjuicio de las demás sanciones y responsabilidades que procedan.

4. Corresponderá a la Dirección General de Aguas declarar la alerta de amenaza asociada al recurso hídrico, informando el nivel y cobertura del mismo, y comunicarla de manera oportuna y suficiente al Servicio Nacional de Prevención y Respuesta ante Desastres, en la forma que determinen los protocolos generados para estos efectos.

5. Reevaluar las circunstancias que dan origen a una declaración de agotamiento, a un área de restricción o a una zona de prohibición, así

como aquellas que justifiquen una reducción temporal del ejercicio de los derechos.

c) Ejercer la policía y vigilancia de las aguas en los cauces naturales de uso público y acuíferos; impedir, denunciar o sancionar la afectación a la cantidad y la calidad de estas aguas, de conformidad al inciso primero del artículo 129 bis 2 y los artículos 171 y siguientes; e impedir que en éstos se construyan, modifiquen o destruyan obras sin la autorización previa del servicio o autoridad a quien corresponda aprobar su construcción o autorizar su demolición o modificación;

d) Impedir que se extraigan aguas de los mismos cauces y en los acuíferos sin título o en mayor cantidad de lo que corresponda.

e) Supervigilar el funcionamiento de las organizaciones de usuarios brindarles la asesoría técnica y legal para su constitución y operación de acuerdo con lo dispuesto en este Código.

f) Requerir directamente el auxilio de la fuerza pública, con facultades de allanamiento y descerrajamiento, para efectos del ejercicio de las atribuciones señaladas en los literales b), número 1; c) y d) de este artículo. El requerimiento deberá ser presentado por el director regional correspondiente.

ARTÍCULO 299 bis.- Los funcionarios de la Dirección General de Aguas que ejecuten labores de fiscalización tendrán la calidad de ministros de fe y sus declaraciones sobre los hechos que se constaten en las respectivas actas de inspección tendrán el carácter de presunción legal.

ARTÍCULO 299 ter.- La Dirección General de Aguas, mediante resolución fundada, podrá ordenar la paralización de obras en caso de acreditarse fehacientemente la extracción de aguas en un punto no reconocido o constituido de conformidad a la ley. Asimismo, podrá ordenar el cegamiento de un pozo una vez que la resolución se encuentre ejecutoriada. Para cumplir con estas finalidades, el Director General de Aguas, o los Directores Regionales, podrán ejercer las facultades contenidas en el artículo 138 de este Código.

ARTÍCULO 299 quáter.- La Dirección General de Aguas deberá publicar periódicamente la información que recabe en el ejercicio de sus funciones, de manera de facilitar el acceso a ésta y su comprensión.

ARTÍCULO 300.- El Director General de Aguas tendrá los siguientes deberes y atribuciones:

a) Dictar las normas e instrucciones, mediante circulares, que sean necesarias para la correcta aplicación de este Código, leyes y reglamentos que sean de la competencia de la Dirección a su cargo.

La normativa que emane del Director será obligatoria y deberá ser sistematizada de manera tal de facilitar el acceso y conocimiento de ésta por el público en general.

b) Dirigir, coordinar y fiscalizar la labor de la Dirección General de Aguas y adoptar las medidas que sean conducentes al adecuado funcionamiento técnico y administrativo del servicio;

c) Dictar las resoluciones que corresponda sobre las materias que las leyes encomienden específicamente a los jefes superiores de servicios;

d) Presentar al Ministerio de Obras Públicas el proyecto de presupuesto de entradas y gastos para cada año;

e) Preparar los proyectos de contratos que deba celebrar el Fisco en virtud de sus resoluciones, o en cumplimiento de decretos supremos, en los casos establecidos por la ley y sus respectivos reglamentos;

f) Proponer al Ministro de Obras Públicas las modificaciones legales o reglamentarias que sean procedentes para el mejor cumplimiento de las funciones y objetivos del servicio;

g) Delegar parcial o totalmente en funcionarios del, servicio una o más de sus facultades y conferirles poderes especiales por un período determinado, y

h) Ingresar a predios de propiedad pública o privada, en cumplimiento de sus labores de fiscalización.

Para el cumplimiento de lo dispuesto en el párrafo anterior, el Director General de Aguas podrá solicitar, en los términos del artículo 138, el auxilio de la fuerza pública cuando exista oposición, la que podrá actuar con descerrajamiento, si fuere necesario, para ingresar a lugares cerrados.

ARTÍCULO 301.- El Director General de Aguas, en representación del Fisco, podrá celebrar actos y contratos en cumplimiento de las funciones que le corresponden a la Dirección General de Aguas y, en especial, comprar y vender materiales y bienes muebles; aceptar donaciones y recibir erogaciones para la realización de sus fines; contratar pólizas de seguro contra toda clase de riesgos, endosarlas y cancelarlas; percibir y en general, ejecutar todos los actos y contratos necesarios para el cumplimiento de los objetivos que el presente código encomienda a la Dirección General de Aguas.

ARTÍCULO 302.- El Director General de Aguas será el representante legal de la Dirección General de Aguas.

En las causas civiles en que sea parte o tenga relación o interés la Dirección General de Aguas o alguno de sus empleados con motivo de actuaciones funcionarias y que se sigan ante Tribunales Ordinarios o Especiales, el Director General de Aguas tendrá las atribuciones del artículo 7° del Código de Procedimiento Civil y especialmente las facultades de desistirse en primera instancia de la acción deducida, aceptar la demanda contraria, absolver posiciones, renunciar los recursos o los términos legales, avenir y transigir. Además, le será aplicable lo dispuesto en el artículo 361 de dicho Código.

ARTÍCULO 303.- Si con motivo de la construcción y operación de obras hidráulicas se alterasen los caudales en cauces naturales, la Dirección General de Aguas podrá aforar sus corrientes, solicitar antecedentes y dirimir las dificultades que se presenten con motivo de su distribución entre los titulares de derechos de aprovechamiento de dichos cauces, pudiendo establecer las medidas que deben adoptar los usuarios para su adecuado ejercicio. El incumplimiento de estas medidas será sancionado por la Dirección General de Aguas con una multa cuya cuantía podrá variar entre el segundo y el cuarto grado.

ARTÍCULO 304.- La Dirección General de Aguas tendrá la vigilancia de las obras de toma en cauces naturales con el objeto de evitar perjuicios en las obras de defensa, inundaciones o el aumento del riesgo de futuras crecidas y podrá ordenar que se modifiquen o destruyan aquellas obras provisionales que no den seguridad ante las creces. Asimismo, podrá ordenar que las bocatomas de los canales permanezcan cerradas ante el peligro de grandes avenidas.

Podrá igualmente adoptar dichas medidas cuando por el manejo de las obras indicadas se ponga en peligro la vida o bienes de terceros.

Con tal objeto podrá ordenar también la construcción de las compuertas de cierre y descarga a que se refiere el artículo 38°, si ellas no existieren.

ARTÍCULO 305.- La Dirección General de Aguas podrá exigir a los propietarios de los canales la construcción de las obras necesarias para proteger caminos, poblaciones u otros terrenos de interés general, de los desbordamientos que sean imputables a defectos de construcción o por una mala operación o conservación del mismo. Con todo, si los desbordamientos se debieran a hechos, u obras ajenas al canal y posteriores a su construcción, las protecciones que sea necesario efectuar no serán de cargo de los propietarios del cauce.

ARTÍCULO 306.- El incumplimiento de las medidas que se adopten de acuerdo con los dos artículos precedentes, dentro de los plazos fijados, será sancionado con multas del segundo al tercer grado.

Estas multas serán determinadas por el Juez de Policía Local correspondiente a solicitud de los perjudicados, de las Municipalidades, Gobernaciones, Intendencias o de cualquier particular.

Para resolver, el Tribunal podrá requerir informe de la Dirección General de Aguas, el que será evacuado en el plazo máximo de 10 días.

En caso de no haberse adoptado las medidas de protección ordenadas por la Dirección General de Aguas y repetirse los desbordamientos, las multas podrán reiterarse.

ARTÍCULO 307.- La Dirección General de Aguas inspeccionará las obras mayores, cuyo deterioro o eventual destrucción pueda afectar a terceros.

Comprobado el deterioro, la Dirección General de Aguas ordenará su reparación y podrá establecer, mediante resoluciones fundadas, normas transitorias de operación de las obras, las que se mantendrán vigentes mientras no se efectúe su reparación.

Si ello no se efectuare en los plazos que determine, dictará una resolución fundada, ratificando como permanente la norma de operación transitoria y además podrá aplicar a las organizaciones que administren las obras una multa del cuarto al quinto grado, de conformidad con lo indicado en el artículo 173.

ARTÍCULO 307 bis.- La Dirección General de Aguas podrá exigir la instalación de sistemas de medición de caudales extraídos, del caudal ecológico contemplado en el artículo 129 bis 1 y un sistema de transmisión de la información que se obtenga, de conformidad con las normas que establezca el Servicio, a los titulares de derechos de aprovechamiento de aguas superficiales u organizaciones de usuarios que extraigan aguas directamente desde cauces naturales de uso público. Además, en el caso de los derechos no consuntivos, esta exigencia se aplicará también en la obra de restitución.

Dicho sistema deberá permitir que se obtenga y transmita a la Dirección General de Aguas la información indispensable para el control y medición del caudal instantáneo, efectivamente extraído y, en los usos no consuntivos, restituido, desde la fuente natural.

Ante el incumplimiento de las medidas a que se refieren los incisos anteriores, así como lo dispuesto en los artículos 38, 67 y 68, la Dirección General de Aguas, mediante resolución fundada, impondrá una multa a beneficio fiscal de segundo a tercer grado, en conformidad con lo dispuesto en el artículo 173 ter. Lo anterior, sin perjuicio de las sanciones penales que correspondan.

ARTÍCULO 307 ter.- Es deber de la Dirección General de Aguas evaluar los proyectos de obras hidráulicas que se sometan a su consideración, y emitir su informe técnico en base a los antecedentes que aporte el solicitante y demás información que se requiera para mejor resolver.

Los titulares de proyectos de obras que presenten las solicitudes a que se refieren los artículos 151, 171 y 294 y siguientes, podrán requerir que la Dirección General de Aguas designe de manera aleatoria un perito del Registro de Peritos Externos a cargo de dicha Dirección, para que elabore un informe de pre revisión del correspondiente proyecto.

La Dirección General de Aguas, mediante resolución, determinará los contenidos mínimos que deberán contener los informes de los peritos externos, en la que diferenciará los casos de los proyectos referidos a bocatomas, los proyectos de modificaciones que señala el artículo 171 y los proyectos de obras mayores, y determinará para cada categoría los costos del peritaje. Asimismo, en dicha resolución se fijarán los requisitos, inhabilidades e incompatibilidades a que deberán ceñirse dichos peritos externos para inscribirse y permanecer en el registro. Deberá evitarse el conflicto de interés.

No podrán inscribirse en el señalado registro:

a) Las personas condenadas por delitos ambientales.

b) Los infractores de la legislación sobre libre competencia.

c) Las personas jurídicas condenadas por los delitos señalados en la Ley N° 20.393, sobre responsabilidad penal de las personas jurídicas.

d) Los condenados por delitos de soborno, cohecho, e infractores de la Ley N° 19.913, sobre lavado y blanqueo de activos.

e) Los condenados por los delitos contemplados en la Ley N° 20.066, que establece la Ley de Violencia Intrafamiliar.

Sin perjuicio de lo anterior, no podrán actuar como peritos externos en una solicitud determinada:

1. Los relacionados con el solicitante, en virtud de lo dispuesto en el artículo 100 de la Ley N° 18.045, sobre Mercado de Valores.

2. Los que hubieren participado en la preparación de la solicitud sobre la cual deberá pronunciarse la Dirección General de Aguas.

3. Los que hayan mantenido una relación laboral con el solicitante durante los últimos cinco años o la mantengan al momento de la designación.

Los gastos que irroguen las actuaciones efectuadas por peritos externos serán siempre de cargo del solicitante, quien deberá consignar los fondos necesarios a la Dirección General de Aguas, en forma previa a la designación, dentro del plazo que ésta fije al efecto. Una vez ejecutado el encargo, lo que se acreditará con los informes respectivos, el Servicio pagará los servicios realizados.

Los informes técnicos y sus conclusiones elaboradas por un perito externo no serán vinculantes para la autoridad, de modo que la Dirección General de Aguas resolverá en definitiva la cuestión sometida a su consideración conforme a la evaluación y ponderación que ella efectúe de la información y antecedentes que constituyan el caso respectivo. Asimismo, la decisión y los fundamentos en que un caso haya sido resuelto por la Dirección General de Aguas no constituirá necesariamente precedente para la resolución de un caso similar o equivalente que esté conociendo o conozca en el futuro.

Los peritos externos serán solidariamente responsables con el titular del proyecto de obras hidráulicas por los daños y perjuicios que se ocasionen o provengan de fallas, errores, defectos u omisiones de sus informes en la medida que éstos hayan sido aprobados por la Dirección General de Aguas y las obras construidas no tengan diferencias con el proyecto aprobado respecto de lo señalado en dicho informe.

TÍTULO FINAL
DISPOSICIONES GENERALES

ARTÍCULO 308.- Deróganse todas las disposiciones legales y reglamentarias que tratan sobre las materias contenidas en el presente Código, y en especial las siguientes:

Ley N° 9.909; D.F.L. N° 11, de 1968, del Ministerio de Agricultura; D.F.L. N° 1-2.603, de 1979, del Ministerio de Agricultura; artículos 94 al 122, 124, 126, 127, 128, 130, 263 al 276, y artículos transitorios 5°, 6°, 12, 14 y 17 de la Ley N° 16.640; artículo 9° de la Ley 11.402; artículo 15, letras c) y d) de la Ley 15.840; Decreto Supremo N° 1.370, de 1951, del Ministerio de Obras Públicas y Vías de Comunicación, que fijó el reglamento sobre atribuciones de la Dirección General de Aguas en Juntas de Vigilancia, Asociaciones de Canalistas y Comunidades de Aguas; Decreto N° 1.021, de 1951, del Ministerio de Obras Públicas y Vías de Comunicación, que reglamenta la constitución y estatutos de la Asociación de Canalistas y Juntas de Vigilancia; y Decreto Supremo N° 745, de 1967, del Ministerio de Obras y Transportes, que establece el reglamento sobre notificaciones de las resoluciones de la Dirección General de Aguas, y D.F.L. N 162, de 1969, del Ministerio de Justicia, que fijó el texto sistematizado del Código de Aguas.

ARTÍCULO 309.- Los derechos de aprovechamiento otorgados con anterioridad a este Código, y que no estén expresados en volumen por unidad de tiempo, se entenderán equivalentes al caudal máximo legítimamente aprovechado en los cinco años anteriores a la fecha que se produzca controversia sobre su cuantía.

ARTÍCULO 310.- Subsistirán los derechos de aprovechamiento reconocidos por sentencia ejecutoriada a la fecha de promulgación de este Código, y los que emanen:

1. De mercedes concedidas por autoridad competente, sin perjuicio de lo dispuesto en los artículos 2° y 5° transitorios.

2. De los artículos 834°, 835° y 836° del Código Civil, con relación a los propietarios riberanos y del artículo 944° del mismo Código, adquiridos durante la vigencia de estas disposiciones, siempre que estén en actual uso y ejercicio, y

3. De prescripción.

ARTÍCULO 311.- El ejercicio de los derechos de aprovechamiento reconocidos o constituidos bajo la vigencia de leyes anteriores, se regirá por las normas del presente código, excepto lo dispuesto en el inciso final del artículo 18°.

ARTÍCULO 312.- Para los efectos indicados en el artículo 16, se reputan derechos de ejercicio permanente, a la fecha de promulgación de este código:

1. Los que emanen de merced concedida con dicha calidad con anterioridad a su promulgación, siempre que sus titulares los hayan ejercido con

las mismas facultades que el artículo 17° otorga a los titulares de derechos de ejercicio permanente, concedidos en conformidad al presente código;

2. Los reconocidos con esta calidad por sentencia ejecutoriada;

3. Los que emanen de los artículos 834°, 835° y 836° del Código Civil, en relación a los propietarios riberanos; del artículo 944° del mismo Código, adquiridos durante la vigencia de estas disposiciones, y de prescripción, ejercitados en aguas no sometidas a turno o rateo;

4. Los mismos derechos del número anterior, siempre que hayan sido reconocidos como de ejercicio permanente en aguas sometidas a turno o rateo, y

5. Los derechos ejercidos con la calidad de permanentes, durante cinco años, sin contradicciones de terceros.

ARTÍCULO 313.- Para los efectos del artículo 13° se reputan derechos de aprovechamiento consuntivo:

1. Los que emanen de mercedes concedidas por autoridad competente sin obligación de restituir las aguas;

2. Los reconocidos con esta calidad por sentencia ejecutoriada, y

3. Los derechos ejercidos con la calidad de consuntivos durante cinco años, sin contradicción de terceros.

ARTÍCULO 314.- El Presidente de la República, a petición y con informe de la Dirección General de Aguas, podrá declarar zonas de escasez hídrica ante una situación de severa sequía por un período máximo de un año, prorrogable sucesivamente, previo informe de la citada Dirección, para cada período de prórroga.

La Dirección General de Aguas calificará previamente, mediante resolución, los criterios que determinan el carácter de severa sequía.

Declarada la zona de escasez hídrica, con el objeto de reducir al mínimo los daños generales derivados de la sequía, especialmente para garantizar el consumo humano, saneamiento o el uso doméstico de subsistencia, de conformidad con lo dispuesto en el inciso segundo del artículo 5 bis, la Dirección General de Aguas podrá exigir, para estos efectos, a la o las juntas de vigilancia respectivas la presentación de un acuerdo de redistribución, dentro del plazo de quince días corridos contado desde la declaratoria de escasez. Este acuerdo deberá contener las condiciones técnicas mínimas y las obligaciones y limitaciones que aseguren que en la redistribución de las aguas, entre todos los usuarios de la cuenca, prevalezcan los usos para el consumo humano, saneamiento o el uso doméstico de subsistencia, precaviendo la comisión de faltas graves o abusos.

De aprobarse el acuerdo por la Dirección General de Aguas, las juntas de vigilancia deberán darle cumplimiento dentro del plazo de cinco días corridos contado desde su aprobación, y su ejecución será oponible a todos los usuarios de la respectiva cuenca. En caso de que exista un acuerdo previo de las juntas de vigilancia que cumpla con todos estos requisitos y que haya sido aprobado por el Servicio con anterioridad a la declaratoria de escasez, se procederá conforme a éste, debiendo ser puesto en marcha dentro del plazo de cinco días corridos contado desde la declaratoria.

Con todo, aquellas asociaciones de canalistas o comunidades de aguas que al interior de sus redes de distribución abastezcan a prestadores de servicios sanitarios deberán adoptar las medidas necesarias para que, con la dotación que les corresponda por la aplicación del acuerdo de distribución, dichos prestadores reciban el caudal o los volúmenes requeridos para garantizar el consumo humano, saneamiento o el uso doméstico de subsistencia.

En caso de que las juntas de vigilancia no presentaren el acuerdo de redistribución dentro del plazo contemplado en el inciso tercero o no diesen cumplimiento a lo indicado precedentemente, el Servicio podrá ordenar el cumplimiento de esas medidas o podrá disponer la suspensión de sus atribuciones, como también de los seccionamientos de las corrientes naturales que estén comprendidas dentro de la zona de escasez, para realizar directamente la redistribución de las aguas superficiales y/o subterráneas disponibles en la fuente, con cargo a las juntas de vigilancia respectivas. La Dirección General de Aguas podrá liquidar y cobrar mensualmente los costos asociados a ésta. Lo anterior, sin perjuicio de que las juntas de vigilancia podrán presentar a consideración de la Dirección General de Aguas el acuerdo a que se refieren los incisos tercero y cuarto.

Sin perjuicio de lo anterior, la Dirección General de Aguas podrá autorizar extracciones de aguas superficiales o subterráneas destinadas con preferencia a los usos de consumo humano, saneamiento o al uso doméstico de subsistencia y la ejecución de las obras en los cauces necesarias para ello desde cualquier punto sin necesidad de constituir derechos de aprovechamiento de aguas, sin sujeción a las normas establecidas en el Título I del Libro Segundo y sin la limitación del caudal ecológico mínimo establecido en el artículo 129 bis 1. Las autorizaciones que se otorguen en virtud de este inciso estarán vigentes mientras esté en vigor el decreto de escasez respectivo.

Todo aquel titular de derechos que reciba menor proporción de aguas que la que le correspondería de conformidad a las disponibilidades existentes, tendrá derecho a ser indemnizado por quien corresponda. Sólo tendrán derecho a ser indemnizados por el Fisco aquellos titulares de derechos de aprovechamiento que reciban una menor proporción de aguas que aquella que les correspondería de aplicarse por la Dirección General de Aguas las atribuciones que se le confieren en el inciso sexto. En ningún caso procederá indemnización si dicha menor proporción fuere a consecuencia de la priorización del consumo humano, el saneamiento y el uso doméstico de subsistencia, en los términos que señala este artículo.

Esta declaración de zona de escasez no será aplicable a las aguas acumuladas en embalses particulares.

ARTÍCULO 315.- En las corrientes naturales o en los cauces artificiales en que aún no se hayan constituido legalmente organizaciones de usuarios, por no encontrarse éstas debidamente registradas, de acuerdo con las disposiciones de este Código, la Dirección General de Aguas podrá, de oficio o a petición de parte, alternativamente, instruir a los usuarios la redistribución de las aguas o hacerse cargo de la distribución en zonas declaradas de escasez.

En tal caso, las personas designadas con dicho objeto por la Dirección, actuarán con todas las atribuciones que la ley confiere a los directores o administradores de dichos organismos, según corresponda, siendo aplicable lo dispuesto en el artículo 275, con cargo a dichos usuarios.

ARTÍCULO 316.- Las prohibiciones y sanciones impuestas en el Código de Minería, sobre labores de investigación y cateo de minas, son aplicables a los terrenos que ocupen los embalses, canales y demás obras de riego.

ARTÍCULO 317.- En los actos y contratos que importen la transferencia del dominio de un bien raíz o de un establecimiento para cuya explotación se requiera utilizar derechos de aprovechamiento de aguas, deberá señalarse expresamente si incluyen o no tales derechos. Si así no se hiciere, se presumirá que el acto o contrato no los comprende.

DISPOSICIONES TRANSITORIAS

ARTÍCULO 1.- Los derechos de aprovechamiento inscritos en el Registro de Aguas del Conservador de Bienes Raíces competente, cuyas posteriores transferencias o transmisiones no lo hubieran sido, podrán regularizarse mediante la inscripción de los títulos correspondientes desde su actual propietario hasta llegar a la inscripción de la cual proceden.

Si el Conservador de Bienes Raíces donde exista la inscripción se rehusara a practicar las nuevas inscripciones solicitadas, el interesado podrá ocurrir ante el juez de letras competente para que, si lo estima procedente, ordene al Conservador practicar tales inscripciones.

Para resolver sobre la solicitud, el juez solicitará informe al Conservador de Bienes Raíces que se haya pronunciado negativamente y a la Dirección General de Aguas y tendrá, además, a la vista, copia autorizada de la inscripción de dominio a nombre del interesado del inmueble en el cual se aprovechen las aguas; certificado de vigencia del mismo y certificado de la respectiva organización de usuarios en que conste la calidad del solicitante como miembro activo de ella, cuando corresponda.

ARTÍCULO 2.- Los usos actuales de las aguas que estén siendo aprovechados a la fecha de entrar en vigencia este código, podrán regularizarse cuando dichos usuarios y sus antecesores en posesión del derecho hayan cumplido cinco años de uso ininterrumpido, contados desde la fecha en que hubieren comenzado a hacerlo, en conformidad con las reglas siguientes:

a) La utilización deberá haberse efectuado libre de clandestinidad o violencia, y sin reconocer dominio ajeno;

b) La solicitud se elevará a la Dirección General de Aguas ajustándose en la forma, plazos y trámites a lo prescrito en el párrafo 1º del Título I del Libro II de este código;

c) Los terceros afectados podrán deducir oposición mediante presentación que se sujetará a las reglas señaladas en la letra anterior.

d) Reunidos todos los antecedentes, la Dirección General de Aguas, previo a resolver, deberá consultar a la organización de usuarios respectiva, en caso que ésta exista, su opinión fundada sobre características del uso y su antigüedad, la que podrá responder dentro de los treinta días hábiles siguientes a su notificación. La respuesta de la organización no será vinculante para el Servicio.

e) La Dirección General de Aguas emitirá un informe técnico y dictará una resolución fundada que reconocerá los derechos de aprovechamiento que cumplan con los requisitos descritos en este artículo, y señalará las características esenciales del derecho de aprovechamiento. En caso contrario, denegará la solicitud. A la resolución que reconozca el derecho de aprovechamiento le será aplicable lo dispuesto en el artículo 150.

Las organizaciones de usuarios legalmente constituidas podrán presentar solicitudes de regularización en representación de sus usuarios que cumplan individualmente los requisitos para ello, cuando cuenten con autorización expresa de los usuarios de aguas interesados en someterse al procedimiento.

ARTÍCULO 3.- Las hipotecas constituidas sobre inmuebles con anterioridad a la vigencia de este código, comprenderán los derechos de aprovechamiento de las aguas destinadas a su uso, cultivo o beneficio, salvo que se hubiese estipulado lo contrario.

ARTÍCULO 4.- La persona a cuyo nombre estuviesen inscritos derechos de aprovechamiento que, de acuerdo con el título del predio, estuvieren destinados al uso, cultivo o beneficio de un inmueble que hubiese sido expropiado totalmente por la ex Corporación de la Reforma Agraria, no podrá enajenarlos.

Si la expropiación hubiere sido parcial, o si habiendo sido total se le hubiere reconocido una reserva, o se hubiere excluido de la expropiación una parte del predio, podrá enajenar los derechos correspondientes a la reserva o a la parte excluida de la expropiación, siempre que se inscriban en conformidad al artículo siguiente.

ARTÍCULO 5.- Sin perjuicio de lo señalado en el artículo 2 transitorio, la determinación e inscripción de los derechos de aprovechamiento provenientes de predios expropiados total o parcialmente o adquiridos a cualquier título por aplicación de las leyes Nºs 15.020 y 16.640, podrá efectuarse de acuerdo con las reglas siguientes-:

1. La solicitud se presentará ante la Dirección General de Aguas; declarada admisible, se remitirán los antecedentes al Servicio Agrícola y Ganadero.

Deberá acreditarse la existencia y extensión de los derechos de aprovechamiento de aguas expropiados, la relación entre tales derechos y la superficie regada, y la circunstancia de que no existan otros derechos de aprovechamiento asignados al mismo predio. Para lo anterior, la Dirección General de Aguas podrá requerir al Servicio Agrícola y Ganadero para que informe acerca de dichas circunstancias en referencia a cada predio asignado, a la reserva, a la parte que se hubiere excluido de la expropiación y a la que se hubiere segregado por cualquier causa cuando ello fuere procedente. Lo anterior, en forma proporcional a la extensión efectivamente regada a la fecha de la expropiación. Este informe no tendrá carácter vinculante.

Previo a resolver, la Dirección General de Aguas podrá solicitar las aclaraciones, decretar las inspecciones oculares y pedir los informes correspondientes para mejor resolver, de conformidad con el inciso segundo del artículo 135.

2. La regularización de los derechos a que se refiere este artículo se hará mediante resolución de la Dirección General de Aguas, la que deberá cumplir con los requisitos establecidos en el artículo 149. Esta resolución deberá publicarse en extracto en el Diario Oficial para efectos de su notifi-

cación, y en su contra procederán los recursos establecidos en los artículos 136 y 137.

3. A la resolución que determine el derecho de aprovechamiento de conformidad con estas reglas le será aplicable lo dispuesto en el artículo 150.

4. En el evento en que el Servicio Agrícola y Ganadero hubiere determinado los derechos que proporcionalmente correspondieren a los predios a los que se refiere el presente artículo, mediante resolución exenta publicada en el Diario Oficial e inscrita en el Conservador de Bienes Raíces competente, los propietarios de dichos predios podrán inscribir a su nombre los derechos de aprovechamiento establecidos para tales predios con la sola presentación de la inscripción de dominio del inmueble, dentro de los dos años siguientes a la publicación de esta ley. Vencido el plazo, tendrá que realizar el trámite a que se refiere este artículo. En este caso, la inscripción de la aludida resolución será suficiente para determinar la cantidad de derechos que corresponde a cada predio y no regirá lo establecido en el artículo 1 transitorio de este Código.

Esta regularización no será aplicable a aquellos predios expropiados por las leyes N°15.020 y 16.640 que a la fecha de la expropiación no contaban con derechos de aprovechamiento.

ARTÍCULO 6.- Los derechos de aprovechamiento otorgados provisionalmente de acuerdo a las normas del código que se deroga, continuarán tramitándose hasta obtener la concesión definitiva conforme a dichas normas.

ARTÍCULO 7.- En el Registro de Aguas del Conservador de Bienes Raíces se inscribirán las escrituras públicas que contengan la resolución de concesión definitiva a la que se refiere el artículo 266° del Código de Aguas aprobado por decreto con fuerza de Ley N° 162, de 1969, otorgadas con posterioridad a la vigencia de dicho Código.

ARTÍCULO 8.- Hasta que no se dicten las disposiciones legales referentes a la conservación y protección de las aguas, corresponderá a la

Dirección General de Aguas aplicar la política sobre la materia y coordinar las funciones que, de acuerdo a la legislación vigente, correspondan a los distintos organismos y servicios públicos.

ARTÍCULO 9.- La Dirección General de Aguas, a petición de la Comisión Nacional de Riego y previo informe de la Dirección de Obras Hidráulicas, otorgará derechos de aprovechamiento en las obras de riego construidas por el Estado, total o parcialmente terminadas, en la medida que exista disponibilidad, respetando el artículo 5 bis.

ARTÍCULO 10.- El actual Registro de Aguas que llevan los Conservadores de Bienes Raíces constituirá el Registro de Aguas establecido por el artículo 112 del presente código.

No será necesario reinscribir los derechos de aguas que estuvieren vigentes.

ARTÍCULO 11.- Los solicitantes de perfeccionamiento del título de derechos de aprovechamiento de aguas que hayan presentado su requerimiento previo a la vigencia del artículo 170 bis podrán voluntariamente someterse al nuevo procedimiento dispuesto en ese artículo, y harán constar el desistimiento o renuncia en sede judicial.

Tómese razón, comuníquese, publíquese e insértese en la Recopilación Oficial de la Contraloría General de la República.- AUGUSTO PINOCHET UGARTE, General de Ejército, Presidente de la República.- Mónica Madariaga Gutiérrez, Ministro de Justicia.- Rolando Ramos Muñoz, Brigadier General, Ministro de Economía, Fomento y Reconstrucción.- Patricio Torres Rojas, Brigadier General, Ministro de Obras Públicas.- Luis Simón Figueroa del Río, Ministro de Agricultura subrogante.

Lo que transcribo para su conocimiento.- Le saluda atentamente.- Francisco José Folch Verdugo, Subsecretario de Justicia.

DECRETOS SUPREMOS

DECRETO SUPREMO Nº 187 DE 28 DE JUNIO DE 1983. REGLAMENTO SOBRE REGISTRO DE ORGANIZACIONES DE USUARIOS

Núm. 187.- Santiago, 2 de Mayo de 1983.-

Vistos:

Lo establecido en los artículos 65, 122, 196, 255, 258 y 267 del Código de Aguas, el oficio Nº 292 de fecha 20 de Abril de 1983 de la Dirección General de Aguas, y Considerando:

Que el registro de las organizaciones de usuarios requerido por el artículo 196 del Código de Aguas para las Comunidades de Agua, y extendido a las Asociaciones de Canalistas y Juntas de Vigilancia por los artículos 258 y 267 de dicho texto legal, es un acto jurídico y administrativo complejo, que comprende desde la revisión técnica y jurídica de los antecedentes presentados, hasta su anotación en un Libro Registro especial,

Decreto:

Artículo Primero.- Establécese el Registro de Organizaciones de Usuarios, a que se refieren los artículos 196, 255, 258 y 267 del Código de Aguas, el que formará parte del Catastro Público de Aguas.

Artículo Segundo.- En el Registro de Organizaciones de Usuarios se registrarán y anotarán todas las Comunidades de Aguas, Comunidades de Obras de Drenaje, Asociaciones de Canalistas y Juntas de Vigilancia, tanto las que se organicen en el futuro como las ya organizadas.

También se anotarán en dicho Registro todas las modificaciones estatutarias que a dichos organismos se efectúen.

El Director General de Aguas ordenará por resolución el Registro de las organizaciones de usuarios.

Artículo Tercero.- Habrá un Libro Registro foliado y numerado para las Comunidades de Aguas y Obras de Drenaje, otro para las Asociaciones de Canalistas, y un tercero para las Juntas de Vigilancias.

Artículo Cuarto.- La inscripción en el caso de las Comunidades de Aguas y de Obras de Drenaje deberán contener las siguientes menciones:

1.- Nombre y domicilio de la comunidad.
2.- Cauce o fuente natural de donde deriva sus derechos.
3.- Canal o canales sometidos a su jurisdicción.
4.- Derechos del canal comunero en el cauce o fuente natural.
5.- Notaría y fecha de escritura de constitución.
6.- División de los derechos entre los comuneros.

Artículo Quinto.- La inscripción de las Asociaciones de Canalistas contendrá las siguientes menciones:

1.- Nombre y domicilio de la Asociación de Canalistas.
2.- Cauce o fuente natural de que deriva sus derechos.
3.- Canal o canales sometidos a su jurisdicción.
4.- Derechos del canal en el cauce o fuente natural.
5.- Notaría y fecha de la escritura de constitución.
6.- División de los derechos entre los accionistas.
7.- Decreto aprobatorio y fecha de su publicación.

Artículo Sexto.- La inscripción de las Juntas de Vigilancia contendrá las siguientes menciones:

1.- Nombre y domicilio de la Junta de Vigilancia.
2.- Hoya a la que pertenece.
3.- El o los cauces o la sección del cauce o fuente natural sobre la que tiene jurisdicción.
4.- Matrícula de canales sometidos a su jurisdicción.
5.- Notaría y fecha de escritura de constitución de la Junta de Vigilancia.
6.- Decreto aprobatorio y fecha de su publicación.
7.- Derechos de cada canal en el cauce o fuente natural.

Artículo Séptimo.- El Registro de Organizaciones de Usuarios será público, y la Dirección General de Aguas otorgará a quienes lo soliciten copias autorizadas de las inscripciones existentes.

Artículo Octavo.- El Registro de Organizaciones de Usuarios será responsabilidad de quienes tengan a su cargo el Catastro Público de Aguas y habrá un funcionario encargado de su custodia y manejo que tendrá el nombre de Archivero de la Dirección General de Aguas, cuya designación efectuará el Director General de Aguas.

Artículo Transitorio.- Las Organizaciones de Usuarios que existen a la fecha de publicación del presente decreto, y que se encuentran con su situación legal regularizada, se anotarán en el Libro Registro que corresponda, sin mayores trámites.

Anótese, tómese razón, publíquese e insertese en el boletín de reglamentos de la Contraloría General de la República.- AUGUSTO PINOCHET UGARTE, General de Ejército, Presidente de la República.- Bruno Siebert Held, Brigadier General, Ministro de Obras Públicas.

Lo que transcribo a Ud. para su conocimiento.- Saluda Atte. a Ud.- Osvaldo Muñoz Ruiz Tagle, Secretario General subrogante.

DECRETO SUPREMO N° 1.220 DE 25 DE JULIO DE 1998 QUE APRUEBA REGLAMENTO DEL CATASTRO PÚBLICO DE AGUAS

Núm. 1.120.- Santiago, 30 de diciembre de 1997.- Vistos: Las facultades que me confiere el artículo 32 N° 8 de la Constitución Política de la República de Chile y el decreto M.O.P. N° 294, de 1984, que fija el texto actualizado, coordinado y sistematizado de la Ley N° 15.840, Orgánica del Ministerio de Obras Públicas; lo dispuesto en los artículos 122, 150 inciso 2°, 299 letras a) y b) y 300 letra f) del Código de Aguas, y

Considerando:

Que, el artículo 122 del Código de Aguas dispone que corresponde a la Dirección General de Aguas llevar un Catastro Público de Aguas, en el que constará toda la información que tenga relación con ellas, el que debe estar constituido por los archivos, registros e inventarios que un reglamento especial establezca, en el que se consignarán todos los datos, actos y antecedentes que digan relación con el recurso, con las obras de desarrollo del mismo, con los derechos de aprovechamiento, con los derechos reales constituidos sobre éstos y con las obras construidas o que se construyan para ejercerlos.

Que, el Catastro Público de Aguas es imprescindible para que la Dirección General de Aguas pueda llevar adelante de un modo adecuado su misión de órgano encargado de la función pública de administración de las aguas, toda vez que sin un conocimiento cabal y exhaustivo, científica y prácticamente comprobable, del recurso y de los usos del mismo, resulta imposible que dicho Servicio pueda cumplir de una manera eficiente y moderna las funciones que la ley le ha encomendado.

Que, el Catastro Público de Aguas está destinado a proporcionar a la autoridad de aguas toda la información necesaria para que pueda cumplir sus funciones de planificación y administración del recurso.

Que, conforme a lo anterior, la finalidad del Catastro Público de Aguas es lograr un inventario del recurso, sobre lo cual basar la aplicación de políticas públicas. Que, del mismo modo, su consagración legal y la reglamentación de su contenido otorgará una mayor transparencia a la gestión de la Dirección General de Aguas en su calidad de órgano rector de las aguas en el país, así como también permitirá que cualquier interesado en ello pueda acceder en forma rápida, oportuna y eficiente a toda información relacionada con el recurso hídrico.

Que, en virtud de lo precedentemente expuesto, se ha estimado conveniente llevar adelante el mandato del legislador y proceder a dictar el reglamento que establezca la forma y contenido del Catastro Público de Aguas.

Decreto:

Apruébase el siguiente Reglamento para el Catastro Público de Aguas:

Definiciones

Artículo 1°: Definiciones. Para los efectos de este Reglamento se entiende por:

a) Dirección: Dirección General de Aguas.

b) Director: Director General de Aguas.

c) Archivero: Funcionario encargado de la custodia y manejo de los Registros que componen el Catastro Público de Aguas.

d) Catastro Público de Aguas: Aquel al que se refiere el artículo 122 del Código de Aguas y que se reproduce en el artículo 2° de este Reglamento.

e) Organizaciones de Usuarios: Las Comunidades de Aguas; las Comunidades de Obras de Drenaje; las Comunidades de aguas subterráneas que se originan como consecuencia de la declaración de un área de restricción; las Asociaciones de Canalistas; aquellas organizaciones de usuarios a las que se refiere el artículo 261 del Código de Aguas; las Juntas de Vigilancia; y en general cualquier tipo de sociedad que se forme con uno o más de los objetos mencionados en el Art. 186 del mismo Código.

f) Centro de Información: Centro de Información de Recursos Hídricos de la Dirección General de Aguas.

g) Roles provisionales de usuarios: Aquellos roles provisionales de usuarios que la Dirección General de Aguas forme en los casos a que se refiere el artículo 164 del Código de Aguas.

TÍTULO I
DEL CATASTRO PÚBLICO DE AGUAS

SECCIÓN I
DISPOSICIONES GENERALES

Artículo 2°: El Catastro Público de Aguas estará constituido por los Archivos, Registros e Inventarios que el presente Reglamento establece, en los que se consignarán todos los datos, actos y antecedentes que dicen relación con el recurso, con las obras de desarrollo del mismo, con los derechos de aprovechamiento, con los derechos reales constituidos sobre éstos y con las obras construidas o que se construyan para ejercerlos.

La Dirección General de Aguas será responsable de que en el Catastro Público de Aguas conste toda la información que tenga relación con las aguas, y, en especial, aquella que le permita cumplir sus atribuciones y funciones legales, principalmente las de planificar el desarrollo del recurso, investigar y medir el recurso, ejercer la policía y vigilancia en los cauces naturales de uso público y supervigilar el funcionamiento de las juntas de vigilancia.

Artículo 3°: El Catastro Público de Aguas estará a cargo de la Dirección General de Aguas, la que cautelará el cumplimiento de las normas establecidas en el presente Reglamento.

Artículo 4°: El Catastro Público de Aguas es público en lo referente a la individualización de todos los antecedentes que existan consignados en él. La Dirección, a través de su Centro de Información de Recursos Hídricos, estará obligada a entregar, a petición del titular o de cualquier persona, copia de las inscripciones que tenga en los Registros, Archivos e Inventarios, así como de certificados de tales inscripciones. La Dirección, asimismo, podrá cobrar por la prestación de estos servicios un valor equivalente a los costos efectivos que resulten del otorgamiento de las referidas copias o certificados. Estos valores serán fijados anualmente por resolución del Director.

SECCIÓN II
REGISTROS Y ARCHIVOS QUE COMPONEN EL CATASTRO PÚBLICO DE AGUAS

Artículo 5°: El Catastro Público de Aguas estará constituido por los siguientes Registros, Archivos e Inventarios:
1. Registro Público de Organizaciones de Usuarios
2. Registro Público de Derechos de Aprovechamiento de Aguas
3. Inventario Público de Extracciones Autorizadas de Aguas
4. Inventario Público de Obras Hidráulicas
5. Inventario Público de Información Hidrológica y Meteorológica
6. Inventario Público de Obras Estatales de Desarrollo del Recurso y Reservas de Aguas
7. Inventario Público de Extracciones Efectivas de Aguas
8. Inventario Público sobre Información de Calidad de Aguas
9. Inventario Público de Cuencas Hidrográficas y Lagos
10. Archivo Público de Jurisprudencia Administrativa y de Normas sobre Calidad de Aguas
11. Registro Público de Roles Provisionales de Usuarios
12. Registro Público de Solicitudes
13. Registro Público de Vertidos de Residuos Líquidos en Fuentes Naturales de Aguas, y
14. Archivo Público de Estudios y Archivo Público de Informes Técnicos.
15. Inventario Público de Glaciares

&1. Del Registro Público de Organizaciones de Usuarios

Artículo 6°: En el Registro Público de Organizaciones de Usuarios se registrarán y anotarán todas aquellas mencionadas en la letra e) del artículo 1° del presente Reglamento; tanto las que se organicen en el futuro como las ya organizadas.

También se anotarán y registrarán en dicho Registro todas las modificaciones estatutarias que a dichas organizaciones se efectúen.

El Director General de Aguas ordenará, por resolución, el registro de las organizaciones de usuarios. También requerirá de resolución el registro de las modificaciones de los estatutos de las mismas. Se tendrán por registradas todas las organizaciones de usuarios que a la fecha de publicación de este reglamento ya lo estén en la Dirección.

Artículo 7°: El Registro Público de Organizaciones de Usuarios se compone de 6 Libros, los que deberán ser foliados y enumerados. Ellos son los siguientes:

a) Registro Público de Comunidades de Aguas Superficiales
b) Registro Público de Obras de Drenaje
c) Registro Público de Asociaciones de Canalistas
d) Registro Público de Juntas de Vigilancia
e) Registro Público de Comunidades de Aguas Subterráneas
f) Registro Público de otras Sociedades a las que se refiere el artículo 186 del Código de Aguas.

Artículo 8°: La inscripción en el caso de las Comunidades de Aguas, sean superficiales o subterráneas, deberá contener las siguientes menciones:

1. Nombre y domicilio de la comunidad;
2. Nombre del cauce o fuente natural de donde deriva sus derechos de aprovechamiento;
3. Canal o canales sometidos a su jurisdicción;
4. Derechos de aprovechamiento del canal comunero en el cauce o fuente natural, los que deberán expresarse tanto en acciones como en volumen por unidad de tiempo;
5. Las características de los derechos de aprovechamiento de la comunidad;
6. División de los derechos de aprovechamiento entre los comuneros, expresado en acciones y en volumen por unidad de tiempo;

7. Notaría y fecha de la escritura de constitución;

8. Fojas, número y año de la inscripción en el Registro de Propiedad de Aguas del Conservador de Bienes Raíces competente;

9. Juzgado y número de rol de la causa y fecha de la respectiva sentencia en caso de tratarse de organizaciones de usuarios de aguas cuya existencia haya sido declarada judicialmente;

10. La resolución del Director General de Aguas que ordena el registro de la comunidad.

Artículo 9°: La inscripción en el caso de las Comunidades de Obras de Drenaje deberá contener las siguientes menciones:

1. Nombre y domicilio de la comunidad;

2. Nombre de los cauces naturales o artificiales que sean colectores de aguas provenientes de los drenajes;

3. Canal o canales sometidos a su jurisdicción;

4. Nombre de los beneficiarios con el sistema de drenaje;

5. Notaría y fecha de la escritura de constitución;

6. Fojas, número y año de la inscripción en el Registro de Propiedad de Aguas del Conservador de Bienes Raíces competente;

7. Juzgado y número de rol de la causa y fecha de la sentencia, en caso que la existencia de la comunidad haya sido declarada judicialmente;

8. La resolución del Director General de Aguas que ordena el registro de la comunidad.

Artículo 10: La inscripción de las Asociaciones de Canalistas contendrá las siguientes menciones:

1. Nombre y domicilio de la Asociación de Canalistas;

2. Nombre del cauce o fuente natural de donde deriva sus derechos de aprovechamiento;

3. Canal o canales sometidos a su jurisdicción;

4. Derechos de aprovechamiento, y sus características, del canal en el cauce o fuente natural, los que deberán estar expresados en acciones y en volumen por unidad de tiempo;

5. Notaría y fecha de la escritura de constitución;

6. División de los derechos de aprovechamiento entre los accionistas, expresados en acciones y en volumen por unidad de tiempo;

7. Decreto aprobatorio y fecha de su publicación;

8. Resolución del Director General de Aguas que ordena el registro de la asociación de canalistas;

9. Fojas, número y año de la inscripción en el Registro de Propiedad de Aguas del Conservador de Bienes Raíces respectivo;

10. Juzgado, número de rol de la causa y fecha de la sentencia, si la existencia de la Asociación fue declarada judicialmente.

Artículo 11: La inscripción de las Juntas de Vigilancia contendrá las siguientes menciones:

1. Nombre y domicilio de la Junta de Vigilancia;

2. Hoya hidrográfica a que pertenece;

3. El o los cauces o la sección del cauce o fuente natural sobre la que tiene jurisdicción;

4. Matrícula de canales sometidos a su jurisdicción;

5. Notaría y fecha de la escritura de constitución de la Junta de Vigilancia;

6. Decreto aprobatorio y fecha de su publicación;

7. Derechos de aprovechamiento de cada canal en el cauce o fuente natural expresado en acciones y en volumen por unidad de tiempo;

8. Derechos de aprovechamiento de usuarios individuales que capten directamente del cauce natural a través de una bocatoma;

9. Fojas, número y año de la inscripción en el Registro de Propiedad de Aguas del Conservador de Bienes Raíces competente;

10. Juzgado, número de rol de la causa, y fecha de la sentencia, en caso que la existencia de la junta de vigilancia haya sido declarada judicialmente;

11. Resolución del Director General de Aguas que ordena el registro de la junta de vigilancia.

Artículo 12: El Registro Público de Organizaciones de Usuarios será público, y la Dirección General de Aguas otorgará, a quienes lo soliciten, copias autorizadas de las inscripciones existentes, así como certificados de tales inscripciones.

&2. Del Registro Público de Derechos de Aprovechamiento de Aguas

Artículo 13: En el Registro Público de Derechos de Aprovechamiento de Aguas deberán registrarse todos los derechos de aprovechamiento constituidos o reconocidos en conformidad a la ley.

Además, en este registro se anotarán las transferencias de los derechos de aprovechamiento; los derechos reales constituidos sobre éstos y en general toda aquella información relativa al ejercicio de los derechos de aprovechamiento.

Asimismo, se entenderán automáticamente registrados los derechos de aprovechamiento de aguas que hayan sido fijados por sentencia judicial que declare la existencia de una comunidad de aguas cuya organización haya sido promovida por la Dirección.

Artículo 14: Se registrarán separadamente los derechos de aprovechamiento y demás circunstancias que recaigan en aguas superficiales y subterráneas.

Artículo 15: El Registro Público referido a las aguas superficiales estará constituido por los siguientes Registros:

a) Registro Público de Derechos de Aprovechamiento Constituidos Originalmente por la Autoridad.

En este Registro deberán anotarse:

1. Las resoluciones de la Dirección General de Aguas o de otros organismos públicos, por medio de las cuales se constituyan los derechos de aprovechamiento. También se registrarán aquí las resoluciones o decretos de otras autoridades públicas que, en virtud de anteriores legislaciones referidas a las aguas terrestres, hubieren constituido mercedes definitivas o derechos de aprovechamiento de aguas.

2. Los decretos supremos del Presidente de la República que constituyan derechos de aprovechamiento en el caso establecido en el artículo 148 del Código de Aguas.

b) Registro Público de Derechos de Aprovechamiento reconocidos por la ley.

En este Registro deberán anotarse:

1. Las resoluciones judiciales ejecutoriadas que reconozcan la existencia de un derecho de aprovechamiento.

2. Las inscripciones que resulten de la aplicación del artículo primero transitorio del Código de Aguas.

c) Registro Público de Declaración de Agotamiento de Cauces Naturales.

d) Registro Público de Derechos Reales Constituidos sobre Derechos de Aprovechamiento.

e) Registro Público de Derechos de Aprovechamiento Utilizados y No Utilizados.

f) Registro Público de Traslados del Ejercicio de Derechos de Aprovechamiento en Cauces Naturales.

g) Registro Público de Cambios de Fuente de Abastecimiento.

h) Registro Público de Limitaciones o Condiciones Ambientales relacionadas con los Derechos de Aprovechamiento.

De cada anotación que se efectúe en los Registros contenidos en las letras d), e), f), g) y h) del presente artículo, deberá dejarse constancia al margen del respectivo Registro de Derechos de Aprovechamiento a que se refieren las letras a) y b).

Artículo 16: El Registro Público referido a las aguas subterráneas estará constituido por los siguientes Registros:

a) Registro Público de Derechos de Aprovechamiento Constituidos originalmente por la Autoridad.

b) Registro Público de Derechos de Aprovechamiento Reconocidos por la ley.

En este Registro deberán anotarse:

1. Las resoluciones judiciales ejecutoriadas que reconozcan la existencia de un derecho de aprovechamiento.

2. Las inscripciones que resulten de la aplicación de artículo primero transitorio del Código de Aguas.

c) Registro Público de Autorizaciones de Exploración de Aguas Subterráneas y todo acto o contrato que las afecten.

d) Registro Público de Limitaciones a la Explotación de Aguas Subterráneas.

En este registro deberán anotarse todas las resoluciones de la autoridad por medio de las cuales se decrete alguna de las siguientes medidas:

1. Reducción temporal del ejercicio de los derechos de aprovechamiento.

2. Areas de restricción.

3. Zonas de prohibición para nuevas explotaciones.

e) Registro Público de Zonas de Acuíferos que Alimenten Vegas y Bofedales de las Regiones de Tarapacá y Antofagasta.

f) Registro Público de Cambios de Puntos de Captación de Aguas Subterráneas.

g) Registro Público de Derechos de Aprovechamiento Utilizados y No Utilizados.

h) Registro Público de Limitaciones o Condiciones Ambientales relacionadas con los Derechos de Aprovechamiento.

De cada anotación que se efectúe en los Registros contenidos en las letras f), g) y h) del presente artículo, deberá dejarse constancia al margen del respectivo Registro de derecho de aprovechamiento a que se refieren las letras a) y b).

&3. Inventario Público de Extracciones Autorizadas de Aguas

Artículo 17: En el Inventario Público de Extracciones Autorizadas de Aguas deberá registrarse toda la información referida a las extracciones de aguas superficiales, corrientes o detenidas, y subterráneas realizadas a través de bocatomas u obras de captación de aguas subterráneas, provenientes de derechos de aprovechamiento constituidos o reconocidos en conformidad a la ley.

La información contenida en este Inventario será referencia obligatoria para la Dirección General de Aguas, al momento de efectuar los análisis de disponibilidad del recurso en alguna fuente natural.

Se registrarán separadamente las extracciones autorizadas de aguas superficiales y las extracciones autorizadas de aguas subterráneas.

El Inventario Público de Extracciones Autorizadas de Aguas, sean superficiales o subterráneas, se formará a partir de la información que ya se encuentra registrada en la Dirección con anterioridad a la publicación de este Reglamento, y con aquella que se vaya incorporando con posterioridad.

La Dirección aprobará mediante resoluciones el Inventario de Extracciones Autorizadas de Aguas en cada región del país, las que serán publicadas por una vez en el Diario Oficial y en un diario de la capital de la región correspondiente, a objeto de que aquellos que se sientan afectados puedan deducir en su contra los recursos que les franquea la ley.

&4. Del Inventario Público de Obras Hidráulicas

Artículo 18: El Inventario Público de Obras Hidráulicas estará constituido por los siguientes Inventarios:

a) Inventario Público de las Obras Hidráulicas contempladas en el artículo 294 del Código de Aguas, las cuales para el solo efecto de este reglamento se denominarán Obras Hidráulicas Mayores.

b) Inventario Público de otras Obras Hidráulicas contempladas en el Código de Aguas, las cuales para el solo efecto de este reglamento se denominarán Obras Hidráulicas Menores.

c) Inventario Público de Normas de Operación de Obras Hidráulicas, según lo dispuesto en el artículo 307 del Código de Aguas.

&5. Del Inventario Público de Información
Hidrológica y Meteorológica

Artículo 19: El Inventario Público de Información Hidrológica y Meteorológica estará compuesto por los siguientes Inventarios:

a) Inventario Público de Información Fluviométrica;

En este Inventario se anotará toda la información correspondiente a las mediciones efectuadas en los cauces naturales, por la Dirección u otros organismos.

b) Inventario Público de Información Meteorológica;

En este Inventario se anotará la siguiente información:

1. Información correspondiente a las mediciones efectuadas en las estaciones meteorológicas a cargo de la Dirección o de otros Organismos Públicos, así como la información que proporcionen entidades de carácter privados.

2. Información correspondiente a las mediciones efectuadas en las estaciones de medición de rutas de nieve a cargo de la Dirección o de otros Organismos Públicos, así como la información que proporcionen entidades de carácter privados.

3. Información correspondiente a las mediciones efectuadas en las estaciones pluviométricas a cargo de la Dirección o de otros Organismos Públicos, así como la información que proporcionen entidades de carácter privados.

c) Inventario Público de Información Sedimentométrica.

d) Inventario Público de Niveles de Aguas Subterráneas.

En este Inventario se anotará toda la información correspondiente a las mediciones efectuadas en las redes de pozos a cargo de la Dirección.

e) Inventario Público de Datos Limnológicos.

En este Inventario se anotará toda la información correspondiente a las mediciones efectuadas por la Dirección en lagos, y otros álveos de aguas detenidas.

&6. Del Inventario Público de Obras Estatales de Desarrollo del Recurso y Reservas de Agua

Artículo 20: El Inventario Público de Obras Estatales de Desarrollo del Recurso y Reservas de Agua estará constituido por los siguientes inventarios:

a) Inventario de Obras de Riego Construidas por el Estado.

b) Inventario de Reservas de Aguas.

&7. Del Inventario Público de Extracciones Efectivas de Aguas

Artículo 21: En el Inventario Público de Extracciones Efectivas de Aguas deberá registrarse toda la información referida a las extracciones efectivas de aguas superficiales, corrientes o detenidas, y subterráneas,

realizadas a través de bocatomas u obras de captación de aguas subterráneas, provenientes de derechos de aprovechamiento constituidos o reconocidos en conformidad a la ley.

Para los efectos señalados en el inciso precedente, la Dirección podrá
exigir la instalación de sistemas de medida en las obras de captación
de aguas superficiales y requerir la información que sea necesaria a los
usuarios individuales de las mismas y a la organización de usuarios bajo
cuya administración esté la distribución de aguas en un cauce natural determinado, así como también exigir la instalación de sistemas de medida
en las obras de captación de aguas subterráneas y solicitar la información
que se obtenga.

&8. Del Inventario Público sobre Información de Calidad de Aguas

Artículo 22: El Inventario Público de Calidad de Aguas estará constituido por los siguientes inventarios:
1. Inventario Público de Calidad Física-Química de las Aguas
2. Inventario Público de Calidad Biológica de las Aguas
En este Inventario constará toda la información correspondiente a los
datos obtenidos de la medición de los componentes físicos, químicos y
biológicos, de las redes de calidad de aguas a cargo de la Dirección, debiendo especialmente registrarse la información referida a lagos.

&9. Del Inventario Público de Cuencas Hidrográficas, y Lagos

Artículo 23: En el Inventario Público de Cuencas Hidrográficas, y Lagos se anotará toda la información relativa a las diversas cuencas hidrográficas del país y que no se encuentre registrada en los otros Registros,
Inventarios o Archivos contemplados en el presente Reglamento.

&10. Del Archivo Público de Jurisprudencia Administrativa
y de Normas sobre Calidad de Aguas

Artículo 24: El Archivo Público de Jurisprudencia Administrativa y de
Normas sobre Calidad de Aguas estará compuesto por los siguientes Archivos:

a) Archivo Público de Jurisprudencia Administrativa emanada de la propia Dirección.

b) Archivo Público de Dictámenes de la Contraloría General de la República que tengan relación con materias de aguas. Este Archivo se establece sin perjuicio del que lleva el propio organismo contralor, y sólo podrá ser consultado por los interesados en las dependencias de la Dirección, no siéndole aplicable lo dispuesto en el artículo 4° de este Reglamento.

c) Archivo Público de Normas sobre Calidad de Aguas: En este Archivo se deberá llevar un catastro de todas las normas referidas a la calidad de las aguas.

&11. Del Registro Público de Roles Provisionales de Usuarios

Artículo 25: El Registro Público de Roles Provisionales de Usuarios estará constituido por todos aquellos roles formados por la Dirección en los casos a que se refiere el artículo 164 del Código de Aguas.

Artículo 26: En el Registro Público de Roles Provisionales de Usuarios se dejará constancia de todos los trámites y diligencias necesarias para la formación de dichos roles, los que se encuentran establecidos en los artículos 164 y siguientes del Código de Aguas.

&12. Del Registro Público de Solicitudes

Artículo 27: El Registro Público de Solicitudes se crea con el objetivo de velar por el respeto de los derechos de preferencia de los solicitantes de derechos de aprovechamiento de aguas y de permisos de exploración de aguas subterráneas. La respectiva oficina de la Dirección del lugar en donde se presente la solicitud, deberá efectuar el registro de la misma, para los efectos antes señalados.

En el Registro señalado precedentemente, deberá dejarse constancia de la fecha de ingreso de la solicitud; de la región, provincia y comuna a que corresponda; de la oficina en donde se efectúe su presentación, distinguiendo si fue en la Gobernación Provincial respectiva o en la oficina de este Servicio del lugar; el nombre del peticionario; y, la individualización del expediente administrativo que se forma con motivo de su presentación.

En el caso de las solicitudes de derechos de aprovechamiento de aguas, deberá anotarse además la individualización de la fuente natural; la naturaleza del agua solicitada; el tipo de ejercicio del derecho; el caudal requerido; el punto de captación y el punto de restitución si corresponde.

Tratándose de solicitudes de exploración de aguas subterráneas, deberá registrarse la ubicación de los terrenos a explorar; la extensión aproximada de los mismos y su delimitación; los bienes nacionales que se comprendan y el caudal que se pretende alumbrar.

&13. Del Registro Público de Vertidos de Residuos Líquidos en Fuentes Naturales de Aguas

Artículo 28: El Registro Público de Vertidos de Residuos Líquidos en Fuentes Naturales de Aguas contendrá la información referida a las descargas líquidas domésticas e industriales que se efectúen en alguna fuente natural de agua.

La información a que se refiere el inciso precedente deberá ser obtenida por la Dirección a través de la Superintendencia de Servicios Sanitarios, para lo cual podrá celebrar con este Organismo el o los convenios que sean conducentes a dicha finalidad.

&14. De los Archivos de Estudios y de Informes Técnicos

Artículo 29: Existirán, además, los siguientes Archivos y Registros relacionados con el recurso hídrico:
a) Archivo de Estudios;
b) Archivo de Informes Técnicos;

&15. Inventario Público de Glaciares

Artículo 29 bis.- En el Inventario Público de Glaciares se incluirá la información relativa a los glaciares del territorio nacional. La información que deberá contener será la que se determine por resolución del Director General de Aguas.

Artículo 29 bis 1.- Los interesados en incorporar nuevos glaciares al inventario podrán presentar, hasta el último día del mes de junio de cada año, la correspondiente solicitud a la Dirección General de Aguas, que deberá contener, a lo menos, lo siguiente:

a) Individualización del solicitante: Nombre, domicilio, Rol Único Tributario, y otros datos que permitan su identificación.

b) Descripción del glaciar: Denominación o nombre del glaciar, si lo tuviere; referencias a lugares geográficos, localidades u otras singularidades de fácil identificación; tipo de glaciar (glaciar blanco, cubierto o de roca); superficie estimada (hás o km2)

c) Ubicación: Región, provincia, comuna y cuenca hidrográfica; coordenadas y elevación (msnm), que permitan la identificación cierta del glaciar.

Artículo 29 bis 2.- La Dirección General de Aguas dentro del plazo de 60 días hábiles analizará la solicitud formulada, pudiendo requerir al interesado antecedentes o aclaraciones, para lo cual podrá otorgar un término de 30 días hábiles, prorrogable por un plazo único de 15 días útiles a petición del solicitante.

Vencidos los plazos, la Dirección General de Aguas se pronunciará, dentro de un plazo de 30 días hábiles, acerca de la solicitud formulada, aceptando o rechazando su tramitación para incorporar al inventario el glaciar de que se trata.

El Servicio deberá mantener un listado actualizado de las solicitudes acogidas a trámite para su inclusión en el inventario.

La Dirección General de Aguas debe desarrollar los estudios y labores técnicas pertinentes a fin de establecer si lo solicitado corresponde a un glaciar que debe ser incorporado al inventario, y dispondrá de un plazo de 12 meses para tales efectos, dicho término podrá ampliarse hasta por 6 meses, por circunstancias de caso fortuito o fuerza mayor.

La Dirección General de Aguas publicará anualmente las modificaciones que experimente el Inventario Público de Glaciares.

SECCIÓN III
DE LOS ARCHIVEROS

Artículo 30: La formación de los distintos Registros, Archivos e Inventarios a que se refiere el presente Reglamento, estará a cargo de los siguientes archiveros quienes serán responsables de la información contenida en los mismos:

1. Los Registros Públicos de Organizaciones de Usuarios; el Archivo de Jurisprudencia Administrativa y de Normas sobre Calidad de Aguas y el Registro de Roles Provisionales de Usuarios, estarán a cargo de un profesional del Departamento Legal, quien se denominará Archivero del Departamento Legal.

2. Los Registros Públicos de Derechos de Aprovechamiento de Aguas; el Inventario Público de Obras Hidráulicas y los Inventarios Públicos de Extracciones Autorizadas de Aguas estarán a cargo de un profesional del Departamento de Administración de Recursos Hídricos, quien se denominará Archivero del Departamento de Administración de Recursos Hídricos.

3. El Inventario Público de Información Hidrométrica y Meteorológica, de Obras Estatales de Desarrollo del Recurso y Reservas de Agua y el de Extracciones Efectivas de Aguas estarán a cargo de un profesional del Departamento de Hidrología, quien se denominará Archivero del Departamento de Hidrología.

4. El Inventario Público de Cuencas Hidrográficas, y Lagos estará a cargo de un profesional del Departamento de Estudios y Planificación, quien se denominará Archivero del Departamento de Estudios y Planificación.

5. El Inventario Público sobre Información de Calidad de Aguas y el Registro Público de Vertidos de Residuos Líquidos en Fuentes Naturales de Aguas estará a cargo de un profesional del Departamento de Conservación y Protección de Recursos Hídricos, quien se denominará Archivero del Departamento de Conservación y Protección de Recursos Hídricos.

6. Los Archivos Públicos de Estudios y de Informes Técnicos estarán a cargo de un profesional del Centro de Información de Recursos Hídricos.

7. El Registro Público de Solicitudes estará a cargo de un funcionario de la oficina regional de la Dirección del lugar en donde se presente la solicitud respectiva.

8. El Inventario Público de Glaciares estará a cargo de un profesional de la División de Hidrología, quien se denominará Archivero de Glaciares.

Artículo 31: Los Archiveros indicados en el artículo anterior serán designados por el Director General de Aguas.

Todos los Registros, Archivos e Inventarios estarán bajo el cuidado del Centro de Información de Recursos Hídricos, creado por resolución de la Dirección General de Aguas N° 980, de 12 de mayo de 1995, y cuya función principal de acuerdo al citado acto administrativo es organizar y desarrollar el Catastro Público de Aguas, y toda la documentación técnica y legal relacionada con los recursos hídricos. En esta repartición existirá un funcionario, también designado por el Director, quien colaborará con los Archiveros en la ejecución de sus labores. Las copias de las inscripciones de alguno de los Registros, Archivos o Inventarios contemplados en el presente Reglamento, así como los certificados de los mismos que se requieran por cualquier interesado, serán de responsabilidad del Centro de Información de Recursos Hídricos en cuanto a su otorgamiento y en lo que dice relación con la correspondencia de los mismos con la información autorizada y registrada en cada uno de los Registros, Archivos e Inventarios que contempla el presente Reglamento.

Los Archiveros tendrán las siguientes obligaciones respecto de sus Registros, Archivos o Inventarios:

a) Recibir, procesar e incorporar la información;

b) Mantenerlos actualizados;

c) Mantenerlos en orden;

d) Velar por la calidad de la información contenida en ellos, y

e) Entregar oportunamente la información que respecto de ellos requiera el Centro de Información de Recursos Hídricos.

SECCIÓN IV
DE LA ORGANIZACIÓN DEL REGISTRO DE DERECHOS
DE APROVECHAMIENTO DE AGUAS

&1. Obligatoriedad del Registro

Artículo 32: Sin perjuicio de lo establecido en el artículo 150 inciso segundo del Código de Aguas, los titulares de derechos de aprovechamiento de aguas, deberán inscribirlos en el Registro Público de Derechos de Aprovechamiento de Aguas a que se refieren los artículos 13 y siguientes de este Reglamento.

Artículo 33: De acuerdo a lo establecido en el artículo 122 inciso segundo del Código de Aguas, en el Catastro Público de Aguas se consignarán todos los datos, actos y antecedentes que digan relación con los derechos de aprovechamiento. Consecuentemente con lo anterior, deberán registrarse en el Catastro Público de Aguas los siguientes derechos de aprovechamiento:

a) Aquellos susceptibles de regularización, de acuerdo a lo dispuesto en los artículos 1°, 2° y 5° transitorios del Código de Aguas y 7° del decreto Ley N° 2.603, de 1979.

b) Aquellos a que se refiere el artículo 310 del Código de Aguas.

c) Aquellos a que se refiere el artículo 56 inciso segundo del Código de Aguas, el artículo 110 del Código de Minería y el artículo 8° de la Ley N° 18.097, de 1982, Orgánica Constitucional de Concesiones Mineras.

d) Aquellos a que se refiere el artículo 54 bis inciso segundo del D.F.L. N° 5, de 1968, agregado por el artículo 1° N° 38 de la Ley N° 19.233, de 1993, y

e) Aquellos a que se refiere el artículo 64 de la Ley N° 19.253, de 1993.

La Dirección General de Aguas no recepcionará solicitud alguna relativa a los derechos de aprovechamiento de aguas antes señalados, como las dirigidas a obtener las autorizaciones para la construcción, modificación, cambio o unificación de bocatomas, a que se refieren los artículos 151 y siguientes del Código de Aguas; o a obtener el cambio de fuente de abastecimiento, a que se refieren los artículos 158 y siguientes del Código de Aguas; o a obtener la autorización del traslado del ejercicio de los derechos de aprovechamiento, a que se refieren los artículos 163 del mismo Código; o en general, cualquier solicitud relacionada con su derecho, incluidas las presentaciones a que se refieren los artículos 132 y siguientes del Código de Aguas, a menos que los interesados exhiban copia autorizada del registro respectivo en el Catastro Público de Aguas.

En los casos en que exista un plazo para la presentación de las solicitudes respectivas, la Dirección las recepcionará y otorgará una inscripción provisoria en el registro respectivo; pero no se les dará curso regular sino una vez que el interesado haya realizado su inscripción en el Catastro Público de Aguas, lo que podrá incluso realizar al mismo tiempo que presenta la respectiva solicitud. Tampoco se recepcionará solicitud alguna por los servicios públicos que se enumeran en el artículo siguiente, y en los casos allí consignados.

La Dirección propiciará, del modo y con los recursos que le autoriza la ley, la inscripción de los derechos de aprovechamiento en el Registro correspondiente del Catastro Público de Aguas.

Artículo 34: Los servicios públicos que emitan certificados que de alguna manera se relacionen con los títulos de derechos de aprovechamiento de aguas, podrán incorporar en sus procedimientos la exigencia de una copia o certificado en que conste que el derecho respectivo se encuentra incorporado en el registro que corresponda del Catastro Público de Aguas.

Para facilitar y coordinar el cumplimiento de lo señalado en el inciso anterior, se celebrarán convenios entre la Dirección General de Aguas y los servicios públicos respectivos. Será obligación de la Dirección procurar que tales convenios se lleven a efecto.

Especialmente, podrán celebrar convenios con la Dirección General de Aguas, los siguientes organismos públicos, con el objetivo que se señala para cada caso:

a) De conformidad con lo dispuesto en el artículo 18 inciso 1° del decreto Ley N° 1.097, de 1975, en relación con lo dispuesto en el artículo 10 letra d) del decreto Ley N° 3.538, de 1980, la Superintendencia de

Bancos e Instituciones Financieras, con el fin de que ésta, en ejercicio de las facultades que le confiere el artículo 12 inciso 5° del citado decreto Ley N° 1.097, de 1975, y el artículo 18 inciso 1° de ese mismo decreto ley, en relación con el artículo 4° letra a) del referido decreto Ley N° 3.538, de 1980, emita un instructivo ordenando que el Banco del Estado, las entidades bancarias, cualquiera sea su naturaleza, y las entidades financieras cuyo control no esté encomendado por ley a otra institución, cuando otorguen un crédito cualquiera para seguridad del cual se constituya una garantía real sobre algún derecho de aprovechamiento de aguas, exijan que se les acredite, además de la legalidad de los títulos de tal derecho, la incorporación del mismo en el registro que corresponda del Catastro Público de Aguas.

b) La Fiscalía Nacional de Quiebras, con el fin que ésta, en ejercicio de la facultad que le confiere el artículo 7° N° 3, de la Ley N° 18.175, de 1982, emita un instructivo ordenando a los Síndicos de Quiebras, que para proceder a la realización del activo del fallido en los términos establecidos en los artículos 106 y siguientes de esa misma ley, cuando en dicho activo se encuentre comprendido un derecho de aprovechamiento de aguas, exijan que éste se encuentre incorporado en el registro que corresponda del Catastro Público de Aguas.

c) De conformidad con lo dispuesto en el artículo 7° letra ñ) del decreto con fuerza de Ley N° 7, de 1980, del Ministerio de Hacienda, el Servicio de Impuestos Internos, para los siguientes fines:

1° Para que el Subdirector de Avaluaciones de dicho Servicio, en ejercicio de la atribución que le confiere el artículo 11 letra b) del decreto con fuerza de Ley N° 7, de 1980, del Ministerio de Hacienda, incluya en los programas de tasaciones y reavalúos de bienes raíces agrícolas y no agrícolas que proponga al Director del Servicio de Impuestos Internos, la exigencia que los contribuyentes acompañen, entre los antecedentes necesarios para efectuar dichas tasaciones y reavalúos, cuando se trate de un inmueble al cual su propietario tuviere destinado un derecho de aprovechamiento de aguas, copia autorizada de la inscripción de éste en el registro que corresponda del Catastro Público de Aguas.

2° Para que el mismo funcionario antes señalado, en ejercicio de la atribución que le confiere el artículo 11 letra d) del mismo decreto con fuerza de ley ya citado, mantenga, entre los antecedentes relacionados con las tasaciones de bienes inmuebles, copias autorizadas de las inscripciones de derechos de aprovechamiento de aguas en el registro que corresponda del Catastro Público de Aguas, cuando se trate de bienes raíces a los cuales sus propietarios tuvieren destinados tales derechos.

3° Para que las personas naturales o jurídicas que sean titulares de derechos de aprovechamiento de aguas, incluyan entre los antecedentes que deben presentar al Servicio de Impuestos Internos en cumplimiento de lo dispuesto en el Párrafo 2° del Título IV (artículo 66 y siguientes) del decreto Ley N° 830, de 1974, del Ministerio de Hacienda, que aprobó el texto del Código Tributario, copia autorizada de la inscripción de aquel derecho en el registro que corresponda del Catastro Público de Aguas.

d) De conformidad con lo dispuesto en el artículo 21 letra m) del decreto con fuerza de Ley N° 294, de 1984, del Ministerio de Obras Públicas, la Dirección de Riego, para que ésta exija a los titulares de derechos de aprovechamiento de aguas a que se refiere el artículo 3° inciso 1° del decreto con fuerza de Ley N° 1.123, de 1981, del Ministerio de Justicia, además de la manifestación por escrito de la aceptación del anteproyecto respectivo, copia autorizada de la inscripción de ese derecho en el registro que corresponda del Catastro Público de Aguas.

e) De conformidad con lo dispuesto en el artículo 3° letra h) del decreto con fuerza de Ley N° 7, de 1983, del Ministerio de Economía, Fomento y Reconstrucción, la Comisión Nacional de Riego, para que ésta exija, a los postulantes a los concursos a que se refiere el artículo 6° de la Ley N° 18.450, copia autorizada de la inscripción de sus respectivos derechos de aprovechamiento de aguas, en el registro que corresponda del Catastro Público de Aguas.

f) De conformidad con lo dispuesto en los artículos 3° N° 7 y 5° letra h), ambos de la Ley N° 18.910, el Instituto de Desarrollo Agropecuario, para que éste exija, entre los antecedentes necesarios para otorgar la asistencia crediticia, los subsidios, los aportes y las subvenciones a que se refieren los artículos 3° N° s. 1, 2 y 5 y 5° letras d) y e), de la misma ley, copia autorizada de la inscripción en el registro que corresponda del Catastro Público de Aguas, del derecho de aprovechamiento de aguas de que fueren titulares los postulantes a tales beneficios.

g) De conformidad con lo dispuesto en el artículo 44 letra i) de la Ley N° 19.253, la Corporación Nacional de Desarrollo Indígena, para los siguientes fines:

1° Para que, a través de las copias autorizadas que sean pertinentes, se acredite la inscripción en el registro que corresponda del Catastro Público de Aguas, de los derechos de aprovechamiento de aguas cuya constitución, regularización o compra se financie con cargo al Fondo para Tierras y Aguas Indígenas, de conformidad con lo dispuesto en el artículo 20 letra c) de la Ley N° 19.253.

2° Para que, a través de las copias autorizadas que sean pertinentes, se acredite la inscripción en el registro que corresponda del Catastro Público de Aguas, de los derechos de aprovechamiento de aguas que reciba del Estado, del Fisco, o de otros organismos públicos o de personas privadas, de conformidad con lo dispuesto en los artículos 21 inciso final y 40 inciso 1°, ambos de la misma ley.

3° Para que, a través de las copias autorizadas que sean pertinentes, se acredite la inscripción en el registro que corresponda del Catastro Público de Aguas, de los derechos de aprovechamiento de aguas a que se refiere el artículo 39 letras d) y e) de la misma ley.

El convenio a que se refiere esta letra podrá ser el mismo que aquél a que alude el artículo 3° transitorio de la Ley N° 19.253.

h) De conformidad con lo dispuesto en el artículo 12 letra i) de la Ley N° 19.284, el Fondo de Solidaridad e Inversión Social, para que éste exija, a los interesados en acceder a la asistencia crediticia a que se refiere el artículo 9 letra f) de esa misma ley, copia autorizada de la inscripción en el registro que corresponda del Catastro Público de Aguas, del derecho de aprovechamiento de aguas de que fueren titulares tales interesados.

i) De conformidad con lo dispuesto en los artículos 3° letra p) (agregada por la Ley N° 19.283) y 7° letra n), ambos de la Ley N° 18.755, el Servicio Agrícola y Ganadero, para los siguientes fines:

1° Para que éste, para conceder los aportes o subvenciones a que se refiere el artículo 7° letra i) de la Ley N° 18.755, exija copia autorizada de la inscripción en el registro correspondiente del Catastro Público de Aguas, del derecho de aprovechamiento de aguas de que fuere titular el destinatario de tales aportes o subvenciones.

2° Para que éste, para otorgar la autorización de cambio de uso de suelo o la certificación a las que se refiere el artículo 46 de la Ley N° 18.755, agregado por la Ley N° 19.283, exija copia autorizada de la inscripción en el registro que corresponda del Catastro Público de Aguas, de los derechos de aprovechamiento de aguas que su titular tuviere destinados a los inmuebles respecto de los cuales se solicitan tales autorización o certificación.

j) De conformidad con lo dispuesto en el artículo 4° letra h) de la Ley N° 18.902, la Superintendencia de Servicios Sanitarios, para que ésta exija entre los antecedentes que deban acompañarse a una solicitud de producción de agua potable, copia autorizada de la inscripción de los respectivos derechos de aprovechamiento de aguas en el registro que corresponda del Catastro Público de Aguas.

k) De conformidad a lo dispuesto en la Ley N° 18.892, de 1990, para que la Subsecretaría de Pesca exija, entre los antecedentes que deben acompañarse a una solicitud de concesión o de autorización de acuicultura, copia autorizada de la inscripción del respectivo derecho de aprovechamiento de aguas en el registro que corresponda del Catastro Público de Aguas, en aquellos casos que fuere procedente.

l) De conformidad a lo dispuesto en la Ley N° 19.300, de 1994, para que la Comisión Nacional del Medio Ambiente incluya en el reglamento del sistema de evaluación de impacto ambiental, la exigencia que entre los antecedentes que deban acompañarse a un estudio de impacto ambiental, se incluya copia autorizada de la inscripción de los respectivos derechos de aprovechamiento de aguas en el registro que corresponda del Catastro Público de Aguas, cuando se trate de un proyecto o actividad para cuyo desarrollo el titular del mismo deba contar con derechos de aprovechamiento de aguas.

Artículo 35: Presentada una solicitud para una inscripción en el registro de derechos de aprovechamiento, que cumpla con todas las exigencias reglamentarias, ésta deberá acogerse sin más trámite.

No se dará curso a las inscripciones solicitadas que no cumplan con los requisitos establecidos por este reglamento. En este caso, la Dirección otorgará al solicitante un certificado de inscripción provisoria, y éste deberá someterse, dentro de un plazo de un año a contar de la emisión de tal certificado, al procedimiento de regularización y reconocimiento de derechos a que se refiere el Título II de este Reglamento. Sólo con tal certificado, y la constancia del inicio de estos trámites, que también otorgará la Dirección, el titular de derechos de aprovechamiento de aguas podrá ejercer su derecho, y se entiende cumplir la habilitación para realizar tramitaciones ante la Administración.

Artículo 36: La Dirección General de Aguas publicará, a más tardar el día 31 de enero de cada año, un listado por Regiones de los derechos de aprovechamiento de aguas incorporados en el registro respectivo durante el año inmediatamente anterior. La documentación consolidada se encontrará a disposición del público en cada Dirección Regional, y en la Dirección General de Aguas.

&2. Del procedimiento para inscribir

Artículo 37: Los titulares de derechos de aprovechamiento de aguas no constituidos originariamente por la Dirección, deberán solicitar la inscripción en el Registro respectivo del Catastro Público de Aguas ante la oficina de la Dirección correspondiente al lugar en que se encuentra la bocatoma o punto de captación de su derecho.

Artículo 38: Para los efectos de las inscripciones en el Registro de derechos de aprovechamiento, los interesados deberán llenar un formulario en cuadruplicado que le proporcionará la Dirección a su requerimiento y deberán acompañar los siguientes documentos, según corresponda:

1° Fotocopia del Rol Único Tributario del titular y certificado de vigencia de la sociedad cuando se trate de una persona jurídica, el que no podrá tener una antigüedad superior a 180 días.

2° Fotocopia de la Cédula Nacional de Identidad y copia autorizada del poder en virtud del cual actúa el requirente de inscripción. El poder o el certificado de vigencia del mismo, no podrá tener una antigüedad superior a 180 días.

3° Fotocopia de los instrumentos públicos, resoluciones, escrituras públicas, sentencias judiciales o inscripciones en que conste su derecho.

Para el caso que no existan antecedentes, el titular podrá acogerse directamente a la calidad de inscripción provisional, para iniciar dentro del plazo de un año la regularización o reconocimiento de su derecho, de acuerdo a lo establecido en el Título II de este Reglamento.

Las fotocopias deberán ser legibles y coincidentes con su original, el que se exhibirá en el acto de requerir la inscripción, para su autorización por el funcionario público que las reciba.

Artículo 39: Toda solicitud para practicar una inscripción en el registro deberá hacerse por escrito, especificando la naturaleza del acto y acompañando copias de los antecedentes en que se funda, en conformidad a lo prescrito en el artículo anterior.

Las modificaciones a la información contenida en el registro deberán ser comunicada por el titular a cualquier oficina de la Dirección, dentro de 120 días siguientes al hecho que la determine. En especial, se deberá comunicar los cambios de titularidad, esto es, las transferencias de derechos de aprovechamiento de aguas.

Artículo 40: El funcionario que reciba la solicitud, dejará la primera copia en la Dirección Regional respectiva, la segunda copia la enviará al Centro de Información de Recursos Hídricos de la Dirección General de Aguas, conservará la tercera copia en la oficina de ingresos especial que existirá al efecto, y la cuarta copia, debidamente timbrada y firmada, la entregará al requirente.

Artículo 41: Verificada la inscripción, la Dirección remitirá al domicilio señalado por el solicitante un certificado que acredite la inscripción, que podrá ser enviado por carta certificada a petición de éste.

En el caso de que la Dirección otorgue sólo una inscripción provisional, comunicará del mismo modo este hecho al solicitante.

&3. De la Estructura del Registro

Artículo 42: El registro estará conformado por una base de datos computacional, que contendrá a lo menos la información que se señala en los párrafos respectivos, para cada caso.

1. Número de inscripción en el registro, día mes y año de la solicitud e inscripción.

2. Nombre o razón social del titular, Rol Único Tributario y domicilio.

3. Nombre y Rol Único Tributario del representante legal, si se trata de una persona jurídica.

4. Número, inscripción o identificación de las escrituras o documentos justificantes del derecho de aprovechamiento o en donde consten sus características esenciales indicadas en este reglamento.

5. Ubicación.

6. Coordenadas geográficas o UTM, en su caso, del punto de captación y de restitución, cuando ella sea posible.

7. Domicilio donde debe enviarse la correspondencia.

8. En su caso, organización de regantes o junta de vigilancia a que pertenezca el titular del derecho respectivo.

Artículo 43: La Dirección registrará en el respectivo registro, toda resolución por la cual se constituya un derecho de aprovechamiento.

Los titulares de derechos de aprovechamiento de aguas deberán acompañar para su incorporación en el Registro respectivo, la inscripción de los mismos en el Registro de Propiedad de Aguas del Conservador de Bienes Raíces que corresponda.

La información existente en la Dirección a la fecha de publicación del presente Reglamento en el Diario Oficial, referida a materias que se relacionen con los distintos Registros, Archivos e Inventarios a que se refiere el artículo 5, se entenderá automáticamente incorporada a los respectivos Registros, Archivos e Inventarios.

En especial, se entenderán registrados los derechos de aprovechamiento de aguas fijados por sentencia judicial que declare la existencia de una comunidad de aguas, cuya organización haya sido promovida por la Dirección.

TÍTULO II
DEL PERFECCIONAMIENTO DE LOS TÍTULOS EN QUE CONSTEN LOS DERECHOS DE APROVECHAMIENTO DE AGUAS

Artículo 44: Todos los titulares de derechos de aprovechamiento de aguas reconocidos de acuerdo a los artículos 19 N° 24 inciso final de la Constitución Política del Estado, 7° del decreto Ley N° 2.603, de 1979, y a los artículos 1° y 2° transitorios del Código de Aguas, cuyos títulos se encuentren incompletos, ya sea por falta de regularización o por no indicarse las características esenciales de cada derecho, con el objetivo de incorporarlos al Catastro Público de Aguas a que obliga la ley y este reglamento, deberán previamente perfeccionar y regularizar sus derechos de acuerdo a los criterios y presunciones que establece la ley en los artículos 309, 310, 311, 312, y 313 del Código de Aguas, y demás pertinentes, y cuya aplicación se detalla en los artículos siguientes.

Artículo 45: De acuerdo a la ley, y para los efectos de este reglamento, son características esenciales de cada derecho de aprovechamiento de aguas objeto de regularización o reconocimiento, las siguientes:

a) Nombre del titular;

b) El álveo o ubicación del acuífero de que se trata;

c) Provincia en que se sitúe la captación y la restitución, en su caso;

d) Caudal, de acuerdo a lo establecido en los artículos 7° y 268 del Código de Aguas,

e) Aquellas características con que se otorga o reconoce el derecho, de acuerdo a la clasificación establecida en el art. 12 del Código de Aguas, esto es, si se trata de un derecho consuntivo o no consuntivo; de ejercicio permanente o eventual; o de ejercicio continuo, discontinuo o alternado entre varias personas.

La falta de determinación o indefinición de alguna de estas características obliga a los titulares de los respectivos derechos a perfeccionarlos o regularizarlos previamente a su registro.

Artículo 46: El perfeccionamiento o regularización de los derechos de aprovechamiento, tiene por objetivo hacer claridad respecto de las características esenciales de identificación de los mismos, respetando para ello las presunciones y reconocimientos establecidos en la legislación, y en especial en los artículos 7° del decreto Ley N° 2.603, de 1979 y 309, 312 y 313 del Código de Aguas.

Dicho perfeccionamiento o regularización, según lo dispone el artículo 177 del Código de Aguas, deberá realizarse a través del procedimiento sumario establecido en el Título XI del Libro III del Código de Procedimiento Civil.

Artículo transitorio: El presente Reglamento empezará a regir 180 días después de su publicación en el Diario Oficial.

Anótese, tómese razón, publíquese e insértese en la Recopilación Oficial de Reglamentos de la Contraloría General de la República.- EDUARDO FREI RUIZ-TAGLE, Presidente de la República.- Ricardo Lagos Escobar, Ministro de Obras Públicas.

Lo que transcribo a Ud. para su conocimiento.- Saluda atte. a Ud., Guillermo Pickering de la Fuente, Subsecretario de Obras Públicas.

DECRETO SUPREMO N° 743 DE 16 DE DICIEMBRE DE 2005 QUE FIJA TABLA DE EQUIVALENCIAS ENTRE CAUDALES DE AGUA Y USOS, QUE REFLEJA LAS PRÁCTICAS HABITUALES EN EL PAÍS EN MATERIA DE APROVECHAMIENTO DE AGUAS

Núm. 743.- Santiago, 30 de agosto de 2005.- Vistos: Lo dispuesto en el artículo 147 bis, inciso segundo, en relación a lo establecido en el artículo 140, número 6, todos del Código de Aguas, reformado por la Ley N° 20.017 de 16 de junio de 2005,

Considerando:

1° La necesidad de implementar la reforma legal del Código de Aguas, mediante la elaboración y aprobación de una tabla de equivalencias entre caudales de agua y usos, que refleje las prácticas habituales en el país en materia de aprovechamiento de aguas, la que a continuación se contiene;

2° Que, dicha tabla de equivalencias regirá con el objeto que el Director General de Aguas, o su delegado para estos efectos, pueda, mediante resolución fundada, limitar el caudal que se conceda sobre la base de una solicitud de derechos de aprovechamiento;

3° Que, esa facultad de limitación de la concesión rige si manifiestamente no hubiera equivalencia entre la cantidad de agua que se necesita extraer según los fines invocados por el peticionario en la memoria explicativa señalada en el número 6 del artículo 140 del Código de Aguas, y los caudales señalados en la tabla de equivalencias cuyo texto a continuación se indica,

Decreto:

1.- Fíjase la siguiente tabla de equivalencias entre caudales de agua y usos, que refleja las prácticas habituales en el país en materia de aprovechamiento de aguas:

REQUERIMIENTO DE AGUA PARA CONSUMO POTABLE

a) Fuentes Superficiales

USOS	VALOR	UNIDAD
Sectores mixtos con ocupación residencial, comercial e industrial	7.6	l/s/1000 hab
Sectores residenciales de baja densidad habitacional (inferior a 100 Habitantes por Hectárea)	50.0	l/s/1000 hab
Sectores con Alta Estacionalidad	30.0	l/s/1000 hab
Sistemas de Agua Potable Rural	2.5	l/s/1000 hab
Campamentos o faenas productivas	2.5	l/s/1000 hab

b) Fuentes Subterráneas
Demanda Promedio Anual

USOS	VALOR	UNIDAD
Sectores mixtos con ocupación residencial, comercial e industrial	160	m3/año/hab
Sectores residenciales de baja densidad habitacional (inferior a 100 Habitantes por Hectárea)	650	m3/año/hab
Sectores con Alta Estacionalidad	450	m3/año/hab
Sistemas de Agua Potable Rural	79	m3/año/hab
Campamentos o faenas productivas	79	m3/año/hab

Demanda Máxima Puntual

USOS	VALOR	UNIDAD
Sectores mixtos con ocupación residencial, comercial e industrial	7.6	l/s/1000 hab
Sectores residenciales de baja densidad habitacional (inferior a 100 Habitantes por Hectárea)	50.0	l/s/1000 hab
Sectores con Alta Estacionalidad	30.0	l/s/1000 hab
Sistemas de Agua Potable Rural	2.5	l/s/1000 hab
Campamentos o faenas productivas	2.5	l/s/1000 hab

B.- REQUERIMIENTO DE AGUA PARA RIEGO
a) Fuentes Superficiales

USOS	VALOR	UNIDAD
Demanda de agua para riego	2.5	l/s/Há

b) Fuentes Subterráneas
Demanda Promedio Anual

USOS	VALOR	UNIDAD
Demanda de agua para riego	**15,000**	**m3/año/Há**

Demanda Máxima Puntual

USOS	VALOR	UNIDAD
Demanda de agua para riego	2.5	l/s/Há

C.- REQUERIMIENTO DE AGUA PARA MINERÍA METÁLICA

USOS	VALOR	UNIDAD
Consumo en la Mina	0.10	m3 por Tonelada de Mineral
Flotación	0.80	m3 por Tonelada de Mineral para producción diaria menor o igual que 8.000 ton/día
	2.0	m3 por Tonelada de Mineral para producción diaria menor o igual que 8.000 ton/día
Lixiviación	0.40	m3 por Tonelada de Mineral
Proceso de Oro	0.50	m3 por Tonelada de Mineral
Proceso de Fierro	0.20	m3 por Tonelada de Mineral

Nota: Estos valores pueden aumentar en un 50% si se debe transportar el mineral lejos para su procesamiento y no se dispone de recirculación de esta agua.

D.- REQUERIMIENTO DE AGUA PARA MINERÍA NO METÁLICA

USOS	VALOR	UNIDAD
Producción de Nitrato	10.0	m3 por Tonelada Producida
Producción de Carbonato de Litio	20.0	m3 por Tonelada Producida
Producción de Yodo	1,400	m3 por Tonelada Producida
Producción de Yodo	2.0	m3 por Tonelada de Caliche

E.- REQUERIMIENTO DE AGUA PARA TURISMO

USOS	VALOR	UNIDAD
Hoteles y moteles con servicios básicos	400	l/pasajero/día
Hoteles de Lujo	800	l/pasajero/día
Parques de agua	1.0	m3/m2/año
Camping	210	L/hab/día

F.- REQUERIMIENTOS DE AGUA PARA ACUICULTURA

USOS	VALOR	UNIDAD
Producción de Salmónidos	500,000	m3/Ton
Producción de Trucha Arcoiris	300,000	m3/Ton
Producción de Bagre	8,000	m3/Ton
Producción de Camarón de Río	30,000	m3/Ton
Producción de Langosta de Agua Dulce	70,000	m3/Ton

G.- REQUERIMIENTO DE AGUA PARA INDUSTRIA DE ALIMENTOS

USOS	VALOR	UNIDAD
Agua para proceso de bovino o equino (matadero)	20.0	m3/Ton
Planta de proceso	35.0	m3/Ton
Planta de empaquetado	35.0	m3/Ton
Fábrica de cecinas	25.0	m3/Ton
Frutas y vegetales		m3/Ton

USOS	VALOR	UNIDAD
Conservas de frutas	35.0	m3/Ton
Conservas de vegetales	35.0	m3/Ton
Congelados de vegetales	12.0	m3/Ton
Jugos de frutas	16.0	m3/Ton
Mermeladas	16.0	m3/Ton
Industria lechera		m3/Ton
Uso de agua para producción Lechera	5.0	m3/Ton
Bebidas		m3/Ton
Industrias vinícolas	21.0	m3/Ton
Bebidas Malteadas	10.0	m3/Ton
Cerveza	10.0	m3/Ton
Bebidas no alcohólicas y aguas Gaseosas	6.0	m3/Ton

H. REQUERIMIENTO DE AGUA PARA INDUSTRIA TEXTILES Y CUERO

USOS	VALOR	UNIDAD
Textiles Hilado, tejido y acabado de Textiles	30.0	m3/Ton
Fabricación de tejidos de punto, tapices y alfombras	33.0	m3/Ton
Fabricación de cordelería	10.0	m3/Ton
Tejidos y manufacturas de algodón, lana y sus mezclas	40.0	m3/Ton
Tejidos y manufacturas de fibras artificiales y sintéticas Cuero	62.0	m3/Ton
Fabricación de prendas de vestir mediante el corte y costura de cuero	30.0	m3/Ton
Curtidurías y talleres de acabado	49.0	m3/Ton
Fabricación de calzado	5.0	m3/Ton

I.- REQUERIMIENTO DE AGUA PARA INDUSTRIA Y PRODUCTOS DE LA MADERA

USOS	VALOR	UNIDAD
Madera Aserraderos, talleres de cepilladuría y otros talleres para trabajar madera	0.6	m3/Ton
Fabricación de envases de Madera	0.6	m3/Ton
Fabricación de muebles y accesorios	0.6	m3/Ton

J.- REQUERIMIENTOS DE AGUA PARA INDUSTRIA DE PAPEL Y CELULOSA

USOS	VALOR	UNIDAD
Celulosa Proceso de Celulosa Sistema Kraft	110.0	m3/Ton
Proceso de Celulosa Sistema Termomecánico	35.0	m3/Ton
Proceso de Celulosa Sistema Termomecánico, Químicamente Blanqueado	75.0	m3/Ton
Papel Total (sin agua de enfriamiento)	90.0	m3/Ton
Papel Fino	35.0	m3/Ton
Papel tipo Tissue	90.0	m3/Ton
Papel Corrugado	35.0	m3/Ton
Papel de Diario	65.0	m3/Ton

K.- REQUERIMIENTO DE AGUA PARA INDUSTRIA QUÍMICA Y FARMACÉUTICA

USOS	VALOR	UNIDAD
Química Nitrógeno	70.0	m3/Ton
Etileno	30.0	m3/Ton
Amoniaco	15.0	m3/Ton

USOS	VALOR	UNIDAD
Ácido Fosfórico	20.0	m3/Ton
Propileno	18.0	m3/Ton
Polietileno	9.0	m3/Ton
Cloro	13.0	m3/Ton
Ácido Sulfúrico	7.0	m3/Ton
Oxígeno	2.0	m3/Ton
Fabricación de sustancias químicas industriales básicas, excepto abonos	160.0	m3/Ton
Fabricación de abonos y Plaguicidas	270.0	m3/Ton
Fabricación de resinas sintéticas, materias plásticas y fibras artificiales, barnices y lacas	8.0	m3/Ton
Refinerías de Petróleo	18.0	m3/Ton
Farmacéutico Fabricación de productos farmacéuticos y medicamentos	8.0	m3/Ton
Fabricación de jabones y preparados de limpieza, perfumes, cosméticos	2.0	m3/Ton

L.- REQUERIMIENTOS DE AGUA PARA INDUSTRIA DE CEMENTO, VIDRIO Y CERÁMICA

USOS	VALOR	UNIDAD
Cemento, Vidrio y Cerámica Cemento	5.0	m3/Ton
Cerámica	0.8	m3/Ton
Vidrio	30.0	m3/Ton

M.- REQUERIMIENTOS DE AGUA PARA INDUSTRIA DE PRODUCCIÓN DE METALES

USOS	VALOR	UNIDAD
Metales Industrias básicas de hierro y acero	150.0	m3/Ton
Recuperación y fundición de cobre y aluminio	80.0	m3/Ton
Recuperación y fundido de plomo y zinc	80.0	m3/Ton
Refinación y fundición de metales preciosos	8.0	m3/Ton

N.- REQUERIMIENTOS DE AGUA PARA FABRICACIÓN DE PRODUCTOS METÁLICOS, MAQUINARIA Y EQUIPO

USOS	VALOR	UNIDAD
Fabricación de Productos Metálicos, Maquinaria y Equipo Construcción maquinaria	6.0	m3/Ton

Ñ.- REQUERIMIENTOS DE AGUA PARA CENTRALES HIDROELÉCTRICAS

USOS	VALOR	UNIDAD
Central hidroeléctrica de Pasada	$Q = P710*H$	m3/s

El caudal debe mantener la relación indicada entre Potencia (KW) y la altura de caída H(m)

2.- En los casos de usos no contemplados en la tabla de equivalencia precedentemente explicitada, se podrán proponer valores apoyados en criterios emanados de organismos internacionales o experiencias comparadas reconocidas científicamente y técnicamente calificadas, los que serán aplicados previa aprobación del Director General de Aguas.

3.- Comuníquese el presente decreto al señor Director General de Aguas, señores Directores Regionales y oficinas provinciales de la Dirección General de Aguas.

Anótese, tómese razón, comuníquese y publíquese.- RICARDO LAGOS ESCOBAR, Presidente de la República.- Jaime Estévez Valencia, Ministro de Obras Públicas.- Jorge Rodríguez Grossi, Ministro de Economía.- Jaime

Campos Quiroga, Ministro de Agricultura.- Alfonso Dulanto Rencoret, Ministro de Minería.

Lo que transcribo a Ud. para su conocimiento.- Saluda atentamente a Ud., Pablo Piñera Echenique, Subsecretario de Obras Públicas.

DECRETO SUPREMO N° 177 DE 20 DE JUNIO DE 2012 QUE APRUEBA USOS NO CONTEMPLADOS EN LA TABLA DE EQUIVALENCIA ENTRE CAUDALES DE AGUA Y USOS DEL DECRETO N° 743, DE 2005, Y RECTIFICA DEFINICIÓN DE USO EN GENERACIÓN HIDROELÉCTRICA POR CENTRALES DE PASADA

Núm. 177.- Santiago, 2 de abril de 2012.- Vistos:

1. El decreto supremo MOP N° 743, de 30 de agosto de 2005, que "Fija Tabla de Equivalencia entre caudales de aguas y usos que refleja las prácticas habituales en el país en materia de aprovechamiento de aguas";

2. La minuta técnica DARH-DEP N° 5, de 17 de enero de 2012;

3. Lo dispuesto en el artículo 147 bis, inciso segundo, en relación al artículo 140 N° 6, ambos del Código de Aguas; y,
Considerando:

1. Que, mediante decreto supremo MOP N° 743, de 30 de agosto de 2005, se "Fija Tabla de Equivalencia entre caudales de aguas y usos que refleja las prácticas habituales en el país en materia de aprovechamiento de aguas".

2. Que, señala el decreto que dicha Tabla de Equivalencias regirá con el objeto que el Director General de Aguas, o su delegado para estos efectos, puedan, mediante resolución fundada, limitar el caudal que se conceda sobre la base de una solicitud de derechos de aprovechamiento.

3. Que, esa facultad de limitación de la concesión, rige si manifiestamente no hubiera equivalencia entre la cantidad de agua que se necesita extraer según los fines invocados por el solicitante en la Memoria Explicativa señalada en el N° 6 del artículo 140 del Código de Aguas, y

los caudales señalados en la Tabla de Equivalencia que se indica en dicho decreto N° 743, de 2005.

4. Que, establece dicho decreto, que en los casos de usos no contemplados en la Tabla de Equivalencia precedentemente explicitada se podrán proponer valores apoyados en criterios emanados de organismos internacionales o experiencias comparadas reconocidas científicamente y técnicamente calificadas, los que serán aplicados previa aprobación del Director General de Aguas.

5. Que, teniendo en consideración un conjunto de expedientes administrativos en tramitación y sus antecedentes, cuyas memorias explicativas hacen referencia a usos no contemplados en el listado de actividades del decreto supremo MOP N° 743, de 30 de agosto de 2005, se han determinado nuevos usos que dicha Tabla no contempla y que se señalan en la parte resolutiva de este decreto.

6. Que, la fórmula que señala el decreto supremo MOP N° 743, de 30 de agosto de 2005, respecto del uso en Generación Hidroeléctrica por Centrales de Pasada, corresponde a una simplificación de la fórmula general, que no permite evaluar a cabalidad el caudal requerido para dicha finalidad.

7. Que, la Dirección General de Aguas, a través de la minuta técnica DARH-DEP N° 5, de 17 de enero de 2012, efectuó la estimación de tasas de uso equivalentes de agua sobre actividades industriales que respaldan solicitudes de derechos de agua y que no se encuentran contempladas en el decreto supremo MOP N° 743, de 30 de agosto de 2005.

Decreto:

1.- Fíjase la siguiente Tabla de Equivalencias entre caudales de agua y usos, que refleja prácticas habituales en el país en materia de aprovechamiento de aguas, y que complementa la Tabla de Equivalencias establecida en el decreto supremo MOP N° 743, de 30 de agosto de 2005:

REQUERIMIENTOS DE AGUA		
USO	VALOR	UNIDAD
EXTRACCIÓN Y PROCESAMIENTO DE ÁRIDOS	0,32	m³/m³ ÁRIDO
ELABORACIÓN DE HORMIGÓN	0,3	m³/m³ HORMIGÓN
EXTRACCIÓN, PROCESAMIENTO DE ÁRIDOS Y ELABORACIÓN DE HORMIGÓN	0,62	m³/m³ HORMIGÓN
PRODUCCIÓN DE POLLOS	0,31	l/ave/día
PRODUCCIÓN DE PAVOS	0,76	l/ave/día
CIRCUITO DE ENFRIAMIENTO SEMI ABIERTO PARA CENTRALES TERMOELÉCTRICAS DE CICLO COMBINADO	1	l/s/MW
PRODUCCIÓN DE CAL VIVA O CALIZA (PROCESO SECO)	0,5	m³/T
PRODUCCIÓN DE CAL O CALIZA (PROCESO HÚMEDO)*	2	m³/T
ASERRADEROS CON PLANTAS ELABORADORAS DE MADERA	2	m³/ m³ SSC **
CENTRAL HIDROELÉCTRICA DE EMBALSE ***	P / (7,92 x Hb)	m³/s

*   Contiene, al menos, uno de los siguientes procesos: Molienda húmeda; Hidratación de cal o Elaboración de pulpa.

**   Sólidos sin corteza.

***   El caudal justificado es función de la potencia P en KW y la carga hidráulica bruta Hb en m.

2.- Rectifícase la fórmula que permite evaluar el caudal requerido por un proyecto de Generación Hidroeléctrica de Pasada, establecida en la letra Ñ del decreto supremo MOP N° 743, de 30 de agosto de 2005, de acuerdo a lo siguiente:

CENTRAL HIDROELÉCTRICA DE PASADA ***	P / (7,92 x Hb)	m³/s

***   El caudal justificado es función de la potencia P en KW y la carga hidráulica bruta Hb en m.

3.- Comuníquese el presente decreto a los señores Ministros de Economía, Obras Públicas, Agricultura, Minería, Energía, al señor Director General de Aguas y señores Directores Regionales y oficinas provinciales de la Dirección General de Aguas.

Anótese, tómese razón, comuníquese y publíquese.- SEBASTIÁN PIÑERA ECHENIQUE, Presidente de la República.- Laurence Golborne Riveros, Ministro de Obras Públicas.- Pablo Longueira Montes, Ministro de Economía, Fomento y Turismo.- Luis Mayol Bouchon, Ministro de Agricultura.- Hernán de Solminihac Tampier, Ministro de Minería.- Sergio del Campo Fayet, Ministro de Energía (S).

Lo que transcribo a Ud. para su conocimiento.- Saluda atte. a Ud., María Loreto Silva Rojas, Subsecretaria de Obras Públicas.

DECRETO SUPREMO N° 14 DE 30 DE JULIO DE 2013 QUE APRUEBA REGLAMENTO PARA LA DETERMINACIÓN DEL CAUDAL ECOLÓGICO MÍNIMO

Núm. 14.- Santiago, 22 de mayo de 2012.- Vistos y considerando: Lo dispuesto en los artículos 32 números 6 y 35 de la Constitución Política de la República de Chile, cuyo texto ha sido refundido, coordinado y sistematizado por el decreto supremo N° 100, de 2005, del Ministerio Secretaría General de la Presidencia; en la Ley N° 18.575, Orgánica Constitucional de Bases Generales de la Administración del Estado, cuyo texto refundido, coordinado y sistematizado fue fijado por el decreto con fuerza de Ley N° 1, de 2000, del Ministerio Secretaría General de la Presidencia; en el artículo 129 bis 1 del Código de Aguas; en la Ley N° 19.880, de Bases de los Procedimientos Administrativos que Rigen los Actos de los Órganos de la Administración del Estado; y el Acuerdo del Consejo de Ministros para la Sustentabilidad N° 4, de fecha 22 de marzo de 2012.

Decreto:

Apruébase el siguiente Reglamento para la Determinación del Caudal Ecológico Mínimo:

TÍTULO I
DISPOSICIONES GENERALES

Artículo 1°.- El presente reglamento establece los criterios por los cuales se regirá la determinación del caudal ecológico mínimo, de conformidad con lo establecido en el artículo 129 bis 1 del Código de Aguas.

Artículo 2°.- Los plazos establecidos en este reglamento son de días hábiles, entendiéndose que son inhábiles los días sábado, domingo y festivos.

TÍTULO II
CRITERIOS PARA LA DETERMINACIÓN DEL CAUDAL ECOLÓGICO MÍNIMO PARA EL OTORGAMIENTO DE DERECHOS DE APROVECHAMIENTO DE AGUAS

Artículo 3°.- La Dirección General de Aguas velará por la preservación de la naturaleza y la protección del medio ambiente, debiendo para ello establecer un caudal ecológico mínimo para los nuevos derechos de aprovechamiento de aguas que se constituyan en cada fuente superficial.

Para cada mes del año, el caudal ecológico mínimo en el punto de captación solicitado se determinará considerando los siguientes criterios:

a) Para aquellos cauces donde se constituyeron derechos con un caudal ecológico mínimo, considerando como fórmula de cálculo el criterio del diez por ciento del caudal medio anual, se considerará el cincuenta por ciento del caudal de probabilidad de excedencia de noventa y cinco por ciento, para cada mes, con las restricciones siguientes:

i. Para aquellos meses, en los cuales el cincuenta por ciento del caudal con noventa y cinco por ciento de probabilidad de excedencia es menor al diez por ciento del caudal medio anual, el caudal ecológico mínimo para ese mes será el diez por ciento del caudal medio anual.

ii. Para aquellos meses, en los cuales el cincuenta por ciento del caudal con noventa y cinco por ciento de probabilidad de excedencia es mayor a diez por ciento del caudal medio anual y menor al veinte por ciento del caudal medio anual, el caudal ecológico mínimo será el cincuenta por ciento del caudal con noventa y cinco por ciento de probabilidad de excedencia.

iii. Para aquellos meses, en los cuales el cincuenta por ciento del caudal con noventa y cinco por ciento de probabilidad de excedencia es mayor al veinte por ciento del caudal medio anual, el caudal ecológico mínimo será el veinte por ciento del caudal medio anual.

b) Para aquellos cauces donde se constituyeron derechos con un caudal ecológico mínimo del menor cincuenta por ciento del caudal con noventa y cinco por ciento de probabilidad de excedencia, se considerará como caudal ecológico mínimo el cincuenta por ciento del caudal con noventa y cinco por ciento de probabilidad de excedencia, para cada mes, con las restricciones siguientes:

i. Para aquellos meses, en los cuales el cincuenta por ciento del caudal con noventa y cinco por ciento de probabilidad de excedencia es menor al veinte por ciento del caudal medio anual, el caudal ecológico mínimo será el cincuenta por ciento del caudal con probabilidad de excedencia del noventa y cinco por ciento.

ii. Para aquellos meses, en los cuales el cincuenta por ciento del caudal con noventa y cinco por ciento de probabilidad de excedencia es mayor al veinte por ciento del caudal medio anual, el caudal ecológico mínimo, en esos meses, será el veinte por ciento del caudal medio anual.

c) Para aquellos cauces donde no existen derechos con caudal ecológico mínimo, se aplicará, para los nuevos derechos, el criterio establecido en la letra b) con las mismas restricciones.

d) Respecto a los cauces que presenten un comportamiento hídrico que no se ajuste a las fórmulas señaladas en los literales a) y b), tales como vertientes, el criterio para establecer el caudal ecológico es el veinte por ciento del caudal del promedio de los aforos, como valor constante sin variación mensual.

e) Para los lagos y lagunas, con salida, el caudal ecológico será el que se determine en el desagüe, el cual se evaluará en base a los criterios definidos en las letras a) y b) según corresponda.

f) Para aquellos derechos de aprovechamiento de agua cuya captación se haga mediante un embalse, el cumplimiento del caudal ecológico mínimo calculado con los criterios definidos en las letras a) o b), según corresponda se verificará inmediatamente aguas abajo de la barrera ubicada en el álveo.

El cálculo se realizará utilizando estadísticas hidrológicas de al menos 25 años, dependiendo de la estadística con la cual se cuente en el cauce, y en el evento de contar con una estadística de mayor extensión, se preferirá esta última. De no existir esta estadística para una fuente determinada, la Dirección General de Aguas utilizará el método hidrológico más adecuado al caso concreto, de aquellos conocidos y aceptados por la técnica, lo que deberá quedar claramente fundado en el informe técnico.

En el caso de que exista en el tramo analizado un derecho de aprovechamiento de aguas constituido con un caudal ecológico mayor al calculado en la letra a), se mantendrá el caudal ecológico mayor para el nuevo derecho, con la limitación que no podrá exceder del veinte por ciento del caudal medio anual de la respectiva fuente superficial.

Artículo 4°.- Las organizaciones de usuarios y el propietario exclusivo de un acueducto que extraiga aguas de un cauce, deberán instalar en la obra de captación un sistema de control que permita controlar y aforar el agua que se extrae.

Artículo 5°.- Al resolver una solicitud de un nuevo derecho de aprovechamiento de aguas, la Dirección General de Aguas elaborará un informe técnico que será parte del expediente y que contendrá la determinación del caudal ecológico mínimo que se aplicará a dicho derecho.

TÍTULO III
CASOS CALIFICADOS PARA LA DETERMINACIÓN DEL CAUDAL ECOLÓGICO MÍNIMO POR PARTE DEL PRESIDENTE DE LA REPÚBLICA

Artículo 6°.- El Ministerio de Obras Públicas, en casos calificados, mediante decreto supremo y previo informe favorable del Ministerio del Medio Ambiente, podrá fijar un caudal ecológico mínimo diferente al establecido en el artículo 3° de este reglamento, no pudiendo afectar derechos de aprovechamiento de aguas ya existentes.

Previo a su dictación, dicho decreto supremo se sujetará a lo dispuesto en el artículo 71 letra f) de la Ley N° 19.300.

El caudal ecológico mínimo que se fije en virtud de lo dispuesto en el presente título se establecerá para un cauce, para una sección o para un sector de aquel y no podrá superar el cuarenta por ciento del caudal medio anual de la respectiva fuente superficial en dicho cauce, sección o sector.

Artículo 7°.- Son casos calificados aquellos en los que se identifiquen riesgos en la calidad de las aguas y/o el hábitat de magnitud tal que comprometan la supervivencia de las especies, de acuerdo a alguno de los siguientes criterios, los que deberá tener en consideración el Ministerio del Medio Ambiente al emitir su informe:

a) Cuando se pretenda conservar aquellas especies hidrobiológicas que se encuentren dentro de alguna de las categorías de conservación, a excepción de aquellas clasificadas como Preocupación Menor o Casi Amenazada, de acuerdo al artículo 37 de la Ley N° 19.300 y su Reglamento, y el hábitat tenga una calidad tal que permita la sustentación de las especies;

b) Cuando existan fuentes superficiales que se encuentren localizadas en cualquier porción de territorio, delimitada geográficamente y establecida mediante acto de autoridad pública, colocada bajo protección oficial con la finalidad de asegurar la diversidad biológica, tutelar la preservación de la naturaleza y conservar el patrimonio ambiental, o aguas arriba de éstas, que tengan una calidad tal que permita la sustentación de las especies protegidas del área, o

c) Cuando existan impactos significativos que alteren factores bióticos y abióticos, físicos, químicos y biológicos, que aseguran el resguardo de la estructura, dinámica y funcionamiento de los ecosistemas asociados a la fuente de agua superficial, con el fin de mantener los servicios ecosistémicos que prestan. Para estos efectos se considerarán las siguientes variables ambientales:

i. Los valores de las concentraciones en la calidad de las aguas del cauce, en relación a las normas de calidad ambiental vigentes;

ii. La predicción de pérdidas significativas de refugio y/o hábitat que puedan afectar las zonas de alimentación, reproducción o bien puedan producir un menoscabo en las comunidades y poblaciones acuáticas identificadas;

iii. Cuando por efecto de la disminución de caudal o modificación del régimen hidrológico natural, pueda afectar la dinámica del ecosistema favoreciendo la proliferación de especies exóticas introducidas, poniendo en riesgo los sitios de alimentación, reproducción y/o refugio de especies en categorías de conservación, y

iv. Cuando las alteraciones de la estructura, dinámica y funcionalidad del ecosistema, derivados de la disminución del caudal, den origen a un plan de manejo de acuerdo a lo establecido en la letra a) del artículo 42 de la Ley N° 19.300.

Artículo 8°.- El Ministerio del Medio Ambiente y la Dirección General de Aguas podrán coordinarse para elaborar estudios sobre las condiciones sitio-específicas de cuencas, subcuencas y/o zonas hidrográficas del país que permitan a la autoridad competente contar con mayor información para determinar el caudal ecológico mínimo conforme a este título.

Artículo 9°.- Cualquier persona podrá solicitar la declaración de un caudal ecológico mínimo en una fuente superficial, de acuerdo a lo señalado en el artículo 6° de este reglamento. La solicitud deberá presentarse ante la Dirección General de Aguas y no suspenderá los procedimientos de constitución de derechos de aprovechamiento de aguas en trámite seguidos ante dicha repartición.

Dicha solicitud deberá contener:

a) El nombre y demás antecedentes que individualicen al solicitante;

b) La cantidad de agua que se pretende fijar como caudal ecológico mínimo, expresado en medidas métricas por unidad de tiempo;

c) Los puntos o tramos de cauces, sección o sector sobre los cuales se pretende fijar el caudal ecológico mínimo y la región, provincia y/o comuna en que estén ubicadas o que recorran;

d) Una justificación técnica de la causal invocada de acuerdo al artículo 7° de este reglamento, con los estudios pertinentes;

e) Una caracterización general del cauce, teniendo especial consideración por el régimen hidrológico, la calidad de las aguas, los ecosistemas presentes y los usos y actividades que se desarrollan en él, y

f) Una explicación técnica de los efectos sobre la preservación de la naturaleza y la protección del medio ambiente que produciría la no declaración del caudal ecológico mínimo solicitada.

Si la solicitud no reúne los requisitos señalados en este artículo, se requerirá al interesado para que, en un plazo de cinco días, subsane la falta o acompañe los documentos respectivos, con indicación de que, si así no lo hiciere, se le tendrá por desistido de su petición, sin perjuicio de la facultad establecida en el artículo 11° de este reglamento.

Artículo 10°.- Cumplidos los requisitos que dispone el artículo 9° de este reglamento, la Dirección General de Aguas remitirá, en un plazo no superior a diez días, los antecedentes de la solicitud al Ministerio del Medio Ambiente para que éste, en un plazo no superior a veinte días, evacue su informe.

Para la elaboración de dicho informe, el Ministerio del Medio Ambiente podrá efectuar los análisis en terreno que correspondan y pedir antecedentes a los órganos de la Administración del Estado que estime competentes para mejor informar.

Evacuado el informe del Ministerio del Medio Ambiente, la Dirección General de Aguas remitirá todos los antecedentes al Ministerio de Obras Públicas para que éste resuelva las respectivas solicitudes.

Artículo 11°.- Si se pretende fijar de oficio este caudal ecológico mínimo, el Ministerio de Obras Públicas deberá solicitar a la Dirección General de Aguas y al Ministerio del Medio Ambiente, informe fundado acerca de la pertinencia de declarar el caudal ecológico mínimo en cuestión, pudiendo el Ministerio del Medio Ambiente efectuar las mismas diligencias que el inciso segundo del artículo 10° de este reglamento dispone para la elaboración de su informe.

Artículo 12°.- La fijación del caudal ecológico es sin perjuicio de lo que puedan establecer otras autoridades en el ámbito de sus respectivas competencias.

Anótese, tómese razón y publíquese.- SEBASTIÁN PIÑERA ECHENIQUE, Presidente de la República.- María Ignacia Benítez Pereira, Ministra del Medio Ambiente.- Laurence Golborne Riveros, Ministro de Obras Públicas.

Lo que transcribo a Ud. para su conocimiento.- Rodrigo Benítez Ureta, Subsecretario del Medio Ambiente (S).

DECRETO SUPREMO N° 203 DE 7 DE MARZO DE 2014 QUE APRUEBA REGLAMENTO SOBRE NORMAS DE EXPLORACIÓN Y EXPLOTACIÓN DE AGUAS SUBTERRÁNEAS

Núm. 203.- Santiago, 20 de mayo de 2013.- Visto:

1) Las facultades que me confiere el artículo 32 N° 6 de la Constitución Política de la República;

2) Lo dispuesto en los artículos 58, 59 y 122 del Código de Aguas;

3) Lo establecido en el decreto supremo N° 1.220, de 1997, del Ministerio de Obras Públicas, que aprueba el Reglamento del Catastro Público de Aguas;

4) Lo previsto por la Ley N° 20.017, la Ley N° 20.099, la Ley N° 20.411 y la Ley N° 20.491; lo dispuesto en el decreto con fuerza de Ley N° 850, de 1997, que fija el texto refundido, coordinado y sistematizado de la Ley N° 15.840, de 1964, y del DFL N° 206, de 1960;

5) La resolución N° 1.600, de 2008, de la Contraloría General de la República.

Considerando:

1.- Que se hace necesario reglamentar la exploración y explotación de aguas subterráneas, estableciendo normas que les permitan a los usuarios tener certeza jurídica y técnica de la normativa, en un marco de sustentabilidad y eficacia, sin afectar el ejercicio de los derechos de terceros constituidos sobre las mismas aguas;

2.- Que a fin de dar cabal cumplimiento a lo indicado en el considerando anterior, se requiere para su aplicación de la dictación de un reglamento;

3.- Que resulta procedente profundizar algunos conceptos técnicos, como también incorporar otros nuevos para hacer frente a la diversidad de materias que deben ser abordadas para la correcta exploración y explotación de las aguas subterráneas.

Decreto:

Artículo primero: Apruébase el siguiente Reglamento que dispone normas de aplicación general que regulan la exploración y explotación de aguas subterráneas.

CAPÍTULO I
LA EXPLORACIÓN DE AGUAS SUBTERRÁNEAS

1. De la exploración de aguas subterráneas
en inmuebles de dominio privado

Artículo 1°. La exploración de aguas subterráneas en inmuebles de dominio privado, sean estos propios o ajenos con autorización del propietario, se regirá por las siguientes normas:

a) No se podrán efectuar exploraciones en terrenos privados de zonas que alimenten áreas de vegas y de los llamados bofedales de las Regiones de Arica y Parinacota, de Tarapacá y de Antofagasta, sino con autorización fundada de la Dirección General de Aguas, la que previamente deberá identificar y delimitar dichas zonas. La solicitud respectiva deberá ajustarse al procedimiento previsto en el párrafo 1° del Título I del Libro Segundo del Código de Aguas y a las normas establecidas en el párrafo 2 del Capítulo I de este Reglamento.

Será aplicable a estas exploraciones lo dispuesto en el artículo 18 del presente Reglamento.

b) Salvo lo establecido en el inciso primero artículo 56 del Código de Aguas, el o la solicitante no podrá explorar mediante perforaciones a una distancia menor que la establecida en los artículos 26, 27 y 28 de este Reglamento, de obras de captación de aguas subterráneas que tengan derechos legalmente constituidos por la autoridad competente, o que se encuentren en proceso de ser regularizados conforme al procedimiento establecido en el artículo 2° transitorio del Código de Aguas, y al procedimiento establecido en los artículos 4° y 6° transitorios de la ley 20.017, a menos que se cuente con la autorización del dueño de dichas obras.

2. De la exploración en bienes nacionales

Artículo 2º. En bienes nacionales regirán las mismas normas señaladas en el artículo anterior

Artículo 3º. La solicitud de exploración de aguas subterráneas en bienes nacionales deberá ajustarse al procedimiento indicado en el Título I del Libro Segundo del Código de Aguas.

Si la solicitud comprende terrenos ubicados en dos o más provincias de una misma región, deberá presentarse ante la Oficina de la Dirección General de Aguas del lugar o ante la Gobernación Provincial, que abarque la mayor superficie del área pedida.

Si la solicitud abarca terrenos de dos o más regiones, ésta deberá presentarse ante la oficina de la Dirección General de Aguas del lugar o ante la Gobernación Provincial respectiva, que abarque la mayor superficie del área solicitada.

Artículo 4º. La solicitud de exploración deberá señalar:

a) Nombre, rol único tributario y demás antecedentes para individualizar al solicitante y a su representante legal, si corresponde.

b) La ubicación de los terrenos que se desea explorar, para lo cual deberá individualizarse la comuna en que ellos se encuentran. En caso que comprenda más de una comuna, deberán indicarse todas ellas.

c) La delimitación precisa a través de las coordenadas de los vértices de la poligonal que la definen. Dichas coordenadas deberán expresarse en el sistema UTM, Datum WGS84. Complementariamente, se podrá hacer referencia a puntos conocidos, tales como ciudades, pueblos, caminos públicos, cauces, cerros, que permitan ilustrar acerca del sector que se solicita explorar.

d) El plazo de duración por el cual se solicita la exploración, no podrá exceder de dos años.

e) Si la solicitud de exploración de aguas subterráneas abarca bienes nacionales de uso público, éstos deberán ser mencionados explícitamente;

de lo contrario, se entenderá que no es de interés del solicitante explorar en dichos bienes nacionales.

Artículo 5°. Al momento de presentar la solicitud se deberán acompañar los siguientes antecedentes:

a) Una memoria técnica explicativa que indique los estudios y el detalle de las obras de exploración que se pretenden realizar, incluyendo, por ejemplo, número de pozos, metros de perforación, número de perfiles geofísicos y otros.

b) Un cronograma de actividades de exploración, que incluirá la fecha de inicio y término de cada una de ellas.

c) Un plano a escala mayor o igual a 1:50.000 del área de exploración con los antecedentes solicitados en las letras b) y c) del artículo anterior, que contenga las coordenadas de los puntos que definen el área.

d) Cuando la exploración no requiera una resolución de calificación ambiental favorable, el titular deberá presentar un informe de las medidas y previsiones adoptadas para el resguardo y la protección de los acuíferos durante las labores de exploración y abandono de ellas, especialmente en relación al manejo de las aguas extraídas con ocasión de la exploración.

e) Se deberá acompañar la Resolución de Calificación Ambiental favorable, si la solicitud contempla obras, programas o actividades en áreas que se encuentren bajo protección oficial de acuerdo a lo establecido en el artículo 10 letra p) de la Ley N° 19.300.

Artículo 6°. La solicitud de permiso de exploración se publicará y radiodifundirá íntegramente o en un extracto que contendrá, a lo menos, los datos necesarios para su acertada inteligencia, dentro del plazo de treinta días hábiles contados desde la fecha de su recepción, en la forma prevista en el artículo 131 del Código de Aguas y en la resolución dictada en cumplimiento a lo dispuesto en el inciso 4° del mismo artículo. Si así no se hiciere, será denegada.

En el caso de los incisos segundo y tercero del artículo 3° de este Reglamento, a costa del interesado, la solicitud o su extracto deberá publicarse en un diario o periódico de cada una de las provincias que comprenda el área de exploración; y si no lo hubiere, en uno de la capital de la o de las regiones correspondientes. Deberá además difundirse al menos tres veces en la o las radioemisoras que tengan cobertura en cada una de las provincias que abarque la solicitud. A falta de radioemisora con cobertura en alguna de las provincias, la solicitud o su extracto deberá avisarse en una de la capital de la o las regiones correspondientes, dentro del plazo de treinta días hábiles contados desde su recepción, dejándose constancia de ello por el medio de comunicación respectivo.

Artículo 7º. Si de acuerdo con lo consignado en el artículo 58 inciso segundo del Código de Aguas, se presentaran dos o más solicitudes de exploración de aguas subterráneas en una misma extensión territorial de bienes nacionales, dentro del plazo de seis meses contados desde la fecha de presentación de la solicitud más antigua que se encuentre pendiente de resolución, se resolverá la adjudicación del área superpuesta, sea esta total o parcial, mediante remate entre los solicitantes que se encuentren en esta situación.

El área a rematar corresponderá a la extensión superpuesta, y habrá tantas áreas a rematar como superposiciones existan.

Las bases del remate se establecerán por resolución de la Dirección General de Aguas, las que determinarán las cuotas, el precio, la forma de pago, las cauciones, garantías, reajustes e intereses, sanciones, condiciones, y los demás antecedentes necesarios para la adecuada ejecución del remate.

La Dirección General de Aguas podrá autorizar la exploración de la superficie no afecta a remate, siempre que conste el consentimiento del solicitante.

En el caso indicado en el inciso anterior y en la autorización de exploración de superficies parciales adquiridas a través de remate, el peticionario deberá adecuar los antecedentes exigidos en el artículo 5º letras a) y b) del presente Reglamento.

El desistimiento de solicitudes que configuran situación de remate, o la renuncia de parte del área de exploración solicitada para evitar la superposición de áreas de exploración, presentadas con anterioridad a la dictación de las bases de remate, tendrá como efecto que dejen de darse los presupuestos de remate, y, por lo tanto, no procederá citar al mismo.

Artículo 8°. Si al momento de su presentación una solicitud de exploración se superpone en parte con un área sobre la cual exista un permiso vigente, la Dirección General de Aguas podrá autorizar la exploración sólo para el área no superpuesta, previa aceptación formal de el o la solicitante. Para ello, deberá adecuar los antecedentes exigidos en el artículo 5° letras a) y b) del presente Reglamento.

Respecto al área superpuesta, la Dirección General de Aguas denegará el permiso.

Artículo 9°. La Dirección General de Aguas autorizará el permiso para explorar mediante resolución que fijará las condiciones y el plazo para ello, el cual no podrá exceder de dos años contados desde la fecha en que la resolución correspondiente haya quedado totalmente tramitada. Extinguido dicho plazo, el terreno quedará disponible para nuevas exploraciones.

Las faenas de exploración deberán iniciarse en un plazo máximo de siete meses contados desde la fecha indicada en el inciso anterior.

El beneficiario del permiso deberá comunicar por escrito a la Dirección General de Aguas la fecha del inicio de las faenas. Esta comunicación será obligatoria y la no presentación dentro del plazo indicado será causal suficiente para dejar sin efecto el permiso, lo que deberá ser declarado formalmente mediante resolución del Director General de Aguas.

Excepcionalmente, la Dirección General de Aguas podrá prorrogar el plazo contemplado en el inciso segundo de este artículo, cuando por razones no imputables al titular del permiso las faenas no se hayan podido iniciar dentro del referido término.

Para los efectos de lo señalado en los incisos anteriores, se entenderán por faenas de exploración todas aquellas labores geofísicas de prospección y/o perforación del subsuelo encaminadas a la detección de aguas subterráneas.

Artículo 10. La Dirección General de Aguas podrá, asimismo, de oficio o a petición de cualquier interesado, poner término a un permiso de exploración, en caso de incumplimiento de las condiciones establecidas en la resolución que otorgó el permiso o sus modificaciones, según lo dispuesto en el artículo 18 inciso segundo del presente Reglamento. Tal declaración requerirá de una resolución fundada de la Dirección General de Aguas.

Artículo 11. En una misma región del país no se autorizará a una sola persona, natural o jurídica, permiso para explorar, en conjunto o separadamente, una superficie mayor de cincuenta mil hectáreas. Para estos efectos, se considerará la superficie total del polígono definido conforme al artículo 4 letra c) de este Reglamento.

Tratándose de las Regiones de Arica y Parinacota, de Tarapacá, de Antofagasta y de Magallanes y la Antártica Chilena, dicha extensión, en cada una de ellas, no podrá ser superior a cien mil hectáreas.

Tampoco podrán solicitarse nuevas exploraciones, mientras no se ponga término a las ya autorizadas, que en conjunto excedan el límite establecido en los incisos anteriores.

Las solicitudes que no cumplan con lo dispuesto en este artículo, serán denegadas.

Artículo 12. Antes de proceder a autorizar un permiso de exploración de aguas subterráneas en bienes nacionales, la Dirección General de Aguas deberá solicitar un informe al Ministerio de Bienes Nacionales o al organismo que administre el respectivo bien nacional de uso público, respecto de la procedencia de otorgar el referido permiso.

En el caso de que la tenencia del bien sobre el que recae la solicitud se haya entregado por el Estado, a cualquier título, a personas naturales o jurídicas de derecho privado o público, el Ministerio de Bienes Nacionales o el organismo que administre el respectivo bien nacional de uso público expresarán en su informe dicha circunstancia y comunicarán a tales personas o instituciones la existencia de la referida solicitud. Requerido el informe del Ministerio de Bienes Nacionales o del organismo que administre el respectivo bien nacional de uso público y si éstos no lo emiten dentro de un plazo de cuarenta y cinco días hábiles, contados desde la fecha de recepción del oficio que la requiere, la Dirección General de Aguas prescindirá de él.

Artículo 13. La Dirección General de Aguas deberá, mediante resolución fundada, denegar o limitar una solicitud de exploración de aguas subterráneas, en los siguientes casos:

a) Cuando no se hayan cumplido los requisitos establecidos en el Código de Aguas y en el presente Reglamento.

b) Cuando perjudique o menoscabe derechos de terceros.

c) Cuando signifique grave peligro para la vida o salud de los habitantes.

d) Cuando según antecedentes técnicos, signifique un riesgo de contaminación del acuífero por desplazamiento de aguas contaminadas o de la interface agua dulce-salada.

e) Por causales debidamente acreditadas por un acto fundado, en virtud de las cuales se comprometa gravemente el manejo y desarrollo de un determinado acuífero.

Artículo 14. La Dirección General de Aguas podrá establecer en la resolución que autorice la exploración, y en base al informe a que se alude en el artículo 12 de este reglamento, los requisitos que debe cumplir el beneficiario para realizar las faenas respectivas, con el objeto de no afectar la naturaleza y la finalidad de los bienes sobre los que recae.

Artículo 15. Durante el plazo del permiso, el o la titular del mismo tendrá la exclusividad para efectuar los trabajos de exploración dentro de los límites que se le hayan fijado.

Al término de la exploración, el o la titular del permiso deberá presentar un informe completo sobre los trabajos realizados, sus resultados y las conclusiones obtenidas. Este informe deberá presentarse hasta tres meses después de finalizado el plazo del permiso, y su contenido corresponderá a los objetivos señalados en la memoria técnica y en el cronograma de actividades presentado por el o la titular del permiso, siendo obligatorio aun cuando los resultados hayan sido negativos. El incumplimiento de esta obligación dará lugar a la denegación de nuevas solicitudes de exploración presentadas por dicho titular, en tanto no cumpla con la referida exigencia.

Dicho informe servirá de antecedente para la constitución de los derechos que pudieran solicitarse sobre las aguas alumbradas durante la vigencia del permiso.

Artículo 16. El o la titular de una autorización para explorar aguas subterráneas podrá renunciar total o parcialmente a su permiso mediante declaración escrita, que se presentará a la Dirección General de Aguas, la cual, si fuere procedente, aceptará la renuncia y en el mismo acto declarará disponibles los terrenos para nuevas exploraciones.

En el caso que las faenas de exploración se hayan iniciado, la Dirección General de Aguas podrá acoger la renuncia solicitada una vez que el o la titular del permiso acompañe el informe a que se refiere el inciso segundo del artículo 15 de este Reglamento, incurriendo en la causal ahí establecida, si no diere cumplimiento a dicha obligación.

Artículo 17. Comprobada la existencia de aguas subterráneas en bienes nacionales, la Dirección General de Aguas preferirá al beneficiario del permiso de exploración, para la constitución del derecho sobre las aguas alumbradas durante la vigencia del permiso.

Se entenderá que la fecha de presentación de la solicitud para constituir el derecho de aprovechamiento sobre aguas subterráneas será la fecha de la resolución que otorgó el permiso de exploración.

La preferencia señalada en el inciso primero de este artículo sólo podrá ejercerse dentro del plazo del permiso y hasta tres meses después, y siempre que el titular del permiso haya dado cumplimiento a la obligación indicada en el inciso segundo del artículo 15 de este Reglamento.

Sin perjuicio de lo señalado precedentemente, si dentro del plazo que señala el artículo 142 inciso primero del Código de Aguas otros peticionarios solicitan derechos sobre las mismas aguas que se alumbraron y solicitaron durante el permiso de exploración, y no existiendo disponibilidad para constituirlos todos, se procederá al remate de ellos. Lo anterior, no tendrá aplicación en el caso que el área sobre la cual recae el permiso de exploración haya sido adjudicada mediante remate.

Artículo 18. En la resolución que autorice un permiso de exploración, la Dirección General de Aguas podrá establecer todas aquellas condiciones y medidas contempladas en el presente reglamento y en las demás normas que sean aplicables, para resguardar derechos de aprovechamiento de aguas de terceros, el medio ambiente que dependa de los recursos hídricos y la calidad de las aguas subterráneas contenidas en el acuífero explorado.

Asimismo, dichas condiciones podrán incorporarse durante la exploración mediante resolución fundada que modifique el permiso original.

Sin perjuicio de lo señalado en los incisos anteriores, en aquellos casos en que con la solicitud de exploración debió acompañarse una Resolución de Calificación Ambiental favorable, su aprobación se deberá ajustar a las condiciones y medidas impuestas en ella.

CAPÍTULO II
LA EXPLOTACIÓN DE AGUAS SUBTERRÁNEAS

1. Disposiciones generales

Artículo 19. La solicitud de derechos de aprovechamiento de aguas subterráneas se publicará y radiodifundirá conforme a lo dispuesto en el artículo 131 del Código de Aguas.

La solicitud deberá cumplir con los requisitos establecidos en el artículo 140 del Código de Aguas.

El o los puntos desde donde se desea captar el agua deberán indicarse mediante coordenadas expresadas en el sistema UTM, utilizando el Datum WGS84.

El o los puntos de captación se considerarán correctamente definidos para efectos de la solicitud, aun cuando exista una diferencia de hasta cien metros entre la ubicación señalada en la solicitud y la verificada en terreno por la Dirección General de Aguas.

No obstante lo anterior, la resolución que constituya el derecho de aprovechamiento deberá indicar el punto preciso donde se captará el agua, de acuerdo con la ubicación exacta verificada en terreno por la Dirección General de Aguas, en virtud de lo establecido en el artículo 149 N° 4 del Código de Aguas.

Artículo 20. La Dirección General de Aguas constituirá el derecho de aprovechamiento sobre aguas subterráneas cuando sea legalmente procedente y siempre que se cumplan copulativamente las siguientes condiciones:

a) Que previo a la presentación de la solicitud se haya comprobado la existencia de agua subterránea, lo cual se verificará a través de la obra en la cual se solicita el derecho de aprovechamiento, la que a lo menos deberá haber llegado al nivel del agua en el acuífero.

b) Que se haya comprobado el caudal susceptible de extraer por la obra de captación de agua subterránea, lo cual se verificará a través de las respectivas pruebas de bombeo ejecutadas según lo dispuesto en el artículo 21 del presente Reglamento.

c) Que exista disponibilidad de agua subterránea en el Sector Hidrogeológico de Aprovechamiento Común.

d) Que la explotación sea la adecuada para su conservación y protección en el largo plazo, considerando los antecedentes técnicos de recarga y descarga, así como las condiciones de uso existentes y previsibles.

e) Que no se afecten derechos de aprovechamiento de aguas de terceros, considerando la relación existente entre aguas superficiales y subterráneas en conformidad a lo establecido en el artículo 3º del Código de Aguas.

Si la extracción de aguas subterráneas produce una reducción del flujo o volumen de agua de las fuentes superficiales, se entenderá que existe interferencia entre ambas fuentes.

Cuando se establezca la existencia de tal interferencia, la Dirección General de Aguas podrá constituir el derecho de aprovechamiento de aguas subterráneas solicitado, estableciendo, si corresponde, las modalidades de ejercicio de acuerdo a lo establecido en el N° 7 del artículo 149 del Código de Aguas.

f) Que el punto de captación en donde se solicita el derecho de aprovechamiento se encuentre ubicado físicamente a más de 200 metros de otras captaciones de aguas subterráneas que cuenten con derechos legalmente constituidos por la autoridad competente, o que se encuentren en proceso de ser regularizados conforme al procedimiento establecido en el artículo 2° transitorio del Código de Aguas, y al procedimiento establecido en los artículos 4° y 6° transitorios de la ley 20.017; además, que se encuentre emplazado fuera de otras áreas de protección de derechos de aprovechamiento, legalmente establecidas en virtud del presente Reglamento y de cualquier otro cuerpo normativo.

Sin perjuicio de lo anterior, con la autorización del propietario del derecho de aprovechamiento de agua afectado se podrán constituir los derechos de aprovechamiento solicitados.

g) Que se cuente con resolución de Calificación Ambiental favorable cuando el punto de captación se ubique en alguna de las áreas que se encuentren bajo protección oficial de acuerdo a lo establecido en el artículo 5° letra e) de este Reglamento, o en su defecto, que se acompañe un pronunciamiento formal de la oficina respectiva del Servicio de Evaluación Ambiental que desestime la pertinencia de cumplir con este requisito.

Artículo 21. La comprobación del caudal susceptible de extraer por una obra de captación de agua subterránea se verificará a través de las respectivas pruebas de bombeo de caudal constante.

Tratándose de pozos profundos, se requerirá un perfil estratigráfico, la habilitación del pozo y una prueba de bombeo de gasto constante para el caudal solicitado, con una duración de 24 horas como mínimo y con un tiempo mínimo de estabilización de niveles de 180 minutos. Sin perjuicio de ello, se considerarán otros antecedentes presentados por el titular, como una prueba de gasto variable, si la hubiere.

Si se trata de norias o drenes, se requerirá una prueba de gasto constante para el caudal solicitado, con estabilización de niveles de por lo menos 180 minutos.

En todos los casos se requerirá la estabilización de niveles, o una clara tendencia a ello; esto último, definido por un descenso menor o igual a dos centímetros por hora, durante las últimas tres horas de bombeo.

En el caso de obras de captación de gran diámetro, como pozos norias, si no es posible lograr la estabilización de niveles, se podrá acompañar una prueba de agotamiento, con medición de toda la recuperación.

Frente a presentaciones que entreguen antecedentes técnicos que no cumplan con los requisitos establecidos en los incisos anteriores, éstos serán analizados bajo los siguientes criterios:

a) Si se acompaña una prueba de gasto variable, el caudal susceptible de constituir será el noventa por ciento del caudal obtenido de la curva de agotamiento en un punto donde ésta cambie de pendiente.

b) Cuando se cuente con datos de producción histórica de la captación, el caudal susceptible de constituir será aquel correspondiente al promedio histórico de producción de ella.

Artículo 22. En atención a lo dispuesto en el artículo 142 del Código de Aguas, si dentro del plazo de seis meses, contados desde la presentación de la solicitud, se hubieren presentado dos o más solicitudes de distintos titulares sobre las mismas aguas y no hubiere recursos suficientes para satisfacer todos los requerimientos, la Dirección General de Aguas citará a un remate de estos derechos, una vez reunidos los antecedentes que acrediten la existencia de aguas disponibles para la constitución de nuevos derechos sobre ellas, conforme a lo establecido en la letra c) del artículo 20 precedente.

Para efectos del remate, se considerarán los caudales que se hayan comprobado según lo establecido en el artículo 20 letra b) del presente Reglamento.

Se entenderá que dos o más solicitudes recaen sobre las mismas aguas cuando las captaciones subterráneas por medio de las cuales se extraerá el recurso se encuentren ubicadas en un mismo Sector Hidrogeológico de Aprovechamiento Común.

Artículo 23. No podrán constituirse derechos de aprovechamiento de aguas subterráneas a una distancia, medida en terreno, menor a 200 metros de afloramientos o vertientes, si de ello resultare perjuicio o menoscabo a derechos de terceros o afectare la relación existente entre aguas superficiales y subterráneas.

Artículo 24. Se deberá acreditar el dominio del inmueble en que se ubica la captación de aguas subterráneas, mediante copia de la inscripción correspondiente, con una data de vigencia de una antigüedad no superior a 60 días, contados desde la fecha de presentación de la solicitud. En el evento que el titular de la solicitud no fuere el propietario del terreno, se deberá acompañar la autorización escrita del dueño respectivo, cuya firma haya sido autorizada por un notario público.

Si la obra de captación está ubicada en un bien nacional de uso público, se requerirá la autorización del organismo bajo cuya administración éste se encuentre, mediante el acto administrativo totalmente tramitado que corresponda. Tratándose de bienes fiscales, se deberá acompañar la autorización del Ministerio de Bienes Nacionales.

Los antecedentes señalados en el presente artículo deberán acompañarse al momento del ingreso de la solicitud.

Artículo 25. La Dirección General de Aguas podrá constituir derechos de aprovechamiento no consuntivos de aguas subterráneas, siempre que el punto de captación y restitución se ubiquen en un mismo Sector Hidrogeológico de Aprovechamiento Común.

A la restitución de las aguas del derecho de aprovechamiento no consuntivo se aplicará lo dispuesto en el párrafo octavo de este capítulo, en lo relativo a la posible afectación de terceros y de la calidad de las aguas del acuífero.

2. De las áreas de protección

Artículo 26. El área de protección a que se refiere el artículo 61 del Código de Aguas estará constituida por una franja paralela a la captación subterránea y en torno a ella, de modo que el perímetro de protección será equidistante a cualquier punto de la captación. Dicha área de protección, en el caso de los pozos, quedará reducida a un círculo con centro en la ubicación efectiva del pozo. La dimensión de la franja o radio será de 200 metros medidos en terreno, salvo las excepciones contempladas en los artículos 27 y 28 de este Reglamento.

El área de protección no podrá comprender captaciones de derechos de aprovechamiento de aguas subterráneas de terceros constituidos por la autoridad competente, o que se encuentren en proceso de ser regularizados conforme al procedimiento establecido en el artículo 2° transitorio del Código de Aguas, y al procedimiento establecido en los artículos 4° y 6° transitorios de la ley 20.017, salvo que exista autorización del titular de los derechos de agua afectados. Para efectos de lo señalado en este inciso, no se considerarán las captaciones de agua de que trata el artículo 56 inciso primero del Código de Aguas.

Artículo 27. Para la constitución de nuevos derechos de aprovechamiento de aguas subterráneas, podrá solicitarse un área de protección mayor a la indicada en el artículo 26 de este Reglamento. La dimensión del área de protección deberá justificarse con la presentación de una memoria técnica que contenga las características del acuífero y de la captación subterránea.

Artículo 28. En conformidad con lo dispuesto en el artículo 6° del decreto supremo N° 106, de 1997, del Ministerio de Salud, que aprobó el Reglamento de Aguas Minerales, la Dirección General de Aguas establecerá un área de protección para aquellas fuentes cuyas aguas hayan sido declaradas curativas en conformidad a las normas del decreto señalado.

La solicitud respectiva se tramitará conforme al procedimiento previsto en el párrafo 1° del Título I del Libro Segundo del Código de Aguas, y deberá contener los siguientes antecedentes:

1. Nombre, rol único tributario y demás antecedentes para individualizar al solicitante y a su representante legal, si corresponde.

2. Individualización del derecho de aprovechamiento, ubicación, y área de protección solicitada.

3. Copia de su inscripción en el Registro de Propiedad de Aguas del Conservador de Bienes Raíces correspondiente, con certificado de dominio vigente.

4. Copia del decreto supremo de declaración de fuente curativa correspondiente.

5. Antecedentes técnicos que permitan una caracterización hidrogeológica de la fuente y que justifiquen el área de protección solicitada.

3. De las limitaciones a la explotación de aguas subterráneas

Artículo 29. Para efectos de establecer la reducción temporal del ejercicio de los derechos de aprovechamiento, conforme lo dispuesto en el artículo 62 del Código de Aguas, la Dirección General de Aguas considerará que la explotación de aguas subterráneas por algunos usuarios ocasiona perjuicio a otros titulares de derechos, en los siguientes casos:

a) Cuando se demuestre que la explotación de derechos de aguas subterráneas en un Sector Hidrogeológico de Aprovechamiento Común impide la extracción de al menos un 15% del caudal instantáneo constituido, considerando para ello el indicado en los títulos de los derechos de aprovechamiento de aguas.

b) Cuando se demuestre que dos o más extracciones de aguas subterráneas producen interferencia de tal magnitud que afecten directamente a dos o más derechos de aprovechamiento de aguas, generando con ello una disminución de su capacidad de extracción en relación al caudal instantáneo señalado en sus títulos, en una proporción igual o superior al 15%.

c) Cuando se compruebe que la explotación está produciendo contaminación o una alteración significativa de la calidad de las aguas del Sector Hidrogeológico de Aprovechamiento Común o de una parte de éste.

En caso de presentarse una solicitud, el o los peticionarios deberán dirigir dicha petición a la Dirección General de Aguas, en conformidad al procedimiento establecido en el artículo 130 y siguientes del Código de Aguas, que se publicará y radiodifundirá íntegramente o en un extracto que contendrá, a lo menos, los datos necesarios para su acertada inteligencia, dentro del plazo de treinta días hábiles contados desde la fecha de su presentación, en la forma prevista en el artículo 131 del Código de Aguas y en la resolución dictada en cumplimiento a lo dispuesto en el inciso 4° del mismo artículo.

Excepcionalmente, el jefe de la oficina del lugar o el Gobernador, según el caso, dispondrá la notificación personal cuando aparezca de manifiesto la individualidad de la o las personas afectadas con la presentación y siempre que el número de éstas no haga dificultosa la medida.

El o los peticionarios deberán señalar en la solicitud la ubicación del punto de captación de los derechos de aprovechamiento de aguas afectados, indicando sus coordenadas expresadas en el sistema UTM, utilizando el Datum WGS84.

El o los peticionarios deberán acompañar a la solicitud copia de la inscripción de dominio de los derechos de agua afectados con vigencia no mayor a sesenta días corridos; antecedentes técnicos de las bombas instaladas en los pozos afectados, indicando específicamente la capacidad de extracción de cada una de ellas, y una prueba de bombeo de cada uno de los pozos afectados. Asimismo, si se trata de una alteración de la calidad de las aguas, deberá acompañar los antecedentes técnicos necesarios que demuestren tal variación.

La Dirección General de Aguas podrá requerir a él o los solicitantes antecedentes técnicos adicionales necesarios para fundar la reducción solicitada.

La reducción temporal se establecerá mediante resolución fundada del Director General de Aguas, en la cual se deberán indicar los derechos de aprovechamiento que se deberán reducir, la prorrata que los afectará y la forma en que ésta se aplicará a las captaciones respectivas.

La Dirección General de Aguas publicará la resolución que declare la reducción temporal, por una sola vez en el Diario Oficial, los días primero o quince, o el primer día hábil inmediato si aquellos fueren feriados.

Artículo 30. La Dirección General de Aguas deberá, mediante resolución fundada, declarar un determinado Sector Hidrogeológico de Aprovechamiento Común como área de restricción para nuevas explotaciones de aguas subterráneas, de oficio o a petición de cualquier usuario del respectivo sector, cuando ocurra al menos una de las siguientes situaciones:

a) Cuando antecedentes técnicos den cuenta de la existencia de un riesgo de grave descenso de los niveles en una zona del Sector Hidrogeológico de Aprovechamiento Común que pueda afectar la extracción de aguas subterráneas de derechos de aprovechamiento existentes en ella.

b) La demanda comprometida sea superior a la recarga de éste, ocasionando riesgo de grave disminución de los niveles del Sector Hidrogeológico de Aprovechamiento Común, con el consiguiente perjuicio de derechos de terceros ya establecidos en él.

c) Los estudios técnicos demuestren que la demanda comprometida provocará una reducción superior al cinco por ciento del volumen almacenado, en un plazo de cincuenta años.

d) Los estudios técnicos indiquen que la demanda comprometida producirá una afección a los caudales de los cursos de aguas superficiales en más de un diez por ciento del caudal medio mensual asociado al ochenta y cinco por ciento de probabilidad de excedencia, durante seis meses consecutivos.

e) Cuando antecedentes técnicos demuestren que el aumento de extracciones en un Sector Hidrogeológico de Aprovechamiento Común afecta la disponibilidad sustentable de otro sector.

f) Cuando antecedentes técnicos demuestren que existe riesgo de contaminación por desplazamiento de aguas contaminadas o de la interface agua dulce-salada.

El o los peticionarios deberán presentar una solicitud dirigida al Director General de Aguas, en conformidad al procedimiento establecido en el artículo 130 y siguientes del Código de Aguas, que se publicará y radiodifundirá íntegramente o en un extracto que contendrá, a lo menos, los datos necesarios para su acertada inteligencia, dentro del plazo de treinta días hábiles contados desde la fecha de su presentación, en la forma prevista en el artículo 131 del Código de Aguas y en la resolución dictada en cumplimiento a lo dispuesto en el inciso 4° del mismo artículo.

El o los peticionarios deberán acompañar a la solicitud antecedentes de la explotación del Sector Hidrogeológico de Aprovechamiento Común y podrán acompañar, además, otros antecedentes técnicos que sirvan para respaldarla.

La Dirección General de Aguas podrá requerir a él o los solicitantes antecedentes técnicos adicionales necesarios para fundar la declaración de restricción.

El área de restricción se establecerá mediante resolución fundada del Director General de Aguas, que se publicará, por una sola vez en el Diario Oficial, los días primero o quince, o el primer día hábil siguiente si aquellos fueren feriados.

Artículo 31. En el área de restricción la Dirección General de Aguas podrá constituir derechos de aprovechamiento de aguas subterráneas en carácter de provisionales, de acuerdo a las características del Sector Hidrogeológico de Aprovechamiento Común establecidas en los respectivos informes técnicos que la justifican.

Lo dispuesto en el artículo 142 y siguientes del Código de Aguas se aplicará a las solicitudes de derecho de aprovechamiento de aguas subterráneas susceptibles de ser constituidas como provisionales.

Los derechos de aprovechamiento constituidos provisionalmente se anotarán en el Registro Público de Derechos de Aprovechamiento de Aguas de Carácter Provisional del Catastro Público de Aguas.

Los titulares de derechos provisionales podrán ejercerlos siempre que cuenten con un sistema de control de extracciones aprobado por la Dirección General de Aguas, que deberá incluir al menos un flujómetro para medir caudales instantáneos y registrar el volumen acumulado de agua extraída, además de un sistema de monitoreo del nivel freático en la captación.

La periodicidad de la medición y el envío de la información registrada se determinarán en la resolución que apruebe el proyecto respectivo.

Artículo 32. La solicitud para transformar un derecho de aprovechamiento de aguas constituido en carácter de provisional a definitivo, se tramitará de conformidad con el procedimiento administrativo previsto en el párrafo 1º del Título I del Libro Segundo del Código de Aguas. En caso que exista una comunidad de aguas subterráneas organizada en el mismo Sector Hidrogeológico de Aprovechamiento Común en que se ubica el derecho provisional, esta solicitud deberá ser notificada al representante legal de la misma en el domicilio indicado en sus estatutos, en la forma y términos dispuestos en el artículo 131 inciso final del Código de Aguas.

Artículo 33. La Dirección General de Aguas transformará derechos provisionales a definitivos, cuando se cumplan los siguientes requisitos:

a) Ejercicio de al menos el 80 por ciento del volumen total anual del derecho de aprovechamiento constituido provisionalmente, durante cada año del plazo establecido en el artículo 67 del Código de Aguas, medido e informado conforme al sistema de control de extracciones aprobado de acuerdo a lo establecido en el artículo 31 inciso cuarto del presente Reglamento. En el evento que se interrumpiere la extracción en cualquiera de los años del plazo establecido en el artículo 67 del Código de Aguas, el plazo de 5 años se comenzará a contabilizar nuevamente a partir de la fecha en que se reinicie la extracción.

b) Que no se haya verificado afección a derechos de aprovechamiento definitivos ya constituidos en el Sector Hidrogeológico de Aprovechamiento Común.

Artículo 34. La Dirección General de Aguas limitará prudencialmente los derechos de aprovechamiento constituidos provisionalmente en caso de constatar alguna de las siguientes causales:

a) Descenso sostenido de los niveles del Sector Hidrogeológico de Aprovechamiento Común o parte de él.

b) Que la explotación del derecho de aprovechamiento constituido como provisional haya afectado la conservación y protección de otros componentes de los sistemas hidrológicos que dependen de las aguas del Sector Hidrogeológico de Aprovechamiento Común, tales como vegas, bofedales, salares, sitios Ramsar, etcétera.

Por otra parte, dejará sin efecto los derechos de aprovechamiento constituidos provisionalmente, en caso de constatar la afección a derechos de aprovechamiento definitivos ya constituidos en el Sector Hidrogeológico de Aprovechamiento Común.

Artículo 35. La Dirección General de Aguas podrá declarar zona de prohibición para nuevas explotaciones, en conformidad con lo dispuesto en el artículo 63 del Código de Aguas, cuando la demanda comprometida iguale o supere toda la disponibilidad determinada por la Dirección General de Aguas para la constitución de derechos de aprovechamiento tanto definitivos como provisionales.

La Dirección General de Aguas publicará la resolución que declare zona de prohibición, por una sola vez en el Diario Oficial, los días primero o quince, o el primer día hábil siguiente si aquellos fueren feriados.

Artículo 36. La Dirección General de Aguas, de oficio o a petición de cualquier usuario, podrá alzar en cualquier momento la declaración de un área de restricción o prohibición, o de parte de ella, en aquellos casos en que nuevos estudios demuestren que ya no existen las causales que motivaron la declaración.

La resolución que declare el alzamiento de un área de restricción o prohibición, o de parte de ella, se publicará por una sola vez en el Diario Oficial, los días primero o quince, o el primer día hábil siguiente si aquellos fueren feriados.

4. De las comunidades de aguas subterráneas

Artículo 37. En conformidad con lo dispuesto por el artículo 186 del Código de Aguas, si dos o más personas aprovechan aguas de un mismo Sector Hidrogeológico de Aprovechamiento Común, podrán organizarse como comunidad de aguas subterráneas.

Dicha comunidad deberá organizarse en la forma prevista en el párrafo 1° del Título III del Libro Segundo del Código de Aguas, siendo igualmente aplicables a ella las disposiciones contenidas en el citado párrafo, en cuanto sean compatibles con su naturaleza.

Artículo 38. Sin perjuicio de lo señalado en el artículo 241 del Código de Aguas y acorde con lo dispuesto en los números 2, 3, 5, 20 y 21 del citado artículo, el directorio de las comunidades de aguas subterráneas tendrá, entre otros, los siguientes deberes y atribuciones:

a) Distribuir las aguas del Sector Hidrogeológico de Aprovechamiento Común entre los comuneros a prorrata de sus derechos de aprovechamiento.

b) Promover una gestión integrada y sustentable del Sector Hidrogeológico de Aprovechamiento Común.

c) Instalar y operar un sistema de control de extracciones, medición de niveles, cantidad y calidad de aguas subterráneas.

d) Mantener un registro de producción de cada captación.

e) Atender oportunamente los requerimientos de información de la Dirección General de Aguas y de sus usuarios, así como las obligaciones de envío de información contenidas en el Código de Aguas.

f) Mantener y mejorar sus obras de captación.

g) Realizar estudios e implementar técnicas que permitan la recarga artificial de la fuente subterránea.

h) Regular la explotación del Sector Hidrogeológico de Aprovechamiento Común, haciendo evaluaciones en forma permanente y oportuna para prevenir efectos asociados a la sobreexplotación de sus aguas.

i) Realizar estudios que justifiquen la aplicación de medidas para reducir la explotación cuando sea necesario.

Artículo 39. Las declaraciones de área de restricción y de zona de prohibición darán origen a una comunidad formada por todos los usuarios de aguas subterráneas comprendidos en ella, siendo su responsabilidad organizarse según lo dispuesto en el artículo 37 del presente Reglamento.

Artículo 40. La Dirección General de Aguas podrá exigir a las comunidades de aguas o a los usuarios individuales la instalación de un sistema de medición periódica sobre niveles y calidad de las aguas subterráneas y de los caudales y volúmenes explotados, pudiendo requerir en cualquier momento la información que se obtenga.

Artículo 41. Los titulares de derechos provisionales de aguas subterráneas derivadas de obras de recarga artificial de acuíferos, de acuerdo con lo dispuesto en el artículo 66 inciso segundo del Código de Aguas, formarán parte de la comunidad de aguas que se origine, en tanto su derecho se encuentre vigente.

Los derechos de aprovechamiento de aguas subterráneas otorgados provisionalmente con ocasión de una obra de infiltración artificial no estarán sujetos a la prorrata aplicada por la comunidad de aguas subterráneas respectiva, ni a la reducción temporal decretada por el Director General de Aguas.

5. Cambio de punto de captación y/o restitución

Artículo 42. La Dirección General de Aguas podrá autorizar el cambio del punto de captación y/o restitución de derechos de aprovechamiento de aguas subterráneas en un mismo Sector Hidrogeológico de Aprovechamiento Común, ya sea en forma total o parcial, siempre que la solicitud sea legalmente procedente, que exista disponibilidad del recurso, que no se perjudiquen derechos de terceros, que se cuente con la Resolución de Calificación Ambiental favorable, si correspondiera, y que se respeten las disposiciones contenidas en este Reglamento.

La solicitud respectiva se tramitará conforme al procedimiento previsto en el párrafo 1° del Título I del Libro Segundo del Código de Aguas y deberá contener los siguientes antecedentes:

a) Individualización del solicitante y de su representante legal, si corresponde.

b) Singularización del derecho de aprovechamiento, indicando su caudal máximo instantáneo; volumen total anual, si corresponde; uso consuntivo o no consuntivo; ubicación del punto de captación y/o restitución, y ejercicio.

c) Acompañar copia autorizada de la inscripción del derecho en el Registro de Propiedad de Aguas del Conservador de Bienes Raíces correspondiente, con certificado de dominio vigente de una antigüedad no mayor a sesenta días, contados desde la fecha de presentación. Este requisito no procederá en el caso de derechos provisionales.

d) Se deberá acreditar el dominio del inmueble en que se ubica la nueva captación de aguas subterráneas, mediante copia de la inscripción correspondiente, con una data de vigencia de una antigüedad no superior a 60 días, contados desde la fecha de presentación de la solicitud. En el evento que el titular de la solicitud no fuere el propietario del terreno, se deberá acompañar la autorización escrita del dueño respectivo, cuya firma haya sido autorizada por un notario público. Si la obra de captación está ubicada en un bien nacional de uso público, se requerirá la autorización del organismo bajo cuya administración éste se encuentre, mediante el acto administrativo totalmente tramitado que corresponda. Tratándose de bienes fiscales, se deberá acompañar la autorización del Ministerio de Bienes Nacionales. Los antecedentes precedentemente señalados deberán acompañarse al momento del ingreso de la solicitud.

e) Respecto del o los nuevos puntos de captación y/o restitución, se deberá indicar el caudal máximo instantáneo a extraer, el volumen total anual, su ubicación en los términos expresados en el artículo 19 del presente Reglamento, la comuna en que se ubicará y el área de protección que se solicita.

f) Acompañar la respectiva prueba de bombeo de gasto constante, justificando la disponibilidad del caudal en el punto de captación de destino.

Se aceptarán aquellas solicitudes que no acompañen el certificado del Catastro Público de Aguas, si el derecho ya se encuentra inscrito en él, o bien, en caso que su inscripción haya sido solicitada con más de 30 días de anticipación y cumpla con los requisitos previstos en el Reglamento del Catastro Público de Aguas. La inscripción en el Catastro Público de Aguas o la solicitud de inscripción, en su defecto, deberá haberse hecho en nombre del titular de la solicitud de cambio de punto de captación y/o restitución.

El o los nuevos puntos de captación y/o restitución se considerarán correctamente definidos para efectos de la solicitud, aun cuando exista una diferencia de hasta cien metros entre la ubicación dada por el solicitante y la verificada en terreno por la Dirección General de Aguas.

No obstante lo anterior, la resolución que autorice el cambio de punto de captación y/o restitución del derecho de aprovechamiento, deberá indicar el o los puntos precisos de acuerdo con la ubicación exacta verificada en terreno por la Dirección General de Aguas, en virtud de lo establecido en el artículo 149 N° 4 del Código de Aguas.

La Dirección General de Aguas podrá autorizar provisoriamente un cambio de punto de captación cuando la solicitud sea legalmente procedente, se hayan realizado las publicaciones y radiodifusiones correspondientes, no se hayan presentado oposiciones, se haya efectuado la visita a terreno, que el nuevo punto se ubique fuera del área de protección de otros derechos de aprovechamiento de aguas, que el nuevo punto se encuentre en el mismo Sector Hidrogeológico de Aprovechamiento Común en que se ubica el punto de captación original y que éste último se haya deshabilitado, cuando sea procedente.

La solicitud deberá ser presentada en la oficina de la Dirección General de Aguas del lugar, o en la Gobernación respectiva, correspondiente a la provincia en que se ubican el o los nuevos puntos de captación y/o restitución. Si la solicitud involucra a dos provincias, ésta deberá presentarse en la provincia en que se ubiquen el o los puntos de captación y/o restitución de destino y las publicaciones y los avisos radiales deberán realizarse en todas las provincias involucradas.

Procederá el cambio de puntos de captación y/o restitución de derechos de aprovechamiento provisionales de aguas. Autorizado el cambio de punto de captación comenzará nuevamente a computarse el plazo contemplado en el artículo 67 del Código de Aguas para permitir la transformación del derecho provisional de aguas en definitivos.

Artículo 43. Una vez autorizado el cambio de punto de captación y/o restitución y previo al ejercicio del derecho de aprovechamiento en el nuevo punto, el titular estará obligado a:

a) Deshabilitar el punto de captación de origen en el evento que el cambio de punto de captación y/o restitución sea por la totalidad de su caudal autorizado, lo que será verificado y aprobado por la Dirección General de Aguas. Se entenderá por deshabilitación el retiro de la bomba de extracción, de las instalaciones eléctricas, obras de conducción y demás necesarias para captar y conducir las aguas.

b) En el evento que se autorice el cambio de punto de captación y/o restitución de una parte del caudal autorizado en el punto de origen, el titular deberá modificar las instalaciones y obras de extracción en dicho punto, de manera que se ajusten en su capacidad al caudal que quedará como remanente, lo que será verificado y aprobado por la Dirección General de Aguas.

6. Cambio de fuente de abastecimiento

Artículo 44. La Dirección General de Aguas autorizará el cambio de fuente de abastecimiento de derechos de aprovechamiento siempre que la solicitud fuere legalmente procedente; que se haya demostrado la directa interrelación entre las fuentes de abastecimiento; que no se perjudiquen derechos de terceros; que se cuente con la resolución de Calificación Ambiental favorable, si correspondiera, y que se respeten las disposiciones contenidas en los artículos 158 y siguientes del Código de Aguas y en las normas del presente Reglamento.

La solicitud respectiva se tramitará conforme al procedimiento previsto en el párrafo 1° del Título I del Libro Segundo del Código de Aguas, y deberá contener, en lo que corresponda, las menciones indicadas en el artículo 42 de este Reglamento. No serán pertinentes aquellos antecedentes que no apliquen a la naturaleza del derecho de aprovechamiento objeto de la solicitud.

El solicitante deberá acompañar, además, los antecedentes técnicos que respalden su solicitud.

Artículo 45. La resolución de la Dirección General de Aguas que se pronuncie sobre el cambio de fuente de abastecimiento indicará el caudal autorizado a extraer, el que estará sujeto a la interacción que exista entre la antigua y la nueva fuente de abastecimiento en el nuevo punto de captación.

Por último, serán aplicables al cambio de fuente de abastecimiento y en lo que correspondiere, las disposiciones contenidas en el artículo 43 del presente Reglamento.

7. Puntos alternativos de captación y/o restitución

Artículo 46. La Dirección General de Aguas autorizará las solicitudes de puntos alternativos de captación y/o restitución de derechos de aprovechamiento de aguas subterráneas en un mismo Sector Hidrogeológico de Aprovechamiento Común, ya sea en forma total o parcial, siempre que la solicitud sea legalmente procedente, que exista disponibilidad del recurso, que no se perjudiquen derechos de terceros, que se cuente con la resolución de Calificación Ambiental favorable, si correspondiera, y que se respeten las disposiciones contenidas en este Reglamento.

La solicitud respectiva se tramitará conforme al procedimiento previsto en el párrafo 1° del Título I del Libro Segundo del Código de Aguas, deberá contener los antecedentes indicados en el artículo 42 de este Reglamento y le serán aplicables las disposiciones contenidas en los incisos tercero, cuarto, quinto y sexto de dicho artículo.

La solicitud deberá indicar en forma precisa los caudales que se captarán y/o restituirán en forma alternativa y los pozos desde los cuales se realizará dicho ejercicio.

Una vez otorgada la autorización de puntos alternativos de captación y/o restitución y como requisito previo al ejercicio de los derechos de aprovechamiento, el titular estará obligado a instalar en las captaciones involucradas un sistema de medición periódica sobre niveles y caudales explotados, el que deberá ser aprobado por la Dirección General de Aguas, pudiendo ésta requerir en cualquier momento la información que se obtenga.

8. Recarga artificial

Artículo 47. Cualquier persona podrá ejecutar obras para la recarga artificial de acuíferos, previa autorización del proyecto por parte de la Dirección General de Aguas, en conformidad con lo dispuesto en el artículo 66 inciso segundo y artículo 67 inciso primero parte final del Código de Aguas y con lo establecido en el presente Reglamento.

Artículo 48. La solicitud de autorización para ejecutar obras para la recarga artificial de acuíferos se tramitará conforme al procedimiento previsto en el párrafo 1° del Título I del Libro Segundo de Código de Aguas, y deberá contener los siguientes antecedentes:

1. Nombre, rol único tributario y demás antecedentes para la individualización del solicitante y de su representante legal, si corresponde.

2. Una descripción de la naturaleza física y situación jurídica del agua a utilizar en la recarga artificial, debiendo acompañar los documentos necesarios para acreditar el dominio vigente del derecho de aprovechamiento de agua, si así correspondiere.

3. Deberá acompañar una memoria técnica que contenga, a lo menos, lo siguiente:

a) Descripción del proyecto de recarga artificial.

i. Tipo y disposición de obras.

ii. Plan de operación y mantención.

iii. Modelación del efecto de la recarga sobre la cantidad de las aguas del Sector Hidrogeológico de Aprovechamiento Común.

b) Descripción y características geológicas e hidrogeológicas del sector de la recarga, que contemple a lo menos:

i. Características de la zona no saturada.

ii. Permeabilidad, almacenamiento y geometría del sector influenciado directamente por la recarga.

iii. Información de registros conocidos sobre el nivel del acuífero del sector.

iv. Caracterización de la calidad de las aguas del sector de la recarga.

c) Una caracterización de la calidad de las aguas que se infiltrarán artificialmente. Además, la Dirección General de Aguas podrá requerir al solicitante la elaboración de análisis fisicoquímicos o bacteriológicos adicionales del agua que se infiltraría, cuando las características del proyecto de infiltración artificial así lo ameriten.

d) Plan de monitoreo, que contemple al menos:

i. Monitoreo de la zona aledaña al emplazamiento de la obra de infiltración, con el objeto de observar el comportamiento de las aguas infiltradas, ya sea mediante la medición de niveles o no, a fin de evitar riesgos de inundaciones o afecciones a terceros.

ii. Monitoreo de la calidad de las aguas en el sector influenciado directamente por la recarga.

iii. Monitoreo del caudal y volumen de recarga.

e) Plan de acción frente a la eventual contaminación del sector influenciado directamente por la recarga.

Artículo 49. La Dirección General de Aguas aprobará las obras de infiltración cuando el proyecto presentado cumpla con las disposiciones anteriores, no provoque la colmatación del acuífero ni la contaminación de las aguas.

Artículo 50. La solicitud de derechos de aprovechamiento de aguas de carácter provisional con cargo a la obra de recarga artificial aprobada en conformidad con los artículos anteriores, deberá ajustarse al procedimiento previsto en el párrafo 1º del Título I del Libro Segundo del Código de Aguas. Esta solicitud deberá contener los antecedentes señalados en el artículo 19 del presente Reglamento.

Para hacer efectiva la preferencia establecida en el artículo 66 inciso segundo del Código de Aguas, el solicitante deberá indicar en su solicitud el hecho de contar con la aprobación de una obra de recarga de que trata el artículo anterior, identificando la resolución respectiva. Se considerará esta preferencia sólo sobre el Sector Hidrogeológico de Aprovechamiento Común influenciado directamente por la recarga.

Excepcionalmente, esta preferencia podrá considerarse en un Sector Hidrogeológico de Aprovechamiento Común distinto al que recibe la recarga artificial siempre y cuando esté claramente interrelacionado, y el o los puntos de captación del derecho provisional se ubiquen en una zona directamente influenciada por la recarga artificial. Ambas situaciones deberán ser acreditadas por el solicitante y verificadas por la Dirección General de Aguas; en caso contrario, la petición será denegada.

La Dirección General de Aguas constituirá el derecho de aprovechamiento de carácter provisional cuando la solicitud cumpla con los siguientes requisitos:

a) Que sea legalmente procedente conforme a las normas establecidas en el Código de Aguas y en el presente Reglamento.

b) Que efectivamente exista la obra de recarga artificial aprobada a favor del solicitante y que esta se encuentre operando.

c) Que el solicitante presente un balance hídrico que, considerando el volumen de agua infiltrado, las pérdidas existentes y los tiempos de circulación, permita definir el volumen adicional que la infiltración artificial genera en el Sector Hidrogeológico de Aprovechamiento Común donde se ubica el punto de captación del derecho de aguas solicitado.

d) Que el ejercicio del derecho de aprovechamiento provisional que se constituya no provoque perjuicio a derechos de aprovechamiento de aguas existentes.

9. Disposiciones especiales

Artículo 51. Se entenderá por bebida y uso doméstico, en los términos establecidos en el artículo 56 del Código de Aguas, al aprovechamiento que una persona o una familia hace del agua que ella misma extrae de un pozo, con el fin de utilizarla para satisfacer sus necesidades de bebida, aseo personal y cultivo de productos hortofrutícolas indispensables para su subsistencia, sin fines económicos o comerciales.

Artículo 52. Para los efectos de lo previsto en el artículo 129 bis 9 inciso octavo, se entenderán por obras de captación de aguas subterráneas que permitan su alumbramiento, aquellas instalaciones que hacen posible la efectiva extracción de las aguas a que se tiene derecho, tales como: bombas de extracción, ya sean móviles o fijas; instalaciones mecánicas, eléctricas, tuberías, u otros.

Artículo 53. Corresponderá a la Dirección General de Aguas la calificación de las solicitudes que se le presenten, no siendo causal de rechazo el error u omisión que cometa el solicitante al respecto, en la medida en que dicha omisión u error no afecte la acertada inteligencia de terceros respecto de la solicitud presentada. Así, si una solicitud de cambio de punto de captación corresponde en realidad a un cambio de fuente de abastecimiento, no procederá su denegación en la medida en que la solicitud y su extracto permitan la acertada inteligencia del cambio que se solicita.

Artículo 54. Para todos los efectos del presente Reglamento, se entenderá por:

a) Demanda comprometida: Es la suma de los caudales de agua aprovechables por titulares de derechos de aprovechamiento constituidos o reconocidos y de derechos susceptibles de ser constituidos conforme a los artículos 147 bis inciso 3° del Código de Aguas y 3°, 4° y 6° transitorios de la ley 20.017.

b) Interacción o interrelación: Conexión hidráulica entre dos fuentes de agua en régimen natural.

c) Interferencia: Efecto sobre los patrones de flujo de una interacción o interrelación entre dos fuentes de agua, producto de la explotación de una de las fuentes.

d) Nivel: Profundidad de la napa de agua bajo la superficie del terreno en una condición de acuífero libre, o altura de presión de agua referida a un punto cualquiera en una condición de acuífero confinado.

e) Perfil estratigráfico: Es el diagrama o representación gráfica que muestra los diferentes estratos de suelos con su composición, características y espesor, señalando además la ubicación de la zona acuífera y los niveles estáticos del agua. Debe incluir profundidad del pozo, las características de la entubación, el diámetro, longitud y ubicación de la zona permeable o de rejillas.

f) Recarga: Se refiere a la recarga natural y corresponde al flujo o caudal de agua que alimenta un acuífero, proveniente de precipitaciones, embalsamientos y escurrimientos superficiales y subterráneos.

g) Sector Hidrogeológico de Aprovechamiento Común: Acuífero o parte de un acuífero cuyas características hidrológicas espaciales y temporales permiten una delimitación para efectos de su evaluación hidrogeológica o gestión en forma independiente.

Artículo segundo: Créase el Registro Público de Derechos de Aprovechamiento de Aguas de Carácter Provisional, que formará parte del Registro Público referido a las aguas subterráneas del Catastro Público de Aguas. Para efectos de lo anterior, agréguese el literal i) al artículo 16 del decreto supremo 1.220, de 1997, del Ministerio de Obras Públicas, que aprueba el Reglamento del Catastro Público de Aguas, con el siguiente texto:

"i) Registro Público de Derechos de Aprovechamiento de Aguas de Carácter Provisional.".

Artículo tercero: Créase el Registro Público de Obras de Recarga Artificial de Acuíferos, que formará parte del Registro Público referido a las aguas subterráneas del Catastro Público de Aguas. Para efectos de lo anterior, agréguese el literal j) al artículo 16 del decreto supremo 1.220, de 1997, del Ministerio de Obras Públicas, que aprueba el Reglamento del Catastro Público de Aguas, con el siguiente texto: "j) Registro Público de Obras de Recarga Artificial de Acuíferos.".

DISPOSICIONES TRANSITORIAS

Artículo transitorio. Las solicitudes que se encuentren actualmente pendientes, continuarán tramitándose en conformidad a lo dispuesto en el presente Reglamento.

Anótese, regístrese, tómese razón, comuníquese y publíquese.- SEBASTIÁN PIÑERA ECHENIQUE, Presidente de la República.- María Loreto Silva Rojas, Ministra de Obras Públicas.

Lo que transcribo a Ud. para su conocimiento.- Saluda atte. a Ud., Mariana Concha Mathiesen, Subsecretaria de Obras Pública Subrogante.

DECRETO SUPREMO Nº 50 DE 19 DE DICIEMBRE DE 2015 QUE APRUEBA REGLAMENTO A QUE SE REFIERE EL ARTÍCULO 295 INCISO 2º, DEL CÓDIGO DE AGUAS, ESTABLECIENDO LAS CONDICIONES TÉCNICAS QUE DEBERÁN CUMPLIRSE EN EL PROYECTO, CONSTRUCCIÓN Y OPERACIÓN DE LAS OBRAS HIDRÁULICAS IDENTIFICADAS EN EL ARTÍCULO 294 DEL REFERIDO TEXTO LEGAL

Núm. 50.- Santiago, 13 de enero de 2015.

Vistos:

Las facultades que me confiere el artículo 32 Nº 6 de la Constitución Política de la República y el decreto con fuerza de Ley Nº 850, de 1997, que fija el texto refundido, coordinado y sistematizado de la Ley Nº 15.840, Orgánica del Ministerio de Obras Públicas; la resolución Nº 1.600, de 2007, de la Contraloría General de la República; la Ley Nº 19.300, de Bases Generales del Medio Ambiente y el Reglamento del Sistema de Evaluación de Impacto Ambiental; D.S. Nº 40, de 2012, del Ministerio del Medio Ambiente; lo dispuesto en los artículos 294, 295 inciso 2º, 296, 297, 299 letra c) y 300 letra f) del Código de Aguas, y

Considerando:

Que de conformidad con lo dispuesto en el artículo 294 del Código de Aguas, la construcción de las obras hidráulicas señaladas en los literales de dicha disposición requerirá de la aprobación del Director General de Aguas, la cual se otorgará de acuerdo con el procedimiento indicado en el Título I del Libro Segundo de dicho Código.

Que, a su vez, el citado artículo 295, en su inciso 2º, dispone que un Reglamento especial fijará las condiciones técnicas que deberán cumplirse en el proyecto, construcción y operación de dichas obras.

Que según el artículo 296 del Código de Aguas, corresponde a la Dirección General de Aguas supervisar la construcción de las obras hidráulicas contempladas en el artículo 294 de dicho cuerpo legal, pudiendo en cualquier momento adoptar las medidas que sean necesarias para garantizar su fiel adaptación al proyecto aprobado.

Que de acuerdo con lo estipulado en el artículo 297 del mencionado cuerpo legal, los que construyan las obras reguladas en la presente reglamentación deberán constituir las garantías suficientes para financiar el costo de su eventual modificación o demolición, para que no constituyan peligro, si fueren abandonadas durante su construcción.

Que, asimismo, el artículo 297 del referido Código establece que la garantía se constituirá a favor del Fisco y será devuelta una vez recibida la obra por la Dirección General de Aguas.

Que los conocimientos técnicos y el estado del arte en materia de obras hidráulicas hacen factible la elaboración de normas de seguridad aplicables a obras de este carácter, durante todas las etapas de la existencia de las mismas con el fin necesario y superior de la preservación de las vidas humanas, de los seres vivos en general y de otras obras, aspectos sobre los cuales influyen las obras hidráulicas a que se refiere el artículo 294 del Código de Aguas.

Que el fin último del presente Reglamento es otorgar certeza y seguridad jurídica a todas las personas, respecto de los requisitos técnicos exigidos por la Dirección General de Aguas, en el proyecto, construcción y operación de las obras señaladas en el artículo 294 del Código de Aguas.

Decreto:

Apruébase el Reglamento a que se refiere el artículo 295 inciso 2° del Código de Aguas, que establece las condiciones técnicas que deberán cumplirse en el proyecto, construcción y operación de las obras hidráulicas a que hace referencia el artículo 294 del referido texto legal.

Artículo 1° Para los efectos del presente Reglamento se entenderá por:

a) Abandono Anticipado:	Cese en la construcción de una obra con anterioridad a su completa ejecución, conforme al proyecto aprobado. Se entenderá como abandono anticipado a un cese en la construcción superior a un año.
b) Acueducto:	Conducto artificial, sea este abovedado o no, por donde escurren aguas, ya sea con escurrimiento a superficie libre o en presión.
c) Adaptación de Proyecto:	Cambios realizados a las obras del Proyecto Definitivo presentado al Servicio, para ajustarlas a las condiciones reales del lugar de emplazamiento, como topografía, geología, geotecnia, etc., y que no alteran el diseño y formas generales de las obras evaluadas.
d) Aprobación de Proyecto:	Revisión mediante la cual la DGA comprueba que un Proyecto Definitivo sometido a evaluación no afectará la seguridad de terceros y no contaminará las aguas. Dicha revisión es formalizada mediante un acto administrativo por el cual se aprueba el proyecto y se autoriza la construcción de sus obras.
e) Auditoría Técnica:	Actividad realizada por especialistas en el área de la ingeniería de obras civiles, con el fin de verificar o ratificar que el proyecto, construcción y/u operación de una obra cumple con las condiciones exigidas en este Reglamento.
f) Canoa:	Estructura aérea que forma parte de un acueducto, pudiendo ser éste abovedado o no, destinada a permitir el atravieso de un cauce natural, y que posee un régimen de escurrimiento libre.
g) CPA	Catastro Público de Aguas, según lo establecido en el artículo 122 del Código de Aguas.

h) DGA o Dirección o Servicio:	Dirección General de Aguas del Ministerio de Obras Públicas.
i) Director:	Director General de Aguas del Ministerio de Obras Públicas.
j) Embalse:	Obra artificial ubicada dentro o fuera de un cauce, donde se acopian aguas, sea que tenga o no un muro por sobre el nivel del terreno.
k) Embalse Industrial:	Obra artificial donde se acopian aguas o elementos transportados mediante ésta, derivados de un proceso industrial. Se excluyen los embalses de relaves.
l) Inspección Técnica de la Obra o ITO:	Persona natural o jurídica que ha sido contratada por el Titular o dueño de una obra para que supervise y apruebe o rechace las distintas partes durante su construcción.
m) Modificación del Proyecto:	Cambios efectuados en las obras del Proyecto Definitivo que no constituyen una Adaptación de Proyecto, y que sí alteran el diseño y formas generales de las obras evaluadas.
n) MOP:	Ministerio de Obras Públicas.
ñ) Obra de Captación:	Estructura situada en un cauce natural o artificial, destinada a captar y derivar, parcial o totalmente, caudales de éste.
o) Obra Hidráulica:	Obra de infraestructura destinada al manejo de aguas o elementos transportados mediante ésta, incluidas las estructuras para su captación, transporte, acopio y distribución, y las obras complementarias en aspectos de medición, control y seguridad.

p) Obras Tempranas: Obras que deben ser construidas y habilitadas en forma previa al inicio de la depositación del relave, tales como muro de inicio o partida, sistemas para el manejo de aguas, y cualquier otra obra anexa necesaria para la correcta operación del embalse de relaves.

q) Proyecto Definitivo: Antecedentes técnicos que describen completamente una obra, los cuales deben permitir una cabal comprensión de su funcionamiento y comportamiento ante las solicitaciones que la afectan, durante su etapa de construcción y operación. Dicho Proyecto Definitivo deberá contener un conjunto de documentos conformados por textos descriptivos, memorias de cálculo, planos, especificaciones técnicas y estudios generales de apoyo que correspondan.

r) Puesta en carga: Conjunto de pruebas de funcionamiento que tienen como fin verificar que las obras y elementos que las componen cumplen con las características de funcionalidad, desempeño y seguridad, establecidas en el Proyecto Definitivo previamente aprobado por el Servicio, y que se desarrollan durante el proceso de construcción y de manera previa a la solicitud de su recepción.

s) RCA: Resolución de Calificación Ambiental de un proyecto emitida por la autoridad ambiental competente.

t) Reglamento: Corresponde al presente Reglamento para el Proyecto, Construcción y Operación de las Obras Hidráulicas a que se refiere el artículo 294 del Código de Aguas.

DECRETO SUPREMO N° 50

u) Recepción de Obra: Procedimiento mediante el cual la Dirección General de Aguas comprueba que un Proyecto Definitivo, previamente aprobado por el Servicio, ha sido construido conforme a dicha aprobación y no afecta la seguridad de terceros. Lo anterior se formalizará mediante acto administrativo por el cual se recibirán las obras y se autorizará su operación.

v) Sifón: Estructura aérea o enterrada que posee un régimen de escurrimiento en presión y que forma parte de un acueducto con escurrimiento libre, destinada a permitir el atravieso de un cauce natural. Esta obra de arte se refiere sólo a aquella singularidad del acueducto que materializa el cruce y cuyo régimen en presión se debe a la acción de la gravedad.

w) Sismo de Diseño: Corresponde al sismo que produce movimientos en el lugar de emplazamiento de alguna obra que, razonablemente, se espera que ocurra dentro de su vida útil. Su periodo de retorno no será inferior a 475 años. Con este sismo las presas y sus obras anexas podrán experimentar daños menores, pero sin afectar su operación.

x) Sismo Máximo Creíble: Corresponde al sismo de mayor magnitud que podría ocurrir en un sitio, producto de la existencia de alguna falla reconocida o por ubicarse dentro de una determinada región sismotectónica, bajo un determinado marco tectónico. Este sismo es el que produce el máximo nivel de movimiento en el suelo, para el cual una obra será diseñada o evaluada. Con este sismo las presas no deberán experimentar un colapso repentino ni un desembalse descontrolado, pero se aceptan daños tolerables en sus muros y en sus obras anexas.

y) Titular:	Persona natural o jurídica que solicita la aprobación de las obras a que se refiere el artículo 294 del Código de Aguas.
z) Vehículos Motorizados Livianos:	Son todos aquellos vehículos con un peso bruto de menos de 2.700 kg, excluidos los de tres o menos ruedas, conforme al D.S. N° 211, de 1991, del Ministerio de Transportes y Telecomunicaciones.

Artículo 2° El presente Reglamento fija las condiciones técnicas que deberán cumplirse en el proyecto, construcción y operación de las obras a que se refiere el artículo 294 del Código de Aguas.

Esta reglamentación se aplicará a todas las obras nuevas que se proyecten y que cumplan con alguna característica de las descritas en el artículo 294 del Código de Aguas, y a la reconstrucción de este tipo de obras, aun cuando a las obras originales no se les hayan aplicado estas disposiciones.

Cuando algún proyecto de estas obras hidráulicas contenga dentro de sus elementos algunas de las obras a que se refieren los artículos 41, 151 y 171 del Código de Aguas, el Titular podrá solicitar en una misma presentación la aprobación de dichas obras. En este caso, las obras a que se refieren los artículos 41, 151 y 171 del Código de Aguas se evaluarán en conjunto con las obras del mencionado artículo 294 y se aprobarán en una misma resolución si cumplen con los requisitos técnicos y legales correspondientes. Si nada se indica por el Titular, dichas obras deberán ser sometidas a la aprobación previa de la Dirección General de Aguas mediante un procedimiento independiente.

Se entienden incluidos en las obras indicadas en el presente artículo los embalses o tranques de relaves, los embalses industriales, relaveductos, mineroductos, concentraductos y, en general, cualquier obra con capacidad para almacenar o conducir agua o elementos transportados mediante ésta, que como obra hidráulica tenga alguna de las características indicadas en el artículo 294 del Código de Aguas,

Artículo 3° Se exceptúan del alcance de este Reglamento, y por tanto no les será aplicable el artículo 294 del Código de Aguas, los Depósitos de Relaves en Pasta, Filtrados y aquellos Depósitos de Relaves Espesados que contengan como valor mínimo, al momento de depositarse, un 65% o más de concentración en peso de sólidos; esto, sin perjuicio del permiso contemplado en los artículos 41 y 171 del Código de Aguas, en el caso que estos depósitos se sitúen dentro de un cauce. Los términos expresados en este inciso se entenderán conforme a las definiciones establecidas en el decreto supremo N° 248, del año 2006, del Ministerio de Minería, o el cuerpo normativo que lo reemplace.

Los Servicios dependientes del MOP quedan exceptuados de requerir la aprobación de la DGA para la construcción, recepción y operación de las obras a que se refiere el presente Reglamento. No obstante, dichos Servicios deberán remitir los antecedentes técnicos respectivos de las obras a la DGA, quien tomará conocimiento de ellos y elaborará un informe que contendrá los datos necesarios para incluirlos en el CPA.

Artículo 4° La Dirección General de Aguas otorgará la autorización de construcción una vez aprobado el proyecto definitivo y siempre que haya comprobado que la obra proyectada no afectará la seguridad de terceros. Asimismo, el Servicio fijará fundadamente un plazo máximo dentro del cual el Titular de la misma deberá solicitar la recepción de la obra, en base al Programa de Construcción que forma parte del Proyecto Definitivo. Dicho plazo podrá ser prorrogado, a petición de parte, antes del vencimiento del plazo original, por causas debidamente justificadas y presentando los antecedentes que demuestren que la obra se encuentra en construcción.

En el caso de que el Titular no diese cumplimiento al plazo establecido en el inciso anterior, éste no podrá solicitar la operación provisoria de la obra, regulada en el artículo 57 del presente Reglamento.

Para aquellas obras que requieran de una puesta en carga para su operación, conforme al Proyecto Definitivo, el Titular deberá informar a la Dirección General de Aguas la fecha de inicio de la puesta en carga, conforme a lo dispuesto en el artículo 55 del presente Reglamento.

Artículo 5° La construcción de las obras deberá realizarse replanteando fielmente el proyecto aprobado por el Servicio, pudiendo existir una Inspección Técnica de Obras o un Autocontrol que verifique, supervise y apruebe o rechace las distintas partes de la obra en construcción.

Artículo 6° El Titular podrá, dentro del procedimiento administrativo, como antecedentes generales, acompañar auditorías técnicas de acuerdo con lo dispuesto en los artículos 130 y siguientes del Código de Aguas. La auditoría técnica contratada deberá recaer en una persona natural o jurídica especialista en las ciencias de la ingeniería y con experiencia acreditada en el área a auditar.

Artículo 7° En conformidad con lo dispuesto en el artículo 10 letra a) de la Ley 19.300 Sobre Bases Generales del Medio Ambiente, los proyectos de obras identificadas en el artículo 294 del Código de Aguas, con excepción de las canoas, sólo podrán ser aprobados por la DGA si cuentan con una RCA favorable.

Artículo 8° El monto de la garantía a que se refiere el artículo 297 del Código de Aguas se determinará sobre la base del presupuesto de demolición o modificación de las obras, en caso de que fueren abandonadas durante su construcción.

Para el cálculo del monto de la garantía se considerará que la construcción del proyecto se encuentra con un 60% de estado de avance, de conformidad al Programa de Construcción de las obras contenido en el Proyecto Definitivo sometido a la aprobación del Servicio.

En el caso de los embalses de relaves, para estimar la garantía ante un abandono durante su construcción, se considerará el costo de materializar la demolición o modificación de las Obras Tempranas. A su vez, se entenderá que la operación de un embalse de relave se inicia con la depositación del relave. Para el cálculo de la garantía a que se refiere este inciso, se considerará que el abandono anticipado de las Obras Tempranas ocurre a un 60% de su ejecución.

Este presupuesto de demolición o modificación será presentado por el Titular para el análisis y aprobación de la Dirección, y deberá incluir una valorización de todas las obras, actividades e insumos necesarios para dejar en condiciones seguras el sector donde se ubican las obras eventualmente abandonadas, teniendo especial consideración en las medidas de rehabilitación de los cauces intervenidos; el retiro y disposición de elementos que pudieran ser sustraídos por terceros, tales como techumbres de edificios, tuberías en superficie, etc.; el relleno de las excavaciones abiertas; el sellado de túneles; la estabilización definitiva de taludes y otros aspectos que persigan recuperar los terrenos intervenidos. Se debe presentar un documento que incluya la justificación y cuantificación de las partidas, así como los precios considerados en este presupuesto.

Al valor neto relativo a las obras requeridas para garantizar un abandono prematuro del proyecto durante su construcción, se le aplicarán los siguientes recargos:

a) 5% gastos de consultoría.

b) 20% gastos generales e imprevistos.

c) IVA. Aplicado sobre el total neto más los recargos señalados en las letras a) y b).

El valor neto, aplicando los recargos mencionados, constituye el valor de la garantía que se materializará mediante una boleta de garantía, la cual se extenderá a nombre del "Ministerio de Obras Públicas-Dirección General de Aguas", expresada en Unidades de Fomento u otro valor reajustable aceptado por el Servicio. Dicho instrumento deberá otorgarse por todo el plazo de ejecución de las obras, conforme al Programa de Construcción del proyecto. A su vez, e independientemente del período de construcción de las obras, la vigencia mínima de la garantía no podrá ser inferior a dos años, y deberá mantenerse siempre vigente hasta el momento de la recepción de las obras construidas, a entera satisfacción de la Dirección General de Aguas. En caso de incumplimiento de esta obligación, la DGA hará uso de sus atribuciones legales.

Una vez revisado el presupuesto y satisfechos los posibles alcances de la DGA, esta solicitará por oficio la garantía, y el Titular deberá aportarla en forma previa a la emisión de la resolución que aprueba el proyecto y autoriza su construcción.

Artículo 9° Si al momento de ingresar una solicitud de aprobación de un proyecto de construcción de las obras hidráulicas del artículo 294 del Código de Aguas, faltara alguno de los antecedentes del Proyecto Definitivo en los términos establecidos en el artículo 16 de este Reglamento, la DGA solicitará la complementación de ellos conforme a lo dispuesto en el artículo 31 de la Ley 19.880. Si no se acompañan los antecedentes, la DGA entenderá desistida la solicitud.

Toda Modificación del Proyecto que se quiera incorporar a un Proyecto Definitivo ya presentado a la Dirección General de Aguas para su aprobación, requerirá necesariamente de una nueva presentación de conformidad con lo dispuesto en los artículos 130 y siguientes del Código de Aguas y de acuerdo a los artículos 151, 171 y 294 y siguientes del citado texto legal, según corresponda.

En el evento que el Titular requiera introducir cambios a un proyecto previamente aprobado por el Servicio para construir, deberá someter a consideración los antecedentes técnicos que permitan el pronunciamiento respecto si estos cambios corresponden a una adaptación o modificación del proyecto. En este último caso, el Titular deberá presentar una nueva solicitud de aprobación de proyecto de construcción de conformidad con lo indicado en el inciso anterior.

Artículo 10 Junto con la solicitud de aprobación del proyecto de construcción de obras del artículo 294 de Código de Aguas, en el caso que dichas obras estén destinadas a captar y/o restituir derechos de aprovechamiento de aguas en un cauce natural, el Titular deberá acompañar los títulos que justifiquen el dominio de los derechos que se aprovecharán con las obras que se pretende ejecutar, para lo cual deberá presentar:

1. Copia de la inscripción de dominio del o los derechos de aprovechamiento de aguas emitida por el Conservador de Bienes Raíces competente, con una vigencia no superior a sesenta días.

2. En caso que el o los derechos de aprovechamiento de aguas utilizados con el proyecto sean de propiedad de un tercero, además de acreditarse la titularidad del dominio de éste, con la correspondiente copia de inscripción de dominio emitida por el Conservador de Bienes Raíces respectivo, será menester adjuntar la autorización notarial del propietario de los derechos de aprovechamiento.

Los individualizados antecedentes deberán acompañarse al momento del ingreso de la solicitud respectiva. En caso de incumplimiento, se aplicará lo dispuesto en el inciso 1° del artículo 9° del presente Reglamento.

Por último, y en forma previa a la emisión de la resolución que apruebe el proyecto de construcción de las obras hidráulicas de que se trate, se requerirá que el o los derechos de aprovechamiento de aguas que se ejercitarán con las obras, se encuentren en concordancia a éstas, en cuanto al o los puntos de captación y/o restitución, así como en el caudal que se utilizará. En ese momento, el o los derechos de aprovechamiento de aguas deberán encontrarse debidamente inscritos en el Catastro Público de Aguas, de conformidad con lo dispuesto en el artículo 122 del Código de Aguas y en el artículo 33 del Reglamento del referido Catastro.

Artículo 11 Previo a que la DGA otorgue la aprobación del proyecto de construcción de embalses de relaves, de conformidad con el artículo 294 del Código de Aguas, el Titular deberá acompañar la aprobación del Servicio Nacional de Geología y Minería, otorgada mediante la resolución respectiva.

TÍTULO II
DE LAS OBRAS

Artículo 12 Los embalses se clasifican en:

a) Categoría A: Pequeños, de altura de muro máxima mayor a 5 m e inferior a 15 m, o bien de capacidad superior a 50.000 m3 e inferior a 1.500.000 m3.

b) Categoría B: Medianos, de altura de muro máxima mayor o igual a 15 m e inferior a 30 m, o bien de capacidad igual o superior a 1.500.000 m3 e inferior a 60.000.000 m3.

c) Categoría C: Grandes, de altura máxima de muro igual o superior a 30 m, o bien de capacidad igual o superior a 60.000.000 m3.

Para aquellos embalses que almacenen agua, o elementos transportados mediante ella, la altura de muro máxima será medida desde el coronamiento de la estructura resistente hasta el nivel del terreno natural, en un plano vertical que pasa por el eje del coronamiento. En el caso de embalses cuya configuración esté dada total o parcialmente por excavaciones, se considerará como muro, para efectos de la clasificación en cada una de las Categorías antes descritas, a las estructuras situadas sobre el nivel de terreno natural.

Para determinar la capacidad de los embalses ubicados dentro de cauces naturales, se deberá calcular el volumen de almacenamiento de la obra hasta el nivel de agua generado por la crecida de diseño. Para el caso de embalses ubicados fuera de un cauce, la capacidad se determinará hasta el nivel de coronamiento de estas obras.

Artículo 13 Para efectos de este Reglamento, los acueductos descritos en las letras b) y c) del artículo 294 del Código de Aguas, se entienden conformados por distintas obras, cuya finalidad podría ser distinta a la exclusiva conducción de agua. Es por esto que la DGA evaluará el sistema hidráulico en su conjunto, pronunciándose sobre seguridad de cada uno de sus componentes.

De esta manera, un proyecto de acueducto eventualmente contará con obras tales como captaciones, derivaciones, obras de aforo, de control de excesos de caudales, obras de arte, atraviesos de cauces, de entrega o descarga, entre otras.

Artículo 14 Las obras descritas en la letra c) del artículo 294 del Código de Aguas, requerirán permiso de la Dirección General de Aguas, cuando cumplan copulativamente con los requisitos establecidos en ese literal.

Artículo 15 Para los efectos del presente Reglamento, se entenderán por aquellas obras de la letra d) del artículo 294 del Código de Aguas, los sifones y canoas, independiente de su caudal de diseño. Se clasificarán estas obras en la Categoría A si su caudal de diseño máximo es igual o inferior a dos metros cúbicos por segundo, y serán de Categoría B si dicho caudal es superior a este valor.

TÍTULO III
DE LA PRESENTACIÓN DE PROYECTOS

Artículo 16 La solicitud de aprobación de proyecto y autorización de construcción se tramitará en conformidad al procedimiento establecido en el Título I del Libro II del Código de Aguas, y deberá cumplir con los siguientes requisitos:

a) Indicar nombre, RUT y domicilio del titular y de su representante legal, si corresponde. En caso de no indicarse el domicilio, se aplicará lo dispuesto en el artículo 139 inciso final del Código de Aguas.

b) El proyecto y toda la documentación requerida por la Dirección General de Aguas durante su tramitación, tales como adendas, complementaciones de la documentación originalmente entregada, planos y archivos de cálculos usados en las modelaciones, deberá presentarse íntegramente en digital, y en los formatos que establezca la Dirección.

c) El idioma utilizado en todos los documentos del proyecto debe ser el español.

d) Toda documentación debe ser legible y excluir textos manuscritos.

e) Los archivos que componen el proyecto deberán acompañarse mediante un informe conductor. Cada uno de los documentos, planos y demás antecedentes, se deberán presentar en archivos individuales para facilitar su consulta.

f) El proyecto y sus adendas deberán incluir, al comienzo de la presentación, un índice en el cual se detalle la totalidad de la documentación contenida en cada volumen o tomo, y que deberá identificar los informes, memorias, planos, especificaciones u otros documentos que formen parte de éste, precisándose las distintas versiones que tuvieren los documentos o antecedentes acompañados.

g) Los planos se deberán presentar en un solo formato de la Serie A Normas ISO/DIN, siendo el tamaño preferente recomendado A3 y el máximo admitido A1. El tamaño de la fuente mínima utilizada, tanto en planos como en los informes, debe ser tal que una reducción del 50% del documento permita su lectura.

h) Una vez finalizada la revisión del proyecto por parte de la Dirección, éste se deberá presentar completo y corregido, en un ejemplar en papel con su correspondiente respaldo digital, atendiendo a los requerimientos formales dispuestos en este artículo.

PÁRRAFO I
De los Embalses, Acueductos, Sifones de
Categoría B y Canoas de Categoría B

Artículo 17 Las disposiciones establecidas en este Párrafo se aplicarán a los embalses, acueductos, sifones de Categoría B y canoas de Categoría B. La presentación del Proyecto Definitivo de estas obras deberá contener:

a) Descripción general del proyecto.

b) Documentos técnicos.

Artículo 18 La descripción general establecida en la letra a) del artículo anterior considerará:

a) La descripción sistemática del flujo completo del agua, la cual contendrá a lo menos una descripción y un diagrama sinóptico del conjunto de las obras (captación, aducción, utilización, tratamiento, descarga, etc.).

b) La identificación de la población y/o la infraestructura potencialmente afectada, en virtud de la ubicación y el área de influencia del proyecto, frente a una eventual falla o colapso de las obras.

c) Un análisis de la seguridad de las obras con la finalidad de evitar que éstas afecten a terceros o al entorno. Para su elaboración se deberán tener en cuenta los criterios de diseño de las obras y las consideraciones derivadas de la respectiva evaluación ambiental. Lo anterior significa, a lo menos, identificar en un cuadro las eventuales fallas, indicando sus causas, modos y consecuencias, así como las medidas que se contemplan para prevenir dichas fallas y/o aminorar sus efectos; además, deben señalarse los puntos precisos de los diversos documentos del proyecto donde se tratan en profundidad estas materias.

d) Descripción funcional del sistema de control y monitoreo, la cual además deberá incluir un diagrama de los dispositivos utilizados para evaluar el comportamiento de las obras y de su área de influencia, durante las fases de construcción, puesta en carga y operación, cuando corresponda.

Artículo 19 Los documentos técnicos de cada una de las obras involucradas considerarán:

a) Memorias

b) Planos

c) Especificaciones Técnicas

Para evitar redundancia de información, podrán hacerse las referencias que se estimen convenientes, entre los documentos mencionados precedentemente. Para esto, será menester que se individualice correctamente el o los documentos específicos del proyecto a que se hace referencia.

Artículo 20 Para elaborar las Memorias se considerará lo siguiente:

a) Estudios generales. Se deberán incluir los siguientes estudios:

1. Topografía. Se deberá describir la forma en que se hicieron estos trabajos. Para esto, se debe incluir, al menos, una memoria explicativa, los antecedentes o referencias, la metodología utilizada y los resultados obtenidos. Indicar, además, la base o los puntos de referencia oficiales a los cuales se enlazó planimétrica y altimétricamente el proyecto.

2. Geología. Se deberá realizar un estudio regional y local, en el cual se incluya mapas y perfiles geológicos, asociados al área de emplazamiento del proyecto.

3. Geotecnia. Sobre la base de este estudio se deberán determinar los parámetros geotécnicos que se utilizarán para el diseño de las obras. Además, se deberán identificar y justificar las prospecciones y ensayos realizados, adjuntando el material de respaldo correspondiente, tales como los

antecedentes de las campañas de terreno, los certificados de laboratorio, etc. Para el caso de embalses con muros de materiales sueltos, se deberá incluir un análisis de la disponibilidad de empréstitos para su construcción, con el fin de prever que, una vez aprobado el Proyecto Definitivo, no se alterarán significativamente los antecedentes geotécnicos empleados en su diseño, debido a la utilización de otros materiales con características distintas.

4. Hidrología. Se deberá incluir, al menos, el estudio de crecidas que permitan el dimensionamiento de las obras. Además, incluir el análisis y la estimación de los recursos hídricos, cuando corresponda.

5. Hidrogeología. Se deberá determinar los parámetros hidrogeológicos y analizar la influencia que tienen en el diseño de las obras.

6. Hidráulica y Mecánica Fluvial. Se deberá caracterizar la hidráulica y la mecánica fluvial del cauce donde se implantarán las obras, de manera de determinar los aspectos que influyen en su diseño.

7. Sismología. Se deberá incluir una caracterización de los parámetros sismológicos que son utilizados en el diseño de las obras.

8. Para los embalses de Categorías B y C, se debe presentar estudios de riesgo volcánico, de deslizamientos en masa, de avalanchas y de crecidas de origen glaciar, cuando corresponda. Estos estudios deben identificar los potenciales impactos, y medidas de mitigación que puedan adoptarse, debido a la ocurrencia de estos fenómenos. Lo anterior persigue evaluar cómo se afectará la seguridad de las obras proyectadas, para lo cual se desarrollarán los estudios técnicos necesarios para tal comprobación.

b) Diseño estructural e hidráulico. Para ambas disciplinas, se deben presentar, a lo menos, los siguientes ítems:

1. Los criterios de diseño.

2. Los métodos de diseño empleados.

3. Si se usan nuevos conceptos de diseño o construcción, se debe adjuntar la documentación de respaldo correspondiente y establecer un sistema de seguimiento, basado en pruebas y ensayos, que permitan verificar la confiabilidad de éstos durante las etapas de construcción y operación.

4. Cuando no existan suficientes criterios e indicaciones técnicas para abordar analíticamente el diseño hidráulico de las obras, se deberán desarrollar modelos físicos que validen el funcionamiento seguro de éstas.

c) Sistema de control y monitoreo. Se debe elaborar un sistema coordinado de control y monitoreo, el cual debe tomar como base el análisis indicado en el artículo 18 del presente Reglamento, orientado a la verificación de la seguridad y a determinar el estado de funcionamiento de la obra. Lo anterior se deberá aplicar a cada obra en particular y a su conjunto, estableciendo los criterios de diseño considerados para la implementación del sistema, justificando el tipo, cantidad y ubicación de los dispositivos de medición, especificando la frecuencia de registro; todo lo anterior, relativo a cada uno de los indicadores que se controlarán. Las variables mínimas a monitorear serán las siguientes:

1. Para embalses categorizados como A: caudales afluentes y efluentes, variaciones del nivel de aguas, asentamientos, fisuras y filtraciones.

2. Para embalses categorizados como B y C: caudales afluentes y efluentes, variaciones del nivel de aguas, asentamientos, desplazamientos, fisuras, filtraciones, registros piezométricos y sísmicos, y para el caso de presas de hormigón se registrará la temperatura de fraguado.

3. Para acueductos: caudal y altura de escurrimiento.

4. Para canoas y sifones categorizados como B: las exigencias son equivalentes a las solicitadas para los acueductos, además de asentamientos diferenciales y desplazamientos.

5. Para embalses de releves e industriales, adicionalmente, se deberá presentar, además, el registro y control de caudales de recirculación. La información derivada del sistema de control y monitoreo deberá estar disponible en todo momento para la evaluación de la Dirección, pudiendo ésta requerir al Titular de la obra la confección de informes con el registro y análisis de las variables controladas. Adicionalmente, para los embalses de Categorías B y C, se deberá elaborar un informe anual que recogerá los resultados de la inspección y auscultación de estas obras, donde se indiquen las anomalías observadas y se propongan las acciones correctivas correspondientes. Esta documentación deberá incluirse como parte de la

información técnica de la obra, de conformidad con lo indicado en la letra i) del presente artículo.

d) Planes para la inspección de seguridad. Estos planes deberán elaborarse a partir de lo indicado en el artículo 18 del presente Reglamento, y deberán incluir los contenidos que se señalan a continuación, teniendo en consideración que su descripción deberá definir claramente el objetivo que se desea alcanzar e indicar, específicamente el método o procedimiento para lograrlo:

1. Plan de inspección regular: Este plan describirá y analizará, a lo menos, los ítems que se inspeccionarán, el objetivo, el tipo de examen que se hará y la frecuencia de la inspección.

2. Plan de inspección ante situaciones extraordinarias: Posteriormente a la ocurrencia de uno de estos eventos, tales como sismos, crecidas u otros, se deberá realizar una inspección detallada para evaluar la situación de seguridad de las obras y se elaborará un informe donde se resuman las observaciones realizadas, se indiquen las anomalías detectadas y se propongan las medidas tendientes a mantener el nivel de seguridad, basándose en el levantamiento de los datos provistos por el sistema de control y monitoreo. Dicho informe deberá incluirse como parte de la información técnica de la obra, de conformidad con lo indicado en la letra i) del presente artículo, y en el caso de embalses de Categoría C, se enviará a la DGA para su evaluación, emisión de comentarios y proposición de medidas, si corresponde.

e) Plan de puesta en carga de la obra. Este plan deberá considerar la descripción circunstanciada de la operación en esta fase. Asimismo, contemplará las medidas de precaución y control que se tomarán en relación con la seguridad de las obras. Concluido este proceso, se deberá redactar un informe que describa todas las incidencias ocurridas en esta etapa. Esta documentación deberá incluirse como parte de la información técnica de la obra, de conformidad con lo indicado en la letra i) del presente artículo.

f) Plan de operación normal. Este plan deberá reseñar la operación propuesta por el Titular, orientado a la fijación de las condiciones de operación bajo las cuales se aprobará el proyecto. Algunos de los aspectos que deberán considerarse en este plan, si corresponde, serán, a lo menos, las restricciones que deba respetar el Titular para evitar posibles afecciones a terceros, los alcances que se originen del correcto ejercicio de los derechos de aprovechamiento de las aguas y consideraciones impuestas dentro del marco de la evaluación ambiental. Además, incluir los procedimientos normales de operación frente a crecidas previstas en el diseño. Finalmente, se deberá incluir un plan de mantenimiento de las obras, equipos y sistemas.

g) Plan de emergencia. Se entenderá como emergencia a eventos tales como incendios, sismos, crecidas, atentados u otros que puedan provocar situaciones de potencial colapso de las obras de un proyecto. Este plan debe definir los recursos para el control de los eventuales riesgos que comprometan la seguridad de la obra. Además, debe permitir el establecimiento de acciones preventivas por parte del Titular frente a estas situaciones extraordinarias y posibilitar el resguardo de la seguridad de los terceros potencialmente afectados. Este plan, teniendo presente lo dispuesto en el artículo 18 de este Reglamento, deberá incluir lo siguiente:

1. Los procedimientos de emergencia para controlar una eventual situación de falla o colapso de la obra, definiendo la logística y la organización necesaria para la ejecución de este plan, de manera que permita una rápida reacción ante la posibilidad de ocurrencia de perjuicios contra terceros, infraestructura o a las obras que conforman el proyecto, incluyendo la oportuna comunicación a las autoridades competentes.

2. El sistema de alerta que se usará para poner en marcha el plan de emergencia, esto es, se deben especificar los medios y procedimientos a implementar para establecer el sistema de comunicación, que permita alertar preventivamente a la propia organización encargada de aplicar el Plan de Emergencia y a las autoridades que correspondan.

3. La forma como se efectuará la coordinación y enlace con otros planes de emergencia de la cuenca, si procede.

4. Para embalses categorizados como B y C, se deberá presentar un análisis de rotura de la presa y su correspondiente propagación de la onda. Este estudio se debe realizar, al menos, mediante modelos numéricos hidráulicos que podrán ser del tipo unidimensional que resuelvan directamente las ecuaciones dinámicas del movimiento, pero se deberá justificar la validez de su aplicación a cada caso analizado, de lo contrario se debe-

rán aplicar otros métodos más refinados, tales como los bidimensionales. La selección de los parámetros se realizará con criterios conservadores, de manera de obtener valores máximos de niveles o alturas de agua y tiempos mínimos de propagación y llegada de la onda de crecida, señalando detalladamente los efectos sobre la población y la infraestructura, justificando adecuadamente la extensión del área estudiada. Cuando existan embalses en serie, este análisis se deberá efectuar considerando una potencial falla en cadena de estas obras.

5. Aquellos proyectos que debido a su operación produzcan cambios repentinos de caudal en los cauces naturales que intervienen, como, por ejemplo, aquellos generados por algunos desarrollos hidroeléctricos, deberán contemplar los lineamientos de un sistema de alerta a la población potencialmente afectada, con el fin que, una vez aprobado e implementado, le permita a la población adoptar medidas oportunas de autoprotección.

6. La implementación de los sistemas de comunicación y alerta de estos planes estará supeditada a la autorización previa de los organismos competentes, tales como la Oficina Nacional de Emergencia del Ministerio del Interior y Seguridad Pública, y para su materialización deberá considerar un área de influencia adecuadamente justificada.

Este plan deberá contemplar la señalización de advertencia permanente en el área potencialmente afectada, la alerta acústica en caso de ocurrencia de estos eventos u otros sistemas de aviso alternativo debidamente justificados. Este plan deberá confeccionarse para la etapa de construcción, así como para la de operación, si corresponde.

h) Proyecto de Desvío. Se debe presentar el Proyecto de Desvío, el cual incluirá los documentos técnicos de respaldo que permitan definir las obras necesarias para desviar el escurrimiento de un cauce, durante el período de construcción. Estos documentos serán, cuando corresponda, los estudios generales, memorias de cálculo hidráulico y estructural, planos, especificaciones técnicas y cualquier otro antecedente de interés. Si después de autorizada la construcción de las obras el Titular modifica el Proyecto de Desvío, previamente a su materialización se deberá contar con la aprobación de la DGA.

i) Plan de Manejo de la Información Técnica. Incluir una descripción que explique el manejo que se le dará a la información técnica que se origine de la aplicación de este Reglamento. Para la elaboración de este plan se deberá tener en cuenta lo requerido en el artículo 59 del presente texto.

Artículo 21 Para cada proyecto se deberán presentar, a lo menos, los siguientes planos:

a) Plano de ubicación general donde se muestren todas las obras sometidas a aprobación, con la información topográfica del área estudiada, a una escala que permita la identificación de los componentes más relevantes del proyecto y del área en la cual se inserta, tales como infraestructura pública o privada, ubicación de viviendas u otros de interés para el análisis de seguridad de las obras y de afección a terceros.

b) Plantas, perfiles y secciones suficientes para definir con entera claridad las obras. Estos planos deben contener la información suficiente para localizar y replantear las obras especificando claramente, en todos aquellos que corresponda, el sistema de referencia utilizado.

c) Planos con la ubicación de los botaderos utilizados, señalando claramente su proximidad con cauces naturales. Cuando corresponda, en el proyecto deberá justificarse su estabilidad, de manera de no afectar la seguridad de las obras o dichos cauces.

d) Planos de disposición general y de detalle de los dispositivos destinados al control y monitoreo, de conformidad con lo señalado en el artículo 20 letra c).

e) Planos de inundación derivados del análisis de rotura de presa, de conformidad con lo señalado en el artículo 20 letra g), en el caso de proyectos de embalses Categorías B y C.

Artículo 22 Las especificaciones técnicas deberán estar vinculadas claramente a cada obra proyectada, indicando, al menos, los estándares de calidad y tipos de ensayos de los materiales de construcción, así como las labores de control de calidad de los trabajos que se ejecuten. Se deberá incluir a lo menos:

a) Especificaciones técnicas generales de construcción.

b) Especificaciones técnicas especiales de construcción.

c) Especificaciones para la instalación del sistema de control y monitoreo.

d) Programa de construcción.

PÁRRAFO II
De los Sifones Categoría A y Canoas Categoría A

Artículo 23 Las disposiciones establecidas en este Párrafo se aplicarán a los sifones de Categoría A y canoas de Categoría A. La presentación del Proyecto Definitivo de estas obras deberá contener:

a) Descripción general del proyecto.

b) Documentos técnicos.

Artículo 24 La descripción general establecida en la letra a) del artículo anterior considerará:

a) La descripción sistemática del flujo completo del agua, la cual contendrá a lo menos una descripción y un diagrama sinóptico de la obra, estableciendo sus principales características.

b) La identificación de la población y/o la infraestructura potencialmente afectada, en virtud de la ubicación y el área de influencia del proyecto, frente a una eventual falla de las obras.

c) Un análisis de la seguridad de la obra con la finalidad de evitar que esta afecte a terceros o al entorno. Para su elaboración se deberán tener en cuenta los criterios de diseño de las obras y las consideraciones derivadas de la respectiva evaluación ambiental, según corresponda. Lo anterior significa, a lo menos, identificar las posible fallas, indicando sus causas, modos y consecuencias, así como las medidas que se contemplan para prevenir dichas fallas y/o aminorar sus efectos.

d) Descripción funcional del sistema de control y monitoreo, la cual además deberá incluir un diagrama de los dispositivos utilizados para evaluar el comportamiento de las obras y de su área de influencia, durante las fases de construcción, puesta en carga y operación, cuando corresponda.

Artículo 25 Los documentos técnicos que acompañan la presentación del Proyecto Definitivo considerarán:

a) Memorias

b) Planos

c) Especificaciones Técnicas

Para evitar redundancia de información, podrán hacerse las referencias, entre los documentos mencionados precedentemente, que se estimen convenientes. Para esto, será menester que se individualice correctamente el o los documentos específicos del proyecto a que se hace referencia.

Artículo 26 Para elaborar las Memorias se considerarán:

a) Estudios generales. Se deberán incluir, a lo menos, los siguientes antecedentes:

1. Topografía. Se deberá describir la forma en que se hicieron estos trabajos, indicando la base o los puntos de referencia oficiales a los cuales se enlazó planimétrica y altimétricamente el proyecto.

2. Geología. Se deberá presentar una caracterización geológica del sitio de implantación de la obra.

3. Geotecnia. Se deberá determinar los parámetros geotécnicos que se utilizarán para el diseño de las obras. Además, se deberán identificar y justificar las prospecciones y ensayos realizados, adjuntando el material de respaldo correspondiente, tales como los antecedentes de las campañas de terreno, los certificados de laboratorio, etc.

4. Hidrología. Se deberá presentar el estudio de crecidas en el cauce natural que permita el dimensionamiento de las obras.

5. Hidráulica y Mecánica Fluvial. Se deberá caracterizar la hidráulica y la mecánica fluvial del cauce donde se implantarán las obras, de manera de determinar aquellos aspectos que puedan condicionar el diseño de las obras.

b) Diseño estructural e hidráulico. Para ambas disciplinas, se deben presentar, a lo menos, los siguientes ítems:

1. Los criterios de diseño, preferiblemente expuestos en cuadros de fácil lectura.

2. Los métodos de diseño empleados.

3. Si se usan nuevos conceptos de diseño o construcción, se debe adjuntar la documentación de respaldo.

c) Sistemas de control y monitoreo. Se deberá presentar el sistema de control y monitoreo, el cual debe tomar como base el análisis indicado en el artículo 24 del presente Reglamento, orientado a la verificación de la seguridad y a determinar el estado de funcionamiento de la obra. Las variables mínimas a monitorear, si corresponde, serán las siguientes: caudal porteado por las obras de atravieso, asentamientos y desplazamientos.

La información derivada del sistema de control y monitoreo deberá estar disponible en todo momento para la evaluación de la Dirección, pudiendo ésta requerir al Titular de la obra la confección de informes con el registro y análisis de las variables controladas. Esta documentación deberá incluirse como parte de la información técnica de la obra, de conformidad con lo indicado en la letra h) del presente artículo.

d) Procedimientos para la inspección de seguridad. Estos procedimientos deberán elaborarse a partir de lo indicado en el artículo 24 del presente Reglamento, y deberán incluir los contenidos que se señalan a continuación:

1. Procedimiento de inspección regular. El cual describirá y analizará, a lo menos, los ítems que se inspeccionarán, el objetivo, el tipo de examen que se hará y la frecuencia de la inspección.

2. Procedimiento de inspección ante situaciones extraordinarias. Posteriormente a la ocurrencia de eventos extraordinarios, tales como sismos, crecidas u otros, se deberá realizar una inspección detallada para evaluar la situación de seguridad de las obras y se elaborará un informe donde se resuman las observaciones realizadas, se indiquen las anomalías detectadas y se propongan las medidas tendientes a mantener el nivel de seguridad, basándose en el levantamiento de los datos provistos por el sistema de control y monitoreo. Dicho informe deberá incluirse como parte de la información técnica de la obra, de conformidad con lo indicado en la letra h) del presente artículo.

e) Procedimiento de puesta en carga de la obra. Este procedimiento deberá describir la operación en esta fase, contemplando las medidas de precaución y control que se tomarán en relación con la seguridad de las obras. La documentación técnica que se derive de la implementación de este procedimiento deberá incluirse como parte de la información técnica de la obra, de conformidad con lo indicado en la letra h) del presente artículo.

f) Procedimiento de operación normal. Este procedimiento deberá reseñar la operación propuesta por el Titular, orientado a la fijación de las condiciones de operación bajo las cuales se aprobará el proyecto, tanto en condiciones normales como eventuales (crecidas y sismos), e incluyendo un programa de mantenimiento de las obras y equipos.

g) Manejo del cauce durante la construcción. Se debe presentar la documentación técnica de respaldo que permita definir las obras necesarias para controlar el escurrimiento de un cauce, durante el período de construcción de las obras. Dicha documentación incluirá, cuando corresponda, los estudios generales, memorias de cálculo hidráulico y estructural, planos y especificaciones técnicas.

h) Manejo de la Información Técnica. Se deberá incluir una descripción que explique el manejo que se le dará a la información técnica que se origine de la aplicación de este Reglamento. Para la elaboración de este plan se deberá tener en cuenta lo requerido en el artículo 59 del presente texto.

Artículo 27 Se deberán presentar los siguientes planos:

a) Plano de ubicación general donde se muestre el proyecto sometido a aprobación, con la información topográfica del área estudiada, a una escala que permita la identificación del sitio en el cual se inserta, así como la infraestructura pública o privada, ubicación de viviendas u otros de interés para el análisis de seguridad de las obras y de afección a terceros.

b) Plantas, perfiles y secciones suficientes para definir con entera claridad las obras. Estos planos deben contener la información suficiente para localizar y replantear las obras, especificando claramente, en todos aquellos que corresponda, el sistema de referencia utilizado.

c) Planos de disposición general y de detalle de los dispositivos destinados al control y monitoreo, de conformidad con lo señalado en el artículo 26 letra c).

Artículo 28 Las especificaciones técnicas deberán indicar, al menos, los estándares de calidad y tipos de ensayos de los materiales de construcción, así como las labores de control de calidad de los trabajos que se ejecuten. Se deberá incluir a lo menos:

a) Especificaciones técnicas generales de construcción.

b) Especificaciones técnicas especiales de construcción.

c) Especificaciones para la instalación de los dispositivos de control y monitoreo.

d) Programa de construcción.

TÍTULO IV
DEL DISEÑO DE LAS OBRAS

PÁRRAFO I
De los Embalses de Agua

Muros de Materiales Sueltos

Artículo 29 Los criterios de diseño hidráulico y estructural de los embalses con capacidad superior a cincuenta mil metros cúbicos o cuyo muro de materiales sueltos tenga más de 5 metros de altura, se describen en los artículos siguientes.

Artículo 30 El diseño hidráulico de los embalses a que se refiere el artículo anterior deberá incluir lo siguiente:

a) Proyecto de Desvío. El período de retorno de la crecida de diseño a utilizar en este proyecto deberá determinarse de modo tal que el riesgo hidrológico no sea mayor al 5%. En este análisis se aceptará el uso conjunto de la(s) ataguía(s) y la presa, en función del crecimiento de las obras y del Programa de Construcción.

b) Crecida de diseño para las obras de evacuación y desagüe. Los períodos de retorno para las obras de evacuación y desagüe de los embalses de agua serán los siguientes:

1. Categoría A: 250 años

2. Categoría B: 1.000 años

3. Categoría C: 10.000 años

c) Crecida de verificación para las obras de evacuación y desagüe. Para estas obras se deberá verificar el paso de las crecidas asociadas a los siguientes períodos de retorno:

1. Categoría A: 500 años

2. Categoría B: 10.000 años

3. Categoría C: Crecida Máxima Probable

Si se determina que la Crecida Máxima Probable es menor a la crecida asociada a un período de retorno 10.000 años, para los embalses de Categoría C, se deberá utilizar este último valor como crecida de diseño.

La crecida de verificación podrá ser evacuada utilizando el margen de la revancha mínima definida en la letra d) del presente artículo, sin rebosar, considerando el efecto del oleaje y todos los dispositivos de evacuación y desagüe operativos.

d) Revancha mínima. Se entenderá como la diferencia de elevaciones entre el coronamiento del muro y el nivel de aguas, generado por la crecida de diseño, en el evacuador de seguridad. Para su determinación se deberá considerar la sumatoria de los siguientes factores:

1. Efecto del viento sobre el embalse.

2. Altura de la ola causada por el viento, incluido el efecto de ascenso de la ola.

3. Asentamiento por consolidación del muro y/o de su cimentación.

4. Asentamiento dinámico causado por sismo. Para este cálculo, se aceptarán como válidas las recomendaciones establecidas en la letra a) del artículo 31 del presente Reglamento, relativo al estudio sismológico, considerando para ello el valor del sismo más desfavorable en cada caso.

El valor mínimo aceptado para la revancha será de 1,0 m, cuando del cálculo se obtengan valores inferiores a esta cifra.

e) En el caso de vertederos con compuertas, su configuración debe contemplar, al menos, dos de estos dispositivos, los cuales deben permitir el paso de elementos flotantes arrastrados por las crecidas. Además, el paso de la crecida de diseño debe ser modelado considerando el 25% de las compuertas fuera de servicio, o una como mínimo. Si en lugar de compuertas se utilizan dispositivos de accionamiento fusible, tales como barreras de goma inflables u otros similares, se podrán obviar las restricciones anteriores.

f) Obras de evacuación y desagüe. Las obras de evacuación y desagüe deberán considerar un elemento disipador de energía para las condiciones más adversas y su comportamiento debe asegurar el correcto funcionamiento de las obras para la crecida de diseño y evitar el colapso o avería grave de la presa para el caso de la crecida de verificación.

Para las presas de Categorías B y C se debe incluir un desagüe de fondo o intermedio, cuya función principal será facilitar un control eficaz del nivel del embalse, en particular durante su primer llenado, cuya capacidad de evacuación de caudales podrá ser tomada en cuenta para el manejo de las crecidas de diseño y verificación, si esto es técnicamente factible. No se deberá considerar la capacidad de evacuación de las tomas o captaciones definidas para la explotación, salvo que se justifique adecuadamente. Estos desagües deberán ser provistos de, al menos, dos elementos de cierre instalados en serie.

Sin perjuicio de las excepciones legales, la operación de los órganos de evacuación y desagüe no podrá generar caudales superiores a los afluentes al embalse, de manera tal que se aumenten los daños que se habrían producido, en un determinado evento, en el caso en que no se materialice el proyecto.

Artículo 31 El diseño estructural de los embalses a que se refiere el artículo 29 del presente Reglamento deberá considerar lo siguiente:

a) Estudio sismológico. Para cada una de las Categorías de embalses definidas en el artículo 12 del presente Reglamento, se debe considerar lo siguiente:

1. Embalse Categoría A: Para esta Categoría se aceptará la utilización de métodos simplificados para la obtención de la aceleración horizontal máxima del suelo. Por ejemplo, se podrá utilizar la zonificación sísmica propuesta por Sergio Barrientos (en Regionalización Sísmica de Chile, 1980), en cuyo caso, para aquellas presas que se ubiquen en la Zona 1 o Cordillerana, se deberá hacer un estudio sísmico específico para el sector de emplazamiento de las obras. Si el resultado de este estudio determina

una aceleración horizontal máxima menor a 0,20g, se adoptará este último valor.

2. Embalse Categoría B: Se deberá desarrollar un estudio sismológico específico para la zona de emplazamiento de las obras, el cual deberá considerar aspectos Determinísticos y Determinísticos-Probabilísticos, para obtener el Sismo Máximo Creíble y el Sismo de Diseño, respectivamente, y la correspondiente aceleración horizontal del suelo.

3. Embalse Categoría C: Se deberá atender las mismas consideraciones hechas para los embalses de Categoría B y, además, aplicar acelerogramas de sismos chilenos para de una magnitud de, al menos, Ms=8,5.

b) Estabilidad de presas. Los análisis de estabilidad mínimos exigidos para cada una de las Categorías de embalses definidas en el artículo 12 del presente Reglamento son los siguientes:

1. Embalse Categoría A: Estático y seudoestático, teniendo en consideración el estudio sismológico aplicable a esta Categoría.

2. Embalse Categoría B: Se elaborarán, al menos, los análisis estáticos y seudoestáticos, para los Sismos Máximo Creíble y de Diseño. Dependiendo de la sismicidad de la zona en que se encuentren las obras, del tipo de presa, de su fundación y de otras particularidades de interés para este tipo de análisis, aspectos que tienen que estar debidamente justificados en el proyecto, se deberá demostrar que no es necesario incluir un análisis dinámico para esta Categoría de embalse.

3. Embalse Categoría C: Estático y dinámico, para los Sismos Máximo Creíble y de Diseño.

En la verificación de la estabilidad de los muros, se deben obtener coeficientes o factores de seguridad mínimos, según lo que se especifica a continuación:

1. Caso estático: FS>=1,4

2. Caso seudoestático: FS>=1,2

Para embalses de Categorías B y C se deberá comprobar la estabilidad en condiciones postsísmicas referidas al Sismo Máximo Creíble, justificando adecuadamente los parámetros utilizados para este análisis. En este caso el factor de seguridad mínimo deberá ser FS > 1,0.

c) Obras anexas. Para evaluar la seguridad estructura! de las obras anexas de los embalses de Categorías B y C, tales como vertederos de crecidas, rápidos de descarga, obras de toma, túneles de desvío, desagües de fondo, etc., se deberá utilizar el Sismo Máximo Creíble. En el caso de los embalses de Categoría A, se deberá utilizar la aceleración del suelo dada por el respectivo estudio sismológico.

d) Instrumentación. Todas las presas deben ser instrumentadas a fin de controlar su comportamiento durante su construcción y operación. Esta instrumentación se determinará de acuerdo con el estado del arte y con lo señalado en la letra c) del artículo 20 del presente Reglamento.

e) Vaciado rápido. Para los embalses provistos de dispositivos que permitan un vaciado rápido, se deberá presentar un análisis donde se determinen los respectivos efectos estructurales en la presa.

f) Estabilidad de laderas. Se deberá realizar un análisis de estabilidad de las laderas de la cubeta del embalse, sobre la base de los antecedentes geológicos-geotécnicos, con el fin de evitar efectos perjudiciales debido a eventuales deslizamientos. Además, deberán establecerse las medidas, derivadas del análisis antes mencionado, en las letras f) y g) del artículo 20 del presente Reglamento.

Muros de Hormigón

Artículo 32 Los criterios de diseño hidráulico y estructural de los embalses con capacidad superior a cincuenta mil metros cúbicos o cuyo muro de hormigón tenga más de 5 metros de altura, se describen en los artículos siguientes.

Artículo 33 El diseño hidráulico de los embalses contemplados en el artículo 32 de esta reglamentación considerará lo siguiente:

a) Proyecto de Desvío. El período de retorno de la crecida de diseño a utilizar en este proyecto deberá determinarse de modo tal que el riesgo hidrológico no sea mayor al 10%. En este análisis se aceptará el uso conjunto de la(s) ataguía(s) y la presa, en función del crecimiento de las obras y del Programa de Construcción.

b) Crecida de diseño para las obras de evacuación y desagüe. La crecida de diseño para las obras de evacuación y desagüe deberá determinarse de acuerdo con lo establecido en la letra b) del artículo 30 de este Reglamento.

c) Crecida de verificación. La crecida de verificación para las obras de evacuación y desagüe deberá determinarse de acuerdo con lo establecido en la letra c) del artículo 30 de este Reglamento. Sin embargo, se aceptarán vertimientos eventuales por oleaje si se justifica adecuadamente que la seguridad de la obra no se verá afectada.

d) Revancha mínima del muro. La revancha mínima deberá determinarse de acuerdo con lo establecido en la letra d) del artículo 30 del presente Reglamento, considerando los factores que sean aplicables a muros de hormigón.

e) Cuando se dispongan compuertas u otras obras similares sobre vertederos, se deberá considerar lo establecido en la letra e) del artículo 30.

f) Obras de evacuación y desagüe. Se deberán considerar las mismas disposiciones indicadas en la letra f) del artículo 30.

Artículo 34 El diseño estructural de los embalses a que se refiere el artículo 32 del presente Reglamento deberá considerar lo siguiente:

a) Estudio sismológico. Se deberá considerar lo señalado en la letra a) del artículo 31 de este Reglamento.

b) Estabilidad de presas. Los análisis de estabilidad mínimos exigidos para cada una de las Categorías de embalses definidas en el artículo 12 del presente Reglamento, serán los definidos en la letra b) del artículo 31 del mismo.

c) Obras anexas. Se deberá cumplir lo indicado en la letra c) del artículo 31 del presente Reglamento.

d) Instrumentación. Se deberá cumplir lo indicado en la letra d) del artículo 31 del presente Reglamento.

e) Estabilidad de laderas. Se deberá cumplir lo indicado en la letra f) del artículo 31 del presente Reglamento.

PÁRRAFO II
De los Embalses de Relaves y de los Embalses Industriales

Artículo 35 Los criterios de diseño hidráulico aplicable a los embalses de relaves con capacidad superior a cincuenta mil metros cúbicos o cuyo muro tenga más de 5 metros de altura, serán los descritos en los artículos siguientes.

Los criterios de diseño hidráulico y estructural aplicables a los embalses industriales deberán cumplir con lo dispuesto en el Párrafo I del Título IV de este Reglamento, con excepción de las disposiciones que se establecen expresamente en el presente Párrafo.

Artículo 36 El diseño hidráulico de los embalses de relaves y de los embalses industriales a que se refiere el artículo anterior, deberá considerar lo siguiente:

a) Proyecto de Desvío. El período de retorno de la crecida de diseño a utilizar en este proyecto deberá determinarse de modo tal que el riesgo hidrológico no sea mayor al 5%. En este análisis se aceptará el uso conjunto de la(s) ataguía(s) y la presa, en función del crecimiento de las obras y del Programa de Construcción. En el caso que la desviación de un cauce natural sea de carácter permanente, y esté destinada a derivar la totalidad de las aguas del o los afluentes a un embalse de relaves, de manera que éstas no entren en contacto con el depósito, la obra de desvío deberá ser diseñada para la Crecida Máxima Probable.

b) Canales de contorno. Los canales de contorno o perimetrales, no permanentes, utilizados durante la vida útil del depósito se diseñarán para un período de retorno mínimo de 50 años y se verificarán para un período de retorno de 100 años.

c) Crecida de diseño para el evacuador de seguridad. Se debe implementar un vertedero de seguridad que opere durante toda la vida útil del embalse, cuyos períodos de retorno de diseño serán los siguientes:

1. Categoría A: 1.000 años
2. Categoría B: 10.000 años
3. Categoría C: Crecida Máxima Probable

Si se determina que la Crecida Máxima Probable es menor a la crecida asociada a un período de retorno 10.000 años, para los embalses de Categoría C, se deberá utilizar este último valor como crecida de diseño.

d) Revancha mínima. En el caso de embalses de relaves, la carga hidráulica sobre el evacuador de seguridad la definen los aportes de las aguas claras y la crecida de diseño. La diferencia de niveles entre la carga recién definida y el coronamiento del muro se entiende como revancha mínima. Para su cálculo, se considerarán los factores indicados en la letra d) del artículo 30 del presente Reglamento.

El valor mínimo aceptado para la revancha será de 1,0 m, cuando del cálculo se obtengan valores inferiores a esta cifra.

e) Control de filtraciones. Con respecto a la impermeabilización del muro y de la cubeta, se establece que, a lo menos, se deberán considerar las medidas que se señalan a continuación:

En el caso de embalses de relaves:

1. Se deberá usar una geomembrana impermeable u otro material o solución equivalente, en el talud de aguas arriba, tanto en los muros de arena como en los de material de empréstito.

2. Se deberá impermeabilizar el fondo de la cubeta, antes de comenzar el llenado, con capas de material fino impermeable, debidamente compactado, u otra solución equivalente. Para este caso, no se aceptará impermeabilizar con geomembrana. La no inclusión de esta medida de control de filtraciones deberá justificarse adecuadamente con estudios y pruebas de campo suficientemente representativas, en ubicación y cantidad, del área de estudio.

En el caso de embalses industriales, se deberá impermeabilizar el talud de aguas arriba del o los muros y la totalidad de la zona de contacto del agua con el terreno natural, mediante una geomembrana impermeable u otro material o solución equivalente.

Artículo 37 El diseño estructural de los embalses industriales a que se refiere el artículo 35 del presente Reglamento deberá considerar lo siguiente:

a) Estudio sismológico. Se deberán tener en consideración las mismas exigencias establecidas en la letra a) del artículo 31 del presente Reglamento.

b) Estabilidad de presas. Se deberán tener en consideración las mismas exigencias establecidas en la letra b) del artículo 31 del presente Reglamento.

c) Obras anexas. Se deberá cumplir lo indicado en la letra c) del artículo 31 del presente Reglamento.

d) Instrumentación. Se deberá cumplir lo indicado en la letra d) del artículo 31 del presente Reglamento.

Artículo 38 Previo al término de la vida útil de los embalses de relaves se deberá presentar, para la aprobación de la DGA, el proyecto de construcción de las obras hidráulicas de conformidad con lo dispuesto en los artículos 171 y 294 del Código de Aguas, según corresponda. En efecto, en la mayoría de los casos se requerirá ejecutar modificaciones a la geometría final del muro aprobado y/o será necesaria la construcción de obras asociadas al cierre de los depósitos de relaves, tales como acueductos para el manejo de escorrentías, desvíos de cauces, evacuadores de crecida definitivos, entre otras. Dado lo anterior, a estas obras les serán aplicables todos los conceptos y exigencias establecidas en el presente Reglamento.

Sin perjuicio de lo anterior, para el diseño de los evacuadores de crecidas definitivos, que deben considerarse en la mencionada etapa, se deberá utilizar el caudal máximo asociado a la Crecida Máxima Probable o la crecida de 10.000 años de período de retorno. La revancha respectiva se definirá de acuerdo con lo señalado en la letra d) del artículo 36 de este Reglamento, con la salvedad que la carga hidráulica se determinará con dicha crecida, adoptándose como valor mínimo 1,0 m, cuando del cálculo se obtengan valores inferiores.

PÁRRAFO III
De los Acueductos

Artículo 39 En los artículos siguientes se establecen las exigencias que deberán cumplir las distintas partes que constituyen un acueducto, de conformidad con lo señalado en el artículo 13 del presente Reglamento.

Artículo 40 La presentación de un Proyecto Definitivo de acueducto deberá incluir lo señalado en los artículos 17 y siguientes del presente Reglamento.

En lo que respecta a los planos, además de los requerimientos señalados en el artículo 21, se deberá incluir:

a) Aquellos proyectos de acueductos que contemplen modificaciones de cauces u obras de captación, deberán incluir un plano general que muestre un tramo tal, hacia aguas arriba y aguas abajo del cauce, que permita evaluar eventuales afecciones a terceros o la influencia de las obras en el escurrimiento de las aguas.

b) Un plano indicando las obras de resguardo que evitarán riesgo de accidentes a personas y animales, tales como cierres, protecciones u otras medidas que sean necesarias.

c) Cuando corresponda, planos con la ubicación y descarga de los dispositivos para la recolección de aguas lluvia, indicando las alteraciones de los cauces receptores.

Artículo 41 El diseño de las obras de captación, que formen parte de un acueducto y que se encuentren situadas en cauces naturales, debe considerar lo siguiente: justificación del tipo de estructura adoptada; modelación de su comportamiento hidráulico, lo cual deberá realizarse preferentemente en base a obras existentes y diseños probados; análisis de su funcionalidad y seguridad, tanto hidráulica como estructural; y justificación de la operatividad de la obra.

Además, se deberá considerar lo siguiente:

a) Para las obras de captación que posean elementos dispuestos en forma transversal al cauce, la crecida de diseño y la de verificación se determinará en función de la altura de cada obra. Dicha altura se entenderá como la máxima posible de medir entre el nivel más bajo del terreno natural donde se apoya la obra y el punto más alto de la estructura resistente, sin tener en cuenta los escarpes, dentellones, pantallas de impermeabilización, rellenos de grietas u otros elementos semejantes. Luego, los períodos de retorno asociados serán los siguientes:

1. Altura menor o igual a 5 m: Se utilizará un período de retorno de 100 años para la crecida de diseño y 200 años para la crecida de verificación.

2. Altura mayor a 5 m y menor o igual a 15 m: Se utilizará un período de retorno de 250 años para la crecida de diseño y 500 años para la crecida de verificación.

3. Altura mayor a 15 m: Se utilizará un período de retorno de 1.000 años para la crecida de diseño y 10.000 años para la crecida de verificación.

b) Para aquellas obras de captación que no posean elementos dispuestos en forma transversal al cauce, su crecida de diseño se determinará para un período de retorno de 100 años y su verificación corresponderá a 200 años.

c) Cuando una obra de captación considere compuertas como parte de los elementos transversales al cauce, su configuración debe contemplar, al menos, dos de estos dispositivos, los cuales deben permitir el paso de elementos flotantes arrastrados por las crecidas. Además, el paso de la crecida de diseño debe ser modelado considerando el 25% de las compuertas fuera de servicio, o una como mínimo. Si en lugar de compuertas se utilizan dispositivos de accionamiento fusible, tales como barreras de goma inflables u otros similares, se podrán obviar las restricciones anteriores.

d) La crecida de verificación podrá ser evacuada utilizando el margen de la revancha mínima definida en la letra e) del presente artículo, sin rebosar, y con todas las compuertas o dispositivos similares operativos.

e) La revancha mínima, medida entre el nivel máximo de las aguas generado por la crecida de diseño y el punto más bajo de la(s) estructura(s) resistente(s), no podrá ser inferior a 1,0 m.

f) La construcción de desripiadores y desarenadores, cuando su no inclusión pueda comprometer la seguridad de las obras.

Artículo 42 Se deberá considerar, en el caso que corresponda, un proyecto de desvío para la construcción. El período de retorno de la crecida de diseño a utilizar en el Proyecto de Desvío deberá determinarse de modo tal que el riesgo hidrológico no sea mayor al 10%.

Artículo 43 Para los acueductos en régimen de escurrimiento libre, se deberá considerar lo siguiente:

a) Caudal de diseño. Se deberá justificar el caudal de diseño, en consideración al propósito de la obra.

b) En general, se deberá diseñar las conducciones de manera que el escurrimiento previsto esté alejado de la energía específica crítica en, al menos, un 10%. La excepción a lo anterior la constituyen aquellas secciones en las cuales se alcanza en forma puntual el escurrimiento crítico, o cercano a él, tales como secciones de control, de aforo, obras de caída u otras en que se considere esta situación.

c) Revancha. La revancha a considerar en acueductos se debe determinar con expresiones debidamente justificadas y ampliamente utilizadas en la práctica.

d) Velocidades admisibles. En un acueducto se deberán justificar adecuadamente las velocidades admisibles máximas y mínimas para todos los materiales o secciones que lo conforman. Lo anterior deberá tomar en cuenta factores tales como la experiencia en obras similares, el tipo de operación de cada obra (continua o discontinua), el desarrollo de nuevos materiales y tecnologías, etc. Si por efecto de las velocidades se puede producir riesgo de cavitación, deberán proyectarse dispositivos de aireación que prevengan eventuales daños, de acuerdo con el estado del arte en estas materias.

e) Abovedamientos. La altura máxima de escurrimiento en este tipo de acueductos será la más restrictiva de las siguientes: i) No podrá exceder el 70% de la altura o diámetro del ducto, dado el caudal de diseño, los parámetros hidráulicos y las singularidades del trazado; ii) No podrá exceder el 90% de la altura desde la cual se puede presentar el fenómeno de doble altura. Para el diseño de abovedamientos, se deberán considerar elementos de ventilación y cámaras de acceso, según las dimensiones y características del acueducto, recomendándose, también, proyectar cámaras en los cambios de dirección cuando se trate de ductos prefabricados. Las dimensiones de las cámaras deberán permitir el ingreso de un hombre a maniobrar en su interior y su espaciamiento no deberá ser mayor a 150 m, salvo que se justifique, sobre la base de aspectos técnicos y operacionales, valores mayores. Se debe evitar el diseño de marcos partidores, estructuras de compuertas u otras obras de distribución dentro de conductos abovedados, salvo casos debidamente justificados, tomando amplios resguardos en caso de ser indispensable su inclusión. Se deberá evitar, en el diseño de ductos abovedados, que se produzcan cambios de régimen de escurrimiento en su interior.

f) Filtraciones. Si un acueducto posee una sección no revestida, se deberán estimar las filtraciones, y si éstas afectaren a terceros o a la estabilidad de la obra, deberá impermeabilizarse ese sector del canal.

g) Eje hidráulico. Se deberá presentar el cálculo del eje hidráulico de la conducción, para el caudal de diseño, teniendo en consideración todas las singularidades de su trazado. Para facilitar la revisión por parte del Servicio, se deberá mostrar el resultado de este cálculo en un esquema resumido, el cual no necesariamente deberá hacerse a escala, que muestre su perfil longitudinal, indicando, al menos, las cotas de rasante y sus obras, las cotas del eje hidráulico, la geometría y tipo de cada sección y las pendientes.

h) Diseño estructural. Se deberá presentar el diseño estructural de todas las obras que conforman el acueducto, estableciendo las solicitaciones y los estados de cargas considerados, tanto normales como eventuales, el análisis de fisuramiento, cuando corresponda, la determinación de las cuantías de acero de los elementos y las deformaciones admisibles de las secciones. No se exigirá, en todo caso, que se presenten láminas o planos con el detalle de las armaduras calculadas. Para el análisis sísmico, se aceptará como requisito mínimo las recomendaciones establecidas en la letra a) del artículo 31 del presente Reglamento, referidas a embalses Categoría A.

i) Estudios de taludes y fundación. Los acueductos que en su recorrido se proyecten en faldeos de laderas, deberán diseñarse de tal forma que queden protegidos de posibles deslizamientos, mediante estudios de estabilidad de estos taludes. Asimismo, los suelos donde se proyecta fundar las obras deben ser objeto de estudios de mecánica de suelos, de manera de contar con los parámetros utilizados en el diseño y con esto poder asegurar la estabilidad de las obras durante la construcción y operación.

j) Aportes de aguas lluvia. En general, para acueductos que no estén destinados a la recolección y transporte de aguas lluvia, no se aceptará que la escorrentía, generada de esta manera, ingrese a éste, por lo cual se deberán diseñar las obras de intercepción, cruce, disposición final, etc., que correspondan. Por otro lado, aquellos acueductos que eventualmente reciban aportes intermedios por aguas lluvia, deberán considerar la disposición de las descargas y evacuadores respectivos. Siempre que el terreno lo permita, deberán diseñarse compuertas de descarga con un distanciamiento tal que los caudales porteados no superen la capacidad del acueducto, considerando los resguardos que correspondan.

k) Modificaciones de cauces naturales. En el caso de que un proyecto de acueducto cruce un cauce natural, se deberá considerar para este diseño la crecida asociada a un período de retorno de 100 años y será verificado para un período de retorno de 200 años.

l) Para todos aquellos cauces naturales que reciban descargas de caudales debido a la implementación de un proyecto de acueducto, se deberán realizar los estudios hidráulicos correspondientes, verificando que su capacidad sea suficiente para recibir estos aportes artificiales más las aguas naturales del cauce en crecidas de 1, 2 y 5 años de período de retorno, sin provocar inundaciones en los terrenos aledaños ni imponer velocidades tales que los puedan afectar.

m) Faja de inspección. Se deberá considerar una faja lateral en todo el recorrido del acueducto, de tal forma que permita su construcción, inspección, mantenimiento y operación. Al menos, debe permitir el tránsito expedito de Vehículos Motorizados Livianos que permitan la inspección por parte del Servicio u otros organismos fiscalizadores. En el caso de acueductos abovedados, se podrá omitir este requisito si su materialización no es técnicamente factible, tal como suele ocurrir en túneles.

n) Elementos Hidromecánicos. El proyecto de un acueducto deberá incluir, si corresponde, el diseño de los elementos hidromecánicos (compuertas, rejas), por lo cual, se deberá presentar los antecedentes hidráulicos y estructurales que garanticen la seguridad y el adecuado funcionamiento de estas obras.

o) Elementos de seguridad. Se deberán disponer elementos de seguridad en los lugares en que, por las características del sector, exista un riesgo de caída de personas o animales a su interior. El tipo y la disposición de estos elementos dependerá de las condiciones propias del entorno en el cual se construya, teniendo siempre en consideración el resguardo de la vida y salud de las personas. Además, deberán considerarse dispositivos acondicionados para permitir la salida de personas que eventualmente pudieran caer al acueducto.

Artículo 44 Para los acueductos cuyo régimen de escurrimiento sea en presión, se deberá considerar lo siguiente:

a) Caudal de diseño. Se deberá justificar el caudal de diseño en consideración al propósito de la obra.

b) La estimación de las pérdidas de carga para el caudal de diseño y el cálculo de las líneas de energía y piezométrica.

c) Diseño Estructural. Se deberá considerar lo indicado en la letra h) del artículo 43 del presente Reglamento, en lo que corresponda. Además, se deberá incluir en este diseño el estudio del golpe de ariete, el análisis de las presiones interiores máximas y mínimas en condiciones normales y eventuales, los posibles efectos de la variación de la temperatura y el análisis de agentes corrosivos que pudieran afectarlo.

d) Velocidades admisibles. En un acueducto se deberán justificar adecuadamente las velocidades admisibles máximas y mínimas para todos los materiales o secciones que lo conforman. Además, se deberá analizar y tomar los resguardos que correspondan, en caso que la obra presente riesgo de cavitación.

e) Estudios de taludes y fundación. Se deberá tener en consideración los mismos aspectos requeridos en la letra i) del artículo 43 de este Reglamento.

f) Interferencias con cauces naturales. Se deberá tener en consideración los mismos aspectos requeridos en la letra k) del artículo 43 de este Reglamento.

g) Faja de inspección. Se deberá considerar una faja lateral en todo el recorrido del acueducto, de tal forma que permita su construcción, inspección, mantenimiento y operación. Al menos, debe permitir el tránsito expedito de Vehículos Motorizados Livianos que permitan la inspección por parte del Servicio u otros organismos fiscalizadores. Se podrá omitir este requisito si su materialización no es técnicamente factible, tal como suele ocurrir en túneles.

Artículo 45 Además de las exigencias descritas anteriormente en el presente Párrafo, los acueductos a que se refiere la letra c) del artículo 294 del Código de Aguas, deberán proyectarse revestidos y con los resguardos suficientes para evitar accidentes a personas y animales. La descarga del vertedero será, en lo posible, a un cauce natural o en un lugar adecuado, evitando daños a terceros. En caso de verter los caudales a un cauce, se deberá estudiar su comportamiento teniendo en consideración lo indicado en la letra I) del artículo 43 del presente Reglamento.

Artículo 46 Los acueductos destinados a la conducción de pulpas, riles u otros elementos transportados mediante agua, ya sean de la letra b) o c) del artículo 294 del Código de Aguas, deberán estar especialmente protegidos contra la caída de rodados.

Estos acueductos deberán contar en su trazado con dispositivos donde almacenar los vertidos, en caso de accidentes o imprevistos, cuyo volumen y cantidad serán debidamente justificados, de modo de vaciar en éstos los flujos que conduce el tramo inmediatamente aguas arriba del punto afectado. Los flujos que se viertan en estos depósitos deberán ser retirados y transportados a su lugar de disposición final. Para la localización de estos depósitos se deberá considerar, especialmente, la ubicación de los cauces y zonas urbanas, de manera de reducir al mínimo el riesgo de afección a la seguridad de terceros y/o al entorno.

Artículo 47 En el caso de proyectos de acueductos de tipo mixto, esto es, que parte de su capacidad se utiliza para conducir aguas lluvia, o de uso exclusivo, es decir, que conducen sólo aguas lluvia, previo a la aprobación de este Servicio, será requisito contar con la autorización técnica de la Dirección de Obras Hidráulicas, cuando dichas obras sean de su competencia. Sin perjuicio de lo anterior, el Titular deberá cumplir con lo establecido en el Código de Aguas y la Ley 19.300 sobre Bases Generales del Medio Ambiente, cuando corresponda.

PÁRRAFO IV
De los Sifones Categorías A y B

Artículo 48 La presentación del Proyecto Definitivo de sifones pertenecientes a las Categorías A y B definidas en el artículo 15 de este Reglamento, deberá realizarse de acuerdo con lo siguiente:

Artículo 49 El diseño hidráulico de los sifones deberá considerar lo siguiente:

a) Revancha del cruce. Para el caso de sifones que crucen sobre un cauce, la altura de la superestructura debe ser suficiente para dejar una revancha de, al menos, 1,0 m sobre el nivel máximo de las aguas para la crecida de 100 años de período de retorno del cauce que atraviesa y verificada para la crecida de 200 años. Para la crecida de verificación el nivel de aguas máximo no podrá alcanzar el punto más bajo de la superestructura. Se deberá presentar el estudio hidrológico correspondiente para determinar la crecida de diseño.

b) Características de escurrimiento. Se deberán cumplir todas las consideraciones de diseño hidráulico, que correspondan, establecidas en el artículo 44 de este Reglamento.

c) Socavación. Se deberán presentar los estudios de socavación local y general del lecho, cuando corresponda. Dichos estudios considerarán todos los elementos que pudiesen acelerar el flujo, tales como obras existentes o estructuras de apoyo pertenecientes al mismo proyecto de sifón. Se considerará como profundidad mínima de socavación a la resultante de los cálculos respectivos, multiplicada por un factor de seguridad de 1,2. La crecida de diseño a utilizar en el estudio de socavación será la correspondiente a un período de retorno de 100 años.

d) Elementos de seguridad. El sifón tendrá en su entrada rejas que impidan el paso hacia su interior de elementos flotantes y, además, dispositivos acondicionados para permitir la salida de personas que eventualmente pudieran caer al acueducto. Sin perjuicio de lo anterior, en ambos extremos se debe disponer elementos de seguridad que eviten el acceso de personas y animales. Cada sifón tendrá un sistema de limpieza de los distintos elementos que lo componen.

Para aquellas obras que no cuenten con monitoreo permanente o no se les realice una limpieza automatizada de sus componentes, se deberá contar con un vertedero lateral capaz de descargar el total del caudal porteado, con su correspondiente obra de evacuación y de disipación de energía, hacia el cauce que atraviesa, teniendo en consideración lo establecido en la letra l) del artículo 43 del presente Reglamento.

e) En el diseño de sifones que conduzcan pulpas, riles o elementos transportados mediante agua, se deberá incluir un depósito de emergencia previo al atravieso del cauce. Cuando una obra de conducción contemple varios atraviesos, se aceptará que la solución adoptada para cumplir esta exigencia sea abordada integralmente, pudiendo utilizar un depósito para más de un cruce, teniendo en consideración los aspectos indicados en el inciso 2º del artículo 46 del presente Reglamento.

Artículo 50 El diseño estructural de los sifones deberá considerar lo indicado en la letra c) del artículo 44 del presente Reglamento, en lo que corresponda.

PÁRRAFO V
De las Canoas Categorías A y B

Artículo 51 La presentación del Proyecto Definitivo de canoas pertenecientes a las Categorías A y B definidas en el artículo 15 de este Reglamento, deberá realizarse de acuerdo con lo siguiente:

Artículo 52 El diseño hidráulico de las canoas deberá considerar lo siguiente:
a) Revancha del cruce. La altura de la estructura de la canoa debe ser suficiente para dejar una revancha de, al menos, 1,0 m sobre el nivel máximo de las aguas para la crecida de 100 años de período de retorno del

cauce que atraviesa y verificada para la crecida de 200 años. Para la crecida de verificación el nivel de aguas máximo no podrá alcanzar el punto más bajo de la superestructura. Se deberá presentar el estudio hidrológico correspondiente para determinar la crecida de diseño.

b) Características del escurrimiento. Se deberán cumplir todas las consideraciones de diseño hidráulico establecidas en el artículo 43 de este Reglamento, que correspondan.

c) Socavación. Se deberán presentar los estudios de socavación local y general del lecho, cuando corresponda. Dichos estudios considerarán todos los elementos que pudiesen acelerar el flujo, tales como obras existentes o estructuras de apoyo pertenecientes al mismo proyecto de canoa. Se considerará como profundidad mínima de socavación a la resultante de los cálculos respectivos, multiplicada por un factor de seguridad de 1,2. La crecida de diseño a utilizar en el estudio de socavación será la correspondiente a un período de retorno de 100 años.

d) Elementos de seguridad. El diseño de la canoa contará en su entrada y salida con elementos de seguridad que eviten el acceso de personas y animales.

e) En el diseño de las canoas que conduzcan pulpas, riles o elementos transportados mediante agua, se deberá incluir un depósito de emergencia previo al atravieso del cauce. Cuando una obra de conducción contemple varios atraviesos, se aceptará que la solución adoptada para cumplir esta exigencia sea abordada integralmente, pudiendo utilizar un depósito para más de un cruce, teniendo en consideración los aspectos indicados en el inciso 2° del artículo 46 del presente Reglamento.

Artículo 53 El diseño estructural de las canoas deberá considerar lo indicado en la letra h) del artículo 43 del presente Reglamento.

TÍTULO V
DE LA SUPERVISIÓN, RECEPCIÓN Y OPERACIÓN DE LAS OBRAS

Artículo 54 En cualquier momento la Dirección General de Aguas podrá inspeccionar el estado de avance de la construcción de las obras, con el fin de verificar que éstas se adapten fielmente al proyecto previamente autorizado por el Servicio para construir.

Artículo 55 Para efectos del presente Reglamento, se entenderá que las obras se encuentran en ejecución mientras la construcción del proyecto no se encuentre finalizada, esto es, mientras el Titular no haya solicitado la recepción de todas las obras ante la Dirección General de Aguas, sin perjuicio de lo dispuesto en el artículo 57 del presente Reglamento.

Previo a la presentación de la solicitud de recepción, y solo en el caso que corresponda, el Titular deberá informar a la Dirección General de Aguas la fecha de inicio de la puesta en carga, con a lo menos 30 días hábiles de anticipación, acompañando en detalle la actualización del plan de puesta en carga y su cronograma de actividades. Asimismo, deberá proponer el plazo máximo para su realización, el cual será establecido por la Dirección, mediante resolución fundada, de acuerdo a la actualización del plan de puesta en carga y su cronograma de actividades. Dicho plazo podrá ser prorrogado, a petición de parte, antes del vencimiento del plazo original, por causas debidamente justificadas.

Artículo 56 El Titular deberá solicitar a la Dirección la recepción de las obras una vez finalizada la construcción del proyecto y concluida la puesta en carga, cuando ésta corresponda, verificando así que las obras y elementos cumplieron con las características de funcionalidad, desempeño y seguridad que fueron previamente autorizadas por dicho Servicio, de acuerdo con lo dispuesto en el artículo 57 de este Reglamento.

Artículo 57 En el caso de embalses de relaves, el Titular deberá contar con la recepción de las Obras Tempranas requeridas en forma previa al vertimiento de los relaves, de conformidad al procedimiento establecido en el presente título.

En el caso de las demás obras hidráulicas contempladas en este Reglamento, el Titular deberá contar con la recepción de todas las obras que componen el Proyecto Definitivo, previamente aprobado y autorizada su construcción por el Servicio, momento en que se acreditará y verificará que las obras han sido construidas conforme a dicha aprobación, que no afectan la seguridad de terceros, y que se autoriza su operación.

Sin perjuicio de lo establecido en el inciso anterior, la Dirección General de Aguas podrá autorizar provisoriamente la operación del proyecto, previa solicitud presentada por el Titular al momento de requerir su recepción. De este modo, la Dirección General de Aguas podrá autorizar la operación provisoria, siempre que se acredite que el o los derechos de aprovechamiento de aguas que se ejercitarán con las obras, se encuentren en concordancia a éstas, en cuanto al o los puntos de captación y/o restitución, y la puesta en carga haya sido concluida satisfactoriamente, cuando corresponda.

Para efectos de lo establecido en el inciso anterior, la Dirección dictará la correspondiente resolución, la cual se fundará en una revisión técnica que acredite el cumplimiento de los requisitos antes señalados.

La autorización de operación provisoria se encontrará vigente mientras esté pendiente el proceso de revisión de los antecedentes de la solicitud de recepción. Una vez recibida la obra, o denegada su recepción, la autorización de operación provisoria quedará sin efecto.

En cualquier caso, la Dirección General de Aguas declarará el desistimiento de la solicitud o el abandono del procedimiento de recepción de obra, conforme a lo establecido en la Ley N° 19.880 que establece Bases de los Procedimientos Administrativos que rigen los actos de los Órganos de la Administración del Estado. En ambos casos, la autorización de operación provisoria quedará sin efecto.

Artículo 58 Junto con la solicitud de recepción de obras, el Titular deberá acompañar un Informe de Construcción, el cual deberá ser presentado en formato digital e indicar las obras efectivamente construidas, señalando y justificando los cambios que pudiesen existir con respecto al proyecto aprobado.

El Informe de Construcción deberá contener, a lo menos, lo siguiente:

1. Resumen ejecutivo del desarrollo de la construcción del proyecto. Se deberá indicar los principales aspectos de esta fase, tales como hitos constructivos, dificultades no previstas en el proceso, plazos, recursos uti-

lizados y cualquier antecedente de relevancia que permitan, en definitiva, prever que este proceso se desarrolló de acuerdo con lo autorizado en la etapa de proyecto.

2. Identificación del administrador del proyecto, del constructor o empresa constructora, del inspector o empresa que realizó la inspección técnica de la obra y del proyectista.

3. Bases Administrativas y Técnicas del contrato de construcción.

4. Planos "Como Construido" del proyecto.

5. Cuando corresponda, se deberá presentar el respaldo técnico de los cambios realizados al proyecto originalmente aprobado, incluyendo, al menos, los estudios básicos, memorias de cálculo, especificaciones técnicas, planos "Como Construido" y toda la documentación necesaria para su evaluación,

6. Set de fotografías en el cual se muestre el estado de avance de cada una de las distintas obras, identificando cada elemento, fecha y etapa constructiva.

7. Libro de obras o complementarios. Se debe presentar un extracto o resumen de estos libros con la información relevante ocurrida durante el proceso constructivo, la cual debe estar referida a los cambios o adaptaciones que haya sufrido el proyecto, si las hubiere.

8. Informes de la inspección técnica de la obra. Se debe presentar un extracto o resumen de estos informes donde se incluya la información relevante ocurrida durante el proceso constructivo, la cual debe estar referida a los cambios o adaptaciones que haya sufrido el proyecto, si las hubiere.

9. Informe de procedimiento de puesta en carga.

10. Actualización de la documentación técnica. Se deberá actualizar la siguiente documentación, si corresponde, en virtud de los antecedentes que se tengan una vez finalizada la construcción de las obras: Sistema de Control y Monitoreo, Planes para la Inspección de Seguridad, Plan de Operación Normal, Plan de Emergencia y Manejo de la Información Técnica.

11. Manuales de mantenimiento y capacitación. Se deberán incluir estos manuales. En el caso del manual de capacitación, se deberá incorporar la información relativa a la instrucción de los operadores y adjuntar los

antecedentes del responsable de la operación, de manera de verificar que este sea competente para realizar las tareas requeridas.

El Informe de Construcción deberá presentarse íntegramente en digital, acompañando los documentos, planos y archivos de cálculos usados en las modelaciones, en los formatos que establezca la Dirección General de Aguas.

Artículo 59 Toda la información relativa a la obra, incluyendo la versión aprobada del proyecto y la documentación técnica generada durante las etapas de construcción y operación, deberán ser respaldadas en un archivo técnico que permita al Servicio consultar y solicitar en cualquier momento dichos antecedentes. Para esto se deberá contar con un centro de información en las oficinas del Titular y otro en la oficina de terreno de la obra, si la hubiera. Para su materialización se tendrá en consideración una adecuada conservación en el tiempo y la urgencia con que estos puedan ser requeridos. La exigencia de mantener y resguardar estos antecedentes regirá, al menos, durante toda la vida útil de las obras y el archivo deberá tenerse totalmente implementado al momento de la visita a terreno.

Artículo 60 En el marco del proceso de recepción de las obras hidráulicas construidas, la Dirección General de Aguas realizará una inspección de terreno, en la cual se constatará, entre otros, la correspondencia de dichas obras con los antecedentes de construcción presentados por el Titular.

Durante el desarrollo de esta visita por parte de la DGA, se deberá colocar a disposición del Servicio toda la información del archivo técnico de la obra. Lo anterior significa que en dicha instancia deberán estar disponibles en terreno, impreso en papel y en formato digital, lo siguiente:

a) El Proyecto Definitivo aprobado y autorizado para construir por la DGA.

b) Toda la documentación generada durante el proceso de construcción. Esta será, al menos, el Sistema de Control y Monitoreo, el Plan de Operación Normal, los Planes para la Inspección de Seguridad, el Plan de Emergencia y el Plan de Manejo de la Información Técnica; las bases y libros del contrato; los informes de la inspección técnica de la obra; los manuales de mantenimiento y capacitación; los respaldos del sistema de aseguramiento de la calidad de la construcción, entre otra información.

c) El Informe de Construcción.

Artículo 61 Posterior a la visita a terreno y habiéndose cumplido los requisitos señalados en los artículos anteriores, la DGA deberá dictar una resolución que recibe las obras, autoriza la operación de éstas y restituye las garantías establecidas conforme a lo dispuesto en los artículos 297 del Código de Aguas y 8º del presente Reglamento.

En el caso de existir modificaciones al Proyecto Definitivo previamente aprobado y autorizado para su construcción por el Servicio, detectadas durante la recepción de las obras, el Titular deberá presentar una nueva solicitud de aprobación de proyecto de construcción de conformidad con lo dispuesto en los artículos 130 y siguientes del Código de Aguas y de acuerdo con lo dispuesto en los artículos 151, 171 y 294 y siguientes del citado texto legal, según corresponda. Todas aquellas modificaciones del Proyecto Definitivo no aprobadas por el Servicio, y detectadas por la Dirección General de Aguas, podrán ser objeto de lo dispuesto en el artículo 129 bis 2 del Código de Aguas, cuando corresponda, sin perjuicio de otras medidas contempladas en el ordenamiento jurídico.

Artículo 62 Los Planes para la Inspección de Seguridad, el Plan de Operación Normal y el Plan de Emergencia, de los artículos 20 y 26 del presente Reglamento, deberán ser actualizados periódicamente. Lo anterior se realizará, en una primera instancia, en forma previa al inicio de la operación de las obras, razón por la cual se requiere adjuntar estos documentos en el Informe de Construcción y, posteriormente, en la medida que se obtengan antecedentes relevantes producto de la propia operación de las obras en el tiempo.

En el evento que dicha actualización genere cambios sustanciales con respecto a lo autorizado por el Servicio mediante la recepción de las obras, el Titular deberá informar y presentar, en forma inmediata, la documentación respectiva a la DGA para su evaluación. El Titular deberá tener presente que dichas actualizaciones no podrán menoscabar la esencia ni los niveles de seguridad del proyecto aprobado por el Servicio.

Artículo 63 Sin perjuicio de lo dispuesto en los artículos anteriores, los embalses declarados de control de conformidad con la Ley 20.304 y su Reglamento, se someterán además a dichas normas.

ARTÍCULOS TRANSITORIOS

Artículo 1º: Todas las solicitudes de aprobación de proyecto de construcción que se encuentren pendientes a la fecha de la publicación del presente Reglamento, deberán ajustarse a las exigencias técnicas establecidas en el presente cuerpo normativo.

Artículo 2º: Lo dispuesto en el artículo 10 de esta Reglamentación entrará en vigencia una vez transcurrido un año desde su publicación.

Artículo 3º: A todas las solicitudes de aprobación de proyecto de construcción destinadas a captar y/o restituir derechos de aprovechamiento de aguas en cauces naturales, ingresadas con anterioridad al plazo señalado en el artículo 2º transitorio anterior, se requerirá que el o los derechos de aprovechamiento de aguas que se ejercitarán con las obras, se encuentren en concordancia a estas, en cuanto al o los puntos de captación y/o restitución, así como en el caudal que se utilizará, al momento de emitir el acto administrativo que aprueba las obras construidas y autoriza su operación. Adicionalmente, el o los derechos de aprovechamiento de aguas deberán encontrarse debidamente inscritos en el Catastro Público de Aguas, de conformidad con lo dispuesto en el artículo 122 del Código de Aguas y en el artículo 33 del Reglamento del referido Catastro.

Anótese, regístrese, tómese razón, comuníquese y publíquese.- MICHELLE BACHELET JERIA, Presidenta de la República.- Alberto Undurraga Vicuña, Ministro de Obras Públicas.

Lo que transcribo a Ud. para su conocimiento.- Saluda atte. a Ud., Sergio Galilea Ocon, Subsecretario de Obras Públicas.

NORMAS COMPLEMENTARIAS

LEY Nº 20.017 QUE MODIFICA
EL CÓDIGO DE AGUAS

Teniendo presente que el H. Congreso Nacional ha dado su aprobación al siguiente

Proyecto de ley:

"**Artículo 1º.-** Modifícase el Código de Aguas en la siguiente forma:

1.- Incorpórase, en el artículo 6º, el siguiente inciso final, nuevo:

"Si el titular renunciare total o parcialmente a su derecho de aprovechamiento, deberá hacerlo mediante escritura pública que se inscribirá o anotará, según corresponda, en el Registro de Propiedad de Aguas del Conservador de Bienes Raíces competente. El Conservador de Bienes Raíces informará de lo anterior a la Dirección General de Aguas, en los términos previstos por el artículo 122. En todo caso, la renuncia no podrá ser en perjuicio de terceros, en especial si disminuye el activo del renunciante en relación con el derecho de prenda general de los acreedores.".

2.- Reemplázase el artículo 22 por el siguiente:

"Artículo 22.- La autoridad constituirá el derecho de aprovechamiento sobre aguas existentes en fuentes naturales y en obras estatales de desarrollo del recurso, no pudiendo perjudicar ni menoscabar derechos de terceros, y considerando la relación existente entre aguas superficiales y subterráneas, en conformidad a lo establecido en el artículo 3º.".

3.- Intercálanse, en el artículo 58, los siguientes incisos segundo y tercero, nuevos, pasando los actuales incisos segundo y tercero a ser incisos cuarto y quinto, respectivamente:

"Si dentro del plazo establecido en el inciso primero del artículo 142 se hubieren presentado dos o más solicitudes de exploración de aguas subterráneas sobre una misma extensión territorial de bienes nacionales, la Dirección General de Aguas resolverá la adjudicación del área de exploración mediante remate entre los solicitantes. Las bases de remate determinarán la forma en que se llevará a cabo dicho acto, siendo aplicable a su respecto lo dispuesto en los artículos 142, 143 y 144, en lo que corresponda.

Sin perjuicio de lo dispuesto en el inciso anterior, y siempre que se haya otorgado el permiso para explorar aguas subterráneas, para los efectos de lo señalado en artículo 142 inciso primero, se entenderá que la fecha de presentación de la solicitud para constituir el derecho de aprovechamiento sobre aguas subterráneas, será la de la resolución que otorgue tal permiso.".

4.- Intercálase, a continuación del artículo 58, el siguiente artículo 58 bis, nuevo:

"**Artículo 58 bis.-** Comprobada la existencia de aguas subterráneas en bienes nacionales, el beneficiario del permiso de exploración tendrá la preferencia para que se le otorgue el derecho sobre las aguas alumbradas durante la vigencia del mismo por sobre todo otro peticionario, salvo que otro solicitante, dentro del plazo que señala el inciso primero del artículo 142 de este Código, haya presentado una solicitud para constituir un derecho de aprovechamiento sobre las mismas aguas que se alumbraron y solicitaron durante la vigencia del período de exploración, en cuyo caso, y si no existe disponibilidad para constituir ambos derechos, se aplicarán las normas sobre remate señaladas en los artículos 142, 143 y 144. Esta excepción no será aplicable si el permiso para explorar aguas subterráneas fue adquirido de conformidad con lo dispuesto en el inciso segundo del artículo anterior.

La preferencia consagrada en el inciso anterior, sólo podrá ejercerse dentro del plazo del permiso, y hasta tres meses después, y siempre que el concesionario haya dado cumplimiento a la obligación de presentar un informe completo sobre los trabajos realizados, sus resultados y las conclusiones obtenidas.".

5.- Elimínase, del artículo 60, la frase final "sin que se apliquen en este caso las disposiciones sobre remate de derechos de aprovechamiento" y la coma (,) que la precede.

6.- Incorpórase, en el artículo 63, el siguiente inciso segundo, nuevo, pasando los actuales incisos segundo y tercero a ser incisos tercero y cuarto, respectivamente:

"La declaración de una zona de prohibición dará origen a una comunidad de aguas formada por todos los usuarios de aguas subterráneas comprendidos en ella.".

7.- Reemplázase, el inciso segundo del artículo 65, por el siguiente:

"Cuando los antecedentes sobre la explotación del acuífero demuestren la conveniencia de declarar área de restricción de conformidad con lo dispuesto en el inciso anterior, la Dirección General de Aguas deberá así decretarlo. Esta medida también podrá ser declarada a petición de cualquier usuario del respectivo sector, si concurren las circunstancias que lo ameriten.".

8.- Agrégase, en el artículo 66, el siguiente inciso segundo, nuevo:

"Sin perjuicio de lo establecido en el inciso primero del artículo 67, y no siendo necesario que anteriormente se haya declarado área de restricción, previa autorización de la Dirección General de Aguas, cualquier persona podrá ejecutar obras para la recarga artificial de acuíferos, teniendo por ello la preferencia para que se le constituya un derecho de aprovechamiento provisional sobre las aguas subterráneas derivadas de tales obras y mientras ellas se mantengan.".

9.- Sustitúyese, en el inciso primero del artículo 67, la oración final "Lo mismo ocurrirá cuando el dueño de los derechos provisionales ejecute obras de recarga artificial que incorporen un caudal equivalente o superior a la extracción que efectúe." por "Lo anterior no será aplicable en el caso del inciso segundo del artículo 66, situación en la cual subsistirán los derechos provisionales mientras persista la recarga artificial.".

10.- Modifícase el artículo 114 de la siguiente forma:

a) Reemplázase el número 4, por el siguiente:

"4. Las escrituras públicas que contengan el acto formal del otorgamiento definitivo de un derecho de aprovechamiento, así como las que
contengan la renuncia a tales derechos;"

b) Reemplázase, al final del número 6, la conjunción "y", y la coma (,)
que la precede, por un punto y coma (;).

c) Sustitúyese, el punto final del número 7, por la expresión ", y".

d) Agrégase el siguiente número 8, nuevo:

"8. Los derechos de cada comunero o de cada miembro de una Asociación de Canalistas que consten en los títulos constitutivos o acuerdos o
resoluciones a que se refieren los números 1 y 2 de este artículo.".

11.- Intercálase el siguiente artículo 115 bis, nuevo, a continuación
del artículo 115:

"**Artículo 115 bis.** Deberán inscribirse en los Registros de Hipotecas
y Gravámenes y de Interdicciones y Prohibiciones de Enajenar relativos a
las aguas, las condiciones suspensivas o resolutorias del dominio de los
derechos de aprovechamiento o de otros derechos reales constituidos sobre ellos, así como todo impedimento o prohibición referente a derechos
de aprovechamiento, sea convencional, legal o judicial que embarace o
limite, de cualquier modo, el libre ejercicio de la facultad de enajenarlos.".

12.- Deróganse los números 2 y 4 del artículo 116.

13.- Agréganse, en el artículo 122, los siguientes incisos tercero, cuarto, quinto, sexto, séptimo, octavo y noveno, nuevos:

"En especial, en el Catastro Público de Aguas existirá un Registro Público de Derechos de Aprovechamiento de Aguas, el cual deberá ser mantenido al día, utilizando entre otras fuentes, la información que emane de
escrituras públicas y de inscripciones que se practiquen en los Registros de
los Conservadores de Bienes Raíces.

Para los efectos señalados en el inciso anterior, los Notarios y Conservadores de Bienes Raíces deberán enviar a la Dirección General de Aguas,
por carta certificada, copias autorizadas de las escrituras públicas, inscripciones y demás actos que se relacionen con las transferencias y transmisio-

nes del dominio de los derechos de aprovechamiento de aguas y organizaciones de usuarios de agua, dentro de los 30 días siguientes a la fecha del
acto que se realice ante ellos. Estarán, asimismo, obligados a enviar a este
Servicio la información que en forma específica solicite el Director General
de Aguas, en la forma y plazo que él determine, debiendo asumir dicho
Servicio, en este caso, los costos involucrados. El incumplimiento de esta
obligación por parte de Notarios y Conservadores será sancionado según lo
previsto en el artículo 440 del Código Orgánico de Tribunales.

Existirá asimismo en el Catastro Público de Aguas, un Registro Público
de Derechos de Aprovechamiento de Agua No Inscritos en los Registros de
Agua de los Conservadores de Bienes Raíces Susceptibles de Regularización
en virtud del artículo segundo transitorio de este Código, en el cual se
indicará el nombre completo de su titular, caudal y características básicas
del derecho. Este Registro servirá como antecedente suficiente para determinar los usos de agua susceptibles de ser regularizados.

La Dirección General de Aguas, para cada una de las Regiones del país,
dictará las resoluciones que contengan los derechos de agua registrados
en el Catastro Público de Aguas. Dichas resoluciones se publicarán en el
Diario Oficial los días quince de enero, quince de abril, quince de julio o
quince de octubre de cada año, o el primer día hábil inmediato si aquéllos
fueran feriados. La última publicación se realizará en el plazo de cuatro
años, contado desde la entrada en vigencia de esta ley.

Sin perjuicio de lo señalado en este artículo y de lo establecido en el
artículo 150 inciso segundo, los titulares de derechos de aprovechamiento
de aguas, cualquiera sea el origen de éstos, deberán inscribirlos en el
Registro Público de Derechos de Aprovechamiento de Aguas. Con relación
a los derechos de aprovechamiento que no se encuentren inscritos en el
Registro Público de Derechos de Aprovechamiento de Aguas, no se podrá
realizar respecto de ellos acto alguno ante la Dirección de Aguas ni la Superintendencia de Servicios Sanitarios. Los titulares de derechos de aprovechamiento de aguas, cuyos derechos reales se encuentren en trámite
de inscripción en el Registro Público de Derechos de Aprovechamiento de
Aguas, podrán participar en los concursos públicos a que llame la Comisión
Nacional de Riego de acuerdo con la Ley N° 18.450, que aprobó normas

para el fomento de la inversión privada en obras de riego y drenaje, pero la orden de pago del Certificado de Bonificación al Riego y Drenaje, sólo podrá cursarse cuando el beneficiario haya acreditado con la exhibición de copia autorizada del registro ya indicado, que sus derechos se encuentran inscritos.

La Dirección General de Aguas deberá informar dos veces al año a las organizaciones de usuarios respectivas, dentro de los primeros cinco días de los meses de enero y julio, todas las inscripciones, subinscripciones y anotaciones que se hayan practicado en el Registro a que se refiere el inciso primero, y que sean consecuencia de las copias que le hayan hecho llegar los Notarios y Conservadores de Bienes Raíces.

Los Registros que la Dirección General de Aguas debe llevar en virtud de lo dispuesto en el presente artículo, no reemplazarán en caso alguno los Registros que los Conservadores de Bienes Raíces llevan en virtud de lo dispuesto en los artículos 112, 114 y 116 de este Código. Asimismo, los Registros que aquel servicio lleva, en caso alguno acreditarán posesión inscrita ni dominio sobre los derechos de aprovechamiento de aguas o de los derechos reales constituidos sobre ellos.".

14.- Agrégase, a continuación del artículo 122, el siguiente artículo 122 bis, nuevo:

"**Artículo 122 bis.-** Las organizaciones de usuarios deberán remitir a la Dirección General de Aguas una vez al año, antes del 31 de diciembre, la información actualizada que conste en el Registro a que se refiere el artículo 205, que diga relación con los usuarios, especialmente aquella referida a las mutaciones en el dominio de los derechos de aprovechamiento a que se refiere el inciso cuarto del artículo 122 y la incorporación de nuevos derechos a las mismas.

La Dirección General de Aguas, mientras no se dé cumplimiento a lo señalado en el inciso anterior, no recepcionará solicitud alguna referida a registros de modificaciones estatutarias o cualquier otra relativa a derechos de aprovechamiento, respecto de las organizaciones de usuarios que no cumplan con la obligación establecida en el inciso precedente.

Asimismo, el incumplimiento de la obligación establecida en el inciso primero del presente artículo, será sancionado, a petición de cualquier interesado, con la multa a que se refieren los artículos 173 y siguientes.".

15.- Reemplázase el artículo 129 por el siguiente:
"**Artículo 129.-** El dominio sobre los derechos de aprovechamiento se extingue por la renuncia señalada en el inciso tercero del artículo 6° y, además, por las causas y en las formas establecidas en el derecho común.".

16.- Intercálanse los siguientes Títulos X y XI, nuevos, en el Libro I, a continuación del artículo 129:

"TÍTULO X. DE LA PROTECCIÓN DE LAS AGUAS Y CAUCES

Artículo 129 bis.- Si de la ejecución de obras de recuperación de terrenos húmedos o pantanosos resultara perjuicio a terceros, las aguas provenientes de tales obras deberán ser vertidas al cauce natural más próximo. De no ser posible lo anterior, ellas serán vertidas a cauces artificiales, con autorización de sus propietarios, o a otros cauces naturales. En este último caso, deberá obtenerse autorización de la Dirección General de Aguas en conformidad al Párrafo 1° del Título I del Libro II de este Código.

Artículo 129 bis 1.- Al constituir los derechos de aprovechamiento de aguas, la Dirección General de Aguas velará por la preservación de la naturaleza y la protección del medio ambiente, debiendo para ello establecer un caudal ecológico mínimo, el cual sólo afectará a los nuevos derechos que se constituyan, para lo cual deberá considerar también las condiciones naturales pertinentes para cada fuente superficial.

El caudal ecológico mínimo no podrá ser superior al veinte por ciento del caudal medio anual de la respectiva fuente superficial.

En casos calificados, y previo informe favorable de la Comisión Regional del Medio Ambiente respectiva, el Presidente de la República podrá, mediante decreto fundado, fijar caudales ecológicos mínimos diferentes, sin atenerse a la limitación establecida en el inciso anterior, no pudiendo afectar derechos de aprovechamiento existentes. Si la respectiva fuente natural recorre más de una Región, el informe será evacuado por la Comisión Nacional del Medio Ambiente. El caudal ecológico que se fije en virtud de lo dispuesto en el presente inciso, no podrá ser superior al cuarenta por ciento del caudal medio anual de la respectiva fuente superficial.

Artículo 129 bis 2.- La Dirección General de Aguas podrá ordenar la inmediata paralización de las obras o labores que se ejecuten en los cauces naturales de aguas corrientes o detenidas que no cuenten con la autorización competente y que pudieran ocasionar perjuicios a terceros, para lo cual podrá requerir el auxilio de la fuerza pública en los términos establecidos en el artículo 138 de este Código, previa autorización del juez de letras competente en el lugar en que se realicen dichas obras.

Asimismo, en las autorizaciones que otorga la Dirección General de Aguas referidas a modificaciones o a nuevas obras en cauces naturales que signifiquen una disminución en la recarga natural de los acuíferos, podrán considerarse medidas mitigatorias apropiadas. De no ser así, se denegará la autorización de que se trate.

Artículo 129 bis 3.- La Dirección General de Aguas deberá establecer una red de estaciones de control de calidad, cantidad y niveles de las aguas tanto superficiales como subterráneas en cada cuenca u hoya hidrográfica. La información que se obtenga deberá ser pública y deberá proporcionarse a quien la solicite.

TÍTULO XI
DEL PAGO DE UNA PATENTE POR LA NO UTILIZACIÓN DE LAS AGUAS

Artículo 129 bis 4.- Los derechos de aprovechamiento no consuntivos de ejercicio permanente respecto de los cuales su titular no haya construido las obras señaladas en el inciso primero del artículo 129 bis 9, estarán afectos, en la proporción no utilizada de sus respectivos caudales, al pago de una patente anual a beneficio fiscal. La patente se regirá por las siguientes reglas:

1.- En el caso de derechos de aprovechamiento no consuntivos cuyos puntos de captación se ubiquen entre las Regiones Primera y Décima, con excepción de la provincia de Palena:

a) En los primeros cinco años, la patente será equivalente, en unidades tributarias mensuales, al valor que resulte de la siguiente operación aritmética:

Valor anual de la patente en UTM=0.33xQxH.

El factor Q corresponderá al caudal medio no utilizado expresado en metros cúbicos por segundo, y el factor H, al desnivel entre los puntos de captación y de restitución expresado en metros.

b) Entre los años sexto y décimo inclusive, la patente calculada de conformidad con la letra anterior se multiplicará por el factor 2, y

c) Desde el año undécimo en adelante, se multiplicará por el factor 4.

2.- En el caso de derechos de aprovechamiento no consuntivos cuyos puntos de captación se ubiquen en la provincia de Palena y en las Regiones Undécima y Duodécima:

a) En los primeros cinco años, la patente será equivalente, en unidades tributarias mensuales, al valor que resulte de la siguiente operación aritmética:

Valor anual de la patente en UTM=0.22xQxH.

b) Entre los años sexto y décimo inclusive, la patente calculada de conformidad con la letra anterior se multiplicará por el factor 2, y

c) Desde el año undécimo en adelante, se multiplicará por el factor 4.

3.- Para los efectos del cálculo de la patente establecida en el presente artículo, si la captación de las aguas se hubiere solicitado realizar a través de un embalse, el valor del factor H corresponderá, en todo caso, al desnivel entre la altura máxima de inundación y el punto de restitución expresado en metros.

En todos aquellos casos en que el desnivel entre los puntos de captación y restitución resulte inferior a 10 metros, el valor del factor H, para los efectos de esa operación, será igual a 10.

4.- Estarán exentos del pago de patente aquellos derechos de aprovechamiento cuyos volúmenes medios por unidad de tiempo, expresados en el acto de constitución original, sean inferiores a 100 litros por segundo, en las Regiones Primera a Metropolitana, ambas inclusive, y a 500 litros por segundo en el resto de las Regiones.

Artículo 129 bis 5.- Los derechos de aprovechamiento consuntivos de ejercicio permanente, respecto de los cuales su titular no haya construido las obras señaladas en el inciso primero del artículo 129 bis 9, estarán afectos, en la proporción no utilizada de sus respectivos caudales medios, al pago de una patente anual a beneficio fiscal.

La patente a que se refiere este artículo se regirá por las siguientes normas:

a) En los primeros cinco años, los derechos de ejercicio permanente, cuyas aguas pertenezcan a cuencas hidrográficas situadas en las Regiones Primera a Metropolitana, ambas inclusive, pagarán una patente anual cuyo monto será equivalente a 1,6 unidades tributarias mensuales, por cada litro por segundo.

Respecto de los derechos de aprovechamiento cuyas aguas pertenezcan a cuencas hidrográficas situadas en las Regiones Sexta a Novena, ambas inclusive, la patente será equivalente a 0,2 unidades tributarias mensuales, por cada litro por segundo, y para las situadas en las Regiones Décima, Undécima y Duodécima, ascenderá a 0,1 unidad tributaria mensual por cada litro por segundo.

b) Entre los años sexto y décimo inclusive, la patente calculada de conformidad con la letra anterior se multiplicará por el factor 2, y

c) Desde el año undécimo en adelante, se multiplicará por el factor 4.

Para los efectos de la contabilización de los plazos de no utilización de las aguas, éstos comenzarán a regir a contar del 1 de enero del año siguiente al de la fecha de publicación de esta ley. En el caso de derechos de aprovechamiento que se constituyan o reconozcan con posterioridad a tal fecha, los plazos se computarán desde la fecha de su constitución o reconocimiento.

Estarán exentos del pago de patente aquellos derechos de aprovechamiento cuyos volúmenes medios por unidad de tiempo, expresados en el acto de constitución original, sean inferiores a 10 litros por segundo, en las Regiones Primera a Metropolitana, ambas inclusive, y a 50 litros por segundo en el resto de las Regiones.

Artículo 129 bis 6.- Los derechos de aprovechamiento de ejercicio eventual, que no sean utilizados total o parcialmente, pagarán un tercio del valor de la patente asignada a los derechos de ejercicio permanente.

Estarán exentos del pago de patente aquellos derechos de aprovechamiento no consuntivos de ejercicio eventual cuyos volúmenes medios por unidad de tiempo, expresados en el acto de constitución original, sean inferiores a 300 litros por segundo, en las Regiones Primera a Metropolitana, ambas inclusive, y a 1.500 litros por segundo en el resto de las Regiones.

También estarán exentos del pago de patente aquellos derechos de aprovechamiento consuntivos de ejercicio eventual cuyos volúmenes medios por unidad de tiempo, expresados en el acto de constitución original, sean inferiores a 30 litros por segundo, en las Regiones Primera a Metropolitana, ambas inclusive, y a 150 litros por segundo en el resto de las Regiones.

Finalmente, estarán exentos del pago de patente aquellos derechos de aprovechamiento de ejercicio eventual, cualquiera sea su caudal, que sean de propiedad fiscal.

Artículo 129 bis 7.- El pago de la patente se efectuará dentro del mes de marzo de cada año, en cualquier banco o institución autorizados para recaudar tributos. La Dirección General de Aguas publicará la resolución que contenga el listado de los derechos sujetos a esta obligación, en las proporciones que correspondan. El listado deberá contener: la individualización del propietario, la naturaleza del derecho, el volumen por unidad de tiempo involucrado en el derecho y la capacidad de las obras de captación, la fecha y número de la resolución de la Dirección General de Aguas o de la sentencia judicial que otorgó el derecho y la individualización de su inscripción en el Registro de Aguas del Conservador de Bienes Raíces respectivo en el caso en que estos datos se encuentren en poder de la autoridad. La publicación será complementada mediante mensaje radial de un extracto de ésta, en una emisora con cobertura territorial del área correspondiente. Esta publicación se efectuará el 15 de enero de cada año o el primer día hábil inmediato si aquél fuere feriado, en el Diario Oficial y en forma destacada en un diario o periódico de la provincia respectiva y, si no lo hubiere, en uno de la capital de la Región correspondiente.

Esta publicación se considerará como notificación suficiente para los efectos de lo dispuesto en el artículo 129 bis 10.

Sin perjuicio de lo señalado en el presente artículo, el pago de la patente se suspenderá durante el tiempo que se encuentre vigente cualquier medida de un tribunal que ordene la paralización total o parcial de la construcción de las obras que se señalan en el artículo 129 bis 9.

Artículo 129 bis 8.- Corresponderá al Director General de Aguas, previa consulta a la organización de usuarios respectiva, determinar los derechos de aprovechamiento cuyas aguas no se encuentren total o parcialmente utilizadas, al 31 de agosto de cada año, para lo cual deberá confeccionar un listado con los derechos de aprovechamiento afectos a la patente, indicando el volumen por unidad de tiempo involucrado en los derechos. En el caso que los derechos tengan obras de captación, se deberá señalar la capacidad de dichas obras y se individualizará la resolución que las hubiese aprobado.

Artículo 129 bis 9.- Para los efectos del artículo anterior, el Director General de Aguas no podrá considerar como sujetos al pago de la patente a que se refieren los artículos 129 bis 4, 129 bis 5 y 129 bis 6, aquellos derechos de aprovechamiento para los cuales existan obras de captación de las aguas. En el caso de los derechos de aprovechamiento no consuntivos, deberán existir también las obras necesarias para su restitución.

El no pago de patente a que se refiere el inciso anterior se aplicará en proporción al caudal correspondiente a la capacidad de captación de tales obras.

Asimismo, el Director General de Aguas no podrá considerar como sujetos al pago de la patente a que se refieren los artículos 129 bis 4, 129 bis 5 y 129 bis 6, aquellos derechos de aprovechamiento permanentes que, por decisión de la organización de usuarios correspondiente, hubieran estado sujetos a turno o reparto proporcional.

También estarán exentos del pago de la patente la totalidad o una parte de aquellos derechos de aprovechamiento que son administrados y distribuidos por una organización de usuarios en un área en la que no existan hechos, actos o convenciones que impidan, restrinjan o entorpezcan la libre competencia.

Para acogerse a la exención señalada en el inciso anterior, será necesario que el Tribunal de Defensa de la Libre Competencia, a petición de la respectiva organización de usuarios o de algún titular de un derecho de aprovechamiento que forme parte de una organización de usuarios y previo informe de la Dirección General de Aguas, y de conformidad con lo dispuesto en los artículos 17 C y 18 de la Ley N° 19.911, declare que en el área señalada en el inciso anterior, no existen hechos, actos o convenciones que impidan, restrinjan o entorpezcan la libre competencia. Esta declaración podrá ser dejada sin efecto por el mismo Tribunal, si existe un cambio en las circunstancias que dieron origen a la exención. Esta exención regirá una vez que haya sido declarada por el Tribunal de Defensa de la Libre Competencia y no tendrá efecto retroactivo.

La declaración efectuada de conformidad con lo dispuesto en el inciso anterior, deberá ser comunicada a la Dirección General de Aguas para la determinación que ésta debe efectuar de conformidad con lo dispuesto en el artículo 129 bis 8.

El Director de Aguas no podrá considerar como sujetos al pago de la patente a que se refieren los artículos 129 bis 4, 129 bis 5 y 129 bis 6, aquellos derechos de aprovechamiento que posean las empresas de servicios públicos sanitarios y que se encuentren afectos a su respectiva concesión, hasta la fecha que, de acuerdo con su programa de desarrollo, deben comenzar a utilizarse, circunstancias que deberá certificar la Superintendencia de Servicios Sanitarios.

Para los efectos de este artículo, se entenderá por obras de captación de aguas superficiales, aquellas que permitan incorporarlas a los canales y a otras obras de conducción, aún cuando tales obras sean de carácter temporal y se renueven periódicamente. Tratándose de aguas subterráneas, se entenderá por obras de captación aquéllas que permitan su alumbramiento.

Artículo 129 bis 10.- Serán aplicables a las resoluciones de la Dirección General de Aguas, dictadas en conformidad con lo dispuesto en el presente Título, los recursos contemplados en los artículos 136 y 137 de este Código.

La interposición del recurso de reclamación señalado en el artículo 137, no suspenderá el pago de la patente, salvo que la Corte de Apelaciones respectiva ordene dicha medida.

Artículo 129 bis 11.- Si el titular del derecho de aprovechamiento no pagare la patente dentro del plazo indicado en el artículo 129 bis 7, se iniciará un procedimiento judicial para su cobro.

La ejecución de la obligación de pagar la patente sólo podrá hacerse efectiva sobre la parte no utilizada del respectivo derecho de aprovechamiento.

Artículo 129 bis 12.- Antes del 1 de junio de cada año, el Tesorero General de la República enviará a los juzgados competentes la nómina de los derechos de aprovechamiento de aguas, cuyas patentes no hayan sido pagadas, especificando su titular y el monto adeudado para iniciar el procedimiento. La nómina constituirá título ejecutivo y deberá indicar a lo menos: nombre del titular, fecha de constitución y número del acto administrativo que otorgó el derecho, la parte que está afecta a tributo y resolución respectiva e inscripción en el Registro de Aguas del Conservador de Bienes Raíces y en el Catastro Público de Aguas, si se tuviese esta última. La Dirección General de Aguas deberá velar por el cumplimiento de esta disposición y prestará su colaboración a la Tesorería General de la República.

Será juez competente para conocer del juicio ejecutivo el de la comuna donde tenga su oficio el Conservador de Bienes Raíces en cuyo Registro se encuentren inscritos los derechos de aprovechamiento. Si hubiere más de uno, lo será el que estuviere de turno al tiempo de la recepción de la nómina a que se refiere el inciso anterior. Será aplicable a este juicio, en lo que corresponda, lo dispuesto en el artículo 458 del Código de Procedimiento Civil.

Artículo 129 bis 13.- El juez despachará el mandamiento de ejecución y embargo, sobre la parte no utilizada del derecho de aprovechamiento, mediante una providencia que estampará en un documento independiente a la nómina indicada en el artículo anterior.

Este podrá dirigirse contra todos los deudores a la vez y no será susceptible de recurso alguno.

El embargo sólo podrá recaer en la parte del derecho de aprovechamiento afecto al pago de las patentes que se adeuden.

Artículo 129 bis 14.- La notificación de encontrarse en mora, así como el requerimiento de pago, se harán a la persona que figure como propietaria del derecho de aprovechamiento en el Registro de Propiedad de Aguas del Conservador de Bienes Raíces respectivo y podrán dirigirse contra uno o varios deudores a la vez, mediante el envío de carta certificada al domicilio del deudor.

La notificación y el requerimiento señalados en el inciso anterior se entenderán realizados por la publicación de la resolución que contenga el requerimiento de pago en el Diario Oficial el día primero o quince de cada mes o el primer día hábil inmediatamente siguiente si aquéllos fueren feriados, y, en forma destacada, en un diario o periódico de la provincia respectiva y, si no lo hubiere, en uno de la capital de la Región correspondiente. El costo de esta publicación será de cargo de la Tesorería General de la República.

La parte del derecho de aprovechamiento o el derecho de aprovechamiento de aguas objeto de la patente adeudada se entenderá embargado por el solo ministerio de la ley, desde el momento en que se efectúe el requerimiento de pago.

Artículo 129 bis 15.- El deudor podrá oponerse a la ejecución dentro del plazo de treinta días hábiles contado desde la fecha de las publicaciones señaladas en el artículo anterior.

La oposición sólo será admisible cuando se funde en alguna de las siguientes excepciones:

1° Pago de la deuda, siempre que conste por escrito;

2° Prescripción de la deuda;

3° Remisión de la deuda;

4° Cosa juzgada, o

5° Que se encuentren pendientes de resolución algunos de los recursos a que se refiere el artículo 129 bis 10. En este caso, y mientras se encuentre pendiente la resolución de dichos recursos, se suspenderá el procedimiento.

6° Que el pago de la patente se encuentre suspendida por aplicación del inciso final del artículo 129 bis 7.

La oposición se tramitará en forma incidental, pero si las excepciones no reúnen los requisitos exigidos en el inciso anterior, se rechazará de plano. El recurso de apelación que se interponga en contra de la resolución que rechace las excepciones se concederá en el solo efecto devolutivo. El tribunal de segunda instancia sólo podrá ordenar la suspensión de la ejecución cuando la oposición se funde en el pago de la deuda que conste en un antecedente escrito o en que se encuentren pendientes de resolución algunos de los recursos a que se refiere el artículo 129 bis 10. La apelación que se interponga en contra de la resolución que acoja las excepciones, se concederá en ambos efectos.

Si se acogieren parcialmente las excepciones, proseguirá la ejecución por el monto que determine el tribunal, en conformidad a lo dispuesto en el artículo siguiente. Si los recursos a los que alude el número 5° del presente artículo son acogidos, el tribunal dispondrá el archivo de los antecedentes. En caso contrario, continuará con la tramitación del procedimiento de remate.

Artículo 129 bis 16.- Si transcurriere el plazo que el deudor tiene para oponerse a la ejecución sin que lo hubiere hecho o, habiendo deducido oposición, ésta fuere rechazada, el juez dictará una resolución señalando día y hora para el remate, la que se publicará, junto a la nómina de derechos a subastar, por una sola vez en un diario o periódico de la provincia respectiva y, si no lo hubiere, en uno de la capital de la Región correspondiente. La nómina, además se difundirá mediante mensaje radial en una emisora con cobertura territorial del área pertinente. El costo de estas publicaciones será de cargo de la Tesorería General de la República.

El juez dispondrá, previo informe de la Dirección General de Aguas y teniendo a la vista las peticiones de los posibles interesados, que el caudal correspondiente a los derechos de aprovechamiento a rematar, sea subastado fraccionándolo en tantas partes como estime conveniente, debiendo comenzar la subasta por la cuota menor.

El remate no podrá efectuarse antes de los treinta días siguientes a la fecha del aviso.

Los errores u omisiones en la publicación señalada en el inciso primero podrán ser rectificados antes del remate, a solicitud de cualquiera que tenga interés en ello o de la Dirección General de Aguas. El juez resolverá con conocimiento de causa. Las rectificaciones se publicarán en igual forma que la publicación original y el remate se postergará para una fecha posterior en treinta días, a lo menos, a la última publicación.

El secretario del tribunal dará testimonio en los autos de haberse publicado los avisos en la forma y oportunidad señaladas.

El mínimo de la subasta será el valor de las patentes adeudadas, o la parte que corresponda, y el titular del derecho podrá liberarlo pagando dicho valor más un treinta por ciento del mismo.

Todo postor, para tomar parte en el remate, deberá rendir caución suficiente a beneficio fiscal, calificada por el tribunal, sin ulterior recurso, para responder que se llevará a efecto el pago de los derechos de aprovechamiento rematados. La garantía será equivalente al diez por ciento de la suma adeudada, o la parte que corresponda, y subsistirá hasta que se otorgue la escritura definitiva de adjudicación.

Si el adjudicatario no enterare el precio de la subasta dentro del plazo de quince días contado desde la fecha del remate, la adjudicación quedará sin efecto por el solo ministerio de la ley y el juez hará efectiva la garantía a beneficio fiscal, ordenando que los derechos de aprovechamiento sean nuevamente sacados a remate.

Si el producido excediere lo adeudado por concepto de patentes, gastos y costas, el remanente será entregado al ejecutado.

La venta en remate se hará por el martillero designado por el tribunal que corresponda y a ella podrán concurrir, el Fisco, las instituciones del sector público y cualquier persona, todos en igualdad de condiciones. El Fisco podrá imputar al precio del remate, el monto adeudado por concepto de patentes. Si el Fisco o cualquiera de las instituciones del sector público se adjudican el derecho de aprovechamiento, deberán renunciar al mismo, de conformidad con lo dispuesto en el inciso final del artículo 6° en un plazo máximo de dos meses, contados desde la inscripción de la adjudicación en el Conservador de Bienes Raíces respectivo. Si el Fisco no inscribiere la renuncia dentro de dos meses contados desde la fecha de adjudicación, el juez respectivo podrá, a petición de cualquier interesado, ordenar a nombre del Fisco, la inscripción de la renuncia, en el Registro de Aguas correspondiente. En este caso, las aguas quedarán libres para la constitución de nuevos derechos de aprovechamiento de conformidad a las normas generales.

Será aplicable lo dispuesto en el artículo 2428 del Código Civil y el artículo 492 del Código de Procedimiento Civil al procedimiento de remate del derecho de aprovechamiento. Sin perjuicio de lo anterior, el Fisco tendrá preferencia para cobrar la patente adeudada con el producto del remate sobre todo otro acreedor.

Artículo 129 bis 17.- Los demás procedimientos relativos al remate, al acta correspondiente, a la escritura de adjudicación y a su inscripción, se regirán por las disposiciones del Código de Procedimiento Civil relativas a la subasta de bienes inmuebles embargados.

Artículo 129 bis 18.- Si no se presentaren postores en el día señalado para el remate, la Dirección General de Aguas solicitará al tribunal que el derecho de aprovechamiento se ponga por una segunda vez a remate, esta vez sin el mínimo señalado en el inciso sexto del artículo 129 bis 16.

Si puesto a remate el derecho de aprovechamiento en la forma señalada en el inciso anterior, tampoco se presentaren postores, el juez adjudicará el derecho de aprovechamiento al Fisco, a nombre del Ministerio
de Bienes Nacionales, el que deberá renunciar al mismo, de conformidad
con lo dispuesto en el inciso final del artículo 6° en un plazo máximo
de dos meses, contados desde la inscripción de la adjudicación en el
Conservador de Bienes Raíces respectivo. Si el Fisco no inscribiere la
renuncia dentro de dos meses contados desde la fecha de adjudicación,
el juez respectivo podrá, a petición de cualquier interesado, ordenar a
nombre del Fisco la inscripción de la renuncia en el Registro de Aguas
correspondiente. En este caso, las aguas quedarán libres para la constitución de nuevos derechos de aprovechamiento de conformidad a las
normas generales.

Artículo 129 bis 19.- Una cantidad igual al 75% del producto neto
de las patentes por no utilización de los derechos de aprovechamiento y
de lo recaudado en los remates de estos últimos, será distribuida, a contar
del ejercicio presupuestario correspondiente al cuarto año posterior al de
publicación de esta ley, entre las regiones y comunas del país en la forma
que a continuación se indica:

a) El 65% de dichos producto neto y recaudación por remates se incorporará a la cuota del Fondo Nacional de Desarrollo Regional que anualmente le corresponda, en el Presupuesto Nacional, a la Región donde tenga
su oficio el Conservador de Bienes Raíces en cuyo Registro se encuentren
inscritos los derechos de aprovechamiento.

b) El 10% restante se distribuirá proporcionalmente a la superficie
de las cuencas de las respectivas comunas donde sea competente el Conservador de Bienes Raíces, en cuyo Registro se encuentren inscritos los
derechos de aprovechamiento.

La proporción de la cantidad señalada en la letra a) anterior, que
corresponda a cada Región, se determinará como el cuociente entre el
monto recaudado por patentes y remates correspondiente a la Región en
donde tenga su oficio el Conservador de Bienes Raíces en cuyo Registro
se encuentren inscritos los derechos de aprovechamiento y el monto to-

tal recaudado por estos conceptos en todas las Regiones del país. Igual criterio se aplicará tratándose de las municipalidades a que se refiere la letra b). En este último caso, si un derecho de aprovechamiento se encuentra situado en el territorio de dos o más comunas, la Dirección General de Aguas determinará la proporción que le corresponderá a cada una de ellas, dividiendo el monto correspondiente a prorrata de la super-ficie de cada comuna comprendida en la extensión territorial del derecho de aprovechamiento.

La Ley de Presupuestos incluirá, en los presupuestos de los Gobiernos Regionales y municipalidades que correspondan, las cantidades que resul-ten de la aplicación de los incisos anteriores.

Para los efectos de este artículo, se entenderá por producto neto las cantidades que resulten de restar a la recaudación bruta, obtenida de la aplicación de las patentes que establecen los artículos 129 bis 4, 129 bis 5 y 129 bis 6, las sumas imputadas al pago de impuestos fiscales en la forma dispuesta en el artículo siguiente, ambos valores correspondientes al período de doce meses, contado hacia atrás desde el mes de junio del año anterior al de vigencia de la Ley de Presupuestos que incluya la distri-bución que proceda de acuerdo a esta disposición.

Artículo 129 bis 20.- El valor de las patentes no se considerará como gasto tributario para efectos de la determinación de la base imponible del impuesto de Primera Categoría de la Ley sobre Impuesto a la Renta. Sin perjuicio de ello, a dicho monto no le será aplicable lo dispuesto en el artículo 21 de dicha ley.

Los titulares de derechos de aprovechamiento podrán deducir del mon-to de sus pagos provisionales obligatorios de la Ley sobre Impuesto a la Renta, las cantidades mensuales que paguen por concepto de patentes en los años anteriores a aquél en que se inicie la utilización de las aguas. El remanente que resultare de esta imputación, por ser inferior el pago provisional obligatorio o por no existir la obligación de hacerlo en dicho período, podrá imputarse a cualquier otro impuesto fiscal de retención o recargo de declaración mensual y pago simultáneo que deba pagarse en la misma fecha, y el saldo que aún quede podrá imputarse a los mismos impuestos indefinidamente en los meses siguientes, hasta su total agotamiento, reajustado en la forma que prescribe el artículo 27 del decreto Ley N° 825, de 1974.

Artículo 129 bis 21.- Respecto a los derechos de aprovechamiento no consuntivos, podrán imputarse en conformidad al artículo anterior, todos los pagos efectuados durante los ocho años anteriores a aquél en que se inicie la utilización de las aguas.

Respecto a los derechos de aprovechamiento consuntivos, podrán imputarse asimismo todos los pagos efectuados durante los seis años anteriores a aquél en que se inicie la utilización de las aguas.

Si el derecho de aprovechamiento fuere adquirido mediante remate de conformidad con lo dispuesto en los artículos 142 a 147, y 129 bis 16 y 129 bis 17 del presente Código, la cantidad pagada, debidamente reajustada, por concepto de precio del referido derecho por el titular del mismo podrá ser imputada al pago de la patente señalada en los artículos 129 bis 4, 129 bis 5 y 129 bis 6. Un reglamento determinará la forma de efectuar la imputación señalada en el presente inciso.".

17.- Agrégase, al artículo 131, el siguiente inciso cuarto, nuevo, pasando el actual inciso cuarto a ser inciso quinto:

La solicitud o extracto se comunicará, a costa del interesado, además, por medio de tres mensajes radiales. Estos mensajes deberán emitirse dentro del plazo que establece el inciso primero de este artículo. El Director General de Aguas determinará, mediante resolución, las radioemisoras donde deben difundirse los mensajes aludidos que deberán cubrir el sector que involucre el punto de la respectiva solicitud tales como la ubicación de la bocatoma, el punto donde se desea captar el agua y el lugar donde se encuentra la aprobación de la obra hidráulica, entre otros, además, de los días y horarios en que deben emitirse, como asimismo sus contenidos y la forma de acreditar el cumplimiento de dicha exigencia.

18.- Introdúcense las siguientes modificaciones en el artículo 137 del Código de Aguas:

a) Reemplázase, en el inciso primero, la palabra "respectiva", seguida de una coma (,), por la frase "del lugar en que se dictó la resolución que se impugna" seguida de una coma (,), y

b) Agrégase, como inciso segundo, nuevo, pasando el actual inciso segundo a ser tercero, el siguiente:

"Serán aplicables a la tramitación del recurso de reclamación, en lo pertinente, las normas contenidas en el Título XVIII del Libro I del Código de Procedimiento Civil, relativas a la tramitación del recurso de apelación debiendo, en todo caso, notificarse a la Dirección General de Aguas, la cual deberá informar al tenor del recurso.".

19.- Reemplázase el artículo 140 por el siguiente:

Artículo 140.- La solicitud para adquirir el derecho de aprovechamiento deberá contener:

1. El nombre y demás antecedentes para individualizar al solicitante. El nombre del álveo de las aguas que se necesita aprovechar, su naturaleza, esto es, si son superficiales o subterráneas, corrientes o detenidas, y la provincia en que estén ubicadas o que recorren.

Tratándose de aguas subterráneas, se precisará la comuna en que se ubicará la captación y el área de protección que se solicita;

2. La cantidad de agua que se necesita extraer, expresada en medidas métricas y de tiempo. Tratándose de aguas subterráneas, deberá indicarse el caudal máximo que se necesita extraer en un instante dado, expresado en medidas métricas y de tiempo, y el volumen total anual que se desea extraer desde el acuífero, expresado en metros cúbicos;

3. El o los puntos donde se desea captar el agua.

Si la captación se efectúa mediante un embalse o barrera ubicado en el álveo, se entenderá por punto de captación aquél que corresponda a la intersección del nivel de aguas máximas de dicha obra con la corriente natural.

En el caso de los derechos no consuntivos, se indicará, además, el punto de restitución de las aguas y la distancia y desnivel entre la captación y la restitución;

4. El modo de extraer las aguas;

5. La naturaleza del derecho que se solicita, esto es, si es consuntivo o no consuntivo, de ejercicio permanente o eventual, continuo o discontinuo o alternado con otras personas, y

6. En el caso que se solicite, en una o más presentaciones, un volumen de agua superior a las cantidades indicadas en los incisos finales de los artículos 129 bis 4 y 129 bis 5, el solicitante deberá acompañar una memoria explicativa en la que se señale la cantidad de agua que se necesita extraer, según el uso que se le dará. Para estos efectos, la Dirección General de Aguas dispondrá de formularios que contengan los antecedentes necesarios para el cumplimiento de esta obligación. Dicha memoria se presentará como una declaración jurada sobre la veracidad de los antecedentes que en ella se incorporen.".

20.- Elimínase, en el artículo 141, el inciso tercero, pasando el actual inciso cuarto a ser inciso tercero.

21.- Modifícase el artículo 142, de la siguiente forma:

1.- Sustitúyese el inciso primero, por el siguiente:

"Si dentro del plazo de seis meses contados desde la presentación de la solicitud, se hubieren presentado dos o más solicitudes sobre las mismas aguas y no hubiere recursos suficientes para satisfacer todos los requerimientos, la Dirección General de Aguas, una vez reunidos los antecedentes que acrediten la existencia de aguas disponibles para la constitución de nuevos derechos sobre ellas, citará a un remate de estos derechos. Las bases de remate determinarán la forma en que se llevará a cabo dicho acto.".

2.- En el inciso tercero, agrégase, a continuación del punto final, lo siguiente: "La Dirección General de Aguas comunicará por carta certificada los antecedentes antes señalados, a los solicitantes que dentro del plazo establecido en el inciso primero del presente artículo, hubieren presentado solicitudes sobre las mismas aguas involucradas en el remate. La misma notificación podrá efectuarla a la respectiva organización de usuarios. En estos avisos y las comunicaciones señaladas, la Dirección General de Aguas deberá señalar el área que queda comprometida, desde el punto de vista de la disponibilidad para la constitución de nuevos derechos de aprovechamiento de aguas una vez que se adjudiquen los derechos involucrados en el remate. La omisión del envío de la carta certificada a que se refiere el presente inciso no invalidará el remate respectivo, sin perjuicio de hacer efectiva la responsabilidad del funcionario que incurrió en tal omisión.".

22.- Sustitúyese el artículo 144, por el siguiente:

"**Artículo 144.-** La subasta de los derechos de aprovechamiento solicitados, la efectuará el funcionario que designe el Director General de Aguas y a ella podrán concurrir las personas que hubieren presentado la solicitud dentro del plazo señalado en el inciso primero del artículo 142, el Fisco y cualquiera de las instituciones del sector público en igualdad de condiciones. Si la solicitud recae sobre aguas superficiales podrá concurrir, además, cualquier persona.

Sin perjuicio de lo señalado en el inciso anterior, los solicitantes que se adjudiquen el derecho de aprovechamiento, podrán imputar al pago del precio del remate los costos procesales en que hubiesen incurrido en la tramitación de sus solicitudes, que correspondan a los gastos de publicación de las mismas efectuadas de conformidad a la ley y aquellos originados con ocasión de la inspección ocular que señala el artículo 135 de este Código.".

23.- Intercálanse los siguientes artículos 147 bis y 147 ter, nuevos, a continuación del artículo 147:

"**Artículo 147 bis.-** El derecho de aprovechamiento de aguas se constituirá mediante resolución de la Dirección General de Aguas, o bien, mediante decreto supremo del Presidente de la República, en el caso previsto en el artículo 148.

El Director General de Aguas si no se dan los casos señalados en el inciso primero del artículo 142, podrá, mediante resolución fundada, limitar el caudal de una solicitud de derechos de aprovechamiento, si manifiestamente no hubiera equivalencia entre la cantidad de agua que se necesita extraer, atendidos los fines invocados por el peticionario en la memoria explicativa señalada en el N° 6 del artículo 140 de este Código, y los caudales señalados en una tabla de equivalencias entre caudales de agua y usos, que refleje las prácticas habituales en el país en materia de aprovechamiento de aguas. Dicha tabla será fijada mediante decreto supremo firmado por los Ministros de Obras Públicas, Minería, Agricultura y Economía.

Asimismo, cuando sea necesario reservar el recurso para el abastecimiento de la población por no existir otros medios para obtener el agua, o bien, tratándose de solicitudes de derechos no consuntivos y por circunstancias excepcionales y de interés nacional, el Presidente de la República podrá, mediante decreto fundado, con informe de la Dirección General de Aguas, disponer la denegación parcial de una petición de derecho de aprovechamiento. Este decreto se publicará por una sola vez en el Diario Oficial, el día primero o quince de cada mes, o el primer día hábil inmediatamente siguiente si aquéllos fueran feriados.

Si en razón de la disponibilidad de agua no es posible constituir el derecho de aprovechamiento en las condiciones solicitadas, el Director General de Aguas podrá hacerlo en cantidad o con características diferentes, siempre que conste el consentimiento del interesado. Así, por ejemplo, será posible constituirlo en calidad de eventual o discontinuo, habiendo sido solicitado como permanente o continuo.

Sin perjuicio de lo dispuesto en los artículos 22, 65, 66, 67, 129 bis 1 y 141 inciso final, procederá la constitución de derechos de aprovechamiento sobre aguas subterráneas, siempre que la explotación del respectivo acuífero sea la apropiada para su conservación y protección en el largo plazo, considerando los antecedentes técnicos de recarga y descarga, así como las condiciones de uso existentes y previsibles, todos los cuales deberán ser de conocimiento público.

Artículo 147 ter.- El afectado por un decreto del Presidente de la República que disponga la denegación parcial de una petición de derecho de aprovechamiento podrá reclamar ante la Corte de Apelaciones de Santiago, dentro del plazo de treinta días contado desde la fecha de su publicación. Será aplicable a esta reclamación el procedimiento establecido en el artículo 137.".

24.- Reemplázase, en el artículo 148, la frase "inciso tercero del artículo 141" por "inciso primero del artículo 142".

25.- Reemplázase el artículo 149 por el siguiente:

"**Artículo 149.-** El acto administrativo en cuya virtud se constituye el derecho contendrá:

1. El nombre del adquirente;

2. El nombre del álveo o individualización de la comuna en que se encuentre la captación de las aguas subterráneas que se necesita aprovechar y el área de protección;

3. La cantidad de agua que se autoriza extraer, expresada en la forma prevista en el artículo 7° de este Código;

4. El o los puntos precisos donde se captará el agua y el modo de extraerla;

5. El desnivel y puntos de restitución de las aguas si se trata de usos no consuntivos;

6. Si el derecho es consuntivo o no consuntivo, de ejercicio permanente o eventual, continuo o discontinuo o alternado con otras personas, y

7. Otras especificaciones técnicas relacionadas con la naturaleza especial del respectivo derecho y las modalidades que lo afecten, con el objetivo de conservar el medio ambiente o proteger derechos de terceros.

Sin perjuicio de lo dispuesto en el inciso segundo del artículo 147 bis, el derecho de aprovechamiento constituido de conformidad al presente artículo, no quedará en modo alguno condicionado a un determinado uso y su titular o los sucesores en el dominio a cualquier título podrán destinarlo a los fines que estimen pertinentes.".

26.- Reemplázase el inciso primero del artículo 160, por el siguiente:

"**Artículo 160.-** La solicitud se publicará de conformidad con lo dispuesto en el artículo 131.".

27.- Reemplázase el inciso primero del artículo 162, por el siguiente:

"**Artículo 162.-** Con todos los antecedentes reunidos, y si se cumple con los requisitos señalados en el artículo 159, la Dirección General de Aguas acogerá la solicitud de cambio de fuente de abastecimiento. En caso contrario, la solicitud será denegada.".

28.- Agrégase, en el artículo 163, el siguiente inciso segundo, nuevo:
"Si la solicitud fuera legalmente procedente, no se afectan derechos de terceros y existe disponibilidad del recurso en el nuevo punto de captación, la Dirección General de Aguas deberá autorizar el traslado.".

29.- Agrégase en el Título II del Libro Segundo el siguiente Párrafo 3, nuevo:
3. Del arbitraje
Artículo 185 bis.- Sin perjuicio de lo dispuesto en los artículos 177 y 244 de este Código, los conflictos que se produzcan en el ejercicio de derechos de aprovechamiento de aguas, podrán ser resueltos por un árbitro con el carácter de arbitrador, el que podrá ser nombrado de común acuerdo y en subsidio, por el juez de letras en lo civil respectivo a que se refiere el artículo 178, el que deberá recaer en una persona que figure en una nómina que al efecto formarán las Cortes de Apelaciones. El carácter de árbitro será incompatible con el de funcionario público.

30.- Sustitúyense, en el artículo 186, la frase "canal o embalse, o usan en común la misma obra de captación de aguas subterráneas," por "canal, embalse, o aprovechan las aguas de un mismo acuífero," y la expresión "canal matriz" por "caudal matriz".

31.- Agrégase en el artículo 196 el siguiente inciso final, nuevo:
"Las comunidades de aguas que hayan cumplido con este requisito gozarán de personalidad jurídica y les serán aplicables las disposiciones del Título XXXIII del Libro I del Código Civil, con excepción de los artículos 560, 562, 563 y 564.".

32.- Introdúcense, en el artículo 263, las siguientes modificaciones:
a) Agrégase, en el inciso primero, a continuación de la frase "aprovechen aguas", las palabras "superficiales o subterráneas".
b) Reemplázase, el inciso segundo, por el siguiente:
"La constitución de la Junta de Vigilancia y sus estatutos, constarán en escritura pública, la que deberá ingresarse a la Dirección General de Aguas, conjuntamente con una publicación en un diario o periódico de la provincia

respectiva y, si no hubiera, en uno de la capital regional correspondiente, en el cual se notifique la constitución de la organización de usuarios de que se trata, con indicación de fecha y notaría del documento público constitutivo.".

c) Agréganse los siguientes incisos tercero, cuarto, quinto, sexto y séptimo, nuevos:

"A contar de la fecha de ingreso a la Dirección General de Aguas de la escritura pública en que consten la constitución y estatutos de la Junta de Vigilancia, dicho Servicio tendrá un plazo de sesenta días hábiles para efectuar las observaciones legales y técnicas que sean del caso, las que deberán ser resueltas por los interesados en el plazo no fatal de sesenta días.

Transcurrido el plazo indicado en el inciso precedente, sin que la Dirección General de Aguas haya efectuado observaciones, o bien, habiéndolas realizado, ellas fueran resueltas satisfactoriamente, la escritura pública en que consten la constitución y estatutos de la Junta de Vigilancia deberá publicarse en extracto, previamente ingresado en la oficina de partes de dicho Servicio, por una vez, en el Diario Oficial, y en forma destacada en un diario o periódico de la provincia respectiva, y si no hubiera, en uno de la capital de la Región correspondiente. Esta publicación se efectuará dentro de los treinta días siguientes a la fecha de ingreso a la Dirección General de Aguas. Efectuada la referida publicación, la Junta de Vigilancia gozará de personalidad jurídica.

El extracto indicado en el inciso anterior, deberá contener las siguientes menciones:

1.- El nombre, domicilio y objeto de la Junta de Vigilancia.

2.- Hoya hidrográfica a que pertenece.

3.- El o los cauces o la sección del cauce, acuíferos o fuente natural sobre la que tiene jurisdicción.

4.- Enumeración de canales sometidos a su jurisdicción, con indicación de sus derechos de aprovechamiento en el cauce o fuente natural, expresados conjuntamente en acciones y en volumen por unidad de tiempo.

5.- Enumeración de usuarios individuales que capten directamente del cauce natural, a través de una bocatoma, con indicación de sus derechos de aprovechamiento, expresados conjuntamente en acciones y en volumen por unidad de tiempo.

6.- El número de miembros que formará el directorio, o el número de administradores, según el caso.

7.- La individualización de los miembros del primer directorio o de el o los administradores, según el caso.

En el caso de Juntas de Vigilancia constituidas por escritura pública, no habiendo acuerdo entre la Dirección General de Aguas y los interesados para resolver las observaciones hechas por la primera, será necesario recurrir al procedimiento judicial de constitución contemplado en el artículo 269 de este Código.

Los interesados deberán acompañar a la Dirección General de Aguas copia de la publicación indicada en el inciso cuarto para su registro en el referido Servicio.".

33.- Reemplázase, en el inciso primero del artículo 266, la expresión "los cauces" por "las fuentes".

34.- Reemplázase, el inciso tercero del artículo 269, por el siguiente:
"Asimismo, podrán constituirse por escritura pública siempre que concurra a suscribirla la mayoría absoluta de las personas u organizaciones señaladas en el artículo 263.".

35.- Sustitúyese el inciso segundo del artículo 270, por el siguiente:
"El Juez, antes de resolver, existiendo o no controversia sobre los canales que deban quedar sometidos a la Junta de Vigilancia, sus dotaciones y la forma en que participarán en la distribución, pedirá informe a la Dirección General de Aguas, la que tendrá un plazo de sesenta días hábiles para evacuarlo, vencido el cual deberá resolver, prescindiendo de él.".

36.- Reemplázase, en el número 1 del artículo 274, la frase "derechos de agua" por "derechos de aprovechamiento de aguas".

37.- Reemplázanse las letras c) y d) del artículo 299, por las siguientes letras c), d) y e):
"c) Ejercer la policía y vigilancia de las aguas en los cauces naturales de uso público e impedir que en éstos se construyan, modifiquen o destru-

yan obras sin la autorización previa del servicio o autoridad a quien corresponda aprobar su construcción o autorizar su demolición o modificación.

d) En el caso de que no existan Juntas de Vigilancia legalmente constituidas, impedir que se extraigan aguas de los mismos cauces sin título o en mayor cantidad de lo que corresponda. Para estos efectos, podrá requerir el auxilio de la fuerza pública en los términos establecidos en el artículo 138 de este Código, y

e) Supervigilar el funcionamiento de las organizaciones de usuarios, de acuerdo con lo dispuesto en este Código.".

38.- Modifícase el artículo 314, de la siguiente manera:

a) Sustitúyese el inciso tercero, por el siguiente:

"Declarada la zona de escasez, y no habiendo acuerdo de los usuarios para redistribuir las aguas, la Dirección General de Aguas podrá hacerlo respecto de las disponibles en las fuentes naturales, para reducir al mínimo los daños generales derivados de la sequía. Podrá, para ello, suspender las atribuciones de las Juntas de Vigilancia, como también los seccionamientos de las corrientes naturales que estén comprendidas dentro de la zona de escasez.".

b) Agréganse los siguientes incisos cuarto y quinto, nuevos, pasando los actuales incisos cuarto, quinto y sexto, a ser incisos sexto, séptimo y octavo, respectivamente:

"Una vez declarada la zona de escasez y por el mismo período señalado en el inciso primero de este artículo, la Dirección General de Aguas podrá autorizar extracciones de aguas superficiales o subterráneas desde cualquier punto sin necesidad de constituir derechos de aprovechamiento de aguas y sin la limitación del caudal ecológico mínimo establecido en el artículo 129 bis 1. También podrá otorgar cualquiera de las autorizaciones señaladas en el Título I del Libro Segundo de este Código.

Para los efectos señalados en los incisos anteriores, y lo dispuesto en el artículo siguiente, la Dirección General de Aguas adoptará las medidas sin sujeción a las normas establecidas en el Título I del Libro Segundo de este Código.".

39.- Reemplázase el artículo 1° transitorio por el siguiente:

"**Artículo 1° transitorio.-** Los derechos de aprovechamiento inscritos en el Registro de Aguas del Conservador de Bienes Raíces competente, cuyas posteriores transferencias o transmisiones no lo hubieran sido, podrán regularizarse mediante la inscripción de los títulos correspondientes desde su actual propietario hasta llegar a la inscripción de la cual proceden.

Si el Conservador de Bienes Raíces donde exista la inscripción se rehusara a practicar las nuevas inscripciones solicitadas, el interesado podrá ocurrir ante el juez de letras competente para que, si lo estima procedente, ordene al Conservador practicar tales inscripciones.

Para resolver sobre la solicitud, el juez solicitará informe al Conservador de Bienes Raíces que se haya pronunciado negativamente y a la Dirección General de Aguas y tendrá, además, a la vista, copia autorizada de la inscripción de dominio a nombre del interesado del inmueble en el cual se aprovechen las aguas; certificado de vigencia del mismo y certificado de la respectiva organización de usuarios en que conste la calidad del solicitante como miembro activo de ella, cuando corresponda.".

40.- Reemplázase, en el inciso primero del artículo 13 transitorio, la frase "artículo 12 del presente Código" por "artículo 112 del presente Código".

Artículo 2°.- Facúltase al Presidente de la República para que, dentro del plazo de un año, fije el texto refundido, coordinado y sistematizado del Código de Aguas.

En el ejercicio de esta facultad, el Presidente de la República no podrá, tratándose de artículos que contengan preceptos de rango orgánico constitucional o de quórum calificado, alterar su redacción; sólo se limitará a establecer o concordar la numeración de los artículos según el orden correlativo que corresponda.

ARTÍCULOS TRANSITORIOS

Artículo 1°.- Las solicitudes de derecho de aprovechamiento que se encuentran pendientes, deberán ajustarse a las disposiciones de esta ley, para lo cual el Director General de Aguas requerirá de los peticionarios los antecedentes e informaciones que fueren necesarios para dicho fin.

Asimismo, todas las solicitudes de derecho de aprovechamiento que a la fecha de publicación de la presente ley se encuentren pendientes de resolver y que sean incompatibles entre sí según lo dispone el inciso primero del artículo 142 de este Código, serán objeto de uno o varios remates públicos que al efecto realizará la Dirección General de Aguas, de acuerdo al procedimiento señalado en los artículos 142, 143, 144, 145, 146 y 147 del Código de Aguas.

Los derechos de aprovechamiento solicitados que se encuentren pendientes de resolver a la fecha de publicación de la presente ley que, de conformidad con lo dispuesto en los artículos 65 y 66 del Código de Aguas puedan ser constituidos en carácter de provisional y que sean incompatibles entre sí según lo dispone el inciso primero del artículo 142 de este Código, serán objeto de uno o varios remates públicos que al efecto realizará la Dirección General de Aguas, de acuerdo al procedimiento señalado en los artículos 142, 143, 144, 145, 146 y 147 del Código de Aguas.

Artículo 2°.- Para los efectos de la contabilización de los plazos de no utilización de las aguas señalados en el número 1 del artículo 129 bis 4, éstos comenzarán a regir a contar del 1 de enero del año siguiente al de la fecha de publicación de esta ley. En el caso de derechos de aprovechamiento que se constituyan o reconozcan con posterioridad a tal fecha, los plazos se computarán desde la fecha de su constitución o reconocimiento.

La patente establecida en el número 2 del artículo señalado en el inciso anterior, sólo entrará en vigencia a contar del día primero de enero del séptimo año siguiente al año en que se publique esta ley, contabilizándose desde tal día los plazos de no utilización de las aguas.

Para los efectos de la contabilización de los plazos de no utilización de las aguas relativa a la patente establecida en el artículo 129 bis 6, aquéllos comenzarán a regir a contar del 1 de enero del año siguiente al de la fecha de publicación de esta ley. En el caso de derechos de aprovechamiento que se constituyan o reconozcan con posterioridad a tal fecha, los plazos se computarán desde la fecha de su constitución o reconocimiento.

Artículo 3°.- La Dirección General de Aguas constituirá derechos de aprovechamiento, según corresponda, con el carácter de consuntivos, definitivos, permanentes y de ejercicio continuo, hasta por un caudal de dos litros por segundo, respecto de solicitudes que hayan sido presentadas hasta el 1 de enero de 2000, y que se encuentren pendientes de resolución, o con recursos sin resolver a la fecha de publicación de la presente ley.

Para constituir el derecho de aprovechamiento en virtud de lo dispuesto en este artículo, se requerirá que se cumpla sólo con los siguientes requisitos:

1. La solicitud deberá contener las menciones a que se refiere el artículo 140 del Código de Aguas.

2. Se deberá acreditar que se han realizado las publicaciones de conformidad con lo dispuesto en el artículo 131 del Código de Aguas.

3. En caso de aguas subterráneas, se deberá acreditar el dominio del predio donde se ubica el pozo o la autorización del dueño del terreno que conste en un documento firmado ante notario. Si la obra de captación se encuentra en un bien nacional de uso público, deberá adjuntarse la autorización del organismo bajo cuya administración éste se encuentre. Tratándose de un bien fiscal, deberá acompañarse autorización del Ministerio de Bienes Nacionales.

4. Se deberá demostrar el alumbramiento de las aguas en la obra de captación.

5. Se deberá demostrar que las obras de captación no se encuentren ubicadas en las zonas señaladas en el inciso tercero del artículo 63.

Cumplidos los requisitos señalados en el inciso anterior, la Dirección General de Aguas constituirá el derecho de aprovechamiento de conformidad con lo dispuesto en el inciso primero del presente artículo.

Artículo 4°.- La Dirección General de Aguas constituirá derechos de aprovechamiento permanentes sobre aguas subterráneas por un caudal de hasta 2 litros por segundo, para las Regiones Primera a Metropolitana, ambas inclusive y hasta 4 litros por segundo en el resto de las Regiones, sobre captaciones que hayan sido construidas antes del 30 de junio de

2004. Las solicitudes deberán ser presentadas hasta seis meses después de la entrada en vigencia de la presente ley.-

No será requisito para el aprovechamiento de aguas subterráneas indicadas en el inciso primero del artículo 56 del Código de Aguas, realizar la regulación señalada en el presente artículo.

La constitución de derechos de aprovechamiento que se realice de conformidad con lo dispuesto en el presente artículo, respecto de captaciones construidas en inmuebles regidos por el decreto con fuerza de Ley N° 5, de 1968, del Ministerio de Agricultura, sólo se podrá efectuar a nombre de la respectiva comunidad agrícola. Esta norma se aplicará a todas las solicitudes que ya hayan sido ingresadas a trámite como así también respecto de aquellas que en el futuro se presenten.

Artículo 5°.- Para constituir el derecho de aprovechamiento en virtud de lo dispuesto en el artículo anterior, se requerirá cumplir sólo con los siguientes requisitos:

1. La solicitud se hará mediante un formulario que la Dirección General de Aguas pondrá a disposición de los peticionarios para estos efectos, y se presentará ante la oficina de este Servicio del lugar, o ante el Gobernador respectivo.

2. El peticionario, al momento de presentar la solicitud, deberá adjuntar al formulario que alude el número anterior, un documento que acredite el dominio del inmueble en que se ubique la captación, o la autorización de su dueño que conste en un documento firmado ante notario. Si la obra de captación se encuentra en un bien nacional de uso público, deberá adjuntarse la autorización del organismo bajo cuya administración éste se encuentre. Tratándose de un bien fiscal, deberá acompañarse autorización del Ministerio de Bienes Nacionales. Asimismo, junto con su solicitud, el peticionario deberá acompañar todos los documentos que acrediten la antigüedad de la obra y el caudal susceptible de ser constituido. En caso que no disponga de documentos que avalen su solicitud, deberá acompañar una declaración jurada acerca de la fecha de construcción de la captación.

3. Una vez ingresada la solicitud, la Dirección General de Aguas deberá realizar una visita a terreno, a fin de verificar la existencia de la obra de

captación, el caudal posible de extraer y si ella cumple con la antigüedad requerida por el artículo anterior. La Dirección General de Aguas podrá solicitar a los interesados los fondos necesarios para cubrir los gastos a que dé lugar la visita a terreno.

4. Las obras de captación deberán estar situadas fuera de las zonas señaladas en el inciso tercero del artículo 63.

5. Cumplidos los requisitos señalados en el presente artículo, la Dirección General de Aguas constituirá el derecho de aprovechamiento de aguas subterráneas, para lo cual podrá dictar una o varias resoluciones que incluyan un conjunto de solicitudes involucradas.

Si las solicitudes no cumplen con los requisitos exigidos, deberán ser denegadas, y en contra de ellas podrán interponerse los recursos a que se refieren los artículos 136 y 137 del Código de Aguas.

6. La Dirección General de Aguas publicará, en su oportunidad, el hecho de haberse dictado la resolución que constituyó los derechos en conformidad con lo dispuesto por el presente artículo. La publicación se efectuará por una sola vez en el Diario Oficial los días 1 o 15 del mes que corresponda, en un plazo máximo de dos meses contados desde la fecha de toma de razón de la respectiva resolución.

En contra de la resolución podrán deducirse los recursos a que se refieren los artículos 136 y 137 del Código de Aguas, dentro del plazo de treinta días contados desde la fecha de la publicación de la resolución respectiva.

Artículo 6º.- Para otorgar el derecho de aprovechamiento de conformidad con lo dispuesto en el artículo anterior, solicitado por cualquier persona o institución pública para abastecer a la población ubicada en sectores rurales a través del sistema de agua potable rural, será necesario que, previamente, el comité de agua potable rural se constituya en una cooperativa o cualquier persona jurídica que represente a dicho comité, respecto de pozos construidos hasta antes del 31 de diciembre de 2004, en cuyo favor se constituirá el respectivo derecho de aprovechamiento de conformidad a lo dispuesto en el artículo anterior y sin los límites de caudal establecidos en el inciso primero del artículo 4º transitorio.

Para la presentación de las solicitudes que se efectúen de conformidad con lo dispuesto en el presente artículo, no se requerirá cumplir con el requisito señalado en el N° 2 del artículo anterior. No obstante, para los efectos de la constitución del respectivo derecho de aprovechamiento a nombre del Comité de Agua Potable Rural, se deberán acompañar los antecedentes indicados en dicha disposición. Los antecedentes que acrediten la propiedad del inmueble a nombre del respectivo Comité, o la autorización de su dueño, o de los organismos señalados en el N° 2 del artículo anterior, deberán acompañarse a más tardar dentro del plazo de dos años, contado desde el ingreso de la respectiva solicitud. Si no se acompañan dentro del plazo señalado, dicha solicitud será denegada-.

Sin perjuicio de lo dispuesto en el inciso anterior, si el inmueble donde se encuentra la obra de captación de aguas subterráneas pertenece a una comunidad de propietarios, a una municipalidad o es de propiedad indígena, para constituir el derecho de aprovechamiento a nombre del Comité de Agua Potable Rural, no se requerirá cumplir con el requisito señalado en el N° 2 del artículo anterior.

Habiéndose cumplido con lo establecido en el N° 1° del Artículo 82 de la Constitución Política de la República y por cuanto he tenido a bien aprobarlo y sancionarlo; por tanto promúlguese y llévese a efecto como Ley de la República.

Santiago, 11 de mayo de 2005.- RICARDO LAGOS ESCOBAR, Presidente de la República.- Jaime Estévez Valencia, Ministro de Obras Públicas.- Nicolás Eyzaguirre Guzmán, Ministro de Hacienda.

Lo que transcribo a Ud., para su conocimiento.- Saluda atentamente a Ud., Pablo Piñera Echenique, Subsecretario de Obras Públicas Subrogante.

TRIBUNAL CONSTITUCIONAL

Proyecto de ley que modifica el Código de Aguas. El Secretario del Tribunal Constitucional, quien suscribe, certifica que la Honorable Cámara de Diputados envió el proyecto de ley enunciado en el rubro, aprobado por el Congreso Nacional, a fin de que este Tribunal ejerciera el control de constitucionalidad respecto de las disposiciones contempladas en los números 16, en cuanto a los artículos 129 bis 10, 129 bis 11, 129 bis 12, 129 bis 13, 129 bis 14, 129 bis 15, 129 bis 16, 129 bis 17 y 129 bis 18; 18; 23, en relación al artículo 147 ter; 29; 35, y 39, todos del artículo 1° de la iniciativa, y por sentencia de 26 de abril de 2005, dictada en los autos Rol N° 440, declaró:

1. Que los preceptos comprendidos en los artículos 129 bis 10) y 129 bis 12) del número 16; en el número 18; en el artículo 147 ter del número 23 y en el número 39, todos del artículo 1° del proyecto en estudio, son constitucionales.

2. Que no corresponde a este Tribunal pronunciarse sobre las disposiciones contempladas en los artículos 129 bis 11), 129 bis 13), 129 bis 14), 129 bis 15), 129 bis 16), 129 bis 17) y 129 bis 18) del número 16; en el número 29, y en el número 35, todos del artículo 1° de la iniciativa, por versar sobre materias que no son propias de ley orgánica constitucional.

Santiago, 27 de abril de 2005.- Rafael Larraín Cruz, Secretario.

LEY N° 20.411 QUE IMPIDE LA CONSTITUCIÓN DE DERECHOS DE APROVECHAMIENTO DE AGUAS EN VIRTUD DEL ARTÍCULO 4° TRANSITORIO DE LA LEY 20.017 DE 2005, EN DETERMINADAS ZONAS O ÁREAS

Teniendo presente que el H. Congreso Nacional ha dado su aprobación al siguiente

Proyecto de ley:

"**Artículo único.-** Prohíbese a la Dirección General de Aguas la constitución de derechos de aprovechamiento de aguas solicitados en conformidad al artículo 4° transitorio de la Ley N° 20.017, en las siguientes áreas:

ACUÍFERO	SECTOR	SUBSECTOR	REGIÓN
Azapa			Arica y Parinacota
Salar de Coposa			Tarapacá
Salar Sur Viejo			Tarapacá
Aguas Blancas	Aguas Blancas		Antofagasta
Aguas Blancas	Pampa Buenos Aires		Antofagasta
Aguas Blancas	Rosario		Antofagasta
Sierra Gorda			Antofagasta
Copiapó	Sector 1 (Aguas arriba Embalse Lautaro)		Atacama
Copiapó	Sector 2 (Embalse Lautaro - La Puerta)		Atacama
Copiapó	Sector 3 (La Puerta - Mal Paso)		Atacama
Copiapó	Sector 4 (Mal Paso - Copiapó)		Atacama
Copiapó	Sector 5 (Copiapó - Piedra Colgada)		Atacama

ACUÍFERO	SECTOR	SUBSECTOR	REGIÓN
Copiapó	Sector 6 (Piedra Colgada - Desembocadura)		Atacama
Culebrón Lagunillas	Culebrón		Coquimbo
Culebrón Lagunillas	Lagunillas		Coquimbo
Culebrón Lagunillas	Peñuelas		Coquimbo
El Elqui	Elqui Bajo		Coquimbo
El Elqui	Santa Gracia		Coquimbo
El Elqui	Serena Norte		Coquimbo
Los Choros	Punta Colorada		Coquimbo
Los Choros	Quebrada Los Choros Altos		Coquimbo
Los Choros	Tres Cruces		Coquimbo
Catapilco	La Laguna		Valparaíso
Casablanca	La Vinilla-Casablanca		Valparaíso
Casablanca	Lo Orozco		Valparaíso
Casablanca	Lo Ovalle		Valparaíso
Casablanca	Los Perales		Valparaíso
Estero Cachagua			Valparaíso
Estero El Membrillo			Valparaíso
Estero Las Salinas Sur			Valparaíso
Estero Papudo			Valparaíso
Estero Puchuncaví			Valparaíso
Estero San Jerónimo			Valparaíso
Horcón			Valparaíso
La Ligua			Valparaíso
Maipo Desembocadura			Valparaíso
Petorca			Valparaíso
Quintero	Dunas de Quintero		Valparaíso
Rocas de Santo Domingo			Valparaíso
Maipo	Tiltil		Metropolitana
Maipo	Chacabuco Polpaico		Metropolitana

ACUÍFERO	SECTOR	SUBSECTOR	REGIÓN
Maipo	Colina Sur		Metropolitana
Maipo	Lampa		Metropolitana
Maipo	Santiago Central		Metropolitana
Maipo	Santiago Norte		Metropolitana
Maipo	Chicureo		Metropolitana
Maipo	Colina Inferior		Metropolitana
Maipo	Mapocho Alto	Las Gualtatas	Metropolitana
Maipo	Mapocho Alto	Lo Barnechea	Metropolitana
Maipo	Mapocho Alto	Vitacura	Metropolitana
Maipo	Puangue Alto		Metropolitana
Maipo	Puangue Medio		Metropolitana
Maipo	La Higuera		Metropolitana
Maipo	Melipilla		Metropolitana
Maipo	Cholqui		Metropolitana
Maipo	Popeta		Metropolitana
Yali	Yali Alto		Metropolitana
Yali Bajo El Prado			Metropolitana
Alhué	Alhué		Del Libertador Bernardo O'Higgins
Cachapoal	Graneros-Rancagua		Del Libertador Bernardo O'Higgins
Cachapoal	Olivar		Del Libertador Bernardo O'Higgins
Cachapoal	Codegua		Del Libertador Bernardo O'Higgins
Tinguiririca	Las Cadenas-Marchigüe		Del Libertador Bernardo O'Higgins

Esta prohibición no afectará aquellas solicitudes presentadas de conformidad al artículo 4° transitorio de la Ley N° 20.017, por las Comunidades Agrícolas, organizadas en conformidad a lo dispuesto en el decreto con fuerza de Ley N° 5, de 1968, del Ministerio de Agricultura, por pequeños productores agrícolas y campesinos, entendiendo por éstos a los definidos en el artículo 13 de la Ley N° 18.910, y de las ingresadas por indígenas y comunidades indígenas, entendiendo por aquellos los considerados en los artículos 2° y 9° de la Ley N° 19.253, respectivamente, siempre que cumplan con los requisitos prescritos en el artículo 5° transitorio de la Ley N° 20.017.

Para efectos de lo señalado en el inciso precedente, se requerirá informe al Ministerio de Agricultura, si la solicitud corresponde a las Comunidades Agrícolas o a pequeños productores agrícolas o campesinos, y a la Corporación Nacional de Desarrollo Indígena, si la petición pertenece a indígenas o comunidades indígenas.

Sin perjuicio de las áreas individualizadas anteriormente, el Ministro de Obras Públicas, podrá, mediante decreto fundado y previo informe del Ministerio de Agricultura y de la Dirección General de Aguas, incorporar nuevas áreas a las ya contempladas, si de los antecedentes técnicos existentes se demuestra una afectación total o parcial del acuífero en el mediano y largo plazo. El decreto respectivo deberá comunicarse a la Cámara de Diputados y al Senado.".

Y por cuanto he tenido a bien aprobarlo y sancionarlo; por tanto promúlguese y llévese a efecto como Ley de la República.

Santiago, 18 de diciembre de 2009.- MICHELLE BACHELET JERIA, Presidenta de la República.- Sergio Bitar Chacra, Ministro de Obras Públicas.

Lo que transcribo a Ud. para su conocimiento.- Saluda atte. a Ud., Juan Eduardo Saldivia Medina, Subsecretario de Obras Públicas.

LEY N° 20.491 QUE MODIFICA EL ARTÍCULO ÚNICO DE LA LEY N° 20.411, DE 2009

Teniendo presente que el H. Congreso Nacional ha dado su aprobación al siguiente proyecto de ley,
Proyecto de ley:

"**Artículo único.-** Modifícase el artículo único de la Ley N° 20.411, en los siguientes términos:

1. Intercálase en el inciso segundo, entre la expresión "20.017,", la primera vez que aparece, y la preposición "por", la siguiente frase: "por las Comunidades Agrícolas, organizadas en conformidad a lo dispuesto en el decreto con fuerza de Ley N° 5, de 1968, del Ministerio de Agricultura,".

2. Intercálase en el inciso tercero, entre las palabras "a" y "pequeños" lo siguiente: "las Comunidades Agrícolas o a".

Artículo transitorio.- Serán válidos los derechos de aprovechamiento de aguas constituidos en virtud del artículo cuarto transitorio de la Ley N° 20.017, a favor de comunidades agrícolas regidas por el decreto con fuerza de Ley N° 5, de 1968, del Ministerio de Agricultura entre el día 29 de diciembre de 2009 y la fecha de entrada en vigencia de la presente ley.".

Y por cuanto he tenido a bien aprobarlo y sancionarlo; por tanto promúlguese y llévese a efecto como Ley de la República.

Santiago, 7 de febrero de 2011.- SEBASTIÁN PIÑERA ECHENIQUE, Presidente de la República.- Hernán de Solminihac Tampier, Ministro de Obras Públicas. Lo que transcribo a Ud. para su conocimiento. Saluda atte. a Ud., María Loreto Silva Rojas, Subsecretaria de Obras Públicas.

LEY Nº 21.064 QUE INTRODUCE MODIFICACIONES AL MARCO NORMATIVO QUE RIGE LAS AGUAS EN MATERIA DE FISCALIZACIÓN Y SANCIONES

Teniendo presente que el H. Congreso Nacional ha dado su aprobación al siguiente

Proyecto de ley:

"**Artículo 1.-** Introdúcense las siguientes modificaciones en el decreto con fuerza de Ley Nº 1.122, de 1981, del Ministerio de Justicia, que fija el texto del Código de Aguas:

1. En el artículo 30:

a) Agrégase el siguiente inciso segundo, nuevo, pasando los actuales incisos segundo y tercero a ser tercero y cuarto, respectivamente:

"Para los efectos de este Código, se entiende por suelo desde la superficie del terreno hasta la roca madre.".

b) Intercálase en el actual inciso segundo, que ha pasado a ser tercero, a continuación de la frase "aprovechar y cultivar", la siguiente locución: "la superficie de".

2. En el artículo 38:

a) Agrégase, a continuación de la locución "obligados a construir", la expresión "y mantener".

b) Intercálase, después de la frase "que se extrae", el siguiente texto: "y un sistema de transmisión instantánea de la información que se obtenga al respecto. Esta información deberá ser siempre entregada a la Dirección General de Aguas cuando ésta la requiera. El Servicio, por resolución fundada, determinará los plazos y las condiciones técnicas para cumplir dicha obligación".

c) Incorpórase el siguiente inciso segundo:

"La autoridad dictará un reglamento en que se expliciten los plazos, criterios y condiciones necesarios para aplicar las resoluciones fundadas dispuestas en el inciso anterior.".

3. En el artículo 41:

a) En el inciso primero:

i. Elimínase la frase ", con motivo de la construcción de obras, urbanizaciones y edificaciones".

ii. Intercálase, a continuación de la frase "se encuentran", la expresión "o no".

b) Reemplázase en el inciso segundo la palabra "mismos" por la frase ", su forma o dimensiones".

c) Incorpórase el siguiente inciso tercero, nuevo, pasando el actual inciso tercero a ser cuarto:

"La contravención de lo dispuesto en los incisos anteriores será sancionada de conformidad a lo establecido en los artículos 173 y siguientes de este Código.".

4. Reemplázase en el artículo 48 la frase "propiedades y quienes aprovechan las aguas provenientes del mismo" por la siguiente: "predios y de este modo aprovechar las aguas provenientes de los mismos, quienes deberán informar las características del sistema, la ubicación de la captación y el caudal drenado a la Dirección General de Aguas".

5. Sustitúyese en el inciso cuarto del artículo 58 la palabra "suelo" por "terreno".

6. Reemplázase el inciso primero del artículo 62 por el siguiente:

"**Artículo 62.-** Si la explotación de aguas subterráneas por algunos usuarios afectare la sustentabilidad del acuífero u ocasionare perjuicios a los otros titulares de derechos, la Dirección General de Aguas, de oficio o a petición de uno o más afectados, podrá establecer la reducción temporal del ejercicio de los derechos de aprovechamiento, a prorrata de ellos, mediante resolución fundada.".

7. Agrégase en el artículo 67 el siguiente inciso final:

"Los titulares de los derechos de aprovechamiento, provisionales o definitivos, concedidos tanto en zonas declaradas de prohibición como en áreas de restricción, deberán instalar y mantener un sistema de medición de caudales y volúmenes extraídos, de control de niveles freáticos y un sistema de transmisión de la información que se obtenga al respecto. Esta información deberá ser siempre entregada a la Dirección General de Aguas cuando ésta la requiera. El Servicio, por resolución fundada, determinará los plazos y las condiciones técnicas para cumplir dicha obligación, pudiendo comenzar por aquellos concedidos provisionalmente o por aquellos que extraigan volúmenes superiores a la media.".

8. Reemplázase en el artículo 68 la frase "de sistemas de medida en las obras y requerir la información que se obtenga" por el siguiente texto: "y mantención de sistemas de medición de caudales, de volúmenes extraídos y de niveles freáticos en las obras, además de un sistema de transmisión de la información que se obtenga al respecto y requerir la información que se obtenga. En el caso de los derechos de aprovechamiento no consuntivos, esta exigencia se aplicará también en la obra de restitución al acuífero. La Dirección General, por resolución fundada, determinará los plazos y las condiciones técnicas para cumplir la obligación dispuesta en este artículo".

9. Incorpóranse en el artículo 92 los siguientes incisos cuarto y quinto:

"La organización de usuarios observará el cumplimiento de la prohibición establecida en el inciso primero de este artículo e informará a la municipalidad correspondiente las infracciones de las que tome conocimiento. Del mismo modo, la organización de usuarios respectiva notificará a la municipalidad, con copia a la Dirección General de Aguas para el cumplimiento de sus funciones, de la obstrucción de canales en los casos a que se refiere el inciso tercero, señalando, al menos, el lugar en que ocurre dicha obstrucción y, de conocerse, los responsables de los hechos.

Estas presentaciones se tramitarán por el municipio de conformidad con lo indicado en el artículo 98 de la ley orgánica constitucional de

Municipalidades, y su omisión podrá ser reclamable de conformidad a los artículos 151 y siguientes del referido texto legal.".

10. En el artículo 119:

a) Intercálase en el encabezamiento, a continuación de la expresión "inscripciones originarias", la siguiente locución: "y las transferencias".

b) Reemplázase en el número 4 la expresión final ", y" por un punto y coma.

c) Sustitúyese en el número 5 el punto final por la expresión ", y".

d) Agrégase el siguiente número 6:

"6. Las características del derecho de aprovechamiento y demás especificaciones contenidas en el artículo 149, en la medida que el título las contenga.".

11. En el artículo 122:

a) Intercálase en el inciso segundo, a continuación de la locución "que el reglamento establezca", la siguiente frase: ", el que deberá ser suscrito, además, por el Ministro de Justicia y Derechos Humanos".

b) Agrégase en el inciso tercero, a continuación de la expresión "mantenido al día,", la frase "en el sitio web institucional,".

c) Reemplázase el inciso cuarto por el siguiente:

"Para los efectos señalados en el inciso anterior, los conservadores de bienes raíces deberán enviar a la Dirección General de Aguas, dentro de los treinta días siguientes a la fecha del acto que se realice ante ellos y en la forma que determine el reglamento del Catastro Público de Aguas del Ministerio de Obras Públicas, la información de las inscripciones relativas a los derechos de aprovechamiento de aguas y sus antecedentes, y de las inscripciones de las organizaciones de usuarios de aguas y sus antecedentes. El incumplimiento de esta obligación por parte de los conservadores será sancionado según lo previsto en el artículo 440 del Código Orgánico de Tribunales.".

d) Elimínase el inciso quinto.

e) En el inciso octavo, que ha pasado a ser inciso séptimo:

i. Intercálase, a continuación de la locución "deberá informar", la expresión ", al menos,".

ii. Suprímese la frase ", dentro de los primeros cinco días de los meses de enero y julio,".

iii. Reemplázase la expresión "las copias" por "la información".

iv. Elimínase la locución "Notarios y".

12. En el artículo 122 bis:

a) Agrégase en el inciso primero la siguiente oración final: "La información requerida deberá enviarse en la forma que determine el reglamento previsto en el artículo anterior.".

b) Intercálase en el inciso tercero, a continuación de la locución "será sancionado,", la expresión "de oficio o".

13. En el artículo 129 bis 2:

a) Agrégase en el inciso primero la siguiente oración final: "Estas resoluciones se publicarán en el sitio web institucional.".

b) Reemplázase el inciso segundo por el siguiente:

"Asimismo, en las autorizaciones que otorgue la Dirección General de Aguas referidas a modificaciones o a nuevas obras en cauces naturales que signifiquen una disminución en la recarga natural de los acuíferos, dispondrá las medidas mitigatorias apropiadas. De no cumplirse dichas medidas, el Servicio aplicará las sanciones correspondientes, pudiendo ejercer las atribuciones dispuestas en el artículo 172 de este Código.".

14. Intercálase en el inciso segundo del artículo 129 bis 12, a continuación de la primera oración, el siguiente texto: "En caso de no estar inscritos tales derechos, la Dirección General de Aguas podrá subrogarse en los derechos del titular no inscrito, sólo para los efectos de proceder a su inscripción en el Registro de Propiedad del conservador que sea competente, a costa del particular.".

15. En el artículo 135:

a) Reemplázase el inciso segundo por el siguiente:

"Si la Dirección estimare necesario practicar inspección ocular, determinará y solicitará los medios y las condiciones necesarias para acceder al lugar y, en su caso, la suma que el interesado debe consignar para cubrir los gastos de esta diligencia. En caso de que el interesado no cumpla con dichas exigencias, la Dirección podrá denegar la solicitud de que se trate.".

b) Agrégase el siguiente inciso final:

"Para realizar dicha inspección, los funcionarios de la Dirección General de Aguas podrán, previa resolución del Servicio, ingresar a terrenos de propiedad privada, debiendo levantar acta y dejar registro de la diligencia.".

16. Reemplázase el inciso primero del artículo 137 por el siguiente:

"**Artículo 137.-** Las resoluciones de término que dicte el Director General de Aguas en conocimiento de un recurso de reconsideración y toda otra que dicte en el ejercicio de sus funciones serán reclamables ante la Corte de Apelaciones de Santiago, mientras que las resoluciones dictadas por los directores regionales serán reclamables ante la Corte de Apelaciones del lugar en que se dictó la resolución impugnada. En ambos casos, el plazo para la reclamación será de treinta días contado desde la notificación de la correspondiente resolución.".

17. En el artículo 138:

a) Incorpórase el siguiente inciso primero, nuevo, pasando el actual inciso único a ser segundo:

"**Artículo 138.-** El cumplimiento de las resoluciones de la Dirección General de Aguas será de cargo de aquellos que deban ejecutarlas.".

b) Agréganse los siguientes incisos tercero y cuarto:

"En caso de incumplimiento o cumplimiento parcial de las resoluciones a que se refieren los incisos precedentes, el Servicio dictará una resolución que aplicará la multa correspondiente y, en caso de proceder, ordenará la ejecución de las medidas, acciones u obras que correspondan por parte del mismo Servicio o por parte de la Dirección de Obras Hidráulicas o cualquier otro servicio dependiente del Ministerio de Obras Públicas.

La Dirección General de Aguas dictará una resolución que determine el valor de las medidas, acciones u obras efectivamente realizadas, pudiendo establecer un recargo de hasta el 100% para aquellos originalmente obligados a cumplirlas. La copia autorizada de esta última resolución tendrá mérito ejecutivo para efectos de su cobro.".

18. En el artículo 140:

a) Sustitúyese en el numeral 1 la expresión "El nombre", la primera vez que aparece, por la frase "El nombre, cédula nacional de identidad o rol único tributario".

b) Intercálase, a continuación del numeral 1, el siguiente número 2, nuevo, pasando los actuales numerales 2 a 6 a ser numerales 3 a 7, respectivamente:

"2. El uso que se le dará a las aguas solicitadas.".

19. En el artículo 171:

a) Reemplázase en el inciso segundo la expresión "del Departamento de Obras Fluviales" por la siguiente: "de la Dirección de Obras Hidráulicas".

b) Sustitúyese el inciso final por el que sigue:

"Quedan exceptuados de los trámites y requisitos establecidos en los incisos precedentes los servicios dependientes del Ministerio de Obras Públicas, así como los proyectos financiados por servicios públicos que cuenten con la aprobación técnica de la Dirección de Obras Hidráulicas. Estos servicios deberán remitir los proyectos definitivos de las obras a la Dirección General de Aguas para su conocimiento e inclusión en el Catastro Público de Aguas, dentro del plazo de seis meses, contado desde la recepción final de la obra.".

20. Reemplázase el artículo 172 por el siguiente:

"**Artículo 172.-** Si se realizaren obras con infracción de lo dispuesto en el artículo anterior, la Dirección General de Aguas impondrá una multa del primer al segundo grado, de conformidad al artículo 173 ter, pudiendo apercibir al infractor y fijar un plazo perentorio para que modifique o destruya total o parcialmente las obras. En el caso de que se disponga la modificación de las obras, la Dirección General de Aguas podrá ordenar que se presente el correspondiente proyecto, de acuerdo a las normas de este Código. En caso de que el infractor no diere cumplimiento a lo ordenado, destruyendo la obra o presentando el proyecto de modificación, la Dirección impondrá una multa del tercer grado.

Si las obras que no cuentan con la debida autorización entorpecen el libre escurrimiento de las aguas o significan peligro para la vida o salud de los habitantes, la Dirección General de Aguas impondrá una multa del segundo al tercer grado, de conformidad al artículo 173 ter, y apercibirá al infractor fijándole un plazo perentorio para que destruya las obras o las modifique, ordenándole que presente el correspondiente proyecto de acuerdo a las normas de este Código. Si el infractor no diere cumplimiento a lo ordenado, la Dirección le impondrá una multa mínima de 100 y máxima de 1.000 unidades tributarias anuales, según fuere la magnitud del entorpecimiento ocasionado al libre escurrimiento de las aguas o el peligro para la vida o salud de los habitantes, y podrá adoptar las medidas para su cumplimiento de conformidad a lo dispuesto en el artículo 138.".

21. Intercálase, a continuación del artículo 172, el siguiente subtítulo nuevo:
"g) De la fiscalización

Artículo 172 bis.- La Dirección General de Aguas fiscalizará el cumplimiento de las normas de este Código.

Para el cumplimiento de su labor, la Dirección podrá iniciar un procedimiento sancionatorio de oficio cuando tomare conocimiento de hechos que puedan constituir infracciones de dichas normas, por denuncia de un particular, por medio de una autodenuncia, o a requerimiento de otro servicio del Estado.

Las denuncias se presentarán ante la Dirección General de Aguas de la región o de la provincia correspondiente y deberán señalar el lugar y fecha de presentación y la individualización completa del denunciante, quien deberá suscribirla personalmente, o por su mandatario o representante habilitado. Las denuncias también podrán ser presentadas en la forma que determine la Dirección General de Aguas, mediante resolución fundada. En todo caso, la denuncia deberá contener una descripción de los hechos concretos que se estiman constitutivos de infracción, el lugar y las referencias suficientes para determinar su locación, la fecha probable de su comisión, las normas infringidas si las conociera el denunciante, y la individualización del presunto infractor, en caso de que pudiera identificarlo.

La Dirección deberá declarar admisible la denuncia cuando cumpla con los requisitos señalados en el inciso anterior, esté revestida de seriedad y tenga mérito suficiente. Si la denuncia no contiene una descripción del hecho denunciado y el lugar de su comisión, será archivada, sin perjuicio de la facultad de la Dirección de proceder de oficio.

Declarada admisible la denuncia, se abrirá el expediente del procedimiento sancionatorio, el que deberá ser resuelto en un plazo máximo de seis meses. Éste será resuelto por el Director General de Aguas o por el respectivo director regional, previa delegación de funciones de conformidad a lo dispuesto en la letra g) del artículo 300 de este Código.

Artículo 172 ter.- Dentro del plazo de quince días contado desde la apertura del expediente, la Dirección efectuará una inspección a terreno, debiendo notificar del motivo de la actuación en ese mismo acto. El presunto infractor deberá entregar todas las facilidades para que se lleve a cabo el referido proceso de inspección y no podrá negarse, de manera injustificada, a proporcionar la información que le sea requerida. Las inspecciones a que se refiere el presente artículo en lugares que constituyan una habitación actualmente ocupada, cuyo ocupante se haya opuesto a la realización de la inspección, de lo que deberá dejarse constancia por escrito, podrán también realizarse con auxilio de la fuerza pública, previa autorización del juez de letras competente en el territorio jurisdiccional del lugar donde se fiscaliza, quien la podrá conceder de inmediato a solicitud del Servicio, sin forma de juicio, a través del medio más expedito.

En ejercicio de la labor fiscalizadora, el personal de la Dirección deberá siempre informar al sujeto fiscalizado de la materia específica objeto de la fiscalización y de la normativa pertinente, realizando las diligencias estrictamente indispensables y proporcionales al objeto de la fiscalización. El personal fiscalizador deberá, además, guardar reserva de aquellos antecedentes y documentos que no tengan el carácter de públicos. Los fiscalizados podrán denunciar conductas abusivas de los funcionarios ante sus superiores jerárquicos, sin perjuicio de las sanciones penales que correspondan.

Quienes realicen esta inspección deberán levantar un acta de la misma, dejando constancia de si existen o no hechos que se estimen constitutivos de una infracción y, en caso afirmativo, la indicación de la o las normas eventualmente infringidas.

El personal fiscalizador de la Dirección tendrá el carácter de ministro de fe respecto de los hechos que consignen en el cumplimiento de sus funciones y que consten en el acta a que se refiere este artículo. Los hechos establecidos por los ministros de fe constituirán presunción legal.

Artículo 172 quáter.- Cuando constaren en el acta de inspección hechos que se estimen constitutivos de infracción, deberá notificarse personalmente al presunto infractor, entregándole copia del acta y señalándole que podrá presentar sus descargos dentro del plazo de quince días contado desde esa fecha. Si éste no es habido en el lugar fiscalizado, podrá ser notificado del acta y del plazo para los descargos en la forma dispuesta en el artículo 44 del Código de Procedimiento Civil.

En caso de que no se hubieren detectado hechos constitutivos de infracción, se le entregará copia del acta al fiscalizado y se cerrará el expediente, poniendo fin al procedimiento respectivo.

Artículo 172 quinquies.- Evacuados los descargos por el presunto infractor, o vencido el plazo para ello, la Dirección General de Aguas resolverá sin más trámite cuando no existan hechos controvertidos o sean de pública notoriedad. En caso contrario, abrirá un término de prueba de quince días. Dicho plazo se ampliará, si corresponde, de conformidad a lo dispuesto en el artículo 26 de la Ley N° 19.880.

La Dirección dará lugar a las medidas o diligencias probatorias que solicite el presunto infractor en sus descargos, siempre que resulten pertinentes y conducentes. En caso contrario, las rechazará mediante resolución fundada, sin perjuicio de que la Dirección pueda decretar otras medidas o solicitar antecedentes adicionales previos a resolver.

Los hechos investigados y las responsabilidades a que éstos den lugar podrán acreditarse mediante cualquier medio de prueba admisible en derecho, los que se apreciarán conforme a las reglas de la sana crítica.

Artículo 172 sexies.- Dentro del plazo de quince días contado desde la evacuación de los descargos o vencido el plazo para ello, o desde el vencimiento del término probatorio, si se hubiere dado lugar a éste, la Dirección elaborará un informe técnico que servirá de base para resolver el procedimiento y deberá ser remitido al Director para su pronunciamiento.

Dicho informe deberá contener la individualización del o de los infractores, si se conociere; la relación de los hechos investigados y la forma en que se ha llegado a acreditarlos, y la proposición al Director de las sanciones que estimare procedente aplicar o de la absolución de uno o más de los infractores.

El Director pondrá término al procedimiento mediante resolución fundada, la que deberá pronunciarse sobre cada uno de los hechos investigados, infracciones detectadas y alegaciones o descargos realizados por el presunto infractor. Contra esta resolución podrán interponerse los recursos contemplados en los artículos 136 y 137 de este Código.".

22. Reemplázase el epígrafe del párrafo 3 del Título I del Libro Segundo por el siguiente: "De las sanciones".

23. Sustitúyese el artículo 173 por el siguiente:
"Artículo 173º.- La Dirección General de Aguas aplicará una multa a beneficio fiscal, y fijará el plazo para su pago, a quienes incurran en las infracciones que a continuación se describen, cuyo monto se determinará de conformidad a lo dispuesto en este párrafo, sin perjuicio de lo dispuesto en los artículos 172 y 307 de este Código y de las responsabilidades civiles y penales que procedan:

1. Una multa de primer grado cuando se trate de infracciones relativas a la obligación de entregar información en la forma y oportunidad que disponen este Código y las resoluciones de la Dirección General de Aguas.

Asimismo, se aplicará una multa de este grado al propietario, poseedor o mero tenedor de un predio, sea o no titular de derechos de aprovechamiento, en el que existan o no obras para aprovechar el recurso, que niegue injustificadamente el ingreso de los funcionarios de fiscalización para el cumplimiento de sus labores. Se entenderá que existe negativa del propietario, poseedor o mero tenedor aun cuando quien la realice sea una tercera persona, sin perjuicio de las acciones que tengan aquéllos para repetir en contra de esta última.

2. Una multa de segundo grado cuando se trate del incumplimiento de las obligaciones que dispone el presente Código o sus reglamentos referentes a la instalación y mantención de sistemas de medición de caudales, de volúmenes extraídos y de niveles freáticos de la obra y de sistemas de transmisión de dicha información.

La resolución que disponga la aplicación de esta multa fijará un plazo prudencial, no prorrogable, que no podrá ser inferior a un mes ni superior a seis meses, para que el infractor instale y opere dichos sistemas.

3. Una multa de tercer grado en caso de incumplimiento de la resolución que otorga nuevo plazo para la instalación de los sistemas señalados en el número anterior, previo procedimiento sancionatorio abreviado consistente en una visita a terreno, notificación del acta respectiva y recepción de los descargos pertinentes, dentro del plazo de treinta días contado desde la visita a terreno.

4. Una multa de cuarto grado cuando se realicen actos u obras, sin contar con el permiso de la autoridad competente, que afecten la disponibilidad de las aguas.

5. Una multa de quinto grado a quien, siendo titular actual de un derecho de aprovechamiento de aguas o no, de forma intencional obtenga una doble inscripción de su derecho en el Registro de Propiedad de Aguas del conservador de bienes raíces, para beneficio personal o en perjuicio de terceros. En caso de que proceda, al autor material del hecho se le sancionará, además, con la revocación de su título duplicado y la cancelación de

la inscripción, conforme a lo dispuesto en el artículo 460 bis del Código Penal. Lo anterior es sin perjuicio de la responsabilidad que le corresponda al o a los funcionarios públicos por falsificación de instrumento público.

6. Las infracciones que no tengan una sanción específica serán sancionadas con una multa cuya cuantía puede variar entre el primer y tercer grado.

La Dirección comunicará la resolución a la Tesorería General de la República para efectos de su cobro, una vez que ésta se encuentre ejecutoriada.".

24. Intercálanse, a continuación del artículo 173, los siguientes artículos 173 bis, 173 ter y 173 quáter:

"Artículo 173 bis.- Para las sanciones dispuestas en los artículos 172 y 173, el monto de la multa podrá incrementarse en los siguientes casos:

1. Hasta el 100%, cuando la infracción afecte la disponibilidad de las aguas utilizadas para satisfacer el consumo humano, uso doméstico de subsistencia o el saneamiento.

2. Hasta el 75%:

a) Si las infracciones se cometen en las zonas establecidas en los artículos 63, 65, 282 y 314 del presente Código.

b) Si la infracción cometida perjudica gravemente el cauce, y siempre que no sea constitutiva de los hechos sancionados en el artículo 172.

c) Cuando, a consecuencia de la contravención, se produzca un descenso sostenido o abrupto de los niveles freáticos del acuífero.

d) Cuando se realicen actos u obras, sin permiso de la autoridad competente, que menoscaben o deterioren la calidad del agua en contravención a la normativa vigente, cuando dicha alteración no cuente con una sanción específica.

3. Hasta el 50%:

a) Cuando la infracción cometida modifique o destruya obras autorizadas destinadas al ejercicio del derecho de aprovechamiento de terceros.

b) Cuando la captación de agua además afecte el caudal ecológico mínimo impuesto en la resolución constitutiva.

Sin perjuicio de lo dispuesto en el inciso anterior, la reiteración de la infracción se sancionará duplicando el monto original.

El monto de la multa se rebajará en el 50% para aquellos infractores que se autodenuncien ante la Dirección General de Aguas por cualquier contravención de este Código. La autodenuncia no requerirá de formalidades especiales, y bastará que sólo contenga una enunciación de los hechos, el lugar y la época en la que ocurrieron, y la individualización de su autor o autores. La circunstancia señalada sólo procederá cuando la información proporcionada por el infractor sea precisa, verídica y comprobable respecto de los hechos que constituyen la infracción y ponga fin, de inmediato, a los mismos.

Artículo 173 ter.- Sin perjuicio de las sanciones específicas contempladas en los artículos 172 y 307, las infracciones que se establecen en este Código serán sancionadas con multas a beneficio fiscal, determinadas según los siguientes grados:

a) Primer grado: de 10 a 50 unidades tributarias mensuales.

b) Segundo grado: de 51 a 100 unidades tributarias mensuales.

c) Tercer grado: de 101 a 500 unidades tributarias mensuales.

d) Cuarto grado: 501 a 1.000 unidades tributarias mensuales.

e) Quinto grado: 1.001 a 2.000 unidades tributarias mensuales.

Para la determinación del monto de la multa al interior de cada grado, se deberá tener en consideración, entre otras, las siguientes circunstancias: el caudal de agua afectado, si son aguas superficiales o subterráneas, si se produce o no la afectación de derechos de terceros, la cantidad de usuarios perjudicados, el grado de afectación del cauce o acuífero, y la zona en que la infracción se produzca, según la disponibilidad del recurso.

Artículo 173 quáter.- Las infracciones establecidas en el presente Código prescribirán en el plazo de tres años contado desde su comisión.".

25. Agrégase en el artículo 175 el siguiente inciso segundo:

"El tribunal comunicará la sentencia a la Tesorería General de la República para efectos de su cobro.".

26. Incorpóranse en el artículo 176 los siguientes incisos segundo, tercero y cuarto:

"El procedimiento de cobro de las multas se realizará por la Tesorería General de la República de acuerdo a lo dispuesto en el artículo 35 del decreto Ley N° 1.263, de 1975, Orgánico de Administración Financiera del Estado.

Si la multa fuere pagada dentro de los nueve días siguientes a su notificación será rebajada en el 25%. Este beneficio no será acumulable con otras rebajas de la pena, tales como aquella que beneficia al autodenunciante.".

27. Reemplázase el inciso primero del artículo 277 por el siguiente:

"Artículo 277.- El directorio nombrará un repartidor de aguas o juez de río, el cual deberá contar con un título profesional de una carrera cuya duración sea de al menos ocho semestres, quien no podrá ser integrante del directorio ni titular de derechos de aprovechamiento de aguas dentro de la misma jurisdicción que administra, ya sea toda la corriente natural, o una sección de ella, en el caso de que dicha corriente se encuentre seccionada. El directorio dará cuenta a la Dirección General de Aguas de esta designación.".

28. En el artículo 278:

a) Intercálase en el encabezamiento, a continuación de la expresión "de agua", la frase "o jueces de río".

b) En el número 3:

i. Agrégase, a continuación de la locución "Justicia Ordinaria", la frase "y a la Dirección General de Aguas".

ii. Sustitúyese la expresión "de agua tendrá" por la frase "de agua o juez de río tendrán".

c) En el número 5 reemplázase el punto y coma por un punto seguido, y agrégase la siguiente oración final: "Para tales efectos, la Junta de Vigilancia podrá solicitar al Servicio respectivo del Medio Ambiente, o a la Dirección de Obras Hidráulicas, o a la Dirección General de Aguas, o a la Superintendencia de Servicios Sanitarios o a la municipalidad correspondiente y, en general, a cualquier otra autoridad, que le entregue información sobre todos los proyectos y permisos aprobados en su respectiva repartición y que han de ser ejecutados en el cauce donde dicha Junta de Vigilancia ejerce su jurisdicción;".

d) Intercálase un número 6, nuevo, pasando los actuales numerales 6 y 7 a ser números 7 y 8, respectivamente:

"6. Denunciar ante la Dirección General de Aguas las labores de extracción de áridos que no cuenten con la autorización competente, la que podrá actuar con auxilio de la fuerza pública de conformidad a lo dispuesto en el artículo 138 en caso de ordenar su paralización. Podrá, a su vez, denunciar estos hechos ante la Contraloría General de la República cuando dichas extracciones, autorizadas por la municipalidad respectiva, no cuenten con el informe técnico de la Dirección de Obras Hidráulicas, establecido en el literal l) del artículo 14 del decreto con fuerza de Ley N° 850, de 1997, del Ministerio de Obras Públicas. En los procesos a que den lugar estas denuncias, el repartidor de agua o el juez de río tendrán la representación de la junta, sin perjuicio de la comparecencia y actuación de ésta;".

29. Intercálase en el inciso final del artículo 294, a continuación de la expresión "Dirección General de Aguas", la frase "dentro del plazo de seis meses contado desde la recepción final de la obra".

30. En el artículo 299:

a) Agrégase en el literal a), a continuación de la frase "su aprovechamiento", la siguiente frase: "y arbitrar las medidas necesarias para prevenir y evitar el agotamiento de los acuíferos".

b) Modifícase el literal b) como sigue:

i. Sustitúyese en su encabezamiento la oración "Investigar y medir el recurso." por la siguiente: "Investigar, medir el recurso y monitorear tanto su calidad como su cantidad, en atención a la conservación y protección de las aguas.".

ii. Intercálase en su numeral 1, a continuación de la frase "servicio hidrométrico nacional", la siguiente: ", el que incluye tanto mediciones de cantidad como calidad de aguas,".

c) Agrégase en el literal c), después de la frase "de uso público", lo siguiente: "y acuíferos; impedir, denunciar o sancionar la afectación a la cantidad y la calidad de estas aguas, de conformidad al inciso primero del artículo 129 bis 2 y los artículos 171 y siguientes;".

d) Reemplázase el literal d) por el siguiente: "d) Impedir que se extraigan aguas de los mismos cauces y en los acuíferos sin título o en mayor cantidad de lo que corresponda.".

e) Agrégase la siguiente letra f):

"f) Requerir directamente el auxilio de la fuerza pública, con facultades de allanamiento y descerrajamiento, para efectos del ejercicio de las atribuciones señaladas en los literales b), número 1; c) y d) de este artículo. El requerimiento deberá ser presentado por el director regional correspondiente.

Para el ejercicio de la atribución dispuesta en el número 1 del literal b) de este artículo, el auxilio de la fuerza pública podrá requerirse sólo en caso de que se acredite la negativa a la solicitud de acceso que previamente haya efectuado el personal de la Dirección General de Aguas con el objeto de realizar trabajos de mantención y operación del servicio hidrométrico nacional.".

31. Intercálanse, a continuación del artículo 299, los siguientes artículos 299 bis y 299 ter:

"**Artículo 299 bis.-** Los funcionarios de la Dirección General de Aguas que ejecuten labores de fiscalización tendrán la calidad de ministros de fe y sus declaraciones sobre los hechos que se constaten en las respectivas actas de inspección tendrán el carácter de presunción legal.

Artículo 299 ter.- La Dirección General de Aguas, mediante resolución fundada, podrá ordenar la paralización de obras en caso de acreditarse fehacientemente la extracción de aguas en un punto no reconocido o constituido de conformidad a la ley. Asimismo, podrá ordenar el cegamiento de un pozo una vez que la resolución se encuentre ejecutoriada. Para cumplir con estas finalidades, el Director General de Aguas, o los Directores Regionales, podrán ejercer las facultades contenidas en el artículo 138 de este Código.".

32. En el artículo 300:

a) Sustitúyese el literal a) por el siguiente:

"a) Dictar las normas e instrucciones, mediante circulares, que sean necesarias para la correcta aplicación de este Código, leyes y reglamentos que sean de la competencia de la Dirección a su cargo.

La normativa que emane del Director será obligatoria y deberá ser sistematizada de manera tal de facilitar el acceso y conocimiento de ésta por el público en general.".

b) Reemplázase en el literal f) la expresión ", y" por un punto y coma.

c) Sustitúyese en el literal g) el punto final por la expresión ", y".

d) Agrégase el siguiente literal h):

"h) Ingresar a predios de propiedad pública o privada, en cumplimiento de sus labores de fiscalización.

Para el cumplimiento de lo dispuesto en el párrafo anterior, el Director General de Aguas podrá solicitar, en los términos del artículo 138, el auxilio de la fuerza pública cuando exista oposición, la que podrá actuar con descerrajamiento, si fuere necesario, para ingresar a lugares cerrados.".

33. Sustitúyese en el inciso segundo del artículo 302 la frase "será aplicable al Director General de Aguas, lo dispuesto en el artículo 361 del Código de Procedimiento Civil" por la siguiente: "el Director General de Aguas tendrá las atribuciones del artículo 7° del Código de Procedimiento Civil y especialmente las facultades de desistirse en primera instancia de la acción deducida, aceptar la demanda contraria, absolver posiciones, renunciar los recursos o los términos legales, avenir y transigir. Además, le será aplicable lo dispuesto en el artículo 361 de dicho Código".

34. En el artículo 303:

a) Intercálase, a continuación de la palabra "construcción", la locución "y operación".

b) Suprímese la expresión "o artificiales".

c) Reemplázase la frase "hará el aforo de sus corrientes y dirimirá" por la siguiente: "podrá aforar sus corrientes, solicitar antecedentes y dirimir".

d) Agrégase, a continuación de la locución "dichos cauces", el siguiente texto: ", pudiendo establecer las medidas que deben adoptar los usuarios para su adecuado ejercicio. El incumplimiento de estas medidas será sancionado por la Dirección General de Aguas con una multa cuya cuantía podrá variar entre el segundo y el cuarto grado".

35. Sustitúyese en el inciso primero del artículo 306 la frase "será sancionado con multas no inferiores a 20 ni superiores a 100 unidades tributarias mensuales" por la siguiente: "será sancionado con multas del segundo al tercer grado".

36. Reemplázase en el inciso final del artículo 307 la frase "que no sea inferior a 50 ni superior a 500 unidades tributarias mensuales" por la siguiente: "del cuarto al quinto grado, de conformidad con lo indicado en el artículo 173".

37. Agrégase, a continuación del artículo 307, el siguiente artículo 307 bis:

"Artículo 307 bis.- La Dirección General de Aguas podrá exigir la instalación de sistemas de medición a los titulares de derechos de aprovechamiento de aguas superficiales u organizaciones de usuarios que extraigan aguas directamente desde cauces naturales de uso público. En el caso de los derechos no consuntivos, será obligatoria la instalación de sistemas de medición de caudal instantáneo, tanto en el punto de captación como en el punto de restitución, esto cuando el titular haya construido las obras necesarias para su uso. Dicho sistema deberá permitir que se obtenga, almacene y transmita a la Dirección General de Aguas la información indispensable para el control y medición del caudal instantáneo, efectivamente extraído y —en los usos no consuntivos— restituido, desde la fuente natural. El Servicio, por medio de una resolución fundada, determinará los plazos y las condiciones técnicas para cumplir dicha obligación.".

Artículo 2.- Introdúcense las siguientes modificaciones en el Código Penal:

1. En el artículo 459:

a) Reemplázanse en el encabezamiento la palabra "mínimo" por "mínimo a medio", el vocablo "once" por "veinte" y la palabra "veinte" por la expresión "cinco mil".

b) Intercálase en el número 1, entre las expresiones "arroyos o fuentes" y "; de canales o acueductos", la frase ", sean superficiales o subterráneas".

2. En el artículo 460:

a) Sustitúyense las expresiones "violencia en las personas" y "la violencia que causare" por "violencia o intimidación en las personas" y "la violencia o intimidación que causare", respectivamente.

b) Reemplázanse la expresión "en sus grados mínimo a medio" por "en cualquiera de sus grados"; el vocablo "once" por "cincuenta", y el término "veinte" por las palabras "cinco mil".

3. Intercálase, a continuación del artículo 460, el siguiente artículo 460 bis:

"**Artículo 460 bis.-** El que a sabiendas duplique la inscripción de su derecho en el Registro de Propiedad de Aguas del Conservador de Bienes Raíces sufrirá las penas de presidio menor en su grado mínimo, multa de once a veinte unidades tributarias mensuales, la revocación del título duplicado y la cancelación de la inscripción duplicada.".

Artículo 3.- Agrégase en el artículo 166 del Código Procesal Penal el siguiente inciso final:

"En los delitos previstos en los artículos 459 y 460 del Código Penal, recibida la denuncia el fiscal comunicará los hechos a la Dirección General de Aguas del Ministerio de Obras Públicas.".

Artículo transitorio.- Quienes actualmente utilizan un sistema de drenaje para desaguar sus predios y se benefician de dichas aguas, de conformidad con el artículo 48 del Código de Aguas, deberán informar a la Dirección General de Aguas las características del sistema de drenaje, la ubicación de la captación y el caudal drenado, en el plazo de seis meses contado desde la entrada en vigencia de la presente ley. En caso contrario, podrán ser sancionados de conformidad al Código de Aguas.".

Habiéndose cumplido con lo establecido en el N° 1 del artículo 93 de la Constitución Política de la República y por cuanto he tenido a bien aprobarlo y sancionarlo; por tanto promúlguese y llévese a efecto como Ley de la República.

Santiago, 17 de enero de 2018.- MICHELLE BACHELET JERIA, Presidenta de la República.- Alberto Undurraga Vicuña, Ministro de Obras Públicas.- Nicolás Eyzaguirre Guzmán, Ministro de Hacienda.- Jaime Campos Quiroga, Ministro de Justicia y Derechos Humanos.- Jorge Canals de la Puente, Ministro del Medio Ambiente (S).

Lo que transcribo a Ud. para su conocimiento.- Saluda Atte. a Ud., Juan Manuel Sánchez Medioli, Subsecretario de Obras Públicas Subrogante.

TRIBUNAL CONSTITUCIONAL

Proyecto de ley que introduce modificaciones al marco normativo que rige las aguas en materia de fiscalización y sanciones, correspondiente al boletín N° 8149-09

El Secretario del Tribunal Constitucional, quien suscribe, certifica que la Honorable Cámara de Diputados envió el proyecto de ley enunciado en el rubro, aprobado por el Congreso Nacional, a fin de que este Tribunal ejerciera el control de constitucionalidad respecto del inciso quinto del artículo 92 propuesto por el número 9, de la letra a) del número 13, del número 16, de la frase final del inciso final del artículo 172 sexies, contenido en el número 21, del número 25 y de la letra b) del número 35, todos numerales del artículo 1 del proyecto de ley, que introduce modificaciones en el Código de Aguas, en los autos Rol N° 3958-17-CPR

Se resuelve:

1°. Que las disposiciones contenidas en el número 16; en la parte final del inciso primero del artículo 172 ter, agregado por el número 21; en la frase final del inciso final del artículo 172 sexies, contenido en el número 21, en la parte que alude al artículo 137 del Código de Aguas; en la letra b) del número 25; y en la letra c) del número 28, todas del artículo 1 del proyecto de ley remitido por el Congreso Nacional, no son contrarias a la Constitución Política.

2°. Que las disposiciones contenidas en el literal i) de la letra a) del número 13; en la letra a) del número 25; en el numeral 17, letra b); en la letra a) del número 35, en la frase "por la Dirección General de Aguas"; y letra b) del mismo numeral 35, todas del artículo 1 del proyecto de ley remitido por el Congreso Nacional, son inconstitucionales y, en consecuencia, deben eliminarse del texto del proyecto.

3°. Que no se emite pronunciamiento, en examen preventivo de constitucionalidad, respecto de las disposiciones contenidas en el inciso quinto del artículo 92 propuesto por el número 9; en el literal ii) de la letra a) del número 13; en la frase final del inciso final del nuevo artículo 172 sexies, contenido en el número 21, en la parte en que alude al artículo 136 del Código de Aguas, todas del artículo 1 del proyecto de ley remitido por el Congreso Nacional, por no versar sobre materias propias de ley orgánica constitucional.

Santiago, 26 de diciembre de 2017.- Rodrigo Pica Flores, Secretario.

DISPOSICIONES TRANSITORIAS LEY N° 21.435 QUE REFORMA EL CÓDIGO DE AGUAS

Artículo primero.- Los derechos de aprovechamiento reconocidos o constituidos antes de la publicación de esta ley, así como aquellos usos que fuesen regularizados por la autoridad competente en conformidad con los procedimientos a que se refieren los artículos 2 y 5 transitorios del decreto con fuerza de Ley N° 1.122, de 1981, del Ministerio de Justicia, que fija el texto del Código de Aguas, continuarán estando vigentes. Estos derechos solo se extinguen conforme a lo dispuesto en los artículos 129 bis 4 y 129 bis 5, sin perjuicio de que a su vez caducan por su no inscripción en el Registro de Propiedad de Aguas del Conservador de Bienes Raíces, según se establece en el artículo segundo transitorio de esta ley. En cuanto a su ejercicio, goces y cargas, tales derechos quedarán sujetos a todas las demás disposiciones del referido Código.

Los procedimientos descritos en los artículos 2 y 5 transitorios mencionados en el inciso primero, sólo podrán iniciarse dentro del plazo de cinco años, contado desde la fecha de publicación de esta ley. Vencido este plazo, no será admitida la solicitud de regularización, a excepción de las formuladas por los indígenas y comunidades indígenas, entendiendo por tales aquellos considerados en los artículos 2 y 9 de la Ley N° 19.253. Los titulares de solicitudes de regularización que hayan presentado su requerimiento de conformidad con las normas vigentes con anterioridad podrán voluntariamente someterse a este nuevo procedimiento, haciendo constar el desistimiento o renuncia, en sede judicial o ante el Servicio Agrícola y Ganadero, según corresponda. El Instituto de Desarrollo Agropecuario o la correspondiente organización de usuarios velarán por la difusión, información y facilitación de la regularización de los derechos de aprovechamiento de sus beneficiarios o comuneros, respectivamente.

Artículo segundo.- Los derechos de aprovechamientos de aguas constituidos por acto de autoridad competente, y que a la fecha de publicación de esta ley no estuvieren inscritos en el Registro de Propiedad de Aguas del Conservador de Bienes Raíces correspondiente, deberán ser inscritos, a petición de sus titulares, en el referido registro, antes del 6 de abril de 2025. Transcurrido este plazo, los Conservadores de Bienes Raíces no admitirán a trámite la inscripción de los derechos de aprovechamiento de que trata este inciso, los cuales caducarán por el solo ministerio de la ley. La caducidad a que se refiere este inciso no será aplicable a los usos actuales de las aguas respecto de los cuales se inicie el procedimiento de regularización, conforme lo dispuesto en el inciso segundo del artículo anterior.

La negativa del Conservador de Bienes Raíces a inscribir un derecho de aprovechamiento de aguas, cuya inscripción se ha sometido a trámite dentro del plazo señalado en el inciso anterior, se sujetará al procedimiento judicial contemplado en los incisos segundo y tercero del artículo 1 transitorio del Código de Aguas. El interesado que solicita la inscripción tendrá el plazo máximo de treinta días hábiles para recurrir, contado desde el día en que el Conservador de Bienes Raíces deje constancia de su negativa a inscribirlo. Si el juez de letras competente resolviere por sentencia firme o ejecutoriada que procede la inscripción del derecho de aprovechamiento de aguas en el registro respectivo, el Conservador de Bienes Raíces competente procederá a practicar la inscripción, entendiéndose, para todos los efectos legales, que tal derecho siempre estuvo vigente. En todo caso, el interesado, al momento de presentar la acción para impugnar la decisión del Conservador de Bienes Raíces, deberá solicitar que se remita copia de ella y de la resolución que la acoge a tramitación a la Dirección General de Aguas, para que este Servicio se abstenga de conceder nuevos derechos de aprovechamiento de aguas que puedan afectar su derecho, mientras dure el procedimiento judicial.

Los Conservadores de Bienes Raíces deberán informar a la Dirección General de Aguas las inscripciones que se hubieren verificado en cumplimiento de lo dispuesto en los incisos anteriores, conforme se dispone en el inciso cuarto del artículo 122 del Código de Aguas, y acompañará, para cada caso, copia del certificado de dominio vigente y de la inscripción en el registro respectivo.

Aquellos titulares de derechos de aprovechamiento de aguas constituidos por acto de autoridad competente, con anterioridad a la publicación de esta ley, que estén inscritos en el respectivo registro del Conservador de Bienes Raíces, pero que no estén incluidos en el Catastro Público de Aguas establecido en el artículo 122 del Código de Aguas, deberán acreditar dicha inscripción a la Dirección General de Aguas, dentro del mismo plazo establecido en el inciso primero, y acompañarán copia de la inscripción y del certificado de dominio vigente. El incumplimiento de esta obligación se sancionará con una multa de segundo grado, en conformidad a lo establecido en el literal b) del artículo 173 ter del Código de Aguas, sin perjuicio de la procedencia de lo señalado en el inciso final del artículo 173 bis de ese Código.

El plazo que se contempla en el inciso primero será de cinco años para aquellos derechos de aprovechamiento no inscritos cuyos titulares sean pequeños productores agrícolas de conformidad con lo dispuesto en la Ley N° 18.910.

El Registro Público de Derechos de Aprovechamiento de Aguas establecido en el inciso tercero del artículo 122 del Código de Aguas, incluirá un registro de todos los derechos de aguas que informen los Conservadores de Bienes Raíces en virtud del presente artículo y también de aquellos que informen directamente sus titulares, adjuntando al efecto copia del certificado de dominio vigente y de la inscripción en el registro conservatorio respectivo.

No se aplicará la causal de caducidad establecida en el inciso primero a los derechos de aprovechamiento otorgados a los servicios sanitarios rurales; a las comunidades agrícolas definidas en el artículo 1 del decreto con fuerza de Ley N° 5, de 1967, del Ministerio de Agricultura; a los propietarios de áreas protegidas que no utilicen los derechos de aprovechamiento de aguas con el objeto de mantener la función de preservación ecosistémica en dichas áreas protegidas; y a los indígenas o comunidades indígenas, entendiendo por tales los regulados en el artículo 5 del Código de Aguas y aquellos considerados en los artículos 2 y 9 de la Ley N° 19.253, respectivamente. No obstante, sí les será aplicable a los casos anteriores lo dispuesto en el inciso cuarto de este artículo, excepto en el caso de los indígenas y comunidades indígenas.

El Instituto de Desarrollo Agropecuario, la Dirección General de Aguas, la Corporación Nacional de Desarrollo Indígena y la correspondiente organización de usuarios velarán por la difusión e información de las disposiciones de este artículo.

Artículo tercero.- Las referencias al Ministerio del Medio Ambiente efectuadas en los artículos 58, 63, 129 bis 1 A y 129 bis 2 del Código de Aguas, se mantendrán mientras no se apruebe la ley que crea el Servicio de Biodiversidad y Áreas Protegidas, en cuyo caso se entenderán hechas a este Servicio.

A su vez, mientras no se definan conforme a la referida ley los sitios prioritarios de primera prioridad, para la aplicación del artículo 129 bis 1, se entenderá que son aquellos los sesenta y ocho sitios definidos en la Estrategia para la Conservación y Uso Sustentable de la Biodiversidad, de 2003, y que tienen efectos para el Sistema de Evaluación de Impacto Ambiental.

Artículo cuarto.- Los titulares de derechos de aprovechamiento constituidos con anterioridad a la entrada en vigencia de esta ley que deseen destinarlos al desarrollo de un proyecto recreacional, turístico u otro que implique no utilizar ni extraer las aguas de su fuente, y aquellos titulares de derechos de aprovechamiento cuyo punto de captación se encuentre dentro de los límites de las áreas protegidas y que los destinen a mantener la función ecológica de las aguas, podrán acogerse a la exención del pago de patente por no uso, de que da cuenta el inciso final del artículo 129 bis 9 del Código de Aguas, para lo cual deberán cumplir con las exigencias del reglamento dictado al efecto, y asimismo con lo dispuesto en el artículo 129 bis 1 A del Código de Aguas.

Artículo quinto.- Previa resolución de la Dirección General de Aguas, se suspenderá el ejercicio de los derechos de aprovechamiento de aguas consuntivos, permanentes y continuos, otorgados con posterioridad a la declaración de cuenca agotada, conforme lo indica el artículo 282 del Código de Aguas. Estarán exentos de esta medida los derechos de aprovechamiento otorgados a las cooperativas y servicios sanitarios rurales y a los pequeños productores agrícolas pertenecientes a las Comunidades Agrícolas definidas en el artículo 1 del decreto con fuerza de Ley N° 5, de 1967, del Ministerio de Agricultura, y los pertenecientes a indígenas y comunidades indígenas, entendiendo por aquellas las consideradas en los artículos 2 y 9 de la Ley N° 19.253, respectivamente. De igual forma, quedarán exentos los pequeños productores agrícolas de conformidad a lo dispuesto en la Ley N° 18.910.

Artículo sexto.- Los derechos de aprovechamiento no consuntivos que a la entrada en vigencia de esta ley estén incorporados en el listado que fija los derechos de aprovechamiento afectos al pago de patente por no uso de las aguas continuarán sometidos a las normas de la Ley N° 20.017; sin embargo, a partir del año décimo sexto se les aplicará el literal c) del numeral 1 del artículo 129 bis 4 del Código de Aguas.

Del mismo modo, los derechos de aprovechamiento consuntivos que a la entrada en vigencia de esta ley estén incorporados en el listado previamente referido continuarán sometidos a las normas de la ley antes citada; sin embargo, a partir del año undécimo se les aplicará el literal c) del artículo 129 bis 5 del Código de Aguas.

Artículo séptimo.- Lo dispuesto en las letras d) del artículo 129 bis 4 y d) del artículo 129 bis 5 del Código de Aguas se aplicará a los derechos de aprovechamiento constituidos con anterioridad a la publicación de esta ley, a partir de su inclusión en el listado publicado al año siguiente de su entrada en vigencia.

Artículo octavo.- Los titulares de pertenencias mineras y de concesiones mineras de exploración que estuvieren utilizando las aguas halladas en virtud de sus labores mineras, deberán, antes de cumplirse quince meses contados desde la entrada en vigencia de esta ley, informar a la Dirección General de Aguas los volúmenes extraídos, con la forma y los requisitos prescritos en el artículo 56 bis. Estos usos no podrán afectar la sustentabilidad de los acuíferos, y en caso que se verificare una grave afectación del acuífero a consecuencia de estos aprovechamientos, la Dirección General de Aguas podrá limitar fundadamente su uso, teniendo en consideración la resolución de calificación ambiental, de haberla.

Artículo noveno.- El mayor gasto fiscal que represente la aplicación de esta ley durante su primer año presupuestario de vigencia se financiará con cargo al presupuesto vigente del Ministerio de Obras Públicas y, en lo que faltare, con cargo a los recursos de la partida presupuestaria Tesoro Público, de la Ley de Presupuestos del Sector Público. Para los años posteriores, se financiará con cargo a los recursos que se contemplen en las respectivas leyes de Presupuestos para el Sector Público.

Artículo décimo.- Lo dispuesto en el inciso primero del artículo 132 comenzará a regir desde el 6 de abril de 2025.

Artículo décimo primero.- Los titulares de derechos de aprovechamiento de aguas que hayan iniciado ante la Dirección General de Aguas los trámites establecidos en los artículos 2 y 5 transitorios del Código de Aguas, conforme a lo modificado por esta ley, necesarios para su inscripción en el Registro de Propiedad de Aguas del Conservador de Bienes Raíces correspondiente, podrán presentar oposiciones a solicitudes de terceros de conformidad con lo dispuesto en el artículo 132 del Código de Aguas.

Artículo décimo segundo.- En todas las áreas de restricción o zonas de prohibición declaradas antes de la publicación de esta ley deberán iniciarse los trámites para conformar las Comunidades de Aguas Subterráneas, dentro del plazo de tres años contado desde su publicación. Vencido el plazo la Dirección General de Aguas sólo podrá autorizar cambios de punto de captación en dicha zona, respecto de aquellas personas que se hayan hecho parte en el proceso de conformación de la comunidad, conforme a lo dispuesto en el artículo 63 del Código de Aguas o se incorporen a la comunidad con posterioridad.

Artículo décimo tercero.- Las inscripciones que se hubieren practicado a la fecha de entrada en vigencia de la presente ley, por aplicación de las causales previstas en los números 1, 2, 3 y 8 del artículo 114, numerales que la presente ley deroga, continuarán vigentes para todos los efectos legales, y les serán aplicables lo dispuesto en el numeral 5 del artículo 173, y lo señalado en el artículo 460 bis del Código Penal, debiendo, asimismo, incorporarse en el catastro público que lleva la Dirección General de Aguas, según se contempla en el artículo 122.

Sin perjuicio de lo señalado en el inciso precedente, para los efectos de lo dispuesto en el artículo 117 del Código de Aguas, todo titular de derecho de aprovechamiento de aguas que haya sido reconocido dentro de los títulos constitutivos de una organización de usuarios de aguas deberá contar con el título individualmente inscrito a su nombre.

A petición de parte, y previo informe favorable de la Dirección General de Aguas, los Conservadores de Bienes Raíces podrán efectuar inscripciones individuales de derechos de aprovechamiento de aguas en favor de aquellos titulares que no las posean, a partir de las inscripciones constitutivas de aquellas organizaciones de usuarios de aguas, constituidas judicial o extrajudicialmente. En conformidad con lo dispuesto en el literal a) del artículo 300 del Código de Aguas, una circular contendrá los requisitos y condiciones necesarias para solicitar este informe.

En la petición a que se refiere el inciso anterior, el solicitante deberá acompañar un certificado emitido por la respectiva organización de usuarios de aguas, con una antigüedad no superior a treinta días corridos, en el cual se reconozca que es integrante de esa organización. Si ella no emite el certificado solicitado dentro de treinta días, el titular acompañará copia de esa solicitud junto con los demás antecedentes a la Dirección General de Aguas.

La petición a que alude el inciso tercero se publicará en la forma establecida en el artículo 131 del Código de Aguas. Los titulares de derechos de aprovechamiento de aguas afectados podrán deducir oposición dentro del plazo de noventa días hábiles contado desde dicha publicación, mediante presentación que se sujetará en la forma, plazos y trámites a lo prescrito en el Párrafo 1 del Título I del Libro Segundo del Código de Aguas.

Artículo décimo cuarto.- Dentro del plazo de un año contado desde la publicación de la presente ley, deberán dictarse los reglamentos a los que se hace referencia en este cuerpo legal, mediante los decretos respectivos expedidos a través del Ministerio de Obras Públicas.

Artículo décimo quinto.- Dentro del plazo máximo de cinco años contado desde la publicación de esta ley, todo titular de derechos de aprovechamiento de aguas tendrá la obligación de anotar al margen de la correspondiente inscripción de su derecho en el Registro de Propiedad de Aguas del Conservador de Bienes Raíces respectivo el comprobante de su inscripción en el Registro Público de Derechos de Aprovechamiento de Aguas al que se refiere el artículo 122. A partir de la referida fecha, el Conservador de Bienes Raíces no podrá realizar la inscripción de una transferencia de propiedad del derecho, sin contar con el mencionado comprobante de inscripción.

Artículo décimo sexto.- Las modificaciones que derogan el número 4 del artículo 129 bis 4, el inciso final del artículo 129 bis 5 y los incisos segundo y tercero del artículo 129 bis 6 del Código de Aguas comenzarán a regir al segundo año de la entrada en vigencia de la presente ley. Para los efectos de la contabilización de los plazos de no uso de las aguas asociadas a dichos derechos, ésta comenzará a regir desde el 1 de enero del segundo año siguiente a la fecha de publicación de la presente ley, de manera que deberán pagar su primera patente por no uso, en caso que corresponda, durante el mes de marzo del tercer año contado desde su entrada en vigencia.

Respecto a los derechos consuntivos con volúmenes inferiores a 10 litros por segundo, la derogación del inciso final del artículo 129 bis 5 y del inciso tercero del 129 bis 6 del Código de Aguas comenzarán a regir al quinto año de la entrada en vigencia de la presente ley. Los plazos de no aprovechamiento del recurso comenzarán a contabilizarse a partir del 1 de enero del quinto año siguiente a la fecha de publicación de esta ley, por lo que la primera patente por no uso a pagar será exigible a partir del mes de enero del sexto año de su entrada en vigencia.

La derogación del número 2 del artículo 129 bis 4 y la modificación del literal a) del inciso segundo del artículo 129 bis 5 del Código de Aguas comenzarán a regir el segundo año de la entrada en vigencia de la presente ley. A partir del tercer año, todas las patentes por no uso a nivel nacional se calcularán en base a la misma fórmula sin distinguir su ubicación geográfica, en función de las características propias de cada derecho.

Artículo décimo séptimo.- Todas las menciones que este Código efectúa a la intendencia, gobernador o gobernación, deben entenderse referidas a la delegación presidencial regional, delegado presidencial provincial y delegación presidencial provincial, respectivamente, según lo estatuyen los artículos 115 bis y 116 de la Constitución Política de la República.

Artículo décimo octavo.- Los Planes Estratégicos de Recursos Hídricos en Cuencas, que se dicten en el tiempo intermedio que transcurra entre la entrada en vigencia de la presente ley y la entrada en vigor de la Ley Marco de Cambio Climático, deberán ajustarse a las disposiciones de la ley posterior y, supletoriamente, a lo indicado en el Código de Aguas.

ACTOS Y RESOLUCIONES DE LA DIRECCIÓN GENERAL DE AGUAS

RESOLUCIÓN N° 3.504 DE 17 DE DICIEMBRE DE 2008 QUE DEJA SIN EFECTO RESOLUCIÓN DGA EXENTA N° 1503, DE 31 DE MAYO DE 2002 Y APRUEBA NUEVO "MANUAL DE NORMAS Y PROCEDIMIENTOS PARA LA ADMINISTRACIÓN DE RECURSOS HÍDRICOS-2008", SIT N° 156, DE DICIEMBRE DE 2008

SANTIAGO, 17 DIC. 2008
D.G.A. N° 3.504 / (EXENTA)

VISTOS: Las necesidades del Servicio; la Resolución D.G.A. Exenta N°1503, de 31 de mayo de 2002, que fijó el texto del documento denominado "Manual de Normas y Procedimientos para la Administración de Recursos Hídricos-2002", SIT N° 78, de 2002; las facultades que me confiere el artículo 300 letra c) del Código de Aguas; y,

CONSIDERANDO:

QUE, por Resolución D.G.A. Exenta N° 1503, de 31 de mayo de 2002, se fijó el texto del "Manual de Normas y Procedimientos para la Administración de Recursos Hídricos-2002", que estableció criterios uniformes acerca de la tramitación de las solicitudes o presentaciones sometidas a resolución de la Dirección General de Aguas.

QUE, dicho documento constituye el texto oficial del Servicio en materias de administración de recursos hídricos.

QUE, sin embargo, con el transcurso del tiempo y las modificaciones efectuadas al Código de Aguas, se hace necesario actualizar y complementar los criterios contenidos en aquel documento, por lo que es fundamental establecer un nuevo texto actualizado que recoja todas las instrucciones verbales y escritas que existan a la fecha en el ámbito de la administración de los recursos hídricos.

RESUELVO:

1. **DEJASE** sin efecto la Resolución D.G.A. (Exenta) N° 1503, de 31 de mayo de 2002, que fijó el texto del documento denominado "Manual de Normas y Procedimientos para la Administración de Recursos Hidricos-2002" SIT N°78, de 2002.

2. **APRUEBASE** a contar de la fecha de la presente resolución, el "Manual de Normas y Procedimientos para la Administración de Recursos Hídricos-2008", SIT N° 156 de Diciembre de 2008, el cual pasa a ser el documento oficial de la Dirección General de Aguas en materias relativas a la tramitación de las solicitudes o presentaciones sometidas a resolución de la Dirección General de Aguas, en el ámbito de la administración de recursos hídricos.

3. **ESTABLECESE** que el documento antes individualizado, pasa a ser de uso obligatorio para las oficinas de la Dirección General de Aguas, en materia de administración de recursos hídricos.

4. **DEJASE** constancia que el documento antes señalado, podrá ser siempre objeto de actualizaciones y modificaciones según lo requieran las necesidades del Servicio.

5. **COMUNIQUESE** la presente resolución a los Sres. Jefes de Departamento de la Dirección General de Aguas, a los Srs. Jefes de División de la Dirección General de Aguas, a los Sres. Directores Regionales del Servicio, a los Sres. Jefes Provinciales, y a las demás oficinas que corresponda.

ANÓTESE Y COMUNÍQUESE
RODRIGO WEISNER LAZO
Director General de Aguas
MINISTERIO DE OBRAS PÚBLICAS

RESOLUCIÓN Nº 1.800 DE 14 DE JULIO DE 2010 QUE ESTABLECE CRITERIOS DE LA DIRECCIÓN GENERAL DE AGUAS EN MATERIAS QUE INDICA

SANTIAGO, 14 de julio de 2010
RESOLUCIÓN D.G.A. Nº 1800 /

VISTOS:

1. El Decreto con Fuerza de Ley Nº 100, de 2005, del Ministerio Secretaria General de la Presidencia, que fija el texto refundido, coordinado y sistematizado de la Constitución Política de la República de Chile, artículos 6° y 7° respectivamente;

2. El Decreto con Fuerza de Ley Nº 1.122, de 1981, del Ministerio de Justicia, que fija texto del Código de Aguas;

3. El Decreto con Fuerza de Ley Nº 1, de 2000, del Ministerio Secretaría General de la Presidencia, que Fija Texto Refundido, Coordinado y Sistematizado de la Ley Nº 18.575, Orgánica Constitucional de Bases Generales de la Administración del Estado;

4. La Ley Nº 19.880 que Establece Bases de los Procedimientos Administrativos que Rigen los Actos de los Órganos de la Administración del Estado;

5. El Decreto Supremo Nº 1.220, de 1997, del Ministerio de Obras Públicas, que Aprueba Reglamento del Catastro Público de Aguas;

6. La Resolución D.G.A. Nº 3.504 (Exenta) de 2008, que Deja Sin Efecto Resolución DGA Exenta Nº 1503, de 2002 y aprueba nuevo "Manual de Normas y Procedimientos para la Administración de los Recursos Hídricos-2008", SIT Nº 156, de 2008;

7. Resolución D.G.A. N° 425 (Exenta) de 2007, que Deja sin efecto Resolución DGA N° 341, de 2005, y establece nuevo texto de la Resolución que Dispone Normas de Exploración y Explotación Aguas Subterráneas;

8. El Decreto con Fuerza de Ley N° 29, de 2004, del Ministerio de Hacienda, que Fija Texto Refundido, Coordinado y Sistematizado de la Ley N° 18.834, sobre Estatuto Administrativo;

9. La Resolución N° 1.600, de 2008, de la Contraloría General de la República, que fija Normas sobre Exención del Trámite de Toma de Razón; y

CONSIDERANDO:

1. Que, existe la necesidad de generar criterios de aplicación de la normativa, ajustados a la legalidad vigente y al principio de juridicidad que rige a todos los órganos de la Administración del Estado;

2. Que, la satisfacción de esta necesidad se traduce en otorgar una certeza y seguridad jurídica al administrado en relación al actuar institucional;

3. Que, en este contexto es procedente un actuar del Servicio ajustado a los principios establecidos en la Ley N° 19.880;

4. Que, además estos criterios sirven para el mejor actuar y coordinación de esta Dirección, tanto al interior de ella como con otros órganos administrativos con los cuales es necesario interactuar para propender a una mejor administración del recurso;

5. Que, atendidas las facultades que se confieren al Director General de Aguas en el artículo 300 del Código de Aguas;

RESUELVO:

I. Respecto del Remate de Derechos de Aprovechamiento de Aguas

1. No procede el remate de solicitudes que han sido presentadas por un mismo titular. Lo anterior, en virtud de lo establecido en el inciso 3° del artículo 142 del Código de Aguas, que señala "La Dirección General de Aguas comunicará por carta certificada los antecedentes antes señalados a los solicitantes ..." reconociendo de esta forma la necesidad de dos o más titulares para que se dé el presupuesto de remate.

2. En virtud de lo dispuesto en el inciso 2° del artículo 147 bis del Código de Aguas, el análisis del caudal justificado en la memoria explicativa debe hacerse con posterioridad al análisis de los presupuestos del artículo 142, pues, dice la norma "El Director Genera/de Aguas si no se dan los casos señalados en el inciso primero del artículo 142, podrá, mediante resolución fundada, limitar....", debiendo claramente hacerse el análisis de los presupuesto de remate en forma previa a la consideración de la Memoria Explicativa.

Por tanto, para determinar si dos o más solicitudes se encuentran en situación de remate en función de la disponibilidad del recurso, se debe considerar el caudal establecido en las solicitudes y no el caudal justificado en sus respectivas memorias explicativas.

3. En virtud de lo dispuesto por Contraloría General de la República en su dictamen N° 52.463 de fecha 22 de septiembre de 2009, el desistimiento de solicitudes que configuran situación de remate, o la renuncia de parte del caudal solicitado para evitar la falta de disponibilidad del recurso, tienen como efecto que dejen de darse los presupuestos de remate, y por lo tanto, no procede citar al mismo.

En todo caso, para que el desistimiento o la renuncia tengan como efecto la eliminación de la situación de remate, estos deberán haber sido presentados en forma previa a la dictación de las Bases de Remate.

II. Respecto de la Oferta de Derechos de Aprovechamiento de Aguas

4. Toda vez que existan aguas disponibles en cantidad o calidad distintas a las solicitadas, la Dirección General de Aguas ejercerá la facultad contenida en el inciso 4º del artículo 147 bis del Código de Aguas, ofreciendo la constitución de un derecho de aprovechamiento en la cantidad y/o calidad disponible.

En este sentido, si existen dos o más solicitudes de distintos titulares por derechos de aprovechamiento de carácter permanente, y no hay disponibilidad en permanentes pero si en eventuales, corresponderá ofrecer la constitución de los derechos solicitados en calidad de eventuales, siempre que existan en cantidad suficiente para satisfacer ambas solicitudes.

Si ante las mismas solicitudes anteriores hubiese disponibilidad de carácter permanente, pero no la suficiente para satisfacer ambos derechos, procederá citar a remate por el caudal permanente disponible y por el caudal eventual disponible cuando este no sea suficiente para satisfacer por si sólo el caudal solicitado.

Por último, si ante las mismas solicitudes señaladas hubiese disponibilidad de carácter eventual, pero no la suficiente para satisfacer ambos derechos, se procederá a citar a remate sin necesidad de realizar una oferta previa.

III. Respecto de la solicitud y de la memoria explicativa

5. Una solicitud de derecho de aprovechamiento podrá ser modificada por su titular sólo si tiene por objeto disminuir el caudal solicitado, debiendo continuarse la tramitación con el caudal restante.

6. Si un mismo titular presenta varias solicitudes que individualmente consideradas no superan el caudal establecido para requerir Memoria Explicativa, pero que sumadas si lo hacen, deberá presentar Memoria Explicativa junto a las solicitudes que completen o superen los caudales indicados en los incisos finales de los artículos 129 bis 4 y 129 bis 5 del Código de Aguas. Para estos efectos, se sumarán los caudales de todas las

solicitudes pendientes del mismo titular que dentro de un mismo acuífero (aguas subterráneas) o dentro de una misma cuenca hidrográfica (aguas superficiales).

Presentada la Memoria Explicativa, la aplicación de la tabla de equivalencias contenida en el Decreto Supremo N° 743, de 2005, del Ministerio de Obras Públicas, se hará sólo respecto de aquellas solicitudes que, habiendo sido declaradas para un mismo uso, superen los caudales indicados en los incisos finales de los artículos 129 bis 4 y 129 bis 5 del Código de Aguas.

7. Los datos y declaraciones contenidos en los siguientes puntos de la Memoria Explicativa: 2, 3.2, 3.3 y su relacionado según corresponda; no podrán ser alterados durante la tramitación de la solicitud. No obstante, el caudal si podrá ser reducido, según lo señalado en el punto 5 anterior.

8. Toda resolución del Servicio, que recaiga respecto de cualquier tipo de solicitud, sólo podrá ser reducida a escritura pública (firmada por el Dir. Regional respectivo), luego de que hayan transcurrido los plazos de impugnación de la misma, los que se contabilizarán en la forma establecida en el artículo 25 de la Ley N° 19.880, que establece Bases de los Procedimientos Administrativos que rigen los Actos de los Órganos de la Administración del Estado.

9. De acuerdo a lo establecido por Contraloría General de la República en sus dictámenes N° 21.437 de 2010, y N° 1.344 de 1993; son válidas las radiodifusiones emitidas en días distintos del 1 o 15, siempre que se hayan hecho durante la vigencia de la Resolución Dirección General de Aguas N° 856, de 2006.

10. De acuerdo a lo dispuesto en el punto 2.1. de la Resolución Dirección General de Aguas N° 3464, de 2008, la radiodifusión de solicitudes no puede ser hecha en un día 1 o 15 si este fuere feriado, pues, necesariamente deberá hacerse al día siguiente hábil.

11. No hay inconveniente en que se describan con referencias los puntos de captación y restitución de solicitudes de derechos de aprovechamiento de aguas superficiales. No obstante, en caso de solicitudes de derechos de aguas subterráneas, el punto de captación debe estar descrito por medio de coordenadas UTM, con indicación el DATUM utilizado, de acuerdo a lo dispuesto en el artículo 21 de la Resolución Dirección General de Aguas N° 425, de 2007.

12. En atención a lo dispuesto en la letra p) artículo 10 de la Ley N° 19.300, toda solicitud relativa a derechos de aprovechamiento de aguas subterráneas, cuyo punto de captación se ubique dentro de un área protegida, deberá acompañar una Resolución de Calificación Ambiental Favorable. Lo anterior, debido a que la solicitud relativa a derechos de aprovechamiento de aguas subterráneas necesariamente implica la ejecución de obras, las cuales deben ser evaluadas ambientalmente en forma previa.

13. El argumento de que es deber de la Dirección General de Aguas velar porque no se perjudique los derechos de terceros, no es motivo suficiente para el rechazo de oposiciones a solicitudes relativas a derechos de aprovechamiento de agua. Sin embargo, si será motivo suficiente para denegar dichas oposiciones cuando en ellas no se haya acreditado el perjuicio alegado.

14. No procede limitar en función de la tabla de equivalencias contenida en el Decreto Supremo N° 743, de 2005, del Ministerio de Obras Públicas, el caudal de solicitudes relativas a derechos de aprovechamiento de aguas constituidos con anterioridad al 16 de junio de 2005.

Tampoco procederá la aplicación de esta limitación respecto de solicitudes de perfeccionamiento de títulos requeridas en conformidad al artículo 44 del Reglamento del Catastro Público de Aguas, ni respecto de solicitudes de regularización en virtud del artículo 2° Transitorio del Código de Aguas, siempre que éstas tengan un título inscrito en el Registro de Propiedad de Aguas respectivo.

En todo caso, si se deberá aplicar este límite a las solicitudes de regularización del artículo 2° Transitorio del Código de Aguas, que no tengan un título inscrito asociado.

15. Se aceptarán aquellas solicitudes relativas a derechos de aprovechamiento ya constituidos, que no acompañan el certificado del Catastro Público de Aguas —CPA—, si es que ese derecho ya se encuentra inscrito en el CPA o bien, su inscripción ha sido solicitada con más de 30 días de anticipación.

16. El acto administrativo que deniega una solicitud relativa a derechos de aprovechamiento aguas, debe pronunciarse respecto de todos los incumplimientos en que incurre la solicitud, incluyendo tanto los aspectos formales, como los aspectos técnicos que el servicio ha tenido a la vista al momento de resolver.

No obstante, si una solicitud no cumple con los requisitos formales establecidos por la normativa para su tramitación, no se realizará respecto de ella el análisis de disponibilidad del recurso hídrico ni de afectación de derechos de terceros, lo cual deberá consignarse en la resolución que denegatoria.

Esto aplicará igualmente para las solicitudes de aprobación de obras.

IV. Respecto de las Mercedes Provisionales de Aguas

17. Según lo dispuesto por el dictamen de Contraloría General de la República N°31.748 de 2010, las mercedes provisionales de aguas se considerarán como solicitudes pendientes de derechos de aprovechamiento de aguas, y deberán ajustarse en su tramitación a las normas del Código de Aguas vigente, según lo dispuesto en el artículo 1° Transitorio de la Ley 20.017.

V. Respecto de Derechos de Aprovechamiento Provisionales

18. No existe inconveniente en autorizar el cambio de punto de captación de derechos de aprovechamiento provisionales. No obstante, una vez

autorizado el cambio de punto, comenzará a computarse nuevamente el plazo de 5 años de ejercicio efectivo, necesario para requerir la transformación del derecho provisional a definitivo.

El nuevo plazo de 5 años se contará desde el día siguiente a la fecha de la resolución que autorizó el cambio de punto.

Con todo, la Dirección General de Aguas podrá dejar sin efecto en cualquier tiempo los derechos de aprovechamiento provisionales que haya constituido, si se acredita el perjuicio a terceros, en conformidad con lo dispuesto en el artículo 67 del Código de Aguas

19. Si una solicitud agota la disponibilidad de derechos de aprovechamiento definitivos de un acuífero, se otorgará a ese solicitante la parte de su solicitud que corresponde al caudal definitivo disponible, dejándole pendiente la constitución del resto como provisionales. Hecho lo anterior, se deberá proceder a declarar el sector del acuífero respectivo como Área de Restricción, luego se ofrecerá el resto del caudal solicitado en calidad de provisional, y se constituirá el derecho como provisional si es que hubiese aceptación de ello por parte del titular de la solicitud, de lo contrario, se rechazará el derecho en la parte ofrecida como provisional.

Si en este caso hubiere más de una solicitud, y se configuran los presupuestos del artículo 142 del Código de Aguas, procederá la aplicación del remate de aguas tanto para la asignación de derechos de aprovechamiento definitivo como provisionales.

20. En virtud de lo dispuesto en el artículo 33 de la Resolución N° 425, de 2007, de la Dirección General de Aguas y en el artículo 67 del Código de Aguas, la transformación de un derecho de aprovechamiento constituido como provisional a definitivo, deberá hacerse mediante una solicitud presentada y tramitada en conformidad a los artículos 130 y siguientes del Código de Aguas. Para resolver estas solicitudes se deberá respetar la prelación impuesta por la fecha de presentación de las solicitudes de transformación de él o los derechos definitivos, y no por la prelación con que se hayan otorgado los derechos de aprovechamiento provisionales.

VI. Respecto de Solicitudes del Artículo 4°
Transitorio de la Ley Nº 20.017

21. Se aplicará factor de uso en la constitución de todas las solicitudes de derechos de aprovechamiento solicitadas en virtud del artículo 4° Transitorio, que se encuentren aún pendientes de resolución.

VII. Respecto a la Reserva de Caudales

22. Conforme a lo dispuesto en el artículo 147 bis del Código de Aguas, la reserva de caudales sólo procederá por motivos de abastecimiento de la población, cuando no haya otro medio para obtener el agua, y en el caso de solicitudes de derechos de aprovechamiento no consuntivos, por circunstancias excepcionales y de interés nacional.

Concurriendo los presupuestos citados, se podrá reservar un caudal superior al que se denegará a la solicitud que motivó la reserva.

VIII. Respecto de Obras

23. Los titulares de obras de embalse, que las hayan desarrollado en virtud de derechos no consuntivos de aprovechamiento de aguas, no requerirán contar en forma adicional con derechos consuntivos para el llenado de esos embalses, atendidas las servidumbres que les otorga el artículo 97 del Código de Aguas.

Sin perjuicio de lo anterior, en ningún caso el titular de un embalse podrá afectar derechos de aprovechamiento de aguas de terceros con el llenado, a menos que cuente con la autorización de dichos terceros.

IX. Respecto a la Incompatibilidad de Solicitudes

24. Para determinar la incompatibilidad que pueda existir entre:

a. Solicitudes relativas a derechos de aprovechamiento de aguas;

b. Solicitudes relativas a obras; o bien,

c. Entre solicitudes (letras a y b anteriores) y derechos de aprovechamiento de aguas ya constituidos, o

d. Entre solicitudes (letras a y b anteriores), y obras ya aprobadas.

Deberá evaluarse si existe o no perjuicio efectivo a terceros.

Habrá perjuicio efectivo a terceros, cuando con alguna de las solicitudes señaladas en las letras a) y b) anteriores, se afecte el área de influencia de un derecho de aprovechamiento ya constituido, o de una obra ya aprobada, de distinto titular.

Para efectos de lo señalado en el párrafo anterior, se indica que el área de influencia de una solicitud o de un derecho de aprovechamiento de aguas, es la zona geográfica que se cubriría por el espejo de agua definido por la intersección de la corriente natural y el nivel de aguas máximas de la obra de embalse o barrera, declarada por el titular en conformidad al artículo 140 N° 3 del Código de Aguas.

Por su parte, el área de influencia de una obra es la zona geográfica cubierta por el espejo de agua definido por la intersección de la corriente natural y el nivel de aguas máximas de la obra aprobada por la Dirección General de Aguas.

En caso de constatarse la existencia de incompatibilidad, por existir efectivamente perjuicio a terceros, deberá rechazarse la solicitud respectiva, a menos que:

i. El titular del derecho constituido u obra afectada, renuncie al perjuicio que le provoca la solicitud, de lo cual deberá quedar constancia en el expediente respectivo por medio de una declaración notarial del titular, o

ii. Que el titular del derecho constituido u obra aprobada, sea la misma persona que el titular de la solicitud, caso en el cual legalmente no existe perjuicio.

En este último caso, la Dirección General de Aguas o la Dirección Regional correspondiente, igualmente deberá informar al titular la situación de incompatibilidad que se presenta entre su solicitud y su derecho de aprovechamiento, debiendo otorgarle un plazo para que manifieste su voluntad de continuar con la tramitación o de desistirse de su solicitud. Transcurrido el plazo sin obtener respuesta de parte del titular, se entenderá que éste tiene la voluntad de continuar con la tramitación.

En cualquiera de estos dos casos la solicitud no podrá ser rechazada por motivo de incompatibilidad o interferencia.

X. Vigencia de la presente resolución

25. La presente resolución entrará en vigencia a contar de la publicación de una referencia de la misma en el Diario Oficial, quedando a contar de esa fecha sin efecto, validez o aplicación, las instrucciones anteriores que la Dirección General de Aguas haya impartido en relación a las materias contenidas en la presente resolución.

Los cuerpos normativos que contengan las instrucciones anteriores que la Dirección General de Aguas haya impartido en relación a las materias contenidas en la presente resolución, deberán ser ajustados a ella.

XI. OBLIGATORIEDAD DE LA OBSERVANCIA DE LA PRESENTE RESOLUCIÓN POR PARTE DEL SERVICIO, SUS DEPENDENCIAS Y FUNCIONARIOS

26. En tanto contener la presente resolución criterios constitutivos de órdenes emanadas del superior jerárquico del Servicio, esto es, del Director General de Aguas, se establece la obligatoriedad del cumplimiento de las mismas por cada funcionario y/o dependencia del Servicio, en consonancia con el artículo 61 letra f) de la Ley N° 18.834 que fija el Estatuto Administrativo.

ANÓTESE, ARCHÍVESE Y PUBLÍQUESE
MATÍAS DESMADRYL LIRA
DIRECTOR GENERAL DE AGUAS

MANUAL DE PROCEDIMIENTO SANCIONATORIO DE FISCALIZACIÓN DE LA UNIDAD DE FISCALIZACIÓN NIVEL CENTRAL, DE ABRIL DE 2018

I. INTRODUCCIÓN

La Dirección General de Aguas (en adelante, D.G.A.), Servicio dependiente del Ministerio de Obras Públicas (M.O.P.) es el organismo del Estado que tiene como misión promover la gestión y administración del recurso hídrico en un marco de sustentabilidad, interés público y asignación eficiente, como también de proporcionar y difundir la información generada por su red hidrométrica y la contenida en el Catastro Público de Aguas con el objeto de contribuir a la competitividad del país y mejorar la calidad de vida de las personas.

Las principales funciones de la D.G.A. encomendadas a la Unidad de Fiscalización, están indicadas en el artículo 299 del Código de Aguas, letras c y d. Así la Unidad tendrá la responsabilidad de orientar, dirigir, normar y apoyar en el campo de la policía y vigilancia de las aguas.

En este sentido, la D.G.A. fiscalizará el cumplimiento de las normas presentes en el Código de Aguas, siendo requisito para el cumplimiento de esta labor, iniciar un procedimiento sancionatorio.

El Código de Aguas determina que este procedimiento se puede iniciar de tres formas: de oficio, ya sea por impulso de la propia D.G.A. o a requerimiento de otro Servicio del Estado, por denuncia de un particular o por medio de una autodenuncia.

El presente manual, que incluye aspectos generales y específicos, establece la manera para abordar esta materia, en conformidad a las atribuciones que le confiere el Código de Aguas y otras normas o instructivos atingentes. Se especifica el procedimiento que debe emplearse para aplicar de manera eficaz y transparente las atribuciones en materias de fiscalización, para una correcta tramitación técnica y administrativa, con uniformidad de criterio, para las diferentes acciones desarrolladas por los funcionarios de las Direcciones Regionales y en el Nivel Central.

II. PROCEDIMIENTO SANCIONATORIO

El procedimiento sancionatorio de fiscalización por presuntas contravenciones al Código de Aguas está normado en los artículos 172 bis y siguientes del Código de Aguas.

Los plazos establecidos en este Manual son de días hábiles, entendiéndose que son inhábiles los días sábados, domingos y los festivos. Se computarán desde el día siguiente a aquél en que se notifique el acto de que se trate. Cuando el último día del plazo sea inhábil, este se entenderá prorrogado al primer día hábil siguiente (Artículo 25 Ley 19.880; Dictamen Nº 60.633, de 12 de octubre de 2010).

En las Figuras 1 y 2 se representa dicho procedimiento, en términos generales.

Figura 1. Procedimiento Sancionatorio de Denuncias,
Autodenuncias y Fiscalizaciones de Oficio.

Los plazos establecidos en este Manual son de días hábiles, entendiéndose que son inhábiles los días sábados, domingos y los festivos. Se computarán desde el día siguiente a aquél en que se notifique el acto de que se trate. Cuando el último día del plazo sea inhábil, este se entenderá prorrogado al primer día hábil siguiente (Artículo 25 Ley 19.880; Dictamen N° 60.633, de 12 de octubre de 2010).

En las Figuras 1 y 2 se representa dicho procedimiento, en términos generales.

Figura 1. Procedimiento Sancionatorio de Denuncias, Autodenuncias y Fiscalizaciones de

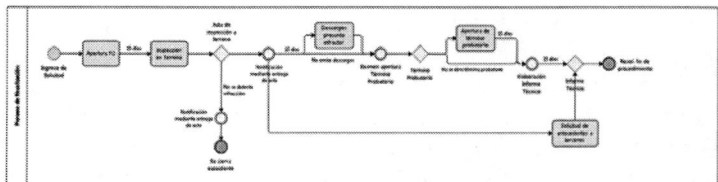

1. INICIO PROCEDIMIENTO SANCIONATORIO

1.1. Formas de Ingreso

La D.G.A., para realizar su labor fiscalizadora del cumplimiento de las normas del Código de Aguas, podrá iniciar un procedimiento sancionatorio a través de las siguientes formas:

i. Denuncia de un particular

Consiste en una comunicación por escrito realizada por una persona natural o jurídica que tenga el carácter de interesado, según lo dispuesto en el artículo 21 Ley 19.880, por medio de un formulario dispuesto por la D.G.A. sobre una eventual infracción al Código de Aguas y que dé cumplimiento a los requisitos legales establecidos en el punto 1.2 de este Manual.

ii. Autodenuncia

Es la comunicación por escrito efectuada por el infractor a la D.G.A. mediante el formulario respectivo dispuesto por el Servicio sobre el hecho de estar cometiendo, por sí, una posible contravención al Código de Aguas.

iii. De oficio

Es un procedimiento administrativo iniciado por la D.G.A., que busca determinar si un hecho constituye una eventual infracción al Código de Aguas. Pueden originarse a partir de:

a) Fiscalización selectiva

Son procedimientos programados anualmente iniciados de oficio por la D.G.A., que focalizan los esfuerzos en puntos vulnerables que no son considerados dentro de las denuncias, permitiendo lograr una mayor proactividad en el rol fiscalizador del Servicio.

El Plan de Fiscalizaciones Selectivas es establecido por el Director General de Aguas en concordancia con las necesidades y lineamientos fijados por el Servicio, mediante resolución.

Los criterios generales que pueden ser considerados para desarrollar un Plan de Fiscalizaciones Selectivas, son: a) sectores productivos, b) grado de importancia social, c) cuenca o sectores, d) inexistencia de inspección anterior, e) puntos de captación con control de extracción ordenado, f) extracción de derechos de agua acorde a lo constituido, f) obras en cauce sin autorización por tramos del río, entre otros.

b) Hecho derivado de una actuación del Servicio que puede constituir una infracción al Código de Aguas

Si con ocasión de la tramitación de un expediente de fiscalización iniciado por denuncia, se detecta una posible infracción al Código de Aguas distinta de la investigada, se deberá abrir un expediente de fiscalización de oficio, que se tramitará conforme a lo dispuesto en el Código de Aguas.

De igual forma, si existe una denuncia que no cumpla con todos los requisitos formales (descripción del hecho denunciado, el lugar de su comisión, esté revestida de seriedad y tenga mérito suficiente), pero aporta información útil, de interés público y se encuentre dentro de las competencias del Servicio, el Jefe de Fiscalización Regional propondrá al Director Regional de Aguas iniciar una fiscalización de oficio quien decidirá fundadamente si se abre un expediente con los antecedentes disponibles.

Por otro lado, se podrá abrir un expediente de fiscalización de oficio ante cualquier otro hecho que pueda significar una contravención al Código de Aguas, constatado por un funcionario D.G.A. en labores propias de sus funciones.

c) Otro Servicio del Estado

En los casos que el requerimiento provenga de algún Servicio del Estado, tales como Gobernadores, Diputados, Senadores, PDI, Fiscalía etc., de acuerdo a las labores propias de sus cargos y no como afectados de la situación informada, se podrá iniciar un proceso de fiscalización de oficio siempre que el Servicio goce de competencia para iniciar un procedimiento sancionatorio, tal como se señala en el punto 1.2, número iii titulado "Fiscalizaciones de Oficio".

1.2. Presentación

i. Denuncia

La denuncia se presentará ante la D.G.A. de la región o de la provincia correspondiente, y se deberá llenar un formulario, que se encontrará disponible en las oficinas de la D.G.A. y en la página web del Servicio (Ver Anexo 1. **Formulario de Requerimiento de Fiscalización de Denuncias y Autodenuncias**).

Sin perjuicio de ello, los fiscalizadores deberán tener siempre disponible en terreno ese formulario para ser entregado al usuario que lo requiera para presentar una denuncia, definida en el párrafo anterior.

Toda persona que presente una denuncia debe tener la calidad de interesado, tal como lo dispone el artículo 21 de la Ley 19.880 que Establece Bases de los Procedimientos Administrativos que rigen los Actos de los Órganos de la Administración del Estado, que señala: *"Se consideran interesados en el procedimiento administrativo: 1. Quienes lo promuevan como titulares de derechos o intereses individuales o colectivos; 2. Los que, sin haber iniciado el procedimiento, tengan derechos que puedan resultar afectados por la decisión que en el mismo se adopte; y, 3. Aquéllos cuyos intereses, individuales o colectivos, puedan resultar afectados por la resolución y se apersonen en el procedimiento en tanto no haya recaído resolución definitiva".*

Es importante destacar que es de responsabilidad del interesado hacer llegar o ingresar dicho formulario a la oficina D.G.A. regional o provincial y no del funcionario.

En el formulario de requerimiento de fiscalización se deberán completar los siguientes antecedentes de manera obligatoria:

1. Individualización del denunciante:
– Nombre o razón social

- RUN/RUT
- Dirección
- Comuna
- Región

2. Representante legal o apoderado (si corresponde):
- Nombre o razón social
- RUN/RUT
- Dirección

3. Ubicación y referencias suficientes para determinar su locación.

4. Descripción del (de los) hecho (s) concreto (s) que se estiman constitutivos de infracción y la forma en que se configura el perjuicio o afectación a sus derechos.

5. Fecha probable de su comisión.

6. Firma. La denuncia deberá ser firmada por el denunciante, o bien por un apoderado debidamente acreditado (artículo 22 Ley 19.880).

Además, el formulario requerirá otros datos, que si bien no son obligatorios, su inclusión será necesaria para mejor resolver el requerimiento y su pronta notificación o comunicación, tales como:

1. Correo electrónico y teléfono del denunciante o su apoderado o representante legal.

2. La identificación del o de los supuesto (s) autor(es), si pudiera identificarlo(s).

3. Normas infringidas, si las conociera.

En el caso que el apoderado represente a una persona natural, el poder debe constar por escritura pública o instrumento privado suscrito ante notario, cuya antigüedad no debe ser superior a 6 meses, contados hacia atrás desde la fecha de ingreso de la denuncia.

Por el contrario, si actúa en representación de una persona jurídica, deben acompañarse sus antecedentes legales incluyendo el respectivo certificado de vigencia y su personería, la que también debe estar vigente al momento de realizar la denuncia, cuya antigüedad no debe ser superior a 6 meses, contados hacia atrás desde la fecha de ingreso de la denuncia.

Resulta importante destacar que si el denunciante concurre a oficinas de la D.G.A. presencialmente con la denuncia escrita, el **Oficial de Partes** le deberá comunicar que **llene obligatoriamente el Formulario de Requerimiento de Fiscalización**, sin perjuicio que se reciba el escrito del usuario adjuntándolo al formulario.

Si el denunciante concurre a oficinas de la D.G.A. presencialmente con el Formulario de Denuncia de Fiscalización, el **Oficial de Partes** deberá verificar que los campos obligatorios del formulario hayan sido completados y que los documentos que se manifiesten en él, vengan acompañados en la denuncia, antes de estampar el cargo (timbre de admisión) en el documento original y la copia que se llevará el denunciante.

El **Oficial de Partes** deberá estar atento sobre el eventual incumplimiento de algún dato obligatorio, manifestándole al interesado que de no hacerlo se verá perjudicado pues será declarada inadmisible su denuncia, de acuerdo a lo dispuesto en el artículo 172 bis del Código de Aguas.

Si en el evento que persistiera el interesado en no llenar un campo obligatorio, el **Oficial de Partes** deberá dejar constancia de esto en el cuadro de observaciones del formulario ingresado.

En el caso que el denunciante exprese en su presentación acompañar un documento pero no lo acompaña o en la presentación no lo expresa pero sí se acompañe, el Oficial de Partes deberá dejar constancia de esto en el cuadro de observaciones del formulario ingresado.

La denuncia debe ser recibida en la oficina de partes regional o provincial, según sea el caso y registrada inmediatamente en el Sistema de Seguimiento de Documentos (en adelante, SSD).

ii. Autodenuncia

Al igual que la denuncia, se presentará ante la D.G.A. de la región o de la provincia correspondiente, y se deberá llenar un formulario, que se encontrará disponible en las oficinas de la D.G.A. y en la página web del Servicio (Ver Anexo 1. **Formulario de Requerimiento de Fiscalización de Denuncias y Autodenuncias**).

Además de los datos obligatorios de la individualización del autor o los autores, en el formulario se deberán completar los siguientes campos:

1. Enunciación de los hechos que se estiman constitutivos de infracción.
2. Normas infringidas, si las conoce.
3. El lugar y la época en que ocurrieron.
4. Firma. La autodenuncia deberá ser firmada por el autor, o bien por un apoderado debidamente acreditado (artículo 22 Ley 19.880).

La oportunidad legal para realizar una autodenuncia es al inicio del procedimiento con la presentación del formulario respectivo y no otra puesto que así lo indica la ley.

La circunstancia señalada sólo procederá cuando la información proporcionada por el infractor sea precisa, verídica y comprobable respecto de los hechos que constituyen la infracción y ponga fin, de inmediato a ellos.

Si una persona efectuare una declaración ante la Dirección General de Aguas, arrogándose la autoría de un hecho que contraviene disposiciones del Código de Aguas de forma posterior a la presentación de una denuncia por un particular, ella no será considerada como una autodenuncia.

Serán aplicables las mismas reglas de la denuncia ya expuestas, salvo disposición en contrario.

iii. Fiscalizaciones de oficio:

En el caso de las fiscalizaciones de oficio, el Jefe de la Unidad de Fiscalización Regional será quien deberá llenar el formulario respectivo y finalmente proporcionar su firma (Anexo 2. **Formulario de Fiscalizaciones de Oficio**).

Si la fiscalización fue ingresada de oficio o por otro Servicio del Estado, pero el requerimiento se ha generado por un llamado telefónico de una autoridad, por comunicación oral, en una reunión o de otra forma, se debe dejar constancia de este hecho en el formulario.

El formulario también debe ser registrado por la **Oficina de Partes regional o provincial** en el sistema SSD.

Cabe señalar que en el campo SSD llamado *"Origen"*, **se debe tener la precaución de completar con el nombre de la Dirección Regional y no del funcionario que llena el formulario.**

En el caso de que se presente un requerimiento que provenga de algún Servicio del Estado y este no sea competencia del Servicio, no se deberá llenar el formulario sino que se deberá derivar vía oficio los antecedentes al Servicio que se considera competente, comunicando ese hecho al interesado.

Las fiscalizaciones de oficio **no requieren del trámite de admisibilidad**, por lo que para éstas se entenderá como fecha de inicio del proceso la de ingreso al SSD del formulario.

1.3. Examen de Admisibilidad

Para las denuncias y autodenuncias, se debe realizar un examen de admisibilidad.

El Jefe de la Unidad de Fiscalización Regional deberá proponer al Director Regional de Aguas si se declara admisible o inadmisible una denuncia o autodenuncia (Anexo 3. **Oficio que declara procedencia de admisibilidad**) desde que estén todos los antecedentes necesarios o cumplido el plazo para el envío de antecedentes solicitados al denunciante, si ellos no han sido recepcionados, y mediante un oficio se le notificará personalmente, por carta certificada o en el mismo Servicio si se apersonare el denunciante.

Se declarará admisible una denuncia o autodenuncia cuando: i) cumpla con los requisitos obligatorios establecidos en el numeral 1.2; ii) esté revestida de seriedad y iii) tenga mérito suficiente.

Si no contiene una descripción del hecho denunciado y el lugar de su comisión, o no cumple con los requisitos señalados en el párrafo precedente, la denuncia deberá ser *"archivada"*, comunicándose el hecho al denunciante mediante un oficio, sin perjuicio de la facultad de la Dirección de proceder de oficio, si considera que existe mérito para ello.

Se debe realizar una revisión formal, que corresponde a un filtro inicial del Jefe de la Unidad de Fiscalización Regional, que tiene por objetivo el análisis de admisibilidad.

Se considera necesario que el Jefe de la Unidad de Fiscalización Regional mantenga informado al Director Regional respecto de aquellas denuncias o autodenuncias relevantes que se hayan presentado a fin de adoptar las medidas oportunas, como por ejemplo lo establecido en el artículo 129 bis 2, del Código de Aguas.

Si los documentos legales presentados no son autenticados y vigentes, o no se acompañan, se deberá oficiar al denunciante para que en un plazo no mayor de 5 días hábiles, cumpla con dicha exigencia bajo el apercibimiento de ser declarado inadmisible el requerimiento. Sin perjuicio de ello, se podrá decidir fundadamente si se abre un expediente de fiscalización de oficio con los antecedentes disponibles.

Si no se indicara un domicilio conocido o algún contacto del denunciante, se declarará inadmisible por omitir un requisito obligatorio, pudiéndose iniciar una fiscalización de oficio si el Jefe de Fiscalización Regional lo considera prudente dado los antecedentes tenidos a la vista.

Si el requerimiento no fuese claro o es ilegible, no podrá el Jefe de Fiscalización Regional interpretarlo so pretexto de continuar con la tramitación, por lo que se deberá oficiar al denunciante para que en un plazo no mayor de 5 días hábiles, aclare los pasajes oscuros bajo el apercibimiento de declararlo inadmisible.

En el evento que se ingrese a la D.G.A. vía correo postal o correo electrónico, se deberá remitir al denunciante el Formulario de Requerimiento de Fiscalización, para que sea devuelto presencialmente o vía correo, en un plazo no mayor a 5 días hábiles, debiendo necesariamente ser firmado, incluyendo copia de la Cédula de Identidad. Si no cumple con estos requisitos, deberá ser declarado inadmisible. Sin perjuicio de ello, el Jefe de Fiscalización Regional decidirá fundadamente si se abre un expediente de fiscalización de oficio con los antecedentes disponibles.

Se asignará una casilla de correo electrónico exclusiva para cada Dirección Regional que cumpla con el objetivo de recibir las denuncias o autodenuncias que se envíen por este medio, que será administrada por el Jefe de la Unidad de Fiscalización Regional, quien deberá imprimir el formulario y sus anexos e ingresarlo a Oficina de Partes.

No se recibirán denuncias o autodenuncias telefónicas, debiéndose señalar que se debe utilizar el formulario disponible en la página web www. dga.cl y en las oficinas regionales o provinciales de la D.G.A.

A las <u>denuncias anónimas,</u> no se les dará curso, dado que debe existir el acto formal de la solicitud y la individualización del denunciante. Sin perjuicio de lo anterior, el Director Regional de Aguas podrá instruir a su personal a iniciar un expediente de fiscalización de oficio, en los casos en que la información sea útil, de interés público y se encuentre dentro de las competencias del Servicio.

En los casos que ingrese un requerimiento sobre una fiscalización que ya se encuentra en tramitación, debe ser incorporada al expediente en curso (artículo 33 de la Ley 19.880) siempre que se trate del mismo hecho denunciado o tenga directa relación con éste, en cuyo caso le será comunicada dicha decisión al nuevo denunciante.

En los casos que ya exista un pronunciamiento del Servicio referido a una denuncia o autodenuncia ingresada (resolución que acoge, acoge parcialmente o rechaza), ella deberá ser declarada admisible y posteriormente, en la inspección en terreno se constatará si existen nuevos antecedentes que pudieran modificar lo resuelto por el Servicio, advirtiendo una nueva infracción al Código de Aguas o una reiteración que implica nuevas acciones a seguir.

En el caso de declararse inadmisible por incompetencia del Servicio se deberá derivar vía oficio los antecedentes al Servicio que se considera competente, comunicando ese hecho al interesado.

En el caso que se considere admisible, se abrirá el expediente del procedimiento sancionatorio, el que deberá ser resuelto en un **plazo máximo de seis meses**, por el Director Regional de Aguas.

<u>Se entenderá la fecha de inicio del proceso desde la dictación del oficio que declara admisible la denuncia o autodenuncia.</u>

En el caso que se dictare una resolución de acumulación de expedientes, el plazo se computará desde el expediente más antiguo.

Paralelamente, se deberá abrir el expediente en la plataforma electrónica del Sistema Nacional de Información del Agua (SNIA), desde que ella se encuentre disponible para la tramitación del presente procedimiento, para poder realizar el respectivo seguimiento y control de la gestión administrativa, subiendo la totalidad de los documentos escaneados.

Si se entrega información por eventuales hechos que constituirían una o más infracciones realizadas por una persona, **se abrirá un solo expediente físico y tantos expedientes como hechos sean en el SNIA.** En la tapa del expediente físico se deberán indicar los códigos de cada expediente SNIA que contenga. De igual forma los distintos documentos que se emitan deben indicar los distintos expedientes SNIA a los que se refieren.

En caso de denuncias múltiples, es decir, varios infractores con distintas infracciones, se deberá abrir un expediente para cada caso.

Si se ingresaran varios requerimientos de personas distintas pero para un mismo hecho, se abrirá un solo expediente. Si abierto el expediente, continúan ingresando denuncias sobre el mismo hecho, podrán ser consideradas como nuevos antecedentes que deberán ser agregados a aquel abierto frente a la posible infracción denunciada.

Se debe tener presente que todos los documentos que se vayan integrando al expediente, **deben ser foliados de forma inmediata, con tinta permanente, de manera única y correlativa, en orden cronológico de ingreso y registrados en el SSD cuando corresponda**.

2. INSPECCIÓN EN TERRENO

La inspección en terreno tiene como finalidad principal verificar el o los hechos denunciados que puedan ser constitutivos de una presunta infracción al Código de Aguas, recopilando la mayor cantidad de información y medios de prueba que sea posible, la que debe realizarse dentro del plazo de 15 días contado desde la apertura del expediente, notificando al posible infractor del motivo de la actuación en este mismo acto.

Dicha actuación deberá ser realizada por un fiscalizador quien tiene el carácter de "*ministro de fe*", el que debe levantar un acta de la diligencia, sobre los hechos que se estimen o no constitutivos de una infracción.

El Director General de Aguas dictará una resolución que designe a los funcionarios del Servicio encargados de la labor de fiscalización.

Para que la inspección en terreno sea eficiente, permitiendo optimizar el uso de recursos humanos y económicos del Servicio, el fiscalizador debe planificar la visita, contemplando la recopilación de todos los antecedentes disponibles en la D.G.A., información cartográfica (I.G.M., S.I.G. D.G.A., Google Earth, etc.) y comprobando el estado y limpieza de los equipos (baterías, etc.).

Será necesario llevar un Código de Aguas y el presente Manual, ya sea en medio digital o en papel, para poder ser consultado en cualquier momento.

Los fiscalizadores deben informar siempre al sujeto fiscalizado de la materia específica objeto de la fiscalización y de la normativa pertinente, con el fin de que el presunto infractor tome conocimiento de la diligencia para dar cabal cumplimiento a la garantía constitucional del debido proceso.

Para el cumplimiento de la inspección en terreno se realizarán las diligencias estrictamente indispensables y proporcionales al objeto de la fiscalización, pudiendo el fiscalizado denunciar conductas abusivas de los funcionarios ante sus superiores jerárquicos.

Durante las inspecciones de terreno no se deben emitir opiniones ni juicios de valor.

Obligatoriamente en terreno se deben medir y dejar constancia en el acta de inspección las coordenadas del punto de la infracción investigada, incluyendo: Coordenadas en la Proyección Universal de Mercator (UTM) Este (x) y Norte (y), Datum (siendo obligatorio usar el Datum WGS84) y Huso (14 (Isla de Pascua), 18 o 19, según la región en que se encuentren).

Se debe tomar una fotografía del equipo GPS como respaldo de las coordenadas tomadas en el punto que se inspecciona.

Respecto a la transformación de coordenadas y con el fin de evitar errores de conversión, se debe utilizar obligatoriamente el Transformador de Datum del Instituto Geográfico Militar, puesto que incorpora de manera automática los parámetros locales.

Además, se debe identificar la naturaleza del agua (superficial o subterránea) para posteriormente, en gabinete, con los datos de terreno que se tengan, identificar los datos de la comuna, cuenca (subcuenca y subsubcuenca si fuera posible), acuífero y fuente.

El presunto infractor deberá entregar todas las facilidades para que se lleve a cabo el referido proceso de inspección y no podrá negarse, de manera injustificada, a proporcionar la información que le sea requerida, de lo que se deberá dejar constancia en el acta puesto que podría verse afecto a una multa de primer grado (Ver punto 4.5, i), letra a) del presente Manual).

La visita a terreno se realizará en vehículos del Servicio o fiscales, a menos que por su lejanía o por la inaccesibilidad al terreno, sea imprescindible recurrir a otro medio de transporte.

El personal fiscalizador deberá, además, guardar reserva de aquellos antecedentes y documentos que no tengan el carácter de públicos (como aquellos que poseen datos de carácter personal o sensible).

Cuando se presente un requerimiento de fiscalización ante el Servicio, no corresponde lo establecido en el artículo 135 del Código de Aguas, en el sentido de solicitar fondos para practicar diligencias, los que deben ser realizados con recursos propios de la D.G.A.

2.1. Ingreso a Predios

Para el ingreso a predios de propiedad privada en el cumplimiento de las labores de fiscalización, se debe seguir el siguiente protocolo:

1. Se debe solicitar autorización del propietario, o quien la administre, o posea o tenga a cualquier título. En el caso de no ser posible obtener la autorización anterior y el lugar se encuentre cerrado, desocupado o sin moradores, se entenderá que existe oposición para el ingreso.

2. Si el presunto infractor o un tercero se opone al ingreso al lugar de la denuncia por parte del fiscalizador, se requerirá el auxilio de la fuerza pública, con facultades de allanamiento y descerrajamiento si fuese necesario, para ingresar a lugares cerrados. Este requerimiento debe ser realizado al Intendente o Gobernador respectivo por el Director Regional, conforme a lo dispuesto en los artículos 300 letra h) y 138 del Código de Aguas.

3. En el caso de las inspecciones en terreno realizadas en lugares que correspondan a una habitación actualmente ocupada (casa-habitación o morada), entendiéndose esto como la residencia de él o los presuntos infractores, comprendiendo la totalidad del inmueble que habita, real o

presuntivamente, con el ánimo de permanecer en ella, y cuyo ocupante se haya opuesto a la realización de ésta, también podrá hacerse ingreso requiriendo el auxilio de la fuerza pública, previa autorización del juez de letras competente en el territorio jurisdiccional del lugar donde se fiscaliza, quién la podrá conceder de inmediato a solicitud del Servicio, sin forma de juicio, a través del medio más expedito.

4. Si el presunto infractor o un tercero impide injustificadamente el ingreso al lugar de la inspección, se deberá dejar constancia explícita de ello en el acta de inspección respectiva y aplicar la multa contemplada en el artículo 173 N°1 inciso segundo en la resolución que resuelve la cuestión planteada.

Si hubiere un caso fortuito o fuerza mayor sobreviniente que impida acceder al lugar de la denuncia (por las condiciones geográficas, climáticas, de seguridad, etc.) o no se pueda llevar a cabo la fiscalización por hechos ajenos a la voluntad del fiscalizador, se podrá dictar una resolución que suspenda el procedimiento hasta que cese el impedimento, debiéndose notificar dicha resolución a las partes. En esta resolución se deberá señalar que una vez que cese la imposibilidad de efectuar la fiscalización, se continuará con su tramitación (artículo 27 de la Ley 19.880).

El Servicio comunicará a las partes la reanudación del procedimiento mediante un oficio donde se indicará el plazo dentro del cual se realizará la diligencia el que no puede ser superior a 15 días. La reanudación del plazo de la tramitación del expediente comenzará a computarse desde la fecha de dicho oficio.

2.2. Acta de Inspección en Terreno

Al finalizar la inspección en terreno, el fiscalizador deberá levantar un acta de la misma (Anexo 4. **Acta de Inspección en Terreno**), dejando constancia de la existencia o no de hechos que se estimen constitutivos de una infracción y, en caso afirmativo, la indicación de la o las normas eventualmente infringidas. Tales hechos establecidos por el funcionario constituirán *"presunción legal"*.

Además, se deberá indicar si existió oposición por parte del sujeto fiscalizado e indicar cualquier otra observación relevante para la tramitación del procedimiento sancionatorio.

Todas las posibles contravenciones al Código de Aguas que sean detectadas deberán ser incluidas en el Acta de Inspección en Terreno, sean aquellas que originaron el procedimiento sancionatorio o sean distintas a ella, debiéndose elaborar los Formularios de Ingreso de Requerimiento de Fiscalización de Oficio y abrir tantos expedientes como fuere necesario. Se deberá señalar en el numeral 12 del acta de inspección en terreno (Anexo 4. **Acta de Inspección en Terreno**) la apertura de un procedimiento sancionatorio de oficio.

En el caso que se constaren en el acta de fiscalización hechos que se estimen constitutivos de una infracción, deberá notificarse personalmente al presunto infractor, **entregándole copia del acta**, (Anexo 4. **Acta de Inspección en Terreno**), la que deberá contener la siguiente información:

1. Indicar el o los hechos que se estimen constitutivos de infracción y las normas eventualmente infringidas.

2. Indicar que podrá presentar sus descargos dentro del plazo de 15 días contado desde esa fecha.

3. Indicar que en sus descargos debe enunciar todas las diligencias probatorias que estimare pertinentes para ser rendidas en el término probatorio respectivo.

4. Debe designar en la presentación de los descargos, un domicilio dentro de los límites urbanos del lugar en que funcione la oficina donde se haya efectuado la solicitud de fiscalización, se trate de la oficina de la D.G.A. regional o provincial, atendido lo dispuesto en el artículo 139 del Código de Aguas, indicando cuál es la sanción ante el incumplimiento de fijar domicilio en las condiciones expresadas.

Si el presunto infractor no se encuentra al momento de la inspección en terreno, y es un tercero el que acompaña al fiscalizador durante la realización de la inspección, se le podrá entregar una copia del acta, debiéndose dejar constancia de ello, tal como se señala en el numeral 11 del Acta de Inspección en Terreno (Anexo 4. **Acta de Inspección en Terreno**).

Si el presunto infractor no es habido en el lugar fiscalizado, se podrá proceder mediante la notificación especial dispuesta en el artículo 44 del Código de Procedimiento Civil de acuerdo a lo siguiente:

1. Búsqueda: El funcionario de la D.G.A., designado como ministro de fe, debe haber buscado al posible infractor 2 días distintos en su domicilio (en su habitación o en donde habitualmente ejerce su industria, profesión o empleo), lo que debe ser certificado en el expediente. En este punto es importante destacar que puede coincidir el lugar fiscalizado con el domicilio del presunto infractor.

2. Certificado del Ministro de Fe: Se debe dejar constancia de la identificación del domicilio del presunto infractor (Anexo 5. **Certificado de Domicilio**).

3. Práctica de la notificación: Se entregará una copia íntegra del acta de fiscalización que se notifica en el domicilio del presunto infractor. Estas copias deben entregarse a cualquier persona adulta que se encuentre en el lugar. De no haber adultos o no haber nadie en el domicilio certificado, la entrega se hace fijando la notificación en la puerta del domicilio (Anexo 10. **Acta de Notificación**).

4. Envío de carta certificada al presunto infractor: Se enviará un oficio (Anexo 6. **Oficio Notificación Especial**) mediante carta certificada para darle a conocer al posible infractor que fue notificado de forma especial. En el oficio se deberá entregar una copia o fotocopia del acta de inspección original (dependerá si en terreno se otorgó la copia al tercero que acompañó), e informar el día de la notificación especial, el plazo para presentar sus descargos, la oportunidad para enunciar todas las diligencias probatorias que estimare procedentes, y designar un domicilio dentro de los límites urbanos del lugar en que funcione la oficina donde se haya efectuado la presentación de la solicitud de fiscalización, ya sea se trate de la oficina de la D.G.A. regional o provincial.

5. Constancia en el proceso: Acta de Inspección en terreno, certificación de domicilio y notificación especial, carta certificada y oficio deben constar en el expediente.

Resulta importante tener presente que efectuada una de las búsquedas por un funcionario que detenta la calidad de ministro de fe no inhabilita para que otro funcionario que detente la misma calidad realice la segunda búsqueda y notifique al presunto infractor, de acuerdo a lo dispuesto en el artículo 44 del Código de Procedimiento Civil.

Sin perjuicio de lo expuesto, si el presunto infractor se apersona en la Dirección Regional de Aguas u oficina provincial competente, y desea notificarse personalmente del acta de inspección en terreno, no existe inconveniente alguno para ello como tampoco lo habrá si se notifica personalmente al presunto infractor en la primera búsqueda si se le encuentra.

En el caso que la habitación del presunto infractor, o lugar donde habitualmente ejerce su industria, profesión o empleo se localice en una región distinta de donde se realizó la inspección en terreno, el Acta de Inspección deberá ser enviada a la Dirección Regional de Aguas correspondiente para que sea notificada a partir de lo establecido en el artículo 44 del Código de Procedimiento Civil.

Cuando el domicilio del presunto infractor se localice dentro de los límites urbanos de la ciudad de Santiago en la Región Metropolitana, el Acta de Inspección deberá ser remitida a la Unidad de Fiscalización Nivel Central para proceder con la notificación antes mencionada.

Finalmente, en caso de no detectar hechos constitutivos de infracción, se entregará copia del acta al fiscalizado y se cerrará el expediente mediante resolución, poniendo fin al procedimiento respectivo, la que deberá ser notificada a las partes interesadas de acuerdo al artículo 139 del Código de Aguas.

3. TÉRMINO PROBATORIO

Evacuados los descargos o transcurrido el plazo respectivo, el Servicio deberá evaluar si existen o no hechos controvertidos.

En caso de no existir hechos "**controvertidos**" (aquellos en que existe discusión o discrepancia sobre su ejecución o existencia) o sean de "***pública notoriedad***" (hechos que son de conocimiento de la generalidad de los miembros de una comunidad en un momento determinado), el Servicio puede resolver el procedimiento sin dar curso al término probatorio.

En caso de existir hechos controvertidos se abrirá un término probatorio, entendiéndose por tal, como el plazo concedido por la ley al o los interesados para que rindan todo medio de prueba dentro del procedimiento sancionatorio.

El artículo 35 de la ley 19.880 establece que: *"Los hechos relevantes para la decisión de un procedimiento, podrán acreditarse por cualquier medio de prueba admisible en derecho"*, lo cual es complementado con el artículo 1698, inciso 2° del Código Civil que indica las diversas pruebas que pueden ser incluidas en esta etapa, tales como: instrumentos públicos o privados, testigos, informe de peritos, presunciones, confesión de partes, juramento deferido, e inspección personal del Juez.

3.1. Tramitación

Evacuados los descargos por el presunto infractor, o vencido el plazo para ello, se abrirá un término probatorio, mediante la dictación de una resolución (Anexo 7. **Resolución Apertura Término Probatorio)**, sólo si considera que existen hechos controvertidos o no es de pública notoriedad, que tendrá un plazo de 15 días hábiles, el que podrá ser ampliado por la D.G.A. hasta en 8 días más, de conformidad a lo dispuesto en el artículo 26 de la Ley 19.880, de oficio o a petición de ellos. En todo caso, la ampliación de plazo debe disponerse antes del vencimiento del plazo original. Será responsabilidad del fiscalizador responsable del expediente que la diligencia se realice oportunamente.

En dicha resolución se ordenará la apertura del término probatorio, se resolverá si se acogen o rechazan las medidas o diligencias probatorias que haya solicitado el presunto infractor en sus descargos, tomando en cuenta si ellas son *"pertinentes"* (aquellas que guardan relación con lo discutido de manera que su relación sea importante en la controversia) y *"conducentes"* (aquello que va dirigido a un resultado o una solución) y finalmente, se establecerá el o los hechos controvertidos que se estimen constitutivos de una o más infracciones.

En el evento que las medidas o diligencias probatorias sean rechazadas deberá fundamentarse en la resolución.

Dicha resolución deberá ser notificada al denunciante y al presunto infractor de acuerdo a lo dispuesto en el artículo 139 del Código de Aguas

Es importante destacar que el término probatorio comenzará a computarse desde el día hábil siguiente a la última notificación.

La resolución que abra el término probatorio señalará que la prueba testimonial podrá prestarse los dos últimos días del plazo para recibir la prueba. La audiencia respectiva deberá solicitarse y acordarse previamente con el ministro de fe.

Dicha testimonial deberá ser practicada por un funcionario de la Unidad de Fiscalización respectiva, quien tomará la declaración, pudiendo ser acompañado por un abogado u otro funcionario del Servicio. Finalizada ella, el declarante deberá leerla y se harán las aclaraciones o modificaciones que éste solicite, para posteriormente firmarla, dejando constancia que la leyó y la ratificó. El acta respectiva deberá individualizar al testigo con nombre completo, cédula de identidad y domicilio.

3.2. Apreciación de la prueba

La D.G.A. apreciará la prueba conforme a las reglas de la sana crítica que es un instrumento legal que permite valorar la prueba, de acuerdo al correcto entendimiento humano, es decir, combinando las reglas de la lógica con las de la experiencia. Así deberá el propio Director Regional de Aguas fundar las resoluciones que se dicten valorando cada una de la prueba aportada.

3.3. Presunción como medio de prueba

Resulta importante destacar como medio de prueba, la presunción, definida por la Real Academia Española de la Lengua, como aquellos hechos que la ley tiene por cierto sin necesidad de que sea probado. Es decir, es la utilización que realiza la ley o un tribunal, de hechos o antecedentes conocidos para deducir o inferir de ellos, hechos desconocidos.

Este medio de prueba se encuentra regulado en el Código Civil, Código de Procedimiento Civil y Código Procesal Penal.

Si bien la Ley 19.880 no se refiere de forma expresa a las presunciones, en su artículo 35, a propósito de la prueba, dispone que *"los hechos relevantes para la decisión de un procedimiento, podrán acreditarse por cualquier medio de prueba admisible en derecho, apreciándose en conciencia"*.

Para poder construir una presunción, debemos contar con los siguientes requisitos copulativos:

1. Hecho base o circunstancia conocida.

2. Elemento Lógico o actividad racional.

Hecho presumido, que era desconocido, y que como consecuencia del juego de los elementos anteriores pasa a ser determinado.

En la eventualidad que no se permita el acceso al lugar de la inspección, se pueden utilizar medios complementarios para el análisis de la situación denunciada (Google Earth, CPA/SNIA, información de otros Servicios, imágenes de drones, etc.) que permitan concluir la existencia de la infracción. Esta presunción debe cumplir con los siguientes requisitos:

1. Ser fundada (basadas en hechos reales y probados y no en otras presunciones).

2. Precisa (no vagas, difusas, ni susceptibles de aplicarse a diversas circunstancias).

3. Directa (de modo que conduzcan lógica y naturalmente al hecho que de ellas se deduzca).

4. Grave (que no dejen dudas respecto de la ocurrencia del hecho que se pretende probar y de la participación de los inculpados).

5. Concordante (que exista la correspondiente armonía y relación lógica, que no sean capaces de destruirse entre sí).

4. ETAPA RESOLUTIVA

4.1. Elaboración del Informe Técnico de Fiscalización

El fiscalizador encargado del expediente deberá elaborar un Informe Técnico que servirá de base para resolver el procedimiento, debiendo remitirlo junto a todos los antecedentes al Director Regional de Aguas para su pronunciamiento dentro de los 15 días siguientes a:

1. La evacuación de los descargos,
2. Vencido el plazo para evacuar los descargos, o
3. Vencimiento del término probatorio (si se hubiere dado lugar a él).

El Informe Técnico deberá contener los puntos indicados a continuación (Ver Anexo 8. **Informe Técnico de Fiscalización**):

1. Antecedentes Generales: La individualización del o de los infractores en el caso de conocerlos.

2. Descripción de la Inspección: Fecha probable en que se cometió la infracción, la relación de los hechos investigados.

3. Análisis de Antecedentes: Descargos y la forma en que se ha llegado a acreditarlos, así como un análisis de todos los antecedentes que constan en el expediente de fiscalización, ya sean aportados por las partes, terceros o recopilados por el Servicio, utilizándolos para fundamentar sus conclusiones.

4. La o las normas infringidas.

5. La existencia de agravantes o atenuante (en el caso de auto denuncia).

6. Conclusiones y Proposiciones: Una propuesta al Director de las sanciones que estime procedente de aplicar, estableciendo sólo la graduación de la multa correspondiente, o la absolución de uno o más infractores y posible procedencia de la prescripción de la sanción, conforme al artículo 173 quáter del Código de Aguas, en base a los antecedentes que obren en el expediente. Tratándose de modificaciones de cauce sin autorización, deberá determinarse si resulta procedente aplicar las sanciones o medidas contempladas en el artículo 172 del Código de Aguas.

El Informe Técnico debe ser único, llevar fecha, una numeración propia y firmado por el Jefe de la Unidad de Fiscalización Regional, conjuntamente con su redactor.

El lenguaje y redacción deben ser claros y en términos entendibles, intentando explicar los conceptos técnicos, evitando términos que pudieran confundir al lector o dar una interpretación errónea de los hechos y vocablos condicionales tales como: podría, sería, debería u otros similares.

Debe ser objetivo, consecuente y uniforme respecto de la aplicación de los criterios utilizados para el análisis de la información.

El Informe Técnico debe considerar aspectos de hecho y derecho.

Finalmente, no se deben incluir copias de correos electrónicos u oficios internos de mero trámite que puedan generar contradicciones para la resolución del expediente de fiscalización.

Resulta importante destacar que el fiscalizador podrá realizar solicitudes a otros Servicios Públicos o Unidades, Divisiones o Departamentos de la D.G.A. en cualquier etapa del procedimiento sancionatorio. **Si se tratara de una solicitud a una Unidad, División o Departamento de la D.G.A., dicho requerimiento deberá ser respondido dentro de un plazo de 15 días hábiles contados desde la fecha de su recepción.**

Si en el evento que se hubiesen solicitado medidas o diligencias probatorias adicionales y no se hubiesen recibido dentro del plazo fijado para ello, podrá elaborarse un nuevo Informe Técnico de Fiscalización siempre que ella fuera relevante para ratificar lo propuesto o modificarlo, pues de lo contrario, no sería necesaria la elaboración de un nuevo informe.

4.2. Preparación y Tramitación de la Resolución

El resultado de los procesos de fiscalización desarrollados por la D.G.A. concluye con la dictación de un acto administrativo denominado **resolución**, que resuelve la cuestión planteada (Ver Anexo 9. **Resolución Tipo**).

Ella debe ser fundada, es decir, se trata de un acto administrativo que establece una decisión formal que emitirá el Director Regional por delegación del Director General de Aguas, realizada en el ejercicio de una potestad pública, que se fundará en consideraciones de hecho y de derecho, amparando las garantías establecidas en la Constitución Política de la República y principios dispuestos en los artículos 8º (Principio Conclusivo) y 14º (Principio de Inexcusabilidad) de la Ley Nº 19.880.

Se debe hacer presente que es obligación pronunciarse sobre cada uno de los hechos investigados, infracciones detectadas y alegaciones o descargos realizados por el presunto infractor, sin que le sea permitido excusarse en la ausencia o falta de claridad de las normas al respecto.

Es importante revisar todos los antecedentes al momento de emitir una resolución (datos denunciantes, denunciados, direcciones, representación judicial, etc.).

Expresarán además, los recursos que contra la misma procedan (reconsideración y reclamación), órgano administrativo o judicial ante el que hubieran de presentarse, y el plazo para interponerlos, conforme lo dispone el artículo 41 de la Ley 19.880.

Todas las resoluciones que resuelvan materias relativas a fiscalización de la D.G.A., están exentas del trámite de Toma de Razón de la Contraloría General de la República en virtud de lo dispuesto en la Resolución N° 1600, del año 2008 del mismo Órgano Contralor.

4.3. Contenidos Generales de la Resolución

La resolución de la D.G.A., en materia de fiscalización debe decidir las cuestiones planteadas por los interesados, estructurándose de la siguiente forma:

i) Referencia (REF): En ella se expresa en la forma más sintética posible, la decisión de la Dirección Regional de Aguas correspondiente. Ejemplo: Acoge denuncia, No acoge denuncia presentada por XXXX en contra de XXXX, expediente FD-XXXX-XX y ordena xxxx, comuna de xxxx, provincia de xxxx.

ii) Vistos: En esta parte se deben enumerar brevemente todos y cada uno de los antecedentes tenidos a la vista, recopilados en el respectivo expediente de Fiscalización, tales como: la denuncia formulada, el acta de inspección, descargos, informes técnicos, normas jurídicas aplicables al caso concreto, resoluciones, dictámenes, sentencias, estudios, entre otros.

iii) Considerandos: Aquí se analizan uno a uno los antecedentes de hecho y derecho, recopilados en el proceso de fiscalización, que llevan a una conclusión.

iv) Parte Resolutiva: Es donde se da a conocer la decisión final del asunto administrativo, ordenando acciones administrativas, impartiendo instrucciones, aplicando las multas correspondientes, ordenando notificar o comunicar según corresponda, etc. Las resoluciones que ordenan una acción, cualquiera que ella sea, deben señalar un plazo fatal de ejecución de lo ordenado. La resolución debe ser notificada o comunicada igualmente al denunciante.

4.4. Contenidos Específicos

i) Si se determina que no existe infracción al Código de Aguas, se debe proponer al Director Regional de Aguas dictar una resolución que no acoja el requerimiento o que cierre el expediente, según sea el caso.

ii) Si se detectan infracciones al Código de Aguas, se debe resolver según lo señalado en dicho cuerpo legal:

a) Si la infracción está especialmente sancionada en el Código de Aguas se aplicará la sanción administrativa correspondiente, por ejemplo: apercibir de acuerdo a lo prescrito en el artículo 172; u otras específicamente indicadas para cada caso. La resolución que ordena una acción, cualquiera que ella sea, debe poner un plazo fatal de ejecución.

b) Si la infracción no está especialmente sancionada, se aplicará la sanción establecida en el artículo 173 número 6, imponiéndose una multa cuya cuantía puede variar entre el primer y el tercer grado, por cada infracción cometida.

c) Medidas coercitivas, a menos que se haya ordenado con anterioridad, tales como ordenar la inmediata paralización de obras o labores, el cese de la extracción no autorizada de aguas, ordenar la presentación de proyectos, etc. La resolución que ordena una acción, cualquiera que ella sea, debe poner un plazo fatal de ejecución.

d) Si además se detecta una presunta usurpación de aguas, se deberá ordenar remitir los antecedentes al Ministerio Público, de acuerdo a lo que establece el artículo 61 letra k) del DFL 29, de 16 de junio de 2004, que contiene el texto refundido, coordinado y sistematizado de la Ley N° 18.834 sobre Estatuto Administrativo, y que señala como obligación para el funcionario: *"Denunciar ante el Ministerio Público o ante la policía si no hubiere fiscalía en el lugar en que el funcionario preste servicios, con la debida prontitud, los crímenes o simples delitos y a la autoridad competente los hechos de carácter irregular de que tome conocimiento en el ejercicio de* *su cargo"*. A lo anterior se debe agregar lo dispuesto también en el artículo 175 letra b) del Código Procesal Penal, en el cual indica que todos los funcionarios públicos están obligados a denunciar todos los delitos de que tomaren conocimiento en el ejercicio de sus funciones.

e) En el caso que en el procedimiento sancionatorio el fiscalizador detecte una posible duplicidad de títulos de derechos de agua, deberá la resolución ordenar que se remitan los antecedentes al Ministerio Público, para que se investigue el posible delito contemplado en el artículo 460 bis del Código Penal.

iii) Tanto los considerandos como los resuelvos de la resolución deben indicar claramente el motivo de cada apercibimiento y/o multa correspondiente a la o las infracciones detectadas.

iv) En los casos que se estimen pertinentes, se debe derivar el requerimiento de fiscalización al Servicio o Institución que se considere competente, cuando el hecho no sea competencia de la D.G.A. La derivación debe quedar explícita en la parte resolutiva de la resolución, el que deberá materializarse por medio de un oficio conductor del Director Regional de Aguas, como por ejemplo el envío de los antecedentes a la S.M.A. en el caso de tratarse de proyectos que requieran una R.C.A.

v) En aquellos casos que versen sobre Fiscalizaciones Selectivas, se deberá señalar en la resolución que termina el procedimiento que se trata de éste tipo de apertura, a fin de permitir el seguimiento y cumplimiento de las metas colectivas de las Direcciones Regionales.

4.5. Sanciones

La D.G.A. aplicará una multa a beneficio fiscal al infractor y le fijará un plazo para su pago, de acuerdo a lo dispuesto en el artículo 173 del Código de Aguas. Dicho plazo será de 30 días hábiles contados desde el día hábil siguiente a la notificación de la resolución que impone la multa.

i) Tipos de Multa

Las multas se encuentran establecidas, principalmente en el artículo 173 y 173 ter del Código de Aguas, tal como indica el Cuadro N°1:

Cuadro N° 1. Tipos de Multa

Tipo Multa	Monto	Aplicaciones
Primer Grado	10-50 UTM	No entrega información en forma y oportunidad en las que dispone el Código de Aguas y las resoluciones de la D.G.A.
El presunto infractor niega injustificadamente el ingreso al predio de Funcionarios de Fiscalización para el cumplimiento de sus labores.		
Segundo Grado	51-100 UTM	Incumplimiento en la instalación y mantención de sistemas de medición de caudal, volúmenes extraídos, niveles freáticos y de transmisión.
Tercer Grado	101-500 UTM	Incumplimiento de la resolución D.G.A. que otorga nuevo plazo para instalación de los sistemas de medición de caudal, volúmenes extraídos, niveles freáticos y de transmisión.
Cuarto Grado	501-1000 UTM	Realiza actos u obras, sin contar con el permiso de la autoridad competente y que afecten la disponibilidad de las aguas.
Quinto Grado	1001-2000 UTM	Obtenga una doble inscripción de su derecho en el Registro Público de Aguas del Conservador de Bienes Raíces en forma intencional para beneficio personal o en perjuicio de terceros.
Multas sin sanción específica	10-500 UTM	Infracciones que no tengan una sanción específica. Serán sancionadas con una multa cuya cuantía puede variar entre el primer y el tercer grado.

La cuantía de la multa la determinará e impondrá el Director Regional de Aguas correspondiente en la resolución que ponga fin al procedimiento sancionatorio.

Para la determinación del monto de la multa al interior de cada grado, se deberá tener en consideración, entre otras, las siguientes circunstancias: el caudal de agua afectado, si son aguas superficiales o subterráneas, si se produce o no la afectación de derechos de terceros, la cantidad de usuarios perjudicados, el grado de afectación del cauce o acuífero y la zona en que la infracción se produzca, según la disponibilidad del recurso.

a) Multa del primer grado (10-50 UTM)

a.1. Cuando se trate de infracciones relativas a la obligación de entregar información en la forma y oportunidad que dispone el Código de Aguas y las resoluciones de la D.G.A.

a.2. Al propietario, poseedor o mero tenedor de un predio, sea o no titular de derechos de aprovechamiento, en el que existan o no obras para aprovechar el recurso, que niegue injustificadamente el ingreso de los funcionarios de fiscalización para el cumplimiento de sus labores. Se entenderá que existe negativa del propietario, poseedor o mero tenedor aun cuando quien la realice sea una tercera persona, sin perjuicio de las acciones que tengan aquellos para repetir en contra de esta última.

b) Multa del segundo grado (51-100 UTM)

Cuando se trate del incumplimiento de las obligaciones que dispone el Código de Aguas o sus reglamentos referentes a la instalación y mantención de sistemas de mediciones de caudales, de volúmenes extraídos y de niveles freáticos de la obra y de sistemas de transmisión de dicha información.

La resolución que disponga la aplicación de esta multa fijará un plazo prudencial, no prorrogable, que no podrá ser inferior a un mes ni superior a seis meses, para que el infractor instale y opere dichos sistemas. Para la aplicación de esta multa, se deberá seguir el procedimiento definido en el punto 5.2 de este Manual.

c) Multa del tercer grado (101-500 UTM)

En caso de incumplimiento de la resolución que otorga nuevo plazo para la instalación de los sistemas señalados en la letra b, previo procedimiento sancionatorio abreviado, consistente en una visita a terreno, notificación del acta respectiva y recepción de los descargos pertinentes, dentro del plazo de treinta días contado desde la visita a terreno para resolver. Para la aplicación de esta multa, se deberá seguir el procedimiento definido en el punto 5.3 de este Manual.

d) Multa del cuarto grado (501-1.000 UTM)

Cuando se realicen actos u obras, sin contar con el permiso de la autoridad competente, que afecte la disponibilidad de las aguas.

e) Multa del quinto grado (1.001-2.000 UTM)

A todo quien siendo titular actual de un derecho de aprovechamiento de aguas o no, de forma intencional obtenga una doble inscripción de su derecho en el Registro de Propiedad de Aguas del Conservador de Bienes Raíces, para beneficio personal o en perjuicio de terceros.

En caso que proceda, el autor material del hecho se le sancionará, además, con la revocación de su título duplicado y la cancelación de la inscripción, conforme a lo dispuesto en el artículo 460 bis del Código Penal. Lo anterior es sin perjuicio de la responsabilidad que le corresponda a él o a los funcionarios públicos por falsificación de instrumento público. Para la aplicación de esta multa, se deberá seguir el procedimiento definido en el punto 5.4 de este Manual.

f) Multas sin sanción específica (10-500 UTM)

Las infracciones que no tengan una sanción específica serán sancionadas con una multa cuya cuantía puede variar entre el primer y tercer grado (10-500 UTM), según lo establece el artículo 173 N° 6 del Código de Aguas.

g) Multa del Artículo 172 (modificaciones de cauce)

Toda persona, ya sea natural o jurídica que deseare realizar modificaciones a cauces naturales o artificiales, según lo dispuesto en el artículo 41 y 171 del Código de Aguas, necesariamente deberá presentar un proyecto ante la Dirección General de Aguas para su aprobación previa. En el evento que no lo hiciere, el artículo 172 del Código de Aguas señala:

g.1. Si la obra **altera pero no entorpece el régimen de escurrimiento de las aguas y/o afecta bienes de la población, pero no genera peligro para la vida y salud de los habitantes**, se impondrá una multa **del primer al segundo grado (10-100 UTM)**, de conformidad al artículo 173 ter del Código de Aguas, pudiendo apercibir al infractor y fijar un plazo perentorio para que modifique o destruya total o parcialmente la obra.

En el caso que se disponga la modificación de la obra, la D.G.A. podrá ordenar que se presente el correspondiente proyecto, dentro de un plazo determinado, de acuerdo a lo establecido en el Código de Aguas y el Manual de Normas y Procedimientos de la Administración de los Recursos Hídricos.

Si el infractor no diere cumplimiento a lo ordenado, la Dirección Regional impondrá una multa del tercer grado (101-500 UTM).

g.2. Si la obra **entorpece el libre escurrimiento de las aguas o significa peligro para la vida o salud de los habitantes**, se impondrá una multa del **segundo al tercer grado (51-500 UTM)**, de conformidad al artículo 173 ter del Código de Aguas y apercibirá al infractor fijándole un plazo perentorio para que destruya la obra o la modifique, ordenándole que presente el correspondiente proyecto de acuerdo a lo establecido en el Manual de Normas y Procedimientos de la Administración de los Recursos Hídricos.

Si el infractor no diere cumplimiento a lo ordenado, la Dirección le impondrá una **multa mínima de 100 y máxima de 1000 Unidades Tributarias Anuales**, según fuera la magnitud del entorpecimiento ocasionado al libre escurrimiento de las aguas o el peligro para la vida o salud de los habitantes.

A continuación, la Tabla N°2, muestra un resumen de la multa establecida en el artículo 172 del Código de Aguas.

Cuadro N° 2. Multas artículo 172 del Código de Aguas

Obra Artículo 41 y 171	Aplica:	Ordena:	No cumple:
Altera el régimen de escurrimiento y/o afecta bienes de la población	Multa Primer y Segundo Grado (10 a 100 UTM)	Modificar o Destruir Obra	Multa Tercer Grado (101 a 500 UTM)

Obra Artículo 41 y 171	Aplica:	Ordena:	No cumple:
Entorpece el libre escurrimiento de las aguas o significa peligro para la vida o salud de los habitantes	Multa Segundo y Tercer Grado (51 A 500 UTM)	Modificar o Destruir Obra	Multa 100-1000 UTA

La resolución que aperciba al infractor a modificar o destruir una obra, ya sea el numeral g.1 o g.2, deberá señalar:

1. La modificación o destrucción de la (s) obra (s) no autorizada (s), pues una excluye a la otra. Si se ordena destruir una obra, se deberá indicar que debe restituir el cauce al estado anterior a la intervención no autorizada, estableciendo las labores necesarias para ello. Además deberá señalar que dichos trabajos deben contemplar el retiro del material y todas las medidas necesarias para asegurar el libre escurrimiento de las aguas y que no se generen peligros a la vida o salud de los habitantes.

2. La individualización del infractor, incluyéndose el número de su cédula de identidad o Rol Único Tributario, según corresponda.

3. El plazo para ejecutar la modificación o destrucción que se hubiese ordenado desde la notificación de la resolución que lo ordena.

4. Ordenar al infractor para que informe a la Dirección General de Aguas respectiva una vez que haya dado cumplimiento al apercibimiento para que el Servicio concurra a verificarlo.

5. Imponer una multa, ya sea del Primer o Segundo Grado (altera el régimen de escurrimiento y afecta bienes de terceros), o del Segundo al Tercer grado (entorpece el libre escurrimiento de las aguas o significa peligro para la vida o salud de los habitantes).

6. La resolución debe ser notificada de acuerdo a lo dispuesto en el numeral 4.6 de este Manual.

Si se presentare una impugnación, el Nivel Central tendrá 90 días hábiles para resolverla desde su ingreso en la Unidad de Fiscalización, salvo que se requirieren mayores antecedentes mediante un ITC, suspendiéndose el plazo estipulado para resolver.

Haya o no impugnación a la resolución respectiva, la D.G.A. Regional tendrá un plazo máximo de 30 días hábiles, contados desde el vencimiento del plazo otorgado para ejecutar lo ordenado y verificar en terreno el cumplimiento de la resolución, elaborando un **Acta de Constatación de Hecho**, en los términos indicados en el numeral 4.7 de este Manual. En el caso que se ordene presentar una solicitud de modificación de cauce no será necesario ir a terreno y el Acta deberá referirse a si se dio cumplimiento a aquello en los términos indicados y en el plazo otorgado, salvo que la D.G.A. ordene expresamente la suspensión de lo ordenado o los tribunales de justicia, conforme al artículo 137 inciso final.

Si se mantiene el incumplimiento a lo ordenado, pueden darse dos situaciones a continuación del acta de constatación de hecho:

g.3. Si la obra <u>altera el régimen de escurrimiento y/o afecta bienes de la población, pero no entorpece, ni genera peligro para la vida y salud de los habitantes:</u>

La Dirección Regional impondrá una multa del **tercer grado (101-500 UTM),** y en caso de proceder, ordenará la ejecución de las medidas, acciones u obras que correspondan por parte del mismo Servicio o por parte de la Dirección de Obras Hidráulicas o cualquier otro servicio dependiente del Ministerio de Obras Públicas dentro de un plazo máximo de 15 días hábiles, contados desde la fecha que se efectuó la visita a terreno y se verificó el incumplimiento.

Adicionalmente, la D.G.A. dictará una resolución que determine el valor de las medidas, acciones u obras efectivamente realizadas, pudiendo establecer un recargo de hasta el 100% para aquellos originalmente obligados a cumplirlas. La copia autorizada de esta última resolución tendrá mérito ejecutivo para efectos de su cobro.

g.4. Si la obra <u>entorpece el libre escurrimiento de las aguas o significa peligro para la vida o salud de los habitantes:</u>

El (la) Director (a) Regional de Aguas deberá, mediante un memorando, remitir todos los antecedentes a la Unidad de Fiscalización Nivel Central, en un plazo de 10 días hábiles, a partir de la fecha del acta de constatación, para que el Director General de Aguas, aplique una **multa mínima de 100 y máxima de 1000 U.T.A.**

En dicho memorándum deberá indicarse claramente:

1. La magnitud del entorpecimiento ocasionado al libre escurrimiento de las aguas y/o el peligro para la vida o salud de los habitantes.

2. La individualización del infractor (nombre y apellido) y su cédula de identidad o Rol Único Tributario, según sea procedente, acreditándose la verificación del mismo a través del Registro Civil o Servicio de Impuestos Internos.

La D.G.A. Regional tendrá un plazo máximo de 15 días hábiles, contados desde la fecha que se efectuó la visita a terreno y se verificó el incumplimiento, en caso de proceder, para ordenar la ejecución de las medidas, acciones u obras que correspondan por parte del mismo Servicio o por parte de la Dirección de Obras Hidráulicas o cualquier otro servicio dependiente del Ministerio de Obras Públicas e informar de las acciones realizadas a la Unidad de Fiscalización Nivel Central.

En dicho oficio se comunicará que la copia autorizada de la resolución del Director Regional de Aguas que fija el valor de las obras ejecutadas, tiene mérito ejecutivo para su cobro contra el infractor y se solicitará, que dentro de un plazo, respondan al requerimiento formulado.

Posteriormente, las actuaciones de la Dirección Regional variarán, de acuerdo a lo resuelto pues si la impugnación ha sido:

1. Acogida, no existen actuaciones que realizar.

2. Rechazada, se deberá dar cumplimiento a la restitución del cauce ordenada en la resolución impugnada.

Si dicha resolución se entiende notificada desde la fecha de su dictación, en virtud a lo dispuesto en el inciso final del artículo 139 del Código de Aguas, la Oficina de Partes D.G.A. Nivel Central deberá comunicarla a la División de Cobranzas y Quiebras de la Tesorería General de la República para su cobro judicial, dentro de los 5 días hábiles posteriores a su ingreso.

De lo contrario, si la resolución debe ser notificada al infractor, deberá remitir una copia de la resolución para que sea notificada, dentro del mismo plazo estipulado en el punto anterior, a la Oficina de Parte D.G.A. regional o al funcionario del Nivel Central que corresponda, ciñéndose a los párrafos siguientes.

1. Deberá notificarse la resolución dentro de un plazo de 10 días hábiles desde su ingreso en la D.G.A. regional y desde que tome conocimiento el funcionario del Nivel Central que le corresponda notificar.

2. Efectuada la notificación, deberá enviarse el Acta de Notificación, al día hábil siguiente, vía correo electrónico y por correo ordinario al Jefe/Jefa de la Oficina de Partes D.G.A. Nivel Central, y a quien lo (a) subrogue.

3. Recibida la copia electrónica del Acta de Notificación por la Oficina de Partes D.G.A. Nivel Central, deberá remitirla junto a la copia de la Resolución (Exenta) a la División de Cobranzas y Quiebras de la Tesorería General de la República para su cobro judicial, dentro de los 2 días hábiles posteriores al envío del correo electrónico.

La Unidad de Fiscalización Nivel Central llevará un control mensual del cumplimiento de la elaboración de las actas de constatación respectivas y del envío de las solicitudes de aplicación de multas del artículo 172 del Código de Aguas, debiendo las Direcciones Regionales, para que se cumpla dicho objetivo, remitir mensualmente, por correo electrónico, el reporte de gestión actualizado.

h) Multa del artículo 303

Si con motivo de la construcción y operación de obras hidráulicas se alterasen los caudales en cauces naturales, la D.G.A. podrá aforar sus corrientes, solicitar antecedentes y dirimir las dificultades que se presenten con motivo de su distribución entre los dueños de derechos de aprovechamiento de dichos cauces, pudiendo establecer las medidas mediante resolución, que deben adoptar los usuarios para su adecuado ejercicio. El incumplimiento de estas medidas será constatado por la D.G.A. mediante un Acta de Constatación de Hecho, la que servirá de fundamento para la dictación de la resolución sancionatoria que aplicará una multa cuya cuantía podrá variar entre el segundo y el cuarto grado (51 – 1000 UTM). Para la determinación de esta multa se deben tener en consideración los criterios establecidos en el inciso final del artículo 173 ter del Código de Aguas.

i) Multa del artículo 306

Es aquella multa que se aplica respecto al incumplimiento de las medidas que se han adoptado en los siguientes artículos:

i.1.) Artículo 304.

"La Dirección General de Aguas tendrá la vigilancia de las obras de toma en cauces naturales con el objeto de evitar perjuicios en las obras de defensa, inundaciones o el aumento del riesgo de futuras crecidas y podrá ordenar que se modifiquen o destruyan aquellas obras provisionales que no den seguridad ante las creces. Asimismo, podrá ordenar que las bocatomas de los canales permanezcan cerradas ante el peligro de grandes avenidas.

Podrá igualmente adoptar dichas medidas cuando por el manejo de las obras indicadas se ponga en peligro la vida o bienes de terceros.

Con tal objeto podrá ordenar también la construcción de las compuertas de cierre y descarga a que se refiere el artículo 38º, si ellas no existieren".

i.2.) Artículo 305.

"La Dirección General de Aguas podrá exigir a los propietarios de los canales la construcción de las obras necesarias para proteger caminos, poblaciones u otros terrenos de interés general, de los desbordamientos que sean imputables a defectos de construcción o por una mala operación o conservación del mismo. Con todo, si los desbordamientos se debieran a hechos, u obras ajenas al canal y posteriores a su construcción, las protecciones que sea necesario efectuar no serán de cargo de los propietarios del cauce".

i.3.) Respecto a las medidas.

Las medidas señaladas en los dos artículos precedentes serán adoptadas mediante resolución, la que fijará los plazos dentro de los cuales deben adoptarse. El incumplimiento de estas medidas será constatado por la D.G.A. mediante un Acta de Constatación de Hecho, que debe realizar un fiscalizador con calidad de ministro de fe, la que será puesta en conocimiento por el Director Regional a los perjudicados, Municipalidades,

Gobernador e Intendente, mediante oficio el que deberá orientar sobre la facultad de solicitar al juez de policía local la aplicación al infractor de la multa contemplada en el artículo 306.

j) Multa del artículo 307

La D.G.A. inspeccionará las obras mayores, cuyo deterioro o eventual destrucción pueda afectar a terceros.

Comprobado el deterioro, la D.G.A. ordenará su reparación y podrá establecer, mediante resoluciones fundadas, normas transitorias de operación de las obras, las que se mantendrán vigentes mientras no se efectúe su reparación.

Si ello no se efectuare en los plazos que determine, dictará una resolución fundada, ratificando como permanente la norma de operación transitoria y además podrá aplicar a las organizaciones que administren las obras una multa del cuarto al quinto grado (501 – 2000 UTM), de conformidad a lo indicado en el artículo 173.

Cuadro N° 3. Multas definidas

Norma	Ordena	No cumple	Organismo sancionador
Artículo 303: Construcción y operación de obras hidráulicas que alteren cauces naturales	Establecer las medidas para el adecuado ejercicio del derecho.	Multa Segundo y Cuarto grado (51 a 1000 UTM)	D.G.A.
Artículo 304: Obras de toma en cauces naturales, obras provisionales	Modificar o destruir obras provisionales. Cierre de bocatomas	Multa Art. 306 Segundo al Tercer grado (51 a 500 UTM).	Juzgado de Policía Local correspondiente
Artículo 305: Obras necesarias para proteger caminos, poblaciones u otros terrenos de interés de desbordamiento.	Construcción de las obras necesarias para proteger caminos, poblaciones u otros terrenos de interés general.	Multa Art. 306 Segundo al Tercer grado (51 a 500 UTM)	Juzgado de Policía Local correspondiente

Norma	Ordena	No cumple	Organismo sancionador
Artículo 307: Obras mayores, cuyo deterioro o eventual destrucción pueda afectar a terceros.	Norma transitoria de operación y reparación	Multas del Cuarto al Quinto grado (501 a 2000 UTM)	D.G.A.

ii) Incrementos

Para las sanciones dispuestas en los artículos 172 y 173, el monto de la multa podrá incrementarse en los siguientes casos:

a) Hasta un 100%

Cuando la infracción afecte la disponibilidad de las aguas utilizadas para satisfacer el consumo humano, uso doméstico de subsistencia o el saneamiento.

b) Hasta un 75%

b.1. Si las infracciones se cometen en una zona de prohibición, en un área de restricción, en fuentes naturales declaradas agotadas o en zonas de escasez hídrica.

b.2. Si la infracción cometida perjudica gravemente el cauce y siempre que no sea constitutiva de los hechos sancionados en el artículo 172.

b.3. Cuando, a consecuencia de la contravención se produzca un descenso sostenido o abrupto de los niveles freáticos del acuífero.

b.4. Cuando se realicen actos u obras, sin permiso de la autoridad competente, que menoscaben o deterioren la calidad del agua en contravención a la normativa vigente, cuando dicha alteración no cuente con una sanción específica.

c) Hasta un 50%

c.1. Cuando la infracción cometida modifique o destruya obras autorizadas destinadas al ejercicio del derecho de aprovechamiento de terceros.

c.2. Cuando la captación de agua además afecte el caudal ecológico mínimo impuesto en la resolución constitutiva.

Sin perjuicio de lo dispuesto anteriormente, la reiteración de la infracción se sancionará duplicando el monto original.

El monto de la multa se rebajará en un 50% para aquellos infractores que se autodenuncien ante la D.G.A. por cualquier contravención al Código de Aguas.

iii) Procedimiento de cobro

Las multas que no tuvieren un beneficiario determinado, se aplicarán a beneficio fiscal.

El procedimiento de cobro de las multas se realizará por la Tesorería General de la República de acuerdo a lo dispuesto en el artículo 35 del Decreto Ley N°1.263, Orgánico de Administración Financiera del Estado, del año 1975, del Ministerio de Hacienda.

De conformidad con lo prescrito en el artículo 176 incisos 2°, 3° y 4° si la multa fuere pagada dentro de los nueve días siguientes a su notificación será rebajada en un 25%. Este beneficio no será acumulable con otras rebajas de la pena, tales como aquella que beneficia al autodenunciante.

4.6. Notificación y/o Comunicación de la Resolución

Toda resolución de la D.G.A. en materias de fiscalización debe ser notificada según lo señalado en el inciso 1° del artículo 139 del Código de Aguas, que se remite a las normas generales sobre notificaciones contenidas en el Código de Procedimiento Civil, concretamente a sus artículos 44 inciso 2° y 48.

El artículo 44 inciso 2° del Código de Procedimiento Civil señala: "*...a cualquier persona adulta que se encuentre en la morada o en el lugar donde*

447   MANUAL DE PROCEDIMIENTO SANCIONATORIO

la persona que se va a notificar ejerce su industria, profesión o empleo. Si nadie hay allí, o si por cualquier otra causa no es posible entregar dichas copias a las personas que se encuentren en esos lugares, se fijará en la puerta un aviso que dé noticia de la demanda, con especificación exacta de las partes, materia de la causa, juez que conoce de ella y de las resoluciones que se notifican".

En el supuesto que se verifique que en el domicilio no se encuentra persona alguna, se deberá dejar de manifiesto en la observación del acta de notificación, que se ha dejado copia de dicho documento en la puerta del domicilio.

El artículo 48 del mismo cuerpo legal señala en su parte medular que se notificarán por medio de cédulas que contengan la copia íntegra de la resolución y los datos necesarios para su acertada inteligencia, entregándose por un ministro de fe en el domicilio del denunciado, en la forma que establece el artículo 44 inciso 2º, poniéndose testimonio de la notificación con expresión del día y lugar, del nombre, edad, profesión y domicilio de la persona a quien se haga la entrega.

Estas notificaciones serán efectuadas por Ministros de Fe, designados por los Directores Regionales de Aguas.

La resolución <u>deberá ser notificada al denunciante</u> de la siguiente manera:

1. <u>Si designó domicilio dentro de los límites urbanos del lugar en que funciona la oficina</u> donde se haya efectuado la presentación (denuncia o autodenuncia), ya sea la oficina D.G.A. regional o provincial, se notifica mediante Ministro de Fe, según lo señalado en el artículo 139 inciso 2º del Código de Aguas.

2. <u>Si no designó domicilio o el señalado queda fuera de los límites urbanos del lugar en que funciona la oficina D.G.A. regional o provincial</u> donde se haya efectuado la presentación (denuncia o autodenuncia), se entenderá notificada la resolución desde la fecha de su dictación.

Se considera importante que, independiente que el denunciante no haya indicado domicilio o este es fuera del radio urbano, la Dirección Regional de Aguas podrá *"comunicar"* la resolución, para que tenga conocimiento de ella, personalmente o por carta certificada en el domicilio que haya designado o bien a su correo electrónico, si se conociere.

Útil es recordar que no se trata de una notificación sino de una comunicación, pues la resolución ya se encuentra notificada.

Las notificaciones deberán practicarse, a más tardar, en los "**_5 días siguientes_**" a la dictación de la resolución, según lo dispuesto en el artículo 45 de la Ley 19.880.

En síntesis, lo que persigue la notificación o comunicación es que el infractor o el sujeto fiscalizado a quien va dirigida la resolución "_tome efectivo conocimiento de ella_", y dar cumplimiento al principio de la bilateralidad de los procesos administrativos.

Debe darse rigurosa aplicación a las normas antes citadas y aplicadas, para evitar de esa manera que la resolución pueda ser impugnada por algún vicio de forma.

Finalmente, es importante destacar que se deberá registrar en el expediente cada notificación o comunicación que se efectúe, la cual deberá estar debidamente foliada (Ver Anexo 10. **Acta de Notificación**).

Comunicación de la Resolución a Tesorería General de la República

Dictada la resolución que impone una multa, se podrán dar las siguientes situaciones:

• Si no se interpone un recurso dentro de los 30 días hábiles siguientes a la notificación de la resolución, se deberá oficiar a la Tesorería Regional de la República informando la existencia de una multa, acompañando la resolución respectiva.

• Si se interpone un recurso dentro de los 30 días hábiles siguientes a la notificación de la resolución, y no se solicita la suspensión de los efectos de la resolución recurrida, se deberá oficiar a la Tesorería Regional de la República informando la existencia de una multa, acompañando la resolución respectiva.

• Si se interpone un recurso dentro de los 30 días hábiles siguientes a la notificación de la resolución, y se solicita la suspensión de los efectos de la resolución recurrida, se pueden dar dos casos:

a) Si se acoge, no se oficiará a la Tesorería Regional hasta que sea resuelto el recurso.

b) Si no se acoge, se deberá oficiar a la Tesorería Regional de la República informando la existencia de una multa, acompañando la resolución respectiva.

• Si sólo se presenta un escrito solicitando la suspensión de los efectos de la resolución regional previo a la presentación del recurso, se deberá proceder de la misma forma que el punto anterior.

4.7. Verificación y seguimiento del cumplimiento de lo ordenado en la resolución

i. Del cumplimiento de las acciones administrativas.

A fin de verificar el cumplimiento (seguimiento) de una resolución dictada dentro de un proceso de Fiscalización, se debe realizar un Acta de Constatación de Hecho dentro de un plazo de **30 días hábiles** posterior al vencimiento del plazo fijado en la resolución para el cumplimiento de lo ordenado, la que debe realizarse mediante una inspección en terreno, que dejará constancia de lo observado y que debe ser incorporada al expediente de fiscalización respectivo.

El contenido del acta de constatación de hecho, será distinto para cada caso, y en ella se debe verificar sólo si se ha dado cumplimiento a lo ordenado en la respectiva resolución del Servicio, siguiendo lo señalado en el formato de Acta de Constatación de Hecho (ver Anexo 11. **Acta de Constatación de Hecho**).

El Acta de Constatación de Hecho debe contener:

1. Individualización de la resolución que dispuso las medidas o acciones respectivas.

2. Una enunciación de las acciones y medidas que fueron ordenadas.

3. La determinación clara y precisa del cumplimiento o incumplimiento asociado a cada una de ellas (se debe acompañar fotografías que ilustren la inspección en terreno). En caso de incumplimiento el tiempo que ha transcurrido.

4. En el caso que el cumplimiento sea parcial, se solicita aclarar cuáles puntos fueron cumplidos y la afectación provocada por el resto de las medidas que no han sido cumplidas.

5. En el caso del artículo 172 del Código de Aguas, se deberá establecer si se mantienen o no las causas que fundaron la dictación de la resolución. (si la obra altera, afecta bienes de la población, entorpece el libre escurrimiento de las aguas o afecta la vida o salud de las personas).

6. Adicionalmente, dependiendo el caso, el acta podrá contener la determinación clara de la magnitud del entorpecimiento ocasionado al libre escurrimiento de las aguas o al peligro a la vida y salud de los habitantes, las eventuales consecuencias de dicho entorpecimiento o la interrupción del libre escurrimiento de las aguas.

Cualquier hecho nuevo, que revista el carácter de infracción al Código de Aguas, adicional a la fiscalización que se está verificando su cumplimiento, deberá ser anotado en un nuevo formulario para ser resuelto en un nuevo expediente de fiscalización de oficio.

Resulta necesario e importante que se elabore un calendario de plazos y un programa mensual de verificaciones de cumplimiento para optimizar los recursos que se disponen en las Direcciones Regionales de Aguas.

Cuando se verifique el incumplimiento, total o parcial, a la resolución dictada por el Servicio, se deberá distinguir:

a) Si existen recursos pendientes:

Si existe un recurso de reconsideración o reclamación en trámite, deberá elaborarse y enviarse a la Unidad o División que tenga el expediente para su ingreso.

b) No existen recursos pendientes:

b.1. La Dirección Regional de Aguas deberá imponer una multa en el caso del artículo 172 inciso primero del Código de Aguas, si procediere.

b.2. Tratándose de obras en cauce que entorpecen el libre escurrimiento de las aguas o afectan a la vida o salud de las personas, el Director General de Aguas impondrá una multa que puede variar entre las 100 y 1000 UTA establecida en el artículo 172 inciso segundo del Código de Aguas, si procediere.

b.3. Si existe una denuncia por el presunto delito de usurpación de aguas, se debe enviar por oficio el Acta de Constatación de Hecho al Ministerio Público, como un antecedente más para los efectos previstos en el artículo 61 letra k) del Estatuto Administrativo, en relación con el artículo 175 letra b) del Código Procesal Penal.

Si el acta de constatación señala que no existen actuaciones pendientes y por lo tanto se encuentra cumplido lo ordenado, la Dirección Regional deberá archivar el expediente sancionatorio mediante la dictación de una resolución, con el objetivo de poner en conocimiento a los interesados.

ii. Del seguimiento de las acciones legales.

La Dirección Regional de Aguas deberá enviar al Ministerio Público uno o más oficios de consulta sobre el estado de las causas enviadas.

iii. Artículo 138

Resulta importante destacar que el infractor se encuentra obligado a ejecutar lo que se le hubiere ordenado en la resolución administrativa. Sin embargo, es posible que incumpla y para ello, el legislador le otorgó a la D.G.A. tres atribuciones, a saber:

1. Solicitar el auxilio de la fuerza pública por medio del Intendente o Gobernador respectivo;

2. Aplicar una multa correspondiente y;

3. Ordenar que se realicen dichas obras por parte del mismo Servicio, la D.O.H. u otro servicio dependiente del MOP, salvo que se hubiere dictado una resolución que suspenda los efectos de la resolución recurrida o una orden de no innovar dictada por la I. Corte de Apelaciones respectiva.

5. PROCEDIMIENTOS ESPECIALES

5.1. Procedimiento por incumplimiento en la entrega de información establecida en el Código de Aguas y Resoluciones D.G.A.

Cuando se trate de infracciones relativas a la obligación de entregar información en la forma y oportunidad que dispone el Código de Aguas y las Resoluciones D.G.A., se deberá dictar una resolución que aplique una multa del primer grado **(10-50 UTM)** (por ejemplo información requerida en una resolución D.G.A.), siguiendo lo siguiente:

1. Verificar si se presentó la información en la Oficina de Partes regional o Nivel Central, según corresponda, a través de un memo de solicitud de información dirigido al oficial de partes respectivo. En el caso que la información deba ser solicitada a otra unidad, departamento o división de la D.G.A., se deberá proceder de la misma forma. Para el caso de información que debía ser ingresada en página web o remitida por correo electrónico, hacer la verificación en dicho medio.

2. En el caso de identificar la infracción, el Director Regional de Aguas deberá dictar una resolución fundada que aplique la multa establecida, indicando la infracción cometida y las normas o resoluciones infringidas.

3. Deberá tenerse presente lo dispuesto en los numerales 4.2, 4.3, 4.4 y 4.6 del presente Manual en lo que sea concerniente.

5.2. Procedimiento por incumplimiento que dispone el Código de Aguas y su reglamento en materias referentes a control de extracciones (artículo 173 N° 2)

Cuando se trate del incumplimiento de las obligaciones que dispone el Código de Aguas o sus reglamentos referentes a la instalación y mantención de sistemas de mediciones de caudales, de volúmenes extraídos y de niveles freáticos de la obra, y de sistemas de transmisión de dicha información, se deberá aplicar una multa del segundo grado **(51- 100 UTM)**, previa aplicación del siguiente procedimiento:

1. Realizar una inspección en terreno para verificar el o los hechos motivo del incumplimiento, notificando al presunto infractor del motivo de la visita en ese mismo acto, tal cual lo establece el Capítulo 2 (Inspección en Terreno), del presente Manual.

2. Se deberá indicar, además, la norma eventualmente infringida. En el acta se debe indicar que la no instalación y mantención de sistemas de mediciones de caudales, de volúmenes extraídos y de niveles freáticos de

la obra, y de sistemas de transmisión de dicha información, se sanciona con multa que va de 51 a 100 UTM.

3. Con el acta de verificación se deberá resolver la aplicación de la multa. En caso que se resuelva su aplicación, se deberá además, fijar un plazo prudencial, no prorrogable, de mínimo un mes y máximo seis meses, para que el infractor instale y opere dichos sistemas.

4. Deberá tenerse presente lo dispuesto en los numerales 4.2, 4.3, 4.4 y 4.6 del presente Manual en lo que sea concerniente.

5.3. Procedimiento por incumplimiento de la resolución que otorga nuevo plazo para la instalación de sistema de control de extracciones (artículo 173 N° 3)

En este procedimiento se estableció un **procedimiento abreviado** necesario para dar cumplimiento cabal al mandato del legislador

Cuando se trate del incumplimiento de la resolución que otorga nuevo plazo para la instalación de los sistemas de medición señalados en el Capítulo 5.2. punto iii de este Manual, se deberá aplicar una multa del tercer grado **(101- 500 UTM)**, previo procedimiento abreviado que consistirá en:

1. Realizar una inspección en terreno para verificar el o los hechos motivo del incumplimiento, notificando al presunto infractor de la causa de la actuación en este mismo acto, tal cual lo establece el Capítulo 2 (Inspección en Terreno), del presente Manual.

2. Se deberá indicar, además, las normas eventualmente infringidas y que podrá presentar sus descargos dentro del plazo de 30 días hábiles contado desde esa fecha.

3. Posterior a la recepción de los descargos o vencido el plazo para el envío de ello, el Director Regional de Aguas deberá dictar una resolución fundada que se pronuncie sobre los descargos y disponga, si corresponde, la multa respectiva.

4. Deberá tenerse presente lo dispuesto en los numerales 4.2, 4.3, 4.4 y 4.6 del presente Manual en lo que sea concerniente.

5.4. Procedimiento por doble inscripción de un mismo derecho de aprovechamiento

Versa sobre quien realiza una doble inscripción "*a sabiendas*" (frase que utiliza el artículo 459 bis) que está cometiendo un delito, es decir, que exista intención de cometer el delito conociendo las consecuencias de su acto, ya que continúa la norma señalando que sea "*para beneficio personal o en perjuicio de terceros*", por lo que la determinación de la intencionalidad debe ser acreditada, ya sea por un acto posterior que le beneficie o determinándose de qué manera ese hecho afecta a terceros. Estos elementos deben ser parte de los antecedentes que le permitan al juez penal sancionar al infractor.

La orden de revocación del título duplicado y la cancelación de la inscripción, debe ser mediante la dictación de la sentencia penal dictada al efecto. Por tanto, no procedería por la vía administrativa, ello en atención a la referencia que se realiza al artículo 460 bis del Código Penal.

En consecuencia, la sanción administrativa (multa de 5º grado establecida en el artículo 173 del Código de Aguas), sólo sería aplicable una vez que la causa penal se encuentre ejecutoriada.

6. IMPUGNACIONES

6.1. Recurso de Reconsideración

El recurso de reconsideración es un recurso jerárquico administrativo especial, establecido en el artículo 136 del Código de Aguas, que tiene por finalidad que el Director General de Aguas revoque o modifique resoluciones dictadas por funcionarios de su dependencia o por quienes obren en virtud de una delegación que el propio Director General de Aguas les haga, en uso de sus atribuciones conferidas por la ley.

Actualmente, en virtud de la Resolución D.G.A. Nº 2080 (Exenta), de 14 de julio de 2015, se encuentra delegada la facultad de firmar las resoluciones que resuelvan los recursos de reconsideración, en el Sr. Subdirector y en el Sr. Jefe de la División Legal, de la D.G.A.

Al interponerse el recurso, el interesado solicita a la autoridad que deje sin efecto o, modifique la resolución recurrida.

Las argumentaciones para ello son amplias y van desde consideraciones de tipo jurídico, como la ilegalidad manifiesta del acto cuestionado, hasta objeciones o consideraciones de carácter técnico.

En síntesis, lo que se persigue es que el acto no produzca efecto alguno o se modifique lo ordenado.

El interesado deberá presentarlo por escrito en la Oficina de Partes de la Dirección Regional o Provincial de Aguas, en la que se haya dictado la resolución que recurre o el Nivel Central.

Los requisitos que debe cumplir de forma copulativa el recurso de reconsideración, son los siguientes:

1. Se impugne una resolución administrativa dictada por el Director General de Aguas, los funcionarios de su dependencia o quienes obren en virtud de una delegación que el Director General de Aguas les haga, en uso de las atribuciones que le confiere la ley.

2. Esté dirigido al Director General de Aguas.

3. Se haya deducido dentro del plazo legal de 30 días hábiles, contados desde la notificación o comunicación, según corresponda, de la Resolución (Exenta) cuya revisión se solicita.

4. Se indique que es un recurso de reconsideración, o se haga alusión en el cuerpo del escrito al artículo 136 del Código de Aguas, como norma fundante del recurso.

a) Si dice que es un recurso de reconsideración, pero en el cuerpo del escrito se citan otras normas legales como fundantes, será rechazado por improcedente, sin perjuicio de poder actuar de oficio. Por ejemplo, si se afirma estar interponiéndose un recurso de reconsideración, fundado en el artículo 59 de la Ley 19.880 (recurso de reposición).

b) En este sentido, la Contraloría General de la República en el Dictamen Nº 33.522 del año 2008, afirma: "Los únicos recursos que pueden entablarse en contra de las decisiones administrativas que se adopten en el curso del procedimiento en cuestión, en resguardo de los derechos de los peticionarios, son los de reconsideración y reclamación consignados en los artículos 136 y 137 del Código del ramo, normas que tienen un carácter especial respecto de cualquier otro mecanismo de impugnación, sea de los contemplados en Ley N° 19.880 o en otros ordenamientos jurídicos".

5. Debe contener peticiones concretas. Por ejemplo: se deje sin efecto la resolución recurrida o se modifique.

6. Sea interpuesto por un interesado. El artículo 21 de la Ley 19.880 indica quiénes son considerados como "*interesados*" en el procedimiento administrativo:

a) Quienes lo promuevan como titulares de derechos o intereses individuales o colectivos.

b) Los que sin haber iniciado el procedimiento, tengan derechos que puedan resultar afectados por las decisiones que en el mismo se adopten.

c) Aquéllos cuyos intereses, individuales o colectivos, puedan resultar afectados por las resoluciones que se emitan en el procedimiento administrativo.

Si se trata de una **persona jurídica**, debe acreditarse que quien actúa en representación de la misma cuente con facultades suficientes para ello, y en particular, para representarla ante servicios públicos (Acta de sesión de directorio, mandato, etc.).

Las copias de los poderes, deben contar con certificación de vigencia no superior a 6 meses. Eso se cumple ya sea con el timbre del archivero al final de la escritura, que indica que los poderes se encuentran vigentes, con un certificado emitido por el Conservador de Bienes Raíces respecto de lo que consta en su Registro de Comercio, o con el acta de la sesión de directorio o escritura pública que cuente con certificación notarial referida a la inexistencia de anotaciones marginales que la revoquen o que derechamente se encuentra vigente.

Si se trata de una **persona natural** y se representa a sí misma, basta con acreditar su identidad.

En el caso que comparezca representada, debe acompañarse en el recurso el documento privado suscrito ante notario donde se le otorgue la calidad de apoderado a quien está interponiendo el recurso, o la escritura pública donde ello conste, en virtud de lo dispuesto en el artículo 22 de la Ley 19.880. En caso que no presente la documentación requerida, deberá oficiarse al recurrente para que la acompañe en el plazo de cinco días de conformidad con lo dispuesto en el artículo 31 de la ley 19.880.

Si los recurrentes son una sucesión hereditaria, y el interesado es el causante, debe acreditarse la calidad de herederos del mismo, acompañando el certificado de posesión efectiva, compareciendo en el recurso todos los herederos de consuno o por apoderado o mandatario común.

Sin perjuicio de lo anterior, en aquellos casos que se actúe por medio de apoderados, y que el poder se hubiere acompañado durante la tramitación del expediente de fiscalización, no será necesario que estos sean presentados nuevamente en virtud de la letra c) del artículo 17 de la Ley 19.880.

i. Informe Técnico Complementario

Presentado el recurso de reconsideración u otra impugnación en la región correspondiente, se deberá enviar el expediente sancionatorio debidamente foliado a la Unidad de Fiscalización, Nivel Central, dentro del plazo de 10 días hábiles, contados desde la recepción de la impugnación en la oficina de partes de la Dirección Regional.

Si la impugnación se presenta en el Nivel Central, deberá enviarse a la Dirección Regional respectiva, un memorándum solicitando la copia del expediente, quien se ajustará a lo indicado precedentemente.

La Unidad de Fiscalización Nivel Central devolverá en forma inmediata a la Dirección Regional de Aguas respectiva, aquellas impugnaciones que sean enviadas sin la copia íntegra del expediente y que no se encuentren debidamente foliadas.

Una vez recibidos los antecedentes por la Unidad de Fiscalización Nivel Central, se asignará el expediente a un Profesional quien realizará el análisis o pertinencia correspondiente.

En la Unidad de Fiscalización Nivel Central se analizará la impugnación y se deberá elaborar un Informe Técnico Complementario (ITC) (Anexo 12. **Informe Técnico Complementario**) que consistirá en un análisis de todos los antecedentes que se han tenido a la vista, tales como acta de inspección, descargos, información técnica y cualquier otro antecedente, que se remitirá al Jefe de la División Legal.

Importante resulta establecer que la Unidad de Fiscalización, Nivel Central, se reserva el derecho de solicitar nuevos antecedentes, si lo considera procedente, una vez analizada la impugnación y todos los antecedentes contenidos en el expediente.

Este informe debe ser claro, objetivo, llevar una numeración propia, fecha y firma del profesional responsable.

ii. Preparación y Tramitación de la Resolución

De acuerdo a los antecedentes antes señalados, la Unidad de Fiscalización Nivel Central remitirá el ITC a la División Legal con todos los antecedentes para análisis de los aspectos legales y elaboración de la resolución respectiva.

La División Legal elaborará la resolución y será enviada para la firma del Director General de Aguas o quien cuente con las facultades delegadas para ello, sin perjuicio de que dicha División desarrolle una resolución distinta de la propuesta.

En el evento que la División Legal considere que son insuficientes los antecedentes existentes para elaborar la resolución, podrá remitir el expediente por memorándum indicando a la Unidad de Fiscalización Nivel Central las observaciones que hubiere realizado y las actuaciones que deban desarrollarse.

Una vez firmada la resolución, se envía con el expediente de fiscalización a la Oficina de Partes Nivel Central. Dicha Oficina será la encargada de numerarla, fecharla y sacar tantas copias como lo indique la distribución de la resolución (organismos públicos, Director Regional, División Legal de la D.G.A., Unidad de Fiscalización Nivel Central, otras oficinas de la D.G.A. que corresponda, entre otras).

Posteriormente, se envía a la Unidad de Fiscalización Nivel Central, el expediente con **dos copias de la resolución** (una para la Unidad de Fiscalización y la otra para que sea agregada en el expediente de fiscalización).

Recibido lo anterior, se derivará conjuntamente con el expediente de fiscalización, a la Dirección Regional de Aguas correspondiente a través de un memorándum de la Unidad de Fiscalización Nivel Central.

iii. Notificación de la Resolución

La Dirección Regional de Aguas, a través del funcionario designado en la resolución como Ministro de Fe, deberá notificar la resolución en el domicilio de los interesados, conforme con lo señalado en el artículo 139 del Código de Aguas, según se analizó en el Capítulo 4.6. de este Procedimiento.

De la misma forma, si los interesados han designado un domicilio en la ciudad de Santiago, la resolución deberá ser notificada por los ministros de fe de la D.G.A. Nivel Central y no aquellos designados por la D.G.A. de la Región Metropolitana.

6.2. Recurso de Reclamación

El recurso de reclamación es un recurso judicial especial establecido en el artículo 137 del Código de Aguas, que tiene por finalidad revocar o modificar las resoluciones de la D.G.A.

El artículo 137 del Código de Aguas establece que el recurso de reclamación procede en contra de todas las resoluciones administrativas que dicte el Director General de Aguas o el Director Regional de Aguas y el interesado deberá interponerlo en la Ilustrísima Corte de Apelaciones del lugar en el que se dictó la resolución que se impugna.

Ejemplo: Si la resolución la dicta el Director General de Aguas será competente de conocer la reclamación la Ilustrísima Corte de Apelaciones de Santiago.

Si la resolución la dicta el Director Regional de Aguas será competente de conocer la reclamación la Ilustrísima Corte de Apelaciones del lugar donde se dictó la resolución.

Los requisitos con los que debe cumplir de forma copulativa un recurso de reclamación, son los siguientes:

1. Se impugne una resolución administrativa dictada por el Director General de Aguas, o el Director Regional de Aguas, en uso de las atribuciones que le confiere la ley.

2. Se interponga dentro del plazo de 30 días hábiles, contados desde la notificación de resolución que se recurre.

3. Se promueva por un interesado, en los términos del artículo 21 de la Ley 19.880 (ver Capítulo 6 del Procedimiento).

4. Se interponga ante la Iltma. Corte de Apelaciones del lugar en el que se dictó la resolución que se impugna.

El análisis de admisibilidad del recurso de reclamación, lo realiza la misma Iltma. Corte de Apelaciones ante quien es presentado, no teniendo como Servicio ninguna carga en su tramitación, salvo que se nos requiera por dicho tribunal de alzada la emisión de informes, copia del expediente administrativo, etc.

No es necesario que previamente se haya deducido el recurso de reconsideración para entablar el de reclamación; puede optarse por una u otra vía, o bien deducir primero el de reconsideración y luego el de reclamación, ante una resolución negativa respecto del primero de ellos.

La interposición del recurso de reclamación no suspende el cumplimiento de la resolución, salvo orden expresa de la Iltma. Corte de Apelaciones respectiva que así lo disponga, como es el caso de las órdenes de no innovar a petición del afectado, según lo dispone expresamente el artículo 137 inciso 3º del Código de Aguas.

El recurso de reclamación se somete a las reglas que establece el Código de Procedimiento Civil en relación al recurso de apelación.

Notificada la D.G.A. Regional, **se deberá enviar inmediatamente tomado conocimiento de cualquier requerimiento formal o informal por parte de la Ilustrísima Corte de Apelaciones respectiva, todos los antecedentes pertinentes en formato digital por correo electrónico al Jefe de la Unidad de Litigios, sin perjuicio de la obligación de remitir materialmente los antecedentes vía memorándum posterior a la misma Unidad. Dicha comunicación formal deberá remitirse con copia a la Unidad de Fiscalización Nivel Central en su distribución.**

La Unidad de Litigios es la encargada de conocer, informar y alegar el recurso, debiéndose acompañar cualquier otro dato que sea relevante y/o que haya acaecido con posterioridad a la resolución que fue impugnada por el recurso de reclamación.

6.3. Otras Consideraciones

En esta parte, es necesario consignar, que resulta procedente la aplicación de lo dispuesto en el artículo 54 de la Ley 19.880, por cuanto tiene carácter subsidiario a la aplicación de los artículos 136 y artículo 137 del Código de Aguas, esto es, los recursos de reconsideración en sede administrativa y de reclamación en sede judicial.

Interpuesto por un interesado un recurso de reconsideración ante la Administración, no podrá el mismo reclamante deducir igual pretensión (recurso de reclamación) ante los Tribunales de Justicia, mientras aquél no haya sido resuelto.

Presentado el recurso de reconsideración se interrumpirá el plazo para interponer el recurso de reclamación.

En el caso que el interesado prefiera interponer el recurso de reclamación u otra acción jurisdiccional, con anterioridad a la presentación de un recurso de reconsideración, la Administración deberá inhibirse de conocer el recurso de reconsideración. En dicho caso, corresponde dictar una resolución que declare la inhabilidad del Servicio para conocer del recurso deducido, dado que se encuentra radicado el asunto en los Tribunales de Justicia.

La interposición del recurso de reconsideración <u>no suspende el cumplimiento de la resolución</u>, salvo que el Director General de Aguas así lo disponga, según lo dispone expresamente el artículo 137 inciso 3º del Código de Aguas.

Si se presentara una solicitud de suspensión de los efectos de una resolución, ya sea en un recurso de reconsideración o en un escrito independiente, la Unidad de Fiscalización, Nivel Central, deberá derivar en forma inmediata, vía memorándum a la División Legal, para que sea resuelta dicha suspensión **a la brevedad**.

Posteriormente, dictada la resolución que se pronunció sobre la petición de suspender los efectos de la resolución regional, se derivará el expediente a la Unidad de Fiscalización, Nivel Central para la elaboración del Informe Técnico Complementario que se pronunciará sobre la impugnación presentada.

6.4. Otras Impugnaciones

Sólo se podrán interponer recursos de reconsideración y reclamación en contra de las resoluciones emitidas por el Director General de Aguas y/o funcionarios que cuenten con la facultad delegada al efecto.

Los recursos jerárquicos, de reposición, extraordinarios de revisión y cualquier otra presentación distintas a los recursos especiales del Código de Aguas (aplica Dictamen de la Contraloría General de la República N° 2.125 del año 2005), que hubiesen sido derivados a la Unidad de Fiscalización Nivel Central, serán remitidos por memorándum al Jefe de División Legal proponiendo rechazarlos por forma.

Dichas presentaciones serán informadas por la División Legal mediante oficio.

RESOLUCIÓN Nº 1.238 EXENTA DE 21 DE JUNIO DE 2019 QUE DETERMINA LAS CONDICIONES TÉCNICAS Y LOS PLAZOS A NIVEL NACIONAL PARA CUMPLIR CON OBLIGACIÓN DE INSTALAR Y MANTENER UN SISTEMA DE MONITOREO Y TRANSMISIÓN DE EXTRACCIONES EFECTIVAS EN LAS OBRAS DE CAPTACIÓN DE AGUAS SUBTERRÁNEAS

SANTIAGO, 21 JUN 2019
RESOLUCIÓN D.G.A. Nº 1238 / **(EXENTA)**

VISTOS:

1. La Ley Nº 21.064 que "Introduce Modificaciones al Marco Normativo que Rige las Aguas en Materia de Fiscalización y Sanciones", publicada en el Diario Oficial con fecha 27 de enero de 2018;

2. Lo dispuesto en los artículos 67, 68, 299 y 300 letra c) del Código de Aguas;

3. El decreto MOP Nº 1.381, de 16 de octubre de 2018, que establece orden de subrogación del cargo de Director General de Aguas;

4. Lo dispuesto en los artículos 38 y 40 del decreto Nº 203, que "Aprueba Reglamento Sobre Normas de Exploración y Explotación de Aguas Subterráneas";

5. La resolución Nº 1.600, del año 2008, de la Contraloría General de la República, que fija normas sobre exención del trámite de toma de razón;

6. La resolución exenta DGA Nº 85, de 16 de enero de 2017, que reemplaza el Instructivo de Normas y Procedimientos de Control de Extracciones de Aguas Subterráneas;

7. La resolución DGA N° 2.129 (exenta), de 29 de julio de 2016, que ordena a los titulares de derechos de aprovechamiento de aguas subterráneas que se indica, adecuar sus sistemas de control de extracciones y levantamiento de información periódica;

8. La resolución DGA N° 2.745 (exenta) de 24 de octubre de 2018;

9. La resolución DGA N° 475 (exenta) de 26 de marzo de 2019 y

CONSIDERANDO:

1. **QUE**, mediante la resolución DGA N° 2.129 (exenta), de 29 de julio de 2016, se ordenó a los titulares de derechos de aprovechamiento de aguas subterráneas que se indica, adecuar sus sistemas de control de extracciones y levantamiento de información periódica.

2. **QUE**, mediante la resolución exenta DGA N° 85, de 16 de enero de 2017, se reemplazó el Instructivo de Normas y Procedimientos de Control de Extracciones de Aguas Subterráneas.

3. **QUE**, con fecha 27 de enero de 2018 se publicó en el Diario Oficial la Ley N° 21.064, que *"Introduce Modificaciones al Marco Normativo que Rige las Aguas en Materia de Fiscalización y Sanciones"*.

4. **QUE**, en la citada Ley N° 21.064 se modifican los artículos 67 y 68 del Código de Aguas, quedando como siguen:
*"**Artículo 67.** Los derechos de aprovechamiento otorgados de acuerdo al artículo anterior, se podrán transformar en definitivos una vez transcurridos cinco años de ejercicio efectivo en los términos concedidos, y siempre que los titulares de derechos ya constituidos no demuestren haber sufrido daños. Lo anterior no será aplicable en el caso del inciso segundo del artículo 66, situación en la cual subsistirán los derechos provisionales mientras persista la recarga artificial.*

La Dirección General de Aguas declarará la calidad de derechos definitivos a petición de los interesados y previa comprobación del cumplimiento de las condiciones establecidas en el inciso precedente.

Los titulares de los derechos de aprovechamiento, provisionales o definitivos, concedidos tanto en zonas declaradas de prohibición como en áreas de restricción, deberán instalar y mantener un sistema de medición de caudales y volúmenes extraídos, de control de niveles freáticos y un sistema de transmisión de la información que se obtenga al respecto. Esta información deberá ser siempre entregada a la Dirección General de Aguas cuando ésta la requiera. El Servicio, por resolución fundada, determinará los plazos y las condiciones técnicas para cumplir dicha obligación, pudiendo comenzar por aquellos concedidos provisionalmente o por aquellos que extraigan volúmenes superiores a la media.".

*"**Artículo 68.** La Dirección General de Aguas podrá exigir la instalación y mantención de sistemas de medición de caudales, de volúmenes extraídos y de niveles freáticos en las obras, además de un sistema de transmisión de la información que se obtenga al respecto y requerir la información que se obtenga. En el caso de los derechos de aprovechamiento no consuntivos, esta exigencia se aplicará también en la obra de restitución al acuífero. La Dirección General, por resolución fundada, determinará los plazos y las condiciones técnicas para cumplir la obligación dispuesta en este artículo."*

5. **QUE**, tanto el artículo 67 como el artículo 68 del Código de Aguas indican que la Dirección General de Aguas, por resolución fundada, determinará los plazos y las condiciones técnicas para cumplir la obligación de instalación y mantención de sistemas de medición de caudales, volúmenes extraídos y niveles freáticos en las obras de captación de aguas subterráneas, además de un sistema de transmisión de la información que se obtenga al respecto.

6. **QUE**, considerando los preceptos legales citados, y debido a la grave y continua situación de escasez hídrica en el país, se hace necesario dejar sin efecto la resolución DGA N° 2.129 (exenta), de 29 de julio de 2016, la resolución exenta DGA N° 85, de 16 de enero de 2017, la resolución DGA N° 2.745 (exenta) de 24 de octubre de 2018 y la resolución DGA N° 475 (exenta) de 26 de marzo de 2019 y de acuerdo a la normativa vigente, determinar las condiciones técnicas y los plazos a nivel nacional para cumplir con

obligación de instalar y mantener un sistema de monitoreo y transmisión de extracciones efectivas en las obras de captación de aguas subterráneas.

RESUELVO:

1. **DÉJASE SIN EFECTO** la resolución DGA N° 2.129 (exenta), de 29 de julio de 2016, la resolución (exenta) DGA N° 85, de 16 de enero de 2017, la resolución DGA N° 2.745 (exenta) de 24 de octubre de 2018 y la resolución DGA N° 475 (exenta) de 26 de marzo de 2019.

2. **DETERMÍNANSE** las condiciones técnicas y los plazos a nivel nacional para cumplir con obligación de instalar y mantener un sistema de monitoreo y transmisión de extracciones efectivas en las obras de captación de aguas subterráneas:
DE LAS CONDICIONES TÉCNICAS:

ARTÍCULO 1. INSTALACIÓN DE SISTEMA DE MEDICIÓN DE EXTRACCIONES.
Se deberá instalar uno de los 3 siguientes Sistemas de Medición de Extracciones:
a) General
b) Básico
c) Para caudales muy pequeños.
El Sistema de Medición que le corresponda instalar a cada titular de derechos de aprovechamiento de aguas subterráneas será indicado por resolución DGA Regional, la cual se publicará en el Diario Oficial.
El Sistema de Medición será necesario tanto para las obras de captación, como para obras de restitución, en este último caso ya sea para derechos de aprovechamiento de aguas no consuntivos o aquellos que tengan una obligatoriedad de restituir caudales establecida en alguna resolución DGA, por ejemplo, en virtud de lo establecido en el artículo 149 número 7 del Código de Aguas.
1.1 Sistema de Medición General
Este Sistema de Medición se compone de un sensor para medir caudal y volumen extraído (Flujómetro o Caudalímetro), un sensor para medir nivel

freático (de presión, piezoresistivo, etc.), y un Data Logger para almacenar y respaldar los datos medidos en la obra de captación.

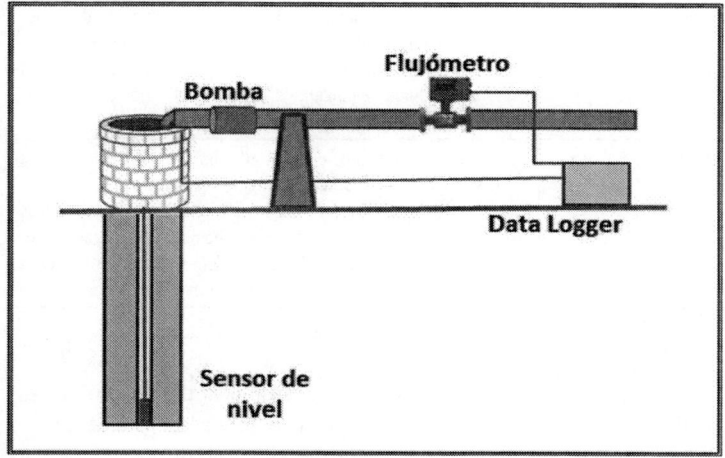

Figura 1. Esquema del Sistema de Medición General.

La obra de captación se refiere a la obra donde se capta el agua subterránea, pudiendo ser ésta un pozo, noria, pozo zanja, puntera, dren, entre otras.

Flujómetro o Caudalímetro. Este instrumento de medición debe tener las características mínimas indicadas en Cuadro 1.

Característica	Descripción
Variables medidas	Volumen extraído (m^3). Idealmente que también mida directamente caudal (l/s). El caudal puede obtenerse a partir del volumen extraído por hora.
Principio de medición	Electromagnético, de ultrasonido, mecánico u otro.
Señal de salida	Cualquiera que sea compatible con el puerto de entrada del Data Logger que el titular seleccione (el Data Logger debe ser capaz de leer la señal de salida del sensor).

Característica	Descripción
Máximo error de medición	5%. Para acreditar el máximo error de medición, el titular del derecho de aprovechamiento debe tener un documento del flujómetro (marca y modelo) donde se indique su porcentaje de error o, en su defecto, un certificado emitido por algún laboratorio del rubro que indique el porcentaje de error del flujómetro (marca, modelo y número de serie).
Rango de medición	Debe abarcar a lo menos entre el 20% hasta el 120% del caudal total autorizado en la obra de captación (Figuras 1 y 4). En el caso ilustrado en la Figura 3, esto es, un pozo con 2 o más extracciones separadas (con tuberías y bombas hidráulicas individuales), el flujómetro de cada tubería deberá abarcar a lo menos entre el 20% hasta el 120% de los respectivos caudales.

Cuadro 1. Características mínimas del Flujómetro.

La instalación del flujómetro en primera instancia debe seguir las especificaciones técnicas señaladas por el fabricante y en la medida que los titulares de derechos de aprovechamiento de aguas no dispongan de tales especificaciones deberá ceñirse por las indicaciones del Cuadro 2 siguiente.

Aspecto	Indicación
Distancia mínima entre el flujómetro y la singularidad aguas arriba	Deberán proyectarse a una distancia igual o superior a los 10 diámetros (se refiere al diámetro externo de la tubería donde se instala el medidor).
Distancia mínima entre el flujómetro y la singularidad aguas abajo	Deberán proyectarse a una distancia igual o superior a los 5 diámetros (se refiere al diámetro externo de la tubería donde se instala el medidor).
Disposición de la tubería donde se instala el flujómetro	La tubería debe siempre estar llena de líquido, por lo que idealmente debe estar instalada en posición horizontal o vertical con flujo ascendente. No debe instalarse el flujómetro en tubería vertical con salida libre.
Ubicación respecto a la bomba	Nunca instalar el flujómetro en la sección de succión de la bomba.

Cuadro 2. Indicaciones para la instalación del flujómetro.

En el trayecto que abarca desde la obra de captación hasta el flujómetro no deberán existir bypass ni ramificaciones en otra/s tubería/s.

El flujómetro deberá estar instalado a una distancia no mayor a 200 metros de la obra de captación. Sin embargo, en caso que el titular del derecho de aprovechamiento acredite que entre la captación y el medidor de flujo no existe bypass, situaciones de infiltración o singularidades que produzcan pérdidas, el Servicio podrá aceptar una distancia mayor a la exigida. El titular del derecho de aprovechamiento de aguas deberá hacer las adecuaciones que correspondan a su sistema de tuberías de tal forma de dar cumplimiento a lo indicado en el Cuadro 2.

Sensor de nivel freático. El sensor de nivel a instalar puede ser de cualquier tipo que cumpla las características indicadas en el Cuadro 3, por ejemplo, puede ser hidrostático o de ultrasonido, etc., y debe instalarse siguiendo las indicaciones del fabricante, de tal forma de poder medir tanto en condiciones de nivel dinámico o estático según se encuentre o no funcionando la bomba en el momento de la medición.

Característica	Descripción
Variable medida	Nivel freático en metros.
Señal de salida	Cualquiera que sea compatible con el puerto de entrada del Data Logger que el titular seleccione (el Data Logger debe ser capaz de leer la señal de salida del sensor).

Cuadro 3. Características mínimas que debe tener el sensor de niveles freáticos.

El nivel freático se considerará como la distancia desde el nivel del suelo a la superficie del agua.

Data Logger. El almacenamiento de la información registrada por los sensores se hará mediante un Data Logger que corresponde a un dispositivo electrónico equipado con memoria interna, que sirve para el registro y respaldo de datos.

Dicho equipo debe ser instalado por el titular de derecho de aprovechamiento de aguas, y podrá ser de cualquier tipo que tenga los puertos de conexión adecuados al sensor de nivel y a la antena o cable transmisor de salida (cuando corresponda). El sensor de nivel deberá estar permanentemente conectado al Data Logger.

Este Data Logger debe respaldar los datos de nivel freático y totalizador medidos (y de caudal en caso que el flujómetro lo mida directamente) de al menos los últimos 3 años, indicando fecha y hora de medición. La DGA, cuando lo estime pertinente, podrá requerir y solicitar la información que se obtenga.

La instalación de un Data Logger permitirá tener un respaldo de las mediciones, sobre todo en casos de una eventual falla del Sistema de Transmisión.

El Data Logger deberá contar con un mecanismo que permita acceder desde un computador portátil a la lectura y descarga de la información almacenada. El Data Logger que se instale deberá encontrarse configurado a la hora UTC-4.

Se podrá prescindir de la instalación de un data logger si el flujómetro y el sensor de nivel tienen incorporado internamente un sistema de registro con capacidad suficiente para respaldar al menos 3 años de datos, permitan la extracción de los datos desde un computador portátil y puedan transmitir los registros directamente al Centro de Control.

Los Usuarios de Aguas integrantes de una Comunidad de Aguas Subterráneas registrada en el Registro Público de Organizaciones de Usuarios del Catastro Público de Aguas, podrán prescindir de la instalación de un data logger en la medida que el flujómetro y el sensor de nivel puedan transmitir los registros directamente a un Centro de Control administrado por dicha comunidad.

La Dirección General de Aguas podrá en cualquier momento concurrir a la obra de captación y rescatar directamente la información respaldada en el Data Logger o directamente desde el sensor.

Fuente de energía eléctrica. El flujómetro, sensor de nivel y el Data Logger deberán tener una dotación de energía eléctrica continua e ininterrumpida.

1.2 Sistema de Medición Básico

Este Sistema de Medición se compone de un equipo que permita medir niveles freáticos (Ej. Pozómetro o similar) y un flujómetro que permita medir el totalizador e idealmente también caudales.

Flujómetro. Deberá cumplir las mismas exigencias del Sistema de Medición General (Art 1. Número 1.1. de la presente resolución).

Sensor de niveles freáticos. Este equipo debe medir el nivel freático en metros. Puede ser un equipo portátil, como los pozómetros que consisten en un cable milimetrado tipo cinta, con un electrodo en su extremo, montado en carrete.

Data Logger. El Data Logger para este Sistema de Medición no es obligatorio.

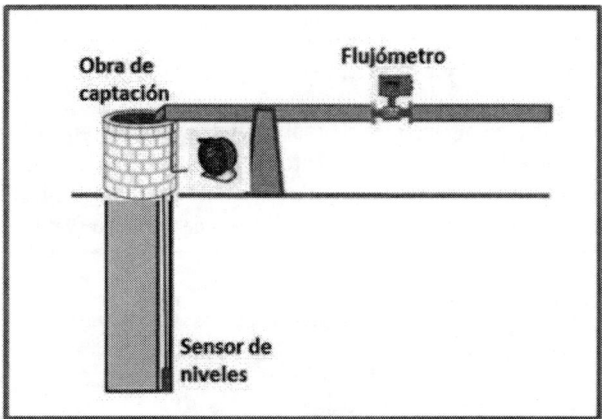

Figura 2. Esquema general del Sistema de Medición Básico.

Fuente de energía eléctrica. El Flujómetro debe contar con abastecimiento de energía eléctrica continua e ininterrumpida.

Para fines de esta resolución:

En el caso que exista más de una bomba hidráulica en una obra de captación que extraiga aguas subterráneas en paralelo, él o los titulares de derechos de aprovechamientos deberán instalar un Sistema de Medición en cada tubería. En este caso, cada una de las tuberías deberá contar con una bomba hidráulica individual, que será considerada como una obra de captación distinta (ver Figura 3).

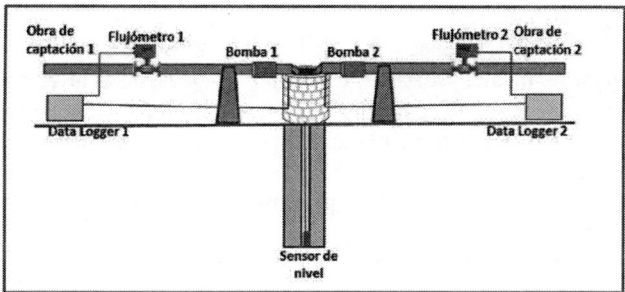

Figura 3. Pozo con 2 extracciones separadas (2 tuberías con 2 bombas hidráulicas).

En caso que en alguna obra de captación de aguas subterráneas exista más de un derecho de aprovechamiento de aguas, ya sea de uno o varios titulares, que se ejercen todos en forma conjunta con una sola bomba hidráulica, será necesario instalar un solo Sistema de Medición (ver Figura 4).

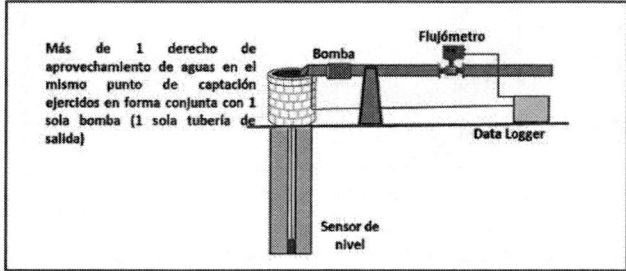

Figura 4. Obra de captación con más de un derecho de aprovechamiento de aguas ejercidas con una sola bomba hidráulica.

1.3 Sistema de Medición para Caudales Muy Pequeños.

Para las obras de captación que extraigan caudales muy pequeños, es decir, menores a un caudal que será definido en resolución DGA Regional, será necesario instalar un flujómetro que debe cumplir las mismas exigencias que para el Sistema de Medición General (Art 1. Número 1.1. de la presente resolución). Los titulares de derechos de aprovechamientos deberán informar el dato de caudales y volúmenes obtenido (totalizador), a través del Software de Monitoreo de Extracciones Efectivas (M.E.E.) señalado en el artículo 2 siguiente.

Para estas obras no será obligatorio instalar sensor de niveles freáticos ni Data Logger.

ARTÍCULO 2. REGISTRO DE LA OBRA EN EL SOFTWARE DGA DE MONITOREO DE EXTRACCIONES EFECTIVAS (M.E.E.).

La administración y gestión de la información de extracciones efectivas, se realizará por medio del Software DGA de Monitoreo de Extracciones Efectivas (M.E.E.), el cual corresponde a una plataforma tecnológica desarrollada y administrada por la Dirección General de Aguas, con el propósito de que los titulares de aprovechamiento de aguas registren sus obras de captación, los derechos asociados, y entreguen la información de las extracciones que se realizan en la obra.

El titular de derecho de aprovechamiento o quien él mandate para hacerlo, a través de un documento que acredite poder de representación y que debe ser acompañado en el Software DGA de Monitoreo de Extracciones Efectivas (M.E.E.), antes de comenzar a remitir la información de extracciones, deberá registrar la obra de captación en dicho software, que otorgará un "Código de Obra", el que, como se señala en el Cuadro Nº 4, deberá individualizarse junto a los datos de extracciones que se remitan a la DGA para identificar a qué punto de captación o restitución corresponden.

Esta plataforma requiere autenticarse con clave única, y recibe los datos de las extracciones que se realicen en la obra, mediante la carga de datos por archivo (Excel), formulario (interfaz de carga) o vía servicio web (telemetría), según el estándar que le corresponda.

Al respecto, los titulares de derechos de aprovechamiento de aguas deberán mantener actualizada la información de cada obra de captación en dicho software, por ejemplo, ante mutaciones de los derechos de aprovechamientos respectivos, cambios en la titularidad de ellos y/o sus representantes legales. Asimismo, deberán mantener actualizada la información sobre modificaciones en el Sistema de Medición y/o en el Sistema de Transmisión.

ARTÍCULO 3. INSTALACIÓN DE SISTEMA DE TRANSMISIÓN AL SOFTWARE DGA DE MONITOREO DE EXTRACCIONES EFECTIVAS.

El Sistema de Transmisión que deberán instalar los titulares de derechos de aprovechamiento de aguas subterráneas corresponde al conjunto de elementos que le permitirán remitir los datos medidos de caudales, volúmenes y niveles freáticos al Software DGA de Monitoreo de Extracciones Efectivas.

Se deberá emplear uno de los siguientes tres Sistemas de Transmisión al Software DGA de Monitoreo de Extracciones Efectivas:

a) Online
b) Por Archivo
c) Por Formulario.

El Sistema de Transmisión que le corresponda utilizar a cada titular de derechos de aprovechamientos de aguas subterráneas será indicado por resolución DGA Regional, la cual se publicará en el Diario Oficial.

El Sistema de Transmisión será necesario tanto para las obras de captación, como para obras de restitución, en este último caso ya sea para derechos de aprovechamiento de aguas no consuntivos o aquellos que tengan una obligatoriedad de restituir caudales establecida en alguna resolución DGA, por ejemplo, en virtud de lo establecido en el artículo 149 número 7 del Código de Aguas.

3.1 Sistema de Transmisión Online.

El Sistema de Transmisión Online debe tener los siguientes componentes:

a) Transmisión Interna
b) Centro de Control
c) Transmisión al Software DGA de Monitoreo de Extracciones Efectivas.

Transmisión Interna. Corresponde al conjunto de elementos que permiten el envío de los datos desde el Data Logger o directamente desde los sensores a un Centro de Control.

Cada Data Logger o sensor (según corresponda) deberá contar con el equipo adecuado para enviar los datos registrados hacia el Centro de Control.

Los titulares de derechos de aprovechamiento de aguas pueden utilizar cualquier medio de Transmisión Interna que esté disponible en su territorio.

Centro de Control. Corresponde al sitio donde se recopilan los datos medidos en una o más obras de captación.

El titular de derechos de aprovechamiento de aguas deberá emplear un Centro de Control, preferentemente de la Organización de Usuarios de Aguas a la que pertenece, aunque puede ser propio o de un tercero que le preste el servicio.

En el caso que el flujómetro no mida directamente caudales y el data logger no tenga la capacidad tecnológica de entregar un valor inmediato de caudal, este parámetro deberá obtenerse en el Centro de Control, a partir del volumen de agua extraído o restituido, según sea el caso, en el lapso de tiempo que corresponda según la frecuencia de medición ordenada.

En el Centro de Control se deben respaldar los datos medidos (totalizador y nivel freático) y los de caudales (medidos u obtenidos) de a lo menos los últimos tres años, indicando la fecha y la hora de medición. La DGA, cuando lo estime pertinente, podrá requerir acceso y copia de los datos respaldados en el Centro de Control, debiendo el Usuario de Aguas dar dicho acceso y copia de forma inmediata ya sea virtual o físicamente en el mismo Centro de Control.

Transmisión al Software DGA de Monitoreo de Extracciones Efectivas.

Como parte del Centro de Control (sólo para el caso de la Transmisión Online), adicionalmente al equipo receptor de los datos transmitidos desde los Data Logger o directamente desde los sensores, debe existir una pieza de software capaz de procesar los datos recibidos, transformarlos en formato XML y enviarlos a la Dirección General de Aguas mediante el consumo de un servicio web (web service) destinado a recepcionar los datos del Monitoreo de Extracciones.

El esquema para sistemas de Transmisión Online se presenta en Figura 5.

Los datos que deben ser transmitidos son los que se indican en el Cuadro 4. La definición del formato de envío de datos y consumo del servicio web estarán disponibles en el sitio institucional de la Dirección General de Aguas (www.dga.cl).

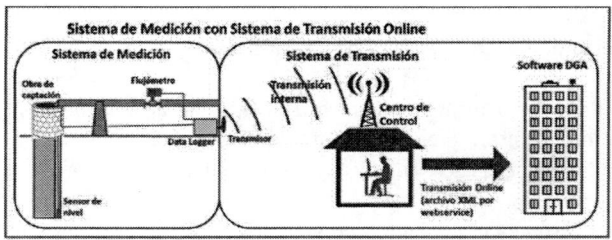

Figura 5. Esquema de Sistema de Medición con Sistema de Transmisión Online.

3.2 Sistema de Transmisión por Archivo.

El Sistema de Transmisión por Archivo consiste en la subida de un archivo Excel al Software DGA de Monitoreo de Extracciones Efectivas con los datos que se indican en el Cuadro 4. Este archivo debe cumplir con el formato que estará disponible en el sitio institucional de la Dirección General de Aguas (www.dga.cl).

Para lo anterior, el titular de derechos de aprovechamiento de agua, una vez que los datos hayan llegado al Centro de Control, deberá adecuar la información al formato de archivo Excel establecido por la DGA e ingresar al Software DGA y subir dicho archivo.

El esquema para sistemas de transmisión por Archivo se presenta en Figura 6.

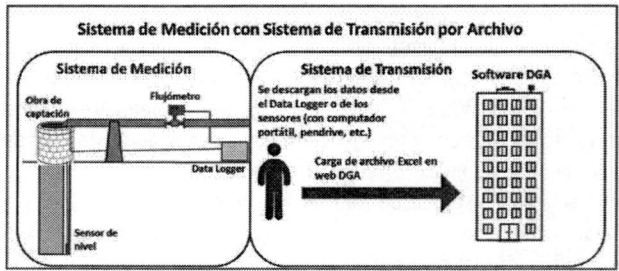

Figura 6. Esquema de Sistema de Medición con Sistema de Transmisión por Archivo.

3.3 Sistema de Transmisión por Formulario.

El Sistema de Transmisión por Formulario consiste en tipear manualmente en el Software DGA de Monitoreo de Extracciones Efectivas, los datos tomados en terreno por el flujómetro y pozómetro (este último se exceptúa para Estándar Caudales Muy Pequeños), que se indican en el Cuadro 4.

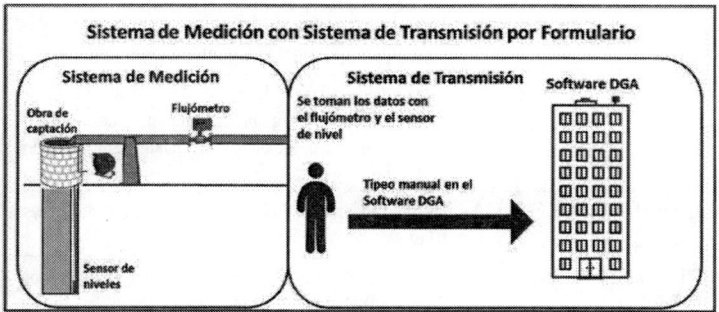

Figura 7. Esquema de Sistema de Medición con Sistema de Transmisión por Formulario.

ARTÍCULO 4. DATOS QUE DEBEN SER REMITIDOS/INGRESADOS AL SOFTWARE DGA DE MONITOREO DE EXTRACCIONES EFECTIVAS.

Los datos que deben ser remitidos o ingresados al Software DGA de Monitoreo de Extracciones Efectivas por cada medición se definen en el Cuadro 4.

Variable	Ejemplo de Dato	Descripción
CÓDIGO DE LA OBRA	OB-0501-203	Código dado por el Software D.G.A. de Monitoreo de Extracciones Efectivas cuando se registren los datos de la obra de captación o restitución.
FECHA DE MEDICIÓN	28-06-2018	Fecha de la medición (dd:mm:aaaa).

Variable	Ejemplo de Dato	Descripción
HORA DE MEDICIÓN	15:00:00	Hora de la medición (hh:mm:ss). Como se muestra en el "Ejemplo de Dato" la hora de medición y registro debe corresponder a una hora entera o completa (sin fracción de minutos, ni de segundos). Formato de 24 horas. La hora de medición informada debe corresponder a la hora UTC-4.
TOTALIZADOR (m³)	206433	Valor del totalizador del flujómetro en metros cúbicos. El valor debe ser el acumulado histórico desde el momento de la instalación. Sin decimales. Sin separador de miles.
CAUDAL (l/s)	6,27	Caudal medido con el flujómetro o calculado en l/s. Con dos decimales.
NIVEL FREATICO DEL POZO (m)	34,69	Nivel freático medido por el sensor de nivel en metros. Con dos decimales.

Cuadro 4. Datos que deben ser remitidos al Software DGA de Monitoreo de Extracciones Efectivas por cada medición.

ARTÍCULO 5. MANTENCIÓN Y PROTECCIÓN DE LOS SISTEMAS.

El titular del derecho de aprovechamiento deberá encargarse y responder de la correcta operación y mantención de todos los componentes del sistema de medición, esto incluye los sensores, Data Logger, cables, antenas, fuentes de energía, equipos de medición y telemetría, así como de las tuberías, y todo lo relativo a la transmisión de la información.

Por otra parte, el titular del derecho de aprovechamiento debe ocuparse y será responsable que ambos sistemas estén protegidos de todos los factores que podrían afectar su correcto funcionamiento, por ejemplo, clima (lluvias, cambios de temperatura, etc.), ataques de animales, vandalismo, robos, entre otros.

ARTÍCULO 6. FALLAS DE LOS SISTEMAS.

Si en algún momento alguno/s de los componentes del Sistema de Medición o del Sistema de Transmisión presenta falla, el titular del derecho de aprovechamiento de aguas deberá informarlo en la sección para dichos fines del Software DGA de Monitoreo de Extracciones Efectivas y en la eventualidad que ésta no estuviera operativa informarlo a la Dirección Regional de Aguas que corresponda, dentro de los 3 días corridos siguientes de detectado el mal funcionamiento, indicando la fecha y hora de inicio de la falla. También deberá indicar la causa de la falla, las medidas tomadas para retomar las mediciones y/o transmisiones y fecha de corrección de la falla. La Dirección Regional de Aguas ponderará la situación informada pudiendo aplicar las sanciones estipuladas en el Código de Aguas.

ARTÍCULO 7. NIVELES DE EXIGENCIA.
7.1 Estándares y Obligaciones.

Los Estándares que deberán cumplir los titulares de derechos de aprovechamiento de aguas, para los distintos componentes del Sistema (Medición y Transmisión), se definen en 4 Niveles: Caudales Muy Pequeños, Menor, Medio y Mayor, de acuerdo al Cuadro 5:

Componentes	Estándar Caudales Muy Pequeños	Estándar Menor	Estándar Medio	Estándar Mayor
Sistema de Medición	Para caudales muy pequeños	Básico	General	General
Frecuencia de Medición	2 Mediciones/año	1 Medición/mes	1 Medición/día	1 Medición/hora
Sistema de Transmisión	Por Formulario	Por Formulario	Por Archivo	Online
Frecuencia de Transmisión	Debe transmitir al menos una vez al año	Debe transmitir al menos una vez al mes	Debe transmitir al menos una vez cada 15 días	1 transmisión por cada medición
Desfase entre la medición y la transmisión	Máximo 1 mes	Máximo 1 mes	Máximo 15 días	Máximo 7 días

Cuadro 5. Detalle de los componentes para cada Estándar.

El estándar que le corresponda instalar a cada titular de derechos de aprovechamientos de aguas subterráneas dependerá del caudal total de los derechos de aprovechamiento que se ejercen en la obra y será indicado por resolución DGA Regional, la cual se publicará en el Diario Oficial.

Los titulares de derechos de aprovechamiento de aguas subterráneas pueden emplear un componente de Estándar superior, por ejemplo, un titular de derechos de aprovechamiento de aguas al que se le ordene Estándar Menor podría emplear Transmisión por Formulario, Archivo Excel u Online.

7.2 Caudales.

Las resoluciones regionales fundadas que determinen los estándares a cumplir por los titulares de derechos de aprovechamiento de aguas, deberán indicar el rango de caudales para cada uno de ellos, de acuerdo al Cuadro siguiente, definiendo los caudales X, Y y Z indicados.

Definido Regionalmente	Estándar caudales muy pequeños	Estándar Menor	Estándar Medio	Estándar Mayor
Rango de caudales (l/s) *	Igual o menor a X	Mayor a X y Menor o igual a Y	Mayor a Y y menor a Z	Igual o mayor a Z

Cuadro 6. Rango de caudales para los diferentes estándares.

(*) El caudal de la obra de captación hará referencia a la suma de todos los caudales de los derechos de aprovechamientos de aguas subterráneas que se ejercen en dicha obra.

DE LOS PLAZOS:

ARTÍCULO 8. PLAZOS PARA LA INSTALACIÓN DEL SISTEMA DE MEDICIÓN DE EXTRACCIONES Y DEL SISTEMA DE TRANSMISIÓN, ASÍ COMO PARA REMITIR LA INFORMACIÓN AL SOFTWARE DGA DE MONITOREO DE EXTRACCIONES EFECTIVAS.

Los plazos que tendrán los titulares de derechos de aprovechamiento para la instalación del Sistema de Medición, Sistema de Trasmisión, registro de la obra en el Software DGA de Monitoreo de Extracciones Efectivas y para comenzar a transmitir los datos de extracciones, serán los definidos en el Cuadro 7, y comenzarán una vez sea publicada en el Diario Oficial la resolución DGA Regional que corresponda.

Componente	Estándar caudales muy pequeños	Estándar Menor	Estándar Medio	Estándar Mayor
Plazo para instalación de sistema de medición y registro de la Obra de Captación en el Software D.G.A. de M.E.E.	24 meses	20 meses	10 meses	4 meses
Plazo para Instalación de sistema de transmisión y comienzo de transmisiones	30 meses	26 meses	12 meses	5 meses

Cuadro 7. Detalle de Plazos para los diferentes componentes.

Los plazos para los titulares de derechos de aprovechamiento de aguas subterráneas de la Provincia de Petorca, serán establecidos en resolución regional correspondiente.

3. **DÉJASE CONSTANCIA** que las presentes "condiciones técnicas y los plazos a nivel nacional para cumplir con obligación de instalar y mantener un sistema de monitoreo y transmisión de extracciones efectivas en las obras de captación de aguas subterráneas", podrán ser objeto de actualizaciones y modificaciones, según lo requieran las necesidades del Servicio.

4. **ORDÉNASE** a los titulares de derechos de aprovechamiento de aguas subterráneas que se les haya ordenado control de extracciones por la resolución exenta DGA Nº 2.129 de fecha 29 de julio de 2016 o por otra resolución DGA, mantener el sistema de control de extracciones correspondiente a lo señalado en dicha resolución y registrarse en el nuevo Software de M.E.E. en un plazo de 60 días a contar de la fecha de publicación en el Diario Oficial de la presente resolución.

Dichos titulares, deberán comenzar a transmitir por Formulario al Software de M.E.E la información de totalizador, caudal y nivel freático.

5. **ESTABLÉCESE** que para aquellos titulares de derechos de aprovechamiento de aguas que a la fecha de entrada en vigencia de la presente resolución, tengan en trámite una solicitud de aprobación de proyecto de control de extracciones, no será necesario que el Servicio dicte una resolución de aprobación de tal proyecto, debiendo el titular mantener el sistema de control de extracciones correspondiente a lo señalado en la resolución que le ordenó la instalación del sistema de medición y registrarse en el nuevo Software de M.E.E. en un plazo de 60 días a contar de la fecha de publicación en el Diario Oficial de la presente resolución.

Dichos titulares, deberán comenzar a transmitir por Formulario al Software de M.E.E la información de totalizador, caudal y nivel freático.

6. **ESTABLÉCESE** para los titulares de derechos de aprovechamiento de aguas indicados en los 2 puntos anteriores, una frecuencia de medición de una vez al mes y una frecuencia de transmisión de los datos de una vez al mes.

7. **DÉJASE CONSTANCIA** que a los titulares de derechos de aprovechamiento de aguas indicados en los resuelvo 4 y 5, se les podrá ordenar el cumplimiento de algunos de los estándares indicados en el artículo 7 de la presente resolución, mediante resolución DGA Regional.

8. **PUBLÍQUESE** la presente resolución por una sola vez en el Diario Oficial, los días 1 o 15, o el primer día hábil siguiente, si aquellos fueran feriados.

9. **COMUNÍQUESE** la presente resolución a los Sres. Jefes de División, Departamento y Unidades de la Dirección General de Aguas, a los Directores Regionales de Aguas y a las demás oficinas de la Dirección General de Aguas que corresponda.

10. **TÉNGASE PRESENTE** que para aquellos titulares de derechos de aprovechamientos de aguas subterráneas que se les ordene instalar y mantener sistemas de medición y transmisión de Monitores de Extracciones Efectivas, que no tengan obras de captación habilitadas, es decir, no cuenten con las instalaciones que hacen posible la efectiva extracción de aguas

a que se tiene derecho, tales como: bombas de extracción, ya sea móviles o fijas, instalaciones mecánicas, eléctricas, tuberías, u otros, no le será obligatorio instalar un Sistema de Medición ni de Transmisión, hasta que habilite la obra. De todas formas deberá registrar la obra en el Software DGA de Monitoreo de Extracciones Efectivas en el plazo que corresponda según el caudal del derecho de aprovechamiento de aguas. Una vez que habilite la obra de captación, antes de comenzar su ejercicio deberá tener instalado los Sistemas de Medición y Transmisión según el Estándar que le corresponda al caudal de la suma de todos los derechos de aprovechamientos de aguas subterráneas que se ejercen en dicha obra de captación, para luego paralelamente al ejercicio del derecho comenzar las Transmisiones según el Estándar respectivo.

11. **ORDÉNASE** a aquellos titulares de derechos de aprovechamiento de aguas que se encuentren dentro del Estándar Menor, realizar la medición de enero dentro de los primeros 10 días corridos de dicho mes y la medición de diciembre dentro de los últimos 10 días corridos de dicho mes.

12. **ORDÉNASE** a aquellos titulares de derechos de aprovechamiento de aguas que se encuentren dentro del Estándar Caudales Muy Pequeños realizar la primera medición del año dentro de los primeros 10 días corridos de enero y la última medición del año dentro de los últimos 10 días corridos de diciembre. El primer año de instalado el sistema deberá medir solo en diciembre.

13. **TÉNGASE PRESENTE** que la Dirección General de Aguas tiene la facultad de solicitar y requerir información cada vez que lo estime, en su calidad de ente regulador, conforme lo establece el artículo 173 N° 1 del Código de Aguas y demás artículos pertinentes de dicho cuerpo legal.

ANÓTESE, PUBLÍQUESE Y COMUNÍQUESE.
ÓSCAT CRISTI MARFIL
Director General de Aguas
Ministerio de Obras Públicas

RESOLUCIÓN N° 1104 EXENTA 11 DE MAYO DE 2022 QUE ESTABLECE CONDICIONES TÉCNICAS MÍNIMAS, OBLIGACIONES Y LIMITACIONES, QUE DEBEN CUMPLIR LOS ACUERDOS DE REDISTRIBUCIÓN DE LAS AGUAS, Y ESTABLECE PROCEDIMIENTO DE REVISIÓN, CONFORME AL ART 314 DEL CÓDIGO DE AGUAS

SANTIAGO, 11 DE MAYO DE 2022

RESOLUCIÓN DGA N°1104/(EXENTA)

Vistos:

1. El Decreto con Fuerza De Ley N° 1/19.653, de 2000, del Ministerio Secretaría General de la Presidencia, que fijó el texto refundido, coordinado y sistematizado de la Ley N° 18.575, Orgánica Constitucional sobre Bases Generales de la Administración del Estado;

2. El Decreto con Fuerza de Ley N° 1.122, de 1981, del Ministerio de Justicia, que aprueba el Código de Aguas;

3. Lo dispuesto en los artículos 5, 5 bis y 314 del Código de Aguas, modificado por la Ley N° 21.435, de 6 de abril de 2022;

4. La Ley N° 19.880, de 2003, que establece Bases de los Procedimientos Administrativos que rigen los actos de los Órganos de la Administración del Estado;

5. La Resolución N° 7, de 2019, de la Contraloría General de la República, que fija normas sobre exención del trámite de toma de razón;

6. Las atribuciones que me confiere el artículo 300 letra c) del Código de Aguas, y

Considerando:

1. **QUE**, la Ley N° 21.435, de 6 de abril de 2022, que reforma al Código de Aguas, establece expresamente el carácter de interés público de las

acciones que la autoridad ejecute para resguardar el consumo humano y el saneamiento, la preservación ecosistémica, la disponibilidad de las aguas, la sustentabilidad acuífera, y otras destinadas a promover un equilibrio entre eficiencia y seguridad de los usos productivos de las aguas.

2. **QUE**, el inciso 4° del artículo 5 del Código de Aguas señala expresamente que *"El acceso al agua potable y el saneamiento es un derecho humano esencial e irrenunciable que debe ser garantizado por el Estado.".*

3. **QUE**, de esta manera, los incisos 2° y 4° del artículo 5 bis del Código de Aguas señalan, respectivamente, que *"Siempre prevalecerá el uso para el consumo humano, el saneamiento y el uso doméstico de subsistencia, tanto en el otorgamiento como en la limitación al ejercicio de los derechos de aprovechamiento.",* y que *"La autoridad deberá siempre velar por la armonía y el equilibrio entre la función de preservación ecosistémica y la función productiva que cumplen las aguas.".*

4. **QUE**, en concordancia con lo anterior, el inciso 5° del artículo 5 bis del Código de Aguas, establece que *"La Dirección General de Aguas se sujetará a la priorización dispuesta en el inciso segundo cuando disponga la reducción temporal del ejercicio de los derechos de aprovechamiento o la redistribución de las aguas, de conformidad con lo dispuesto en los artículos 17, 62, 314 y demás normas pertinentes de este Código. Con todo, la autoridad deberá considerar la diversidad geográfica y climática del país, la disponibilidad efectiva de los recursos hídricos y la situación de cada cuenca hidrográfica."*

5. **QUE**, en este contexto, la aludida reforma modifica el artículo 314 del Código de Aguas, señalando, respectivamente, en sus incisos 1° y 2° que *"El Presidente de la República, a petición y con informe de la Dirección General de Aguas, podrá declarar zonas de escasez hídrica ante una situación de severa sequía por un período máximo de un año, prorrogable sucesivamente, previo informe de la Dirección General de Aguas, para cada período de prórroga.",* y que *"La Dirección General de Aguas calificará, pre-*

viamente, mediante resolución, los criterios que determinan el carácter de severa sequía.".

6. **QUE**, asimismo, el inciso 3° del aludido artículo 314, señala que *"Declarada la zona de escasez hídrica, con el objeto de reducir al mínimo los daños generales derivados de la sequía, especialmente para garantizar el consumo humano, saneamiento o el uso doméstico de subsistencia, de conformidad a lo dispuesto en el inciso segundo del artículo 5 bis, la Dirección General de Aguas podrá exigir, para estos efectos, a la o las Juntas de Vigilancia respectivas, la presentación de un acuerdo de redistribución, dentro del plazo de quince días corridos contado desde la declaratoria de escasez. Este acuerdo deberá contener las condiciones técnicas mínimas y las obligaciones y limitaciones que aseguren que en la redistribución de las aguas, entre todos los usuarios de la cuenca, prevalezcan los usos para el consumo humano, saneamiento o el uso doméstico de subsistencia, precaviendo la comisión de faltas graves o abusos".*

7. **QUE**, a su vez, el inciso 5° del citado artículo 314, establece que *"Con todo, aquellas asociaciones de canalistas o comunidades de aguas que al interior de sus redes de distribución, abastezcan a prestadores de servicios sanitarios, deberán adoptar las medidas necesarias para que, con la dotación que les corresponda por la aplicación del acuerdo de distribución, dichos prestadores reciban el caudal o los volúmenes requeridos para garantizar el consumo humano, saneamiento o el uso doméstico de subsistencia".*

8. **QUE**, en atención a que se debe otorgar certeza de los aspectos técnicos a los usuarios de aguas, se hace necesario que la Dirección General de Aguas establezca las condiciones técnicas mínimas y las obligaciones y limitaciones que debe contener el acuerdo de redistribución de aguas solicitado a la/las Juntas de Vigilancia, exigencias que deben estar destinadas a asegurar que en la redistribución de las aguas, entre todos los usuarios de la cuenca, prevalezcan los usos para el consumo humano, saneamiento o el uso doméstico de subsistencia y la preservación ecosistémica, precaviendo la comisión de faltas graves o abuso. Así también, se requiere

establecer el procedimiento para la aprobación de los acuerdos de redistribución al que se refiere el artículo 314 del Código de Aguas.

RESUELVO:

1. ESTABLÉCESE las siguientes condiciones técnicas mínimas y las obligaciones y limitaciones, que deberán cumplir los acuerdos de redistribución de las aguas, exigidos por la Dirección General de Aguas a las Juntas de Vigilancia, de acuerdo a lo establecido en el artículo 314 del Código de Aguas:

A.- Condiciones técnicas mínimas

A.1.- Contenidos mínimos de los acuerdos

i. Período de vigencia del acuerdo, el cual debe ser igual o mayor al período de vigencia del respectivo decreto que declara zona de escasez hídrica.

ii. Proyección mensual de prorrata de los derechos de aprovechamiento, en porcentaje:

Mesa 1 (%)	Mesa 2 (%)	Mesa n (%)	Mesa n + 1 (%)

iii. Caudales asociados a la redistribución, en l/s:

Nombre Bocatoma	Código de Obra en Sistema MEE -DGA	Total usos consuntivos de ejercicio permanente (l/s)	Total usos no consuntivos de ejercicio permanente (l/s)	Servicios Sanitarios Rurales (l/s)	Servicios Sanitarios Urbanos (l/s)	Usos domésticos de subsistencia particulares (l/s)	Otros Usos Consuntivos (l/s)	Otros Usos No Consuntivos (l/s)

iv. Reglas de operación: Se requiere que se explique detalladamente la metodología de cálculo o modelo operacional de distribución/redistribución de las aguas y cómo éste se relaciona con los caudales registrados en las estaciones fluviométricas de la Dirección General de Aguas. La regla de operación debe contener, al menos, horarios de turnos, caudales pasantes por los distintos puntos de monitoreo fluviométrico DGA, caudales a extraer en las distintas captaciones, eventuales aportes de otras fuentes, frecuencia de medición y reporte, etc.

v. Indicación de puntos de monitoreo fluviométrico distintos de la DGA: Estos deberán tener transmisión de datos en línea y de un estándar técnico igual o superior al de las estaciones DGA. La DGA podrá exigir la entrega de las curvas de descargas y conectarse previamente a la plataforma que este Servicio disponga para su monitoreo en línea.

vi. Diagrama unifilar con todas las bocatomas que se encuentran en la jurisdicción de la o las Juntas de Vigilancia, indicando usos (agua potable, agrícola, minería, etc.), ID de la obra de control y nombre de bocatoma.

vii. Ubicación geográfica de bocatomas con indicación de sus usos, compuertas de admisión, compuertas de descarga, sección de aforo y de acceso a las compuertas, en coordenadas UTM WGS84 con indicación del Huso, de los canales sometidos a la jurisdicción de la o las Juntas de Vigilancia.

iii. Curvas de descarga de las secciones de aforos de todas las bocatomas sometidas a la jurisdicción de la/las Juntas de Vigilancia. Además, de los marcos partidores u obras de derivación, en el caso de conducir aguas por canales derivados que abastezcan a prestadores de servicios sanitarios (urbanos y rurales), para garantizar el consumo humano, saneamiento o uso doméstico de subsistencia.

ix. Indicación de prorrata de derechos de aprovechamiento de aguas subterráneas. En caso de no prorratear aguas subterráneas, justificar dicha decisión e indicar la manera en que se controlarán o monitorearán que dichas extracciones no afecten la redistribución.

x. Medidas específicas a adoptar para garantizar el consumo humano, saneamiento o uso doméstico de subsistencia incluidas las por realizar por las Asociaciones de Canalistas y Comunidades de Aguas que abastecen a prestadores de servicios sanitarios (urbanos y rurales).

xi. Medidas específicas a adoptar para velar por la preservación de las funciones ecosistémicas y sustentabilidad acuífera dentro de su jurisdicción, especialmente en las áreas que se encuentren declaradas bajo protección oficial de la biodiversidad y los sectores hidrogeológicos de aprovechamiento común declarados zonas de prohibición o área de restricción.

xii. Indicación de extracciones temporales de aguas subterráneas o superficiales de fuentes alternativas que ya se encuentran autorizadas o que serán solicitadas a la DGA con cargo a la declaratoria de zona de escasez hídrica y que tengan como objetivo complementar o mejorar la redistribución de las aguas. Se debe indicar el código de obra en el Sistema de Monitoreo de Extracciones Efectivas de la DGA.

xiii. Indicación del registro en el sistema de monitoreo de extracciones efectivas del Servicio, de todas las obras de captación de aguas superficiales y subterráneas comprendidas dentro de su jurisdicción, inclusive si está afecto a una resolución que lo haya ordenado en plazos distintos o aún no se haya dictado resolución al respecto.

xiv. Nombre, número telefónico y correo electrónico de administradores o celadores de los canales sometidos a la jurisdicción de cada Junta de Vigilancia.

xv. Declaración de los dueños de los predios donde se ubiquen obras de captación y distribución, autorizando expresamente a la Dirección General de Aguas para ingresar a verificar las instalaciones en cualquier momento dentro del periodo de vigencia del acuerdo de redistribución, de tal forma de verificar el cumplimiento de lo autorizado.

xvi. Acta de directorio o asamblea general donde conste la aprobación del presente acuerdo, la que deberá estar suscrita por el presidente del directorio y secretario de la organización, conforme al artículo 248 del Código de Aguas.

xvii. En el caso de cuencas que el acuerdo contemple dos o más juntas de vigilancia, deberá estar suscrito por cada uno de sus presidentes o presidentas o quien les subrogue, conforme a los artículos 239 y 240 del Código de Aguas.

A.2.- Obligaciones dispuestas en la ley

i. Haber dado cumplimiento a la obligación de remitir a la DGA el registro de comuneros o comuneras al que se refiere el artículo 205 del Código de Aguas, antes del 31 de diciembre de cada año, de acuerdo a lo establecido en el artículo 122 bis del mismo Código, en el formato requerido por la Dirección General de Aguas, el cual se encuentra disponible para ser descargado en la página web del Servicio.

ii. Haber dado cumplimiento a la obligación de remitir a la DGA el acta que consigne la elección de directoras o directores, de acuerdo lo establecido en el artículo 236 del Código de Aguas.

iii. Haber dado cumplimiento a la obligación de informar la designación del/la repartidor/a o juez/a de aguas a la Dirección General de Aguas, conforme a lo establecido en el artículo 277 del Código de Aguas, indicando número telefónico y correo electrónico de contacto.

Cuando no se haya dado cumplimiento a las obligaciones antes señaladas, se deberán acompañar dichos antecedentes actualizados junto al acuerdo de redistribución, sin perjuicio de las facultades del Servicio para iniciar el procedimiento de fiscalización correspondiente.

B. Obligaciones para la implementación del acuerdo

i. Reportar los caudales medios diarios redistribuidos por obra de captación, al menos una vez por semana a través del sistema DGA de Monitoreo de Extracciones Efectivas, pudiendo el Servicio establecer una mayor frecuencia de medición y reporte.

ii. La sección y dispositivos de medición y control de todos los canales sometidos a la jurisdicción de la/las Juntas de Vigilancias deberán ajustarse a lo establecido en los artículos 38 y 307 bis del Código de Aguas. Por lo tanto, se deberá mantener dichas obras de control y medición y otras asociadas en condiciones operativas óptimas, que permitan dar cabal cumplimiento a lo establecido en el acuerdo.

iii. En caso que no se haya ordenado previamente por resolución implementar un sistema de monitoreo de extracciones efectivas o cuyos plazos no estén vencidos, se deberá disponer a lo menos una sección de aforo con un limnímetro en buenas condiciones y legibles, o un flujómetro si las aguas son conducidas en tubería o canal cerrado a presión, de acuerdo a lo señalado en el Reglamento de Monitoreo de Extracciones de Aguas Superficiales. Sin perjuicio de lo anterior, todas las obras de captación deben estar registradas en el Sistema de Monitoreo de Extracciones de la DGA y reportar de acuerdo a lo señalado en el punto i anterior.

iv. Reportar a la Dirección General de Aguas para aprobación y antes de su implementación, cualquier cambio de prorrata, reglas de operación u otro que se produzca en el acuerdo.

v. Facilitar el acceso a las obras de captación y distribución cuando sea requerido por la DGA, para lo cual el juez de río o celadores deberán estar disponibles en todo momento.

vi. En caso de ser necesario puntos de control fluviométrico distintos o adicionales a las estaciones que posee la DGA, los costos en que se incurra en su implementación serán de cargo de la o las Juntas de Vigilancia.

C. Limitaciones

i. No se podrá redistribuir aguas asociadas a derechos de aprovechamiento de aguas superficiales de ejercicio eventual.

ii. No se podrá entregar agua en puntos distintos a los indicados en los títulos de derecho de aprovechamiento de aguas o autorizados por la Dirección General de Aguas.

iii. No se podrán establecer medidas que agraven la situación actual de las áreas que se encuentren declaradas bajo protección oficial de la biodiversidad que se ubiquen dentro de la jurisdicción de la Junta de Vigilancia o que afecten la preservación y funciones ecosistémicas de dichas aguas en la cuenca.

2. ESTABLÉCESE el siguiente procedimiento para la revisión de los acuerdos de redistribución de aguas presentados por Juntas de Vigilancias, conforme al artículo 314 del Código de Aguas:

a. Declarada la zona de escasez hídrica, la Dirección General de Aguas podrá exigir a la/las Juntas de Vigilancias, la presentación de un acuerdo de redistribución dentro de un plazo máximo de 15 días corridos contados desde la entrada en vigencia del respectivo decreto de escasez hídrica, acuerdo que deberá ser ingresado en la oficina de partes de la Dirección General de Aguas de la región respectiva, por los canales oficiales dispuestos para aquello, acompañando todos los antecedentes señalados en la letra A.- Condiciones técnicas mínimas del resuelvo 1.

b. La Dirección General de Aguas podrá solicitar antecedentes complementarios, así como también aclaraciones y/o correcciones del acuerdo, para lo cual la/las Juntas de Vigilancia tendrán un plazo perentorio para dar respuesta a lo solicitado.

c. En caso que la/las Juntas de Vigilancia no dé respuesta suficiente en el plazo señalado en el literal anterior, el Servicio rechazará el acuerdo sin más trámite. En el evento que la interesada solicite una ampliación de plazo, y cumpliéndose con las exigencias establecidas en el artículo 26 de la Ley 19.880, se podrá ampliar el plazo.

d. Una vez reunidos todos los antecedentes, el Servicio analizará su pertinencia y suficiencia, y se pronunciará aprobando o rechazando el acuerdo de redistribución. Asimismo, el Servicio ponderará la oportunidad, mérito y conveniencia de aprobar el acuerdo, habiendo quedado pendiente el cumplimiento cabal de alguna de las condiciones técnicas mínimas establecidas en esta resolución, dando plazo perentorio para su subsanación bajo apercibimiento dejar sin efecto la aprobación del acuerdo y sin perjuicio de las facultades de iniciar el procedimiento sancionatorio correspondiente.

3. TÉNGASE PRESENTE que, toda la información solicitada en la presente resolución debe presentarse con el correspondiente fundamento y respaldo técnico.

4. DÉJASE CONSTANCIA que, si en cualquier momento se determina que la información entregada fuere falsa o incompleta, la Dirección General de Aguas, en ejercicio de sus atribuciones, iniciará el proceso de fiscalización correspondiente y remitir los antecedentes al Ministerio Público si procede. Complementariamente, y para los efectos de la determinación de la multa que fuere aplicable en el caso concreto, se tendrán en consideración las agravantes establecidas en el artículo 173 bis del Código de Aguas.

5. DÉJASE CONSTANCIA, que de conformidad al inciso 4° del artículo 314 del Código de Aguas "De aprobarse el acuerdo por la Dirección General de Aguas, las Juntas de Vigilancia deberán darle cumplimiento dentro del plazo de cinco días corridos contado desde su aprobación y su ejecución será oponible a todos los usuarios de la respectiva cuenca. En caso que exista un acuerdo previo de las Juntas de Vigilancia que cumpla con todos estos requisitos y que haya sido aprobado por el Servicio con anterioridad a la declaratoria de escasez, se procederá conforme a éste, debiendo ser puesto en marcha dentro del plazo de 5 días corridos contado desde la declaratoria".

6. DÉJASE CONSTANCIA, que de conformidad al inciso 6° del artículo 314 del Código de Aguas, la Dirección General de Aguas, en caso que no se presente un acuerdo, no sea aprobado o no se cumpla, podrá ordenar a las Juntas de Vigilancia las medidas de redistribución o realizarlas directamente, con cargo a éstas.

7. PUBLÍQUESE la presente resolución en el Diario Oficial. Asimismo, el texto de esta resolución, y sus respectivas modificaciones o actualizaciones, deberá ser publicado y encontrarse permanentemente disponible en el sitio electrónico de la Dirección General de Aguas.

8. COMUNÍQUESE la presente resolución al Sr. Ministro de Obras Públicas, al Sr. Subsecretario de Obras Públicas, al Sr. Superintendente de Servicios Sanitarios, al Sr. Director Nacional de Obras Hidráulicas, a la Subdirección de la DGA, a la Jefatura de Departamento de Organizaciones de Usuarios de la DGA, a la Jefatura del Departamento de Fiscalización de la DGA, a la Jefatura del Departamento de Administración de Recursos Hídricos de la DGA, a la Jefatura de la División de Hidrología de la DGA, a la Jefatura del Departamento de Información de Recursos Hídricos de la DGA, a la Jefatura de la División Legal de la DGA, a las Direcciones Regionales de la Dirección General de Aguas, y a las demás oficinas que corresponda.

Anótese, publíquese y comuníquese.

Cristian Núñez Riveros,

Director (S),

Dirección General de Aguas.

RESOLUCIÓN N°1331 EXENTA DE 7 DE JUNIO DE 2022 QUE DEJA SIN EFECTO LA RESOLUCIÓN D.G.A. N° 1.674 (EXENTA), DE 12 DE JUNIO DE 2012, Y ESTABLECE CRITERIOS QUE DETERMINAN EL CARÁCTER DE SEVERA SEQUÍA, DE CONFORMIDAD A LO DISPUESTO EN EL ARTÍCULO 314 DEL CÓDIGO DE AGUAS

SANTIAGO, 7 DE JUNIO DE 2022.

RESOLUCIÓN D.G.A. N°1331/ (EXENTA)
Vistos:

1. El Decreto Con Fuerza de Ley N° 1/19.653, de 2000, del Ministerio Secretaría General de la Presidencia, que fijó el texto refundido, coordinado y sistematizado de la Ley N° 18.575, Orgánica Constitucional de Bases Generales de la Administración del Estado;

2. El Decreto Con Fuerza de Ley N° 1.122, de 1981, del Ministerio de Justicia, que fija texto del Código de Aguas;

3. La Resolución DGA (Exenta) N° 1.674, de 12 de junio de 2012, que deja sin efecto la resolución DGA (Exenta) N° 39, de 1984, y establece criterios para calificar épocas de extraordinaria sequía;

4. Lo dispuesto en el artículo 314 del Código de Aguas, modificado por la Ley N° 21.435, de 6 de abril de 2022, que Aprueba Reforma al Código de Aguas;

5. La Resolución N° 7, de 26 de marzo de 2019, de la Contraloría General de la República, que fija normas sobre exención del trámite de toma de razón;

6. Las atribuciones que me confiere el artículo 300 letra c) del Código de Aguas, y

CONSIDERANDO:

1. QUE, la Ley N° 21.435, de 6 de abril de 2022, que reforma al Código de Aguas, da carácter de interés público a las acciones que la autoridad ejecute para resguardar el consumo humano y el saneamiento, la preservación ecosistémica, la disponibilidad de las aguas, la sustentabilidad acuífera, y otras destinadas a promover un equilibrio entre eficiencia y seguridad de los usos productivos de las aguas.

2. QUE, de esta manera, la Administración debe priorizar el uso para el consumo humano, el saneamiento y el uso doméstico de subsistencia, tanto en el otorgamiento como en la limitación al ejercicio de los derechos de aprovechamiento.

3. QUE, en este contexto, la aludida reforma modifica el artículo 314 del Código de Aguas, señalando en sus incisos 1° y 2° que: "El Presidente de la República, a petición y con informe de la Dirección General de Aguas, podrá declarar zonas de escasez hídrica ante una situación de severa sequía por un período máximo de un año, prorrogable sucesivamente, previo informe de la citada Dirección, para cada período de prórroga" "La Dirección General de Aguas calificará, previamente, mediante resolución, los criterios que determinan el carácter de severa sequía".

4. QUE, al respecto, mediante la Resolución DGA (Exenta) N° 1.674, de 12 de junio de 2012, dejó sin efecto la Resolución DGA (Exenta) N° 39, de 1984, y se establecieron nuevos criterios para calificar épocas de extraordinaria sequía, supuesto que la reforma ha reemplazado por el de "situación de severa sequía".

5. QUE, por su parte, la Organización Meteorológica Mundial (OMM), en el año 2015, recomendó que, iniciada una nueva década, los servicios meteorológicos de los países miembros del aludido organismo internacional, deben actualizar las normas climáticas al período de 30 años más reciente, siendo el lapso 1991-2020 el correspondiente para el año 2021 en adelante. Así, como consecuencia de lo anterior, las condiciones de referencia para identificar la ocurrencia de sequías también varían, requiriendo una revisión y ajuste del período de referencia para el cálculo de los índices de sequía, y asimismo de los criterios técnicos, considerados en la Resolución DGA (Exenta) N° 1.674, de 12 de junio de 2012.

6. QUE, para actualizar los criterios utilizados para calificar las sequías, se realizó un amplio análisis por parte de la Dirección General de Aguas, incluyendo el "Estudio de Perfeccionamiento de las capacidades de la DGA en gestión de ciclos de sequía y escasez" (año 2021).

7. QUE, de conformidad al citado estudio, se desprende que las agencias o servicios encargados de la temática y centros de estudios de países desarrollados, se basan para la calificación de las sequías tanto en la estimación de distintos índices asociados a condiciones hidrometeorológicas como en la observación y sistematización de los impactos asociados.

8. QUE, las sequías son parte de la realidad nacional y requieren acciones de mitigación y adaptación, con enfoque a corto, mediano y largo plazo. Asimismo, la diversidad climática propia del país, requiere establecer para cada zona, las variables y parámetros que se ajusten a sus características y factores climáticos.

9. QUE, cabe tener presente, que la calificación de las condiciones que determinan el carácter de severa sequía es una facultad exclusiva de la Dirección General de Aguas y es un antecedente insustituible para la declaración de escasez hídrica a que hace referencia el artículo 314 inciso 1° del Código de Aguas.

10. QUE, teniendo en vista el tenor de la ley, es indispensable adecuarse a los nuevos desafíos frente al cambio climático y reforzar el carácter de bien público de las aguas y en que su dominio y uso pertenece a todos los habitantes de la Nación. Por lo anterior, el Estado debe, principalmente garantizar el consumo humano, el saneamiento, el uso doméstico de subsistencia y la preservación ecosistémica, para lo cual fija mediante la presente resolución los criterios técnicos y condiciones que determinan el carácter de severa sequía.

RESUELVO:

1. DÉJASE SIN EFECTO la resolución DGA (exenta) N° 1.674, de 12 de junio de 2012.

2. DEFÍNANSE los siguientes conceptos para efectos de la aplicación del artículo 314 del Código de Aguas:

a) **Condiciones hidrometeorológicas:** Factores que permiten determinar una situación de severa sequía, y que se traducen en precipitaciones y caudales de ríos.

b) **Estación de referencia:** Estación donde son controladas las precipitaciones y caudales utilizados para el cálculo de los índices estandarizados de sequías. Estas estaciones serán definidas como representativas de una potencial zona de escasez hídrica en el país, según los antecedentes climáticos y la experiencia de la Dirección General de Aguas, sin perjuicio de que una zona de escasez podría estar representada por más de una estación de referencia. La calificación de condición de "severa sequía" para la zona de escasez hídrica será determinada según el valor de los índices estandarizados de sequía en la o las estaciones de referencia correspondientes.

c) **Índices estandarizados de sequías:** Índices estandarizados (IPE e ICE) que caracterizan la magnitud de una condición de severa sequía mediante la desviación estandarizada de alguna variable hidrometeorológica para un cierto período de acumulación con respecto a la media estadística en dicho período. Esta desviación toma en cuenta los cambios naturales de la variable mediante una función de distribución de probabilidad seleccionada que modela los datos brutos de dicha variable.

El valor definido como umbral para caracterizar una situación de severa sequía hidrológica es de (-1.04), ya que permite detectar una condición inicial de sequía severa y asociar dicha condición a los impactos socioeconómicos y ambientales que tal fenómeno significa, particularmente en el consumo humano, el saneamiento y el uso doméstico de subsistencia.

En términos estadísticos, el valor (-1.04) representa una probabilidad de ocurrencia de 1 en 6.7 años aproximadamente, lo cual es consistente con los eventos registrados en los últimos 10 años, representando además una probabilidad de excedencia del 85%.

d) **Severa sequía**: Situación hidrometeorológica de sequía que se determina según los criterios definidos en los Resuelvos 4, 5 y 6 de la presente resolución, y que constituye el presupuesto fundamental para la declaración de zona de escasez hídrica.

e) **Zona de escasez** hídrica: Área donde las condiciones hidrometeorológicas indican una situación de severa sequía, en base a un análisis hidrometeorológico que demuestra condiciones menores a las definidas como límites o umbrales por la Dirección General de Aguas. La delimitación territorial de estas zonas de escasez hídrica podrán ser cuenca, región, provincia o comuna.

3. ESTABLÉCESE, que la declaración de zona de escasez hídrica deberá ser requerida por la Delegación Presidencial Regional a la Dirección General de Aguas para su evaluación y posterior remisión al Ministro de Obras Públicas, cuando sea pertinente.

4. ESTABLÉCESE, que las situaciones que revistan el carácter de severa sequía serán calificadas sobre la base de las siguientes condiciones hidrometeorológicas, sectorizadas para cada zona, según sus características y condiciones climáticas:

a) **Entre las regiones de Arica y Parinacota y de Antofagasta**, el indicador de sequía ICE se analizará en forma individual cada mes (ICE1), y la condición será que los caudales medios mensuales de los últimos 3 meses consecutivos y considerados individualmente, tengan un indicador de sequía (ICE) igual o menor a (-1.04), para estar frente a una situación de escasez hídrica.

b) **Entre las regiones de Atacama y del Maule**, el indicador de sequía ICE se analizará con los caudales medios mensuales acumulados de los últimos 6 meses (ICE6), y la condición será que los caudales medios mensuales acumulados de los últimos 6 meses tengan un indicador de sequía

(ICE) igual o menor a (-1.04), para estar en presencia de una situación de escasez hídrica.

El indicador de sequía IPE se analizará con las precipitaciones acumuladas de los últimos 12 meses (IPE12), y la condición será que las precipitaciones acumuladas de últimos 12 meses tengan un indicador de sequía (IPE) igual o menor a (-1.04), para estar frente a una situación de escasez hídrica.

c) **Entre las regiones del Ñuble y de La Araucanía**, el indicador de sequía ICE se analizará con los caudales medios mensuales acumulados respecto de los últimos 6 meses (ICE6), y la condición será que los caudales medios mensuales acumulados de los últimos 6 meses tengan un indicador de sequía (ICE6) igual o menor a (-1.04), para estar en presencia de una situación de escasez hídrica.

El indicador de sequía IPE se analizará respecto de las precipitaciones mensuales acumuladas de los últimos 6 meses (IPE6), y la condición será que las precipitaciones acumuladas de los últimos 6 meses tengan un indicador de sequía (IPE) igual o menor a (-1.04), para estar frente a una situación de escasez hídrica.

d) **Entre las regiones de Los Ríos y de Magallanes y de la Antártica Chilena**, el indicador de sequía ICE se analizará con los caudales medios mensuales acumulados de los últimos 3 meses (ICE3), y la condición será que los caudales medios mensuales de los últimos 3 meses tengan un indicador de sequía (ICE3) igual o menor a (-1.04), para estar en presencia de una situación de escasez hídrica.

El indicador de sequía IPE se analizará respecto de las precipitaciones mensuales acumuladas de los últimos 3 meses (IPE3), y la condición será que las precipitaciones acumuladas de los últimos 3 meses tengan un indicador de sequía (IPE3) igual o menor a (-1.04), para estar frente a una situación de escasez hídrica.

e) Las condiciones de caudales o precipitaciones que se señalan para cada zona o región, para que se verifiquen las condiciones de sequía, pueden presentarse simultánea o separadamente.

5. ESTABLÉCESE, en las cuencas en que se cuente con embalses de regulación interanual, si el volumen almacenado es inferior al 60% del promedio del mes, las situaciones que revistan el carácter de severa sequía serán calificadas como tal, cuando el indicador de sequía de los últimos 6 meses en la estación que registra caudales entrantes (ICE-6) sea igual o menor a -0.84.

6. ESTABLÉCESE, que para el caso del estado de las aguas subterráneas, las condiciones de severa sequía se verificarán si la capacidad de extracción de la o las captaciones para abastecimiento de agua, cumple alguna de las siguientes condiciones:

a) En el caso de empresas sanitarias, cuando sea menor al 50%, de acuerdo a lo informado por la Superintendencia de Servicios Sanitarios a la DGA.

b) En el caso de Servicios Sanitarios Rurales, cuando sea menor al 50%, de acuerdo a lo informado por la Dirección de Obras Hidráulicas a la DGA.

7. ESTABLÉCESE, que adicionalmente a las condiciones hidrometeorológicas la Dirección General de Aguas podrá, para calificar la severa sequía ponderar en su mérito y pertinencia los antecedentes técnicos aportados por un organismo público competente a la Delegación Presidencial Regional, que digan relación con los graves impactos propios de una severa sequía, tales como restricciones al uso para consumo humano y saneamiento que afecten o puedan afectar significativamente la calidad de vida de las personas, reducción de plantaciones debido a pérdidas de cultivos que afecten gravemente la economía local, pérdida de ganado que afecte gravemente la economía local, o aumento del riesgo o ampliación de la temporada de incendios.

8. ESTABLÉCESE, el siguiente procedimiento para la calificación, evaluación o seguimiento de una condición de severa sequía, en base a las condiciones hidrometeorológicas señaladas en los Resuelvos 4, 5 y 6:

a) **Metodología de cálculo de los índices utilizados en la identificación y calificación de las condiciones de sequía**: El procedimiento de cálculo de índices estandarizados será efectuado por la División de Hidrología de la Dirección General de Aguas, siendo el mismo para las distintas variables, a cuyo fin se utiliza las estaciones definidas por esta misma entidad. La metodología de cálculo de estos índices se encuentra descrito en las referencias oficiales de la Organización Meteorológica Mundial, asimismo, se encuentra en el estudio denominado "Estudio de perfeccionamiento de las capacidades de la DGA en gestión de ciclos de sequía y escasez" (año 2021).

b) **Estaciones a utilizar en el cálculo de los índices para la identificación y calificación de condiciones de sequía:** La División de Hidrología de la Dirección General de Aguas seleccionará las estaciones de referencia de precipitaciones, caudales, niveles de embalses y de registro de caudales extraídos de pozos para el cálculo de los índices señalados en los Resuelvos 4, 5 y 6 de esta resolución. Estas estaciones se definen como representativas de una o más zonas de escasez hídrica del país, según los antecedentes climáticos y la experiencia de la Dirección General de Aguas. Las estaciones seleccionadas deben cubrir, a lo menos y en lo posible, el período de registro 1991-2020, y en general, deberán contar en lo posible con registros de 30 años o más.

Sin perjuicio de lo anterior, la Dirección General de Aguas podrá actualizar o reemplazar la o las estación(es) de referencias para cada zona de escasez hídrica, así como agregar estaciones cuando éstas cumplan los requisitos técnicos de longitud de la estadística registrada y representatividad de la zona.

c) **Representatividad espacial de los índices para la identificación y calificación de condiciones de sequías:** La asignación de la condición de severa sequía en una zona de escasez hídrica se realiza en función de las condiciones de sequía identificadas en la o las estaciones representativas, según los indicadores señalados en los Resuelvos 4, 5 y 6 de la presente resolución.

d) **Evaluación o seguimiento y calificación de las condiciones de sequía:**

d.1) **Evaluación de las condiciones de sequía.** Dentro de los primeros diez días de cada trimestre, la División de Hidrología de la Dirección General de Aguas, podrá elaborar un informe a nivel nacional de evaluación o seguimiento de las condiciones o índices asociados a la medición de la sequía, según lo previsto en este acto administrativo. Este informe contendrá, a lo menos, los siguientes antecedentes: (1) zona de escasez hídrica, (2) estación o estaciones de referencia utilizada(s), y (3) valor de los indicadores considerados según los Resuelvos 4, 5 y/o 6 de la presente resolución.

La visualización espacial de esta información será publicada en el sitio web de este Servicio.

d.2) **Calificación de severa sequía.** En base a los informes de evaluación previamente mencionados, la División de Hidrología de la Dirección General de Aguas, cuando así sea requerido por la autoridad, emitirá un informe de calificación de las sequías para la zona solicitada. Para cada zona el informe deberá contener, a lo menos, los siguientes antecedentes: (1) zona de escasez hídrica, (2) estación o estaciones de referencia utilizada(s), (3) valor de los indicadores considerados en los resuelvos 4, 5 y/o 6 de esta resolución, y (4) calificación de la condición de sequía según lo establecido en los resuelvo 4, 5 y/o 6 de la presente resolución.

Para los efectos contemplados en los resuelvos 4, 5 y/o 6 antes señalados, se considerarán las posibilidades de "no severa sequía" o "severa sequía".

Este informe de calificación de la condición de severa sequía será publicado en el sitio web de la Dirección General de Aguas, en caso de declararse zona de escasez hídrica.

d.3) **Seguimiento de zonas de escasez hídrica con declaración vigente.** La División de Hidrología de la Dirección General de Aguas deberá efectuar un seguimiento particular de las condiciones de sequía de las zonas con decretos de escasez vigentes y cuya caducidad será en un plazo máximo de quince días (15). Para ello deberá considerar al menos la duración de la calificación de la condición de severa sequía, y verificar a lo menos lo siguiente: (1) zona de escasez hídrica, (2) identificación o número de la declaración de zona de escasez hídrica, (3) fecha de declaración de la zona de escasez hídrica, (4) fecha de término de la declaración, (5) valor actual de los indicadores asociados a la zona de escasez hídrica, que sirve de seguimiento a la evolución de la situación de sequía.

9. DÉJASE CONSTANCIA QUE la presente resolución debe ser revisada y evaluada en un plazo no superior a 10 años desde su dictación, sin perjuicio del año de revisión o actualización, el período de referencia para el cálculo de índices de sequía debe corresponder siempre al período de 30 años que termina antes del último año de la década inmediatamente anterior a la fecha de dictación de la presente resolución, o la de futuras revisiones o actualizaciones.

10. PUBLÍQUESE la presente resolución en el Diario Oficial. Asimismo, el texto de esta resolución, y sus respectivas modificaciones o actualizaciones, deberá ser publicado y encontrarse permanentemente disponible en el sitio electrónico de la Dirección General de Aguas.

11. COMUNÍQUESE al Sr. Ministro de Obras Públicas; al Sr. Subsecretario de Obras Públicas; al Sr. Superintendente de Servicios Sanitarios; al Sr. Director Nacional de Obras Hidráulicas; a la Subdirección de la DGA, a la Jefatura de Departamento de Organizaciones de Usuarios de la DGA, a la Jefatura del Departamento de Fiscalización de la DGA, a la Jefatura del Departamento de Administración de Recursos Hídricos de la DGA, a la Jefatura de la División de Hidrología de la DGA, a la Jefatura del Departamento de Información de Recursos Hídricos de la DGA, a la Jefatura de la División Legal de la DGA, a las Direcciones Regionales de la Dirección General de Aguas, y a las demás oficinas que corresponda.

ANÓTESE Y COMUNÍQUESE

Cristian Núñez Riveros,

Director General de Aguas (S)

Ministerio de Obras Públicas.

NORMATIVA RELACIONADA

ARTÍCULOS 459 A 461 DEL CÓDIGO PENAL

Santiago, noviembre 12 de 1874.
Por cuanto el Congreso Nacional ha aprobado el siguiente

CÓDIGO PENAL

[...]

§ VI. De la usurpación

[...]

Art. 459. Sufrirán las penas de presidio menor en su grado mínimo a medio y multa de veinte a cinco mil unidades tributarias mensuales, los que sin título legítimo e invadiendo derechos ajenos:-

1.º Sacaren aguas de represas, estanques u otros depósitos; de ríos, arroyos o fuentes, sean superficiales o subterráneas; de canales o acueductos, redes de agua potable e instalaciones domiciliarias de éstas, y se las apropiaren para hacer de ellas un uso cualquiera.-

2.º Rompieren o alteraren con igual fin diques, esclusas, compuertas, marcos u otras obras semejantes existentes en los ríos, arroyos, fuentes, depósitos, canales o acueductos.

3.º Pusieren embarazo al ejercicio de los derechos que un tercero tuviere sobre dichas aguas.

4.º Usurparen un derecho cualquiera referente al curso de ellas o turbaren a alguno en su legítima posesión.

Art. 460. Cuando los simples delitos a que se refiere el artículo anterior se ejecutaren con violencia o intimidación en las personas, si el culpable no mereciere mayor pena por la violencia o intimidación que causare, sufrirá la de presidio menor en cualquiera de sus grados y multa de cincuenta a cinco mil unidades tributarias mensuales.-

Art. 460 bis.- El que a sabiendas duplique la inscripción de su derecho en el Registro de Propiedad de Aguas del Conservador de Bienes Raíces sufrirá las penas de presidio menor en su grado mínimo, multa de once a veinte unidades tributarias mensuales, la revocación del título duplicado y la cancelación de la inscripción duplicada.

Art. 461. Serán castigados con las penas del artículo 459, los que teniendo derecho para sacar aguas o usarlas se hubieren servido fraudulentamente, con tal fin, de orificios, conductos, marcos, compuertas o esclusas de una forma diversa a la establecida o de una capacidad superior a la medida a que tienen derecho.

RESOLUCIÓN Nº 135 DE 31 DE ENERO DE 2020 QUE DETERMINA OBRAS Y CARACTERÍSTICAS QUE DEBEN O NO SER APROBADAS POR LA DIRECCIÓN GENERAL DE AGUAS EN LOS TÉRMINOS SEÑALADOS EN EL ARTÍCULO 41 DEL CÓDIGO DE AGUAS

SANTIAGO, 31 ENE 2020
RESOLUCIÓN D.G.A. EXENTA Nº 135 /

VISTOS:

1. Las necesidades del Servicio;

2. El D.F.L. Nº 1-19.653 de 2000, del Ministerio Secretaría General de la Presidencia, que fija el texto refundido, coordinado y sistematizado de la Ley Nº 18.575, Orgánica Constitucional de Bases Generales de la Administración del Estado;

3. La Ley Nº 19.880 que establece las Bases de los Procedimientos Administrativos que rigen los Actos de los Órganos de la Administración del Estado;

4. Historia de la Ley Nº 20.304 "Operación de embalses frente a alertas y emergencias de crecidas, y otras medidas que indica", de 13 de diciembre de 2008;

5. Guía de Permisos Ambientales Sectoriales en el SEIA "Permiso para efectuar Modificaciones de Cauce", del Servicio de Evaluación Ambiental y la Dirección General de Aguas.

6. Guía de Permisos Ambientales Sectoriales en el SEIA "Permiso Obras de Regularización o Defensa de Cauces Naturales", del Servicio de Eva-

luación Ambiental, la Dirección General de Aguas y la Dirección de Obras Hidráulicas.

7. La Circular Nº 1 de 16 de enero de 2017, del Director General de Aguas, que imparte instrucciones sobre el sentido y alcance del permiso sectorial tipificado en el artículo 171 del Código de Aguas;

8. La Circular Nº 4 de 13 de noviembre de 2018, del Director General de Aguas, que dicta instrucciones necesarias para la correcta aplicación del artículo 41 del Código de Aguas;

9. La modificación del artículo 41 incorporada por la Ley N º 21.064 que Introduce Modificaciones al Marco Normativo que Rige las Aguas en Materia de Fiscalización y Sanciones;

10. La Resolución Nº 7, de 26 de marzo de 2019, de Contraloría General de la República, que fija normas sobre exención del trámite de toma de razón;

11. Lo dispuesto en los artículos 41 y 171, y todos los demás pertinentes del Código de Aguas;

12. Las facultades que me confiere el artículo 300 letra c) del Código de Aguas.

CONSIDERANDO:

1. **QUE**, el artículo 3º de la Ley Nº 19.880, que establece las bases de los procedimientos administrativos que rigen los actos de los órganos de la Adminstración del Estado, define el acto administrativo como aquellas decisiones escritas que adopte la Administración, los cuales toman la forma de Decretos Sipremos y Resoluciones, siendo éstas últimas aquellas órdenes escritas que dictan las autoridades administrativas dotadas de poder de decisión, gozando de una presunción de legalidad, de imperio y exigibilidad frente a sus destinatarios desde su entrada en vigencia, autorizando su ejecución de oficio por la autoridad administrativa.

2. **QUE**, el artículo 41 del Código de Aguas, en su inciso 1°, establece: "*El proyecto y construcción de las modificaciones que fueren necesarias realizar en <u>cauces naturales o artificiales que puedan causar daño a la vida, salud o bienes de la población o que de alguna manera alteren el régimen de escurrimiento de las aguas, serán de responsabilidad del interesado y deberán ser aprobadas previamente por la Dirección General de Aguas</u> de conformidad con el procedimiento establecido en el párrafo 1 del Título I del Libro Segundo del Código de Aguas. La Dirección General de Aguas determinará mediante resolución fundada cuáles son las obras y características que se encuentran o no en la situación anterior*".

3. **QUE**, tal como se señaló, la parte final del inciso 1° del artículo 41 del Código de Aguas ordena a la Dirección General de Aguas determinar mediante resolución fundada cuáles son las obras y características que se encuentran o no en la situación antes citada.

4. **QUE**, el artículo 41, en su inciso 2°, agrega: "*Se entenderá por modificaciones no sólo el cambio de trazado de los cauces, su forma o dimensiones, sino también la alteración o sustitución de cualquiera de sus obras de arte y la construcción de nuevas obras, como abovedamientos, pasos sobre o bajo nivel o cualesquiera otras de sustitución o complemento.*".

5. **QUE**, lo que persigue la Ley con la exigencia de esta resolución, es que el organismo técnico competente, como lo es la Dirección General de Aguas, vele por los intereses de la comunidad, verificando que las obras en cauces no puedan causar daño a la vida, salud o bienes de la población, o que de alguna manera alteren el régimen de escurrimiento de las aguas.

6. **QUE**, en relación a lo establecido en el artículo 41 del Código de Aguas, el artículo 171 del mismo cuerpo legal indica en su inciso 1°: "*Las personas naturales o jurídicas que desearen efectuar las modificaciones a que se refiere el artículo 41 de este Código, presentarán los proyectos correspondientes a la Dirección General de Aguas, para su aprobación previa, aplicándose a la presentación el procedimiento previsto en el párrafo 1° de este Título*".

7. **QUE**, el artículo 171, en su inciso 2º, agrega: *"Cuando se trate de obras de regularización o defensa de cauces naturales, los proyectos respectivos deberán contar, además, con la aprobación de la Dirección de Obras Hidráulicas del Ministerio de Obras Públicas".*

8. **QUE**, el artículo 171, en su último inciso, señala: *"Quedan exceptuados de los trámites y requisitos establecidos en los incisos precedentes los servicios dependientes del Ministerio de Obras Públicas, así como los proyectos financiados por servicios públicos que cuenten con la aprobación técnica de la Dirección de Obras Hidráulicas. Estos servicios deberán remitir los proyectos definitivos de las obras a la Dirección General de Aguas para su conocimiento e inclusión en el Catastro Público de Aguas, dentro del plazo de seis meses, contado desde la recepción final de la obra.".*

9. **QUE**, por su parte, conforme al artículo 30 del Código de Aguas, se define álveo o cauce natural como: *"(…) el suelo que el agua ocupa y desocupa alternativamente en sus creces y bajas periódicas".* Agregando que *"Para efectos de este Código, se entiende por suelo desde la superficie del terreno hasta la roca madre".*

10. **QUE**, conforme al artículo 33 del mismo código, *"Son riberas o márgenes las zonas laterales que lindan con el álveo o cauce".*

11. **QUE**, el artículo 36 define canal o cauce artificial como: *"(…) el acueducto construido por la mano del hombre. Forman parte de él las obras de captación, conducción, distribución y descarga del agua, tales como bocatomas, canoas, sifones, tuberías, marcos partidores y compuertas. Estas obras y canales son de dominio privado".*

12. **QUE**, por otro lado, y de conformidad a lo dispuesto en los artículos 82, 83, 87, 89 y 91, es obligación del o los dueños de un acueducto de mantenerlo en perfecto estado debiendo evitar daños o perjuicios a las personas o bienes de terceros, ya sea por filtraciones, derrames y desbordes que puedan imputarse a defectos de construcción o mal manejo del mismo. Para estos efectos, el dueño del acueducto o quien tiene constitui-

do en su favor una servidumbre de acueducto se encuentra habilitado por ley para hacer todas las reparaciones, mantenciones, limpias y la construcción de protecciones y refuerzos que sean necesarios. Dichas disposiciones estableces que en el evento que existan dificultades entre los intereses de las partes, será la justicia ordinaria quien resuelva la controversia.

13. **QUE**, por otra parte, los artículos 202, 206, 208, 209, 215, 217, 228 y 241 N°s 2, 7 y 8, establecen que se presume dueño de las obras hidráulicas que forman parte de un sistema sometido a la jurisdicción de una comunidad de aguas a los titulares de derechos que extraigan, conduzcan o almacenen aguas en ellas, en proporción a sus derechos. Dicha comunidad será administrada por un directorio o administradores, quienes tendrán entre sus facultades, autorizar la construcción, reparación y/o conservación de los acueductos y sus dispositivos, y en general todas las obras de arte sometidas a su jurisdicción que permitan el goce completo y la correcta distribución de los derechos de los comuneros.

14. **QUE**, la Circular N° 1 de 16 de enero de 2017 del Director General de Aguas, que imparte instrucciones sobre el sentido y alcance del permiso sectorial tipificado en el artículo 171 del Código de Aguas, señala en su numeral 5 que respecto de las obras que cuenten con la bonificación establecida en la Ley N° 18.450, sobre Fomento a la Inversión Privada en Obras Menores de Riego y Drenaje, cuya supervisión e inspección técnica sea responsabilidad de la Dirección de Obras Hidráulicas, que se ejecuten en cauces artificiales, no serán objeto del permiso sectorial establecido en el artículo señalado. Asimismo, la aludida Circular en su numeral 6 referido a las obras beneficiadas con créditos y/o incentivos de financiamiento por el Instituto de Desarrollo Agropecuario que se ejecuten en cauces artificiales, indica que no serán objeto del permiso sectorial establecido en el artículo 171 del Código de Aguas.

15. **QUE**, habiéndose dado cumplimiento al mandato legal dispuesto en el inciso primero del artículo 41 del Código de Aguas, corresponde que el presente acto administrativo deje sin efecto la Circular N° 4 de fecha

13 de noviembre de 2018, del Director General de Aguas, que dicta instrucciones necesarias para la correcta aplicación del artículo 41 del Código de Aguas.

16. **QUE**, la presente resolución no se aplica a los permisos sectoriales tipificados en los artículos 151 y 294 del Código de Aguas.

17. **QUE**, en virtud de lo precedentemente expuesto y atendidas las atribuciones que me confiere la Ley, es que vengo a dar cumplimiento a lo ordenado en el inciso 1º del artículo 41 del Código de Aguas.

RESUELVO

1. **DEFÍNANSE** los siguientes conceptos para fines de aplicación de los artículos 41 y 171 del Código de Aguas:

a) **Proyecto:** conjunto de antecedentes que permite definir en forma suficiente la obra por realizar, que incluye bases, planos generales, planos de detalle y especificaciones técnicas.

b) **Cambios de trazado:** modificaciones de la posición en planta y alzado de un tramo de un cauce natural o artificial.

c) **Obras de arte:** Son obras civiles especiales que se construyen para resolver problemas específicos que la obra principal en la que se insertan no es capaz de resolver por sí sola.

d) **Obras de sustitución:** aquellas obras que se construyen con el objeto de reemplazar una obra existente sin modificar su objetivo original, esto ya sea en un cauce natural o artificial.

e) **Obras de complemento:** aquellas obras que se construyen con el objeto de mejorar las funcionalidades de una obra existente, esto ya sea en un cauce natural o artificial. En particular, estas obras buscan aumentar el estándar constructivo u operativo de la obra original.

f) **Labores de mantención o conservación:** aquellas actividades cuyo objetivo es el restablecimiento de la obra original, modificada como resultado del desgaste o deterioro normal de su uso u operación, sin que impliquen obras de mejoramiento de un acueducto existente.

g) **Obras de regularización:** obras destinadas a dirigir u ordenar la corriente en un cauce o devolverlo a éste, por la alteración de su sección, pendiente, trazado, materialidad del lecho y/o riberas.

h) **Obras de defensa:** obras emplazadas en un cauce natural que tienen como finalidad proteger a los terrenos, poblaciones o infraestructura, de la inundación y/o la erosión en el cauce.

i) **Obras de mejoramiento:** obras destinadas a aumentar la capacidad de la conducción de un acueducto existente, por ejemplo, mediante peraltes o cambios en la geometría original de la conducción hidráulica.

2. **CONSIDÉRESE** lo siguiente para fines de aplicación del artículo 41 del Código de Aguas:

a) **Fuentes oficiales para identificación de cauces naturales:** la base de datos oficial que debe ser consultada para identificar los cauces afectos a la tramitación del permiso de modificación de cauce es la siguiente, en el orden acá expresamente dado: Cartografía IGM, documentación técnica generada por la Dirección General de Aguas en estudios o documentos oficiales, Plan Maestro de Aguas Lluvias, u otro Antecedente Oficial de Gestión Territorial.

b) **Proyectos que deben someterse al permiso de modificación de cauce natural:** el permiso será aplicable a aquellas obras que se emplacen en la superficie que el agua ocupa y desocupa alternativamente en sus creces y bajas periódicas. Dicha superficie, será la determinada para una crecida de 100 años de periodo de retorno.

3. **ESTABLÉZCASE** el siguiente listado de obras a las cuales aplicará el permiso de modificación de cauce.

a) <u>Obras de regularización en cauces naturales</u>
- Desvío de cauces.
- Encauzamientos y semiencauzamientos.
- Canalizaciones.
- Abovedamientos.
- Obras de rectificación.

- Desembanques de material depositado en el cauce.
b) <u>Obras de defensa en cauces naturales</u>
  - Obras longitudinales, tales como revestimientos de riberas.
  - Obras transversales al cauce, tales como espigones o muros guardarradier.

  En ambos casos construidos ya sea con gaviones, enrocados, hormigón u otros elementos que permitan controlar el escurrimiento.
c) <u>Otras modificaciones en cauces naturales o artificiales</u>
  - Cambios de trazado, de sección o pendiente.
  - Obras de arte, tales como pasos sobre o bajo nivel, alcantarillas, badenes, muros de cabecera, cámaras de rejas, cámaras decantadoras y marcos partidores.
  - Estructuras construidas en cauces tales como cepas de puentes, torres, antenas u otro equipamiento.
  - Obras de restitución de caudales o efluentes líquidos a cauces.
  - Secciones de control.
  - Obras de sustitución o complemento que reúnan las características de alguna de las obras antes listadas.

4. **EXCEPTÚANSE** de someterse al permiso de modificación de cauce:

a) Los Servicios dependientes del Ministerio de Obras Públicas, así como los proyectos financiados por servicios públicos que cuenten con la aprobación técnica de la Dirección de Obras Hidráulicas, según el inciso 3° establecido en el artículo 171 del Código de Aguas, quienes deberán remitir los proyectos de las obras a la Dirección General de Aguas, para su conocimiento, informe e inclusión en el Catastro Público de Aguas, dentro del plazo de seis meses, contado desde la recepción final de la obra.

b) Los proyectos de extracción de áridos, los cuales son administrados por las Direcciones de Obras Municipales y sujetos a la evaluación técnica de la Dirección de Obras Hidráulicas, sin perjuicio de la facultad de fiscalización que tiene la Dirección General de Aguas de conformidad a lo dispuesto en el artículo 129 bis 2.

c) Los proyectos de obras que intervengan exclusivamente la red primaria de aguas lluvias que son revisados y autorizados por la Dirección de

Obras Hidráulicas, conforme a la Ley N° 19.525 sobre Sistema de Evacuación y Drenaje de Aguas Lluvias, Ministerio de Obras Públicas, de 24 de octubre de 1997.

d) Obras que cuenten con la bonificación establecida en la Ley N° 18.450, sobre Fomento a la Inversión Privada en Obras Menores de Riego y Drenaje, cuya supervisión e inspección técnica sea responsabilidad de la Dirección de Obras Hidráulicas, que se ejecutarán en cauces artificiales.

e) Obras beneficiadas con créditos y/o incentivos de financiamiento por el Instituto de Desarrollo Agropecuario, que se ejecutarán en cauces artificiales.

f) Las modificaciones en cauces artificiales que porteen un caudal de hasta medio metro cúbico por segundo y que se encuentren en zonas rurales.

g) Obras fluviales provisionales que, por sus simplificadas características técnicas, no cuentan con un proyecto de obra civil que deba ser sometido a revisión y aprobación de la Dirección General de Aguas, tales como, la construcción de las denominadas *"patas de cabras"* para encauzar las aguas a una captación, o captaciones de agua superficial que no consultan más obras civiles en el cauce que una canalización mediante movimientos de tierra. La responsabilidad de este tipo de obras recaerá expresamente en el respectivo Titular.

h) Las labores de mantención o conservación, en cuyo caso la responsabilidad recaerá expresamente en el respectivo Titular.

i) Las obras de sustitución consistentes en reparaciones de cauces artificiales en situación de emergencia producto de una falla, colapso o riesgo de colapso. Sin perjuicio, el Titular de las obras deberá presentar el proyecto de reparación a esta Dirección, para su conocimiento, estudio y conformidad.

j) Las obras en zonas que hubieren sido decretadas como afectadas por catástrofes o emergencias, cuando formen parte de los planes de reconstrucción regionales o municipales, o cuando se trate de reconstruir o reponer construcciones dañadas por la catástrofe o emergencia y que tengan relación con la modificación de cauces naturales o artificiales. Estas situaciones deberán regirse por la Ley N° 20.582, del Ministerio de Vivienda y Urbanismo, del 4 de mayo de 2012.

5. **DÉJESE CONSTANCIA** que el listado individualizado en el resuelvo N° 3 de la presente resolución es de carácter general, y ante cualquier duda respecto a la aplicación del permiso sectorial tipificado en el artículo 171 del Código de Aguas, el interesado podrá consultar la pertinencia ante la Dirección General de Aguas.

6. **ESTABLÉZCASE** para los efectos de dar cumplimiento a lo indicado en el resuelvo anterior, que el interesado deberá acompañar los antecedentes técnicos mínimos, consistentes en una descripción del proyecto y su proceso constructivo, así como planos que permitan una adecuada comprensión de las obras. Dichos antecedentes deberán ser presentados ante la Dirección Regional de la Dirección General de Aguas respectiva, para su conocimiento y resolución.

7. **ESTABLÉZCASE** que la presente resolución entrará en vigencia a contar de su publicación en el Diario Oficial.

8. **DÉJESE CONSTANCIA** que la presente resolución estará sujeta a actos administrativos que la complementen, aclaren y actualicen, en función del desarrollo dinámico del estado de conocimiento de las obras hidráulicas en general y que, en ningún caso, agota la potestad de esta Dirección General de Aguas de determinar cuáles obras y características se encuentran en la situación descrita en el artículo 41 del Código de Aguas o no.

9. **DÉJESE SIN EFECTO** la Circular N° 4 de fecha 13 de noviembre de 2018, del Director General de Aguas, que dicta instrucciones necesarias para la correcta aplicación del artículo 41 del Código de Aguas.

10. **COMUNÍQUESE** la presente Resolución a los Directores Regionales de la Dirección General de Aguas, a la División Legal, al Departamento de Administración de Recursos Hídricos, al Departamento de Conservación y Protección de Recursos Hídricos, a la Unidad de Fiscalización, a la Direc-

ción de Obras Hidráulicas, a la Comisión Nacional de Riego, al Instituto de Desarrollo Agropecuario y demás oficinas de la Dirección General de Aguas que corresponda.

ANÓTESE, PUBLÍQUESE Y COMUNÍQUESE.
OSCAR CRISTI MARFIL
Director General de Aguas
Ministerio de Obras Públicas

LEY Nº 11.402 QUE DISPONE QUE LAS OBRAS DE DEFENSA Y REGULARIZACIÓN DE LAS RIBERAS Y CAUCES DE LOS RÍOS, LAGUNAS Y ESTEROS QUE SE REALICEN CON PARTICIPACIÓN FISCAL, SOLAMENTE PODRÁN SER EJECUTADAS Y PROYECTADAS POR LA DIRECCIÓN DE OBRAS SANITARIAS DEL MINISTERIO DE OBRAS PÚBLICAS

Por cuanto el Congreso Nacional ha dado su aprobación al siguiente Proyecto de ley:

Artículo 1º Desde la fecha de la vigencia de la presente ley, las obras de defensa y regularización de las riberas y cauces de los ríos, lagunas y esteros que se realicen con participación fiscal, solamente podrán ser ejecutadas y proyectadas por la Dirección de Obras Sanitarias del Ministerio de Obras Públicas y, si se efectúa por cuenta exclusiva de otras entidades o de particulares, serán autorizadas y vigiladas por la misma repartición, con el objeto de impedir perjuicios a terceros.

Artículo 2º Las obras indicadas en el artículo anterior serán ejecutadas a petición del o de los propietarios interesados o por iniciativa fiscal. En el primer caso, los propietarios deberán suscribir una escritura pública o un acta ante notario o el Oficial del Registro Civil correspondiente en las circunscripciones rurales, en que se deje constancia de la aceptación de las disposiciones de la presente ley y de su reglamento.

Si la obra es de iniciativa fiscal la Dirección de Obras Sanitarias cumplirá previamente con las exigencias establecidas en el artículo 4º.

Artículo 3º Cuando las obras comprendan trabajos que incluyen la reforestación de las hoyas, la Dirección de Obras Sanitarias encomendará al Departamento de Bosques del Ministerio de Tierras y Colonización el estudio y ejecución de ellas, para lo cual pondrá a su disposición los fondos del caso. Estas obras y plantaciones podrán ser hechas por iniciativa particular o fiscal, especialmente en las partes altas de las hoyas. Los árboles plantados por el Fisco serán de propiedad del dueño del suelo, pero la explotación por parte de éste podrá efectuarla con autorización del indicado Departamento, bajo el control de éste y sometido a las instrucciones de renovación que dicho Departamento exija, todo en la forma determinada por la Ley de Bosques.

Los propietarios de los predios en los cuales el Fisco efectúe las aludidas reforestaciones, que no cumplan con las exigencias indicadas en el inciso que precede, incurrirán en las sanciones que se expresan:

a) Los que exploten los árboles sin la autorización del Departamento de Bosques, en una multa de diez mil a cincuenta mil pesos, sin perjuicio de las indemnizaciones legales y pecuniarias por los daños causados;

b) Los que no den cumplimiento a las instrucciones sobre renovación de los árboles, en la forma indicada por el Departamento de Bosques, en una multa de diez mil a cincuenta mil pesos, sin perjuicio de las indemnizaciones legales por los daños causados y la obligación de efectuar los trabajos de reposición.

Las multas antes indicadas se harán efectivas y se cobrarán en la forma establecida por la ley de bosques, y su producto se destinará a incrementar los recursos fiscales con el objeto señalado por esta ley.

Los propietarios de predios en los cuales el Fisco efectúe plantaciones, estarán obligados, en los casos en que dichas plantaciones se destruyan o deterioren por fuerza mayor, caso fortuito o robo, a dar aviso al Intendente o Gobernador que corresponda, y éste al Departamento de Bosques. La falta de aviso hará presumir que es responsable el propietario u ocupante de la propiedad riberana.

Artículo 4° La solicitud acompañada de la escritura pública o del acta, a que se refiere el artículo 2°, deberá ser presentada a la Dirección de Obras Sanitarias, la que, si juzga convenientes los trabajos, elaborará el proyecto y su presupuesto, que deberán ser debidamente notificados a los interesados en la forma que establezca el reglamento, y aquéllos se considerarán aprobados cuando no sean rechazados por más del 50% de los interesados en la obra. En caso que no sean rechazados el proyecto y su presupuesto, las obras obligarán a todos con los gravámenes consiguientes.

Artículo 5º El valor de las obras será pagado en un 65% por el Fisco y en un 35% por los particulares beneficiados, salvo las excepciones establecidas en la presente ley.

La Dirección de Obras Sanitarias fijará, en la forma que lo establezca el reglamento, el prorrateo de las cuotas que, proporcionalmente a su beneficio, corresponda pagar a cada interesado en el 35% antes indicado.

Podrán acogerse a los beneficios establecidos en el artículo 1º de esta ley, previa calificación por la Dirección de Obras Sanitarias, las Municipalidades para defender las ciudades o poblaciones. En este caso la cuota fiscal a que se refiere esta disposición podrá elevarse hasta el 80% del valor de las obras.

Artículo 6º El propietario que sea dueño de bienes raíces, cuyo avalúo fiscal en conjunto sea inferior a 70 sueldos vitales que rija para el departamento de Santiago, contribuirá en la proporción que determina el último inciso del artículo anterior.

Artículo 7º La Dirección de Obras Sanitarias, previo los estudios pertinentes y conocimiento de los interesados, podrá ordenar la modificación o destrucción total o parcial de las obras de defensa o cualesquiera otras existentes en las riberas o cauces de las corrientes naturales, si pusiesen en peligro inminente poblaciones, otros predios u obras importantes o dificulten la regularización del curso de las aguas.

Si las obras realizadas por el Fisco se destruyen o inutilizan a causa de defectos de ejecución u ocasionan perjuicios a los riberanos, ellas deberán ser reconstruídas por el Fisco sin nuevo gravamen para los interesados.

En caso de fuerza mayor, la reconstrucción de las obras se efectuará en la forma establecida en el artículo 5º.

Artículo 8º DEROGADO.

Artículo 9º DEROGADO.

Artículo 10° Se prohíbe construir casas para viviendas y con mayor razón formar poblaciones en suelos periódicamente inundables, aun cuando la inundación se presente en períodos de hasta 10 años.

Artículo 11° La extracción de ripio y arena en los cauces de los ríos y esteros deberá efectuarse con permiso de las Municipalidades, previo informe favorable de la Dirección General de Obras Públicas del Ministerio de Obras Públicas. Las Municipalidades podrán cobrar los derechos o subsidios establecidos por las leyes.

La Dirección General de Obras Públicas determinará las zonas prohibidas para la extracción de ripio, arenas y piedras de los cauces antedichos y se fijarán a beneficio de la correspondiente Municipalidad, multas que fluctuarán entre uno y cinco sueldos vitales mensuales para empleado particular de la industria y del comercio del departamento de Santiago, por cada infracción y que aplicará el Juzgado de Policía Local, previa denuncia de Inspectores Municipales o funcionarios de la Dirección General de Obras Públicas. En caso de reincidencia la multa se duplicará por cada nueva infracción.

No se cobrarán estos derechos cuando la extracción de ripio o arena sea destinada a la ejecución de obras públicas.

Esta destinación se comprobará con la correspondiente certificación de la Dirección pertinente del Ministerio de Obras Públicas.

Asimismo, podrá extraerse ripio y arena de bienes nacionales de uso público para la construcción de caminos públicos o vecinales, debiendo los particulares dar las facilidades necesarias para la extracción. Los perjuicios serán avaluados en la forma establecida en la ley 3.313, de 29 de septiembre de 1917.

Artículo 12° Para los efectos de la presente ley, la Dirección que corresponda contará con los siguientes recursos:

a) Una cuota no inferior a cien millones de pesos, que se consultará anualmente en la Ley General de Presupuestos;

b) Los intereses, cuotas de amortización y multas por atraso en su percepción, que corresponda a abonos sobre deudas contraídas de acuerdo con el artículo 5° de esta ley, y

c) Los saldos no invertidos de estos recursos en años anteriores.

Los recursos anteriormente indicados se contabilizarán en una cuenta especial en la Tesorería Provincial de Santiago, sobre la cual podrá girar el Director del Departamento que corresponda a medida de las necesidades del servicio, sin mayor autorización.

No se podrán destinar estos dineros a otros objetivos distintos de los establecidos en esta ley. Los dineros que no se inviertan en el curso del año pasarán a incrementar los fondos del año siguiente y para los mismos fines.

Artículo 13° Los particulares y demás entidades que se acojan a esta ley reembolsarán al Fisco las sumas que se les fije, sea de una sola vez o en un plazo que no exceda de 10 años y que se fijará en el proyecto sometido a la aprobación de los interesados; el reembolso al contado se hará por la suma que se fije de acuerdo con esta ley; pero, si se optare por el pago a plazo, el reembolso se hará con un interés del 5% anual y una amortización acumulativa que se calculará de acuerdo con el plazo de pago fijado a cada obra y computada semestralmente.

Artículo 14° La parte del servicio que deben hacer los particulares afectará a los predios beneficiados y se cobrará semestralmente y conjuntamente y en la misma forma como se hace el cobro de las contribuciones a los bienes raíces, gozará de todos los privilegios y preferencias que garantizan el pago de éstas, incluso las disposiciones legales que rigen el procedimiento para el cobro judicial.

Artículo 15° Se declaran de utilidad pública los terrenos necesarios para las obras de carácter definitivo que se construyan para los fines de esta ley. Las expropiaciones se sujetarán a los procedimientos señalados en el inciso 1° del artículo 14° de la ley 8.080, de 26 de enero de 1945.

Artículo 16° Establécense las servidumbres necesarias para la ejecución de los trabajos que se deriven de la aplicación de la presente ley, las que se pagarán a justa tasación de peritos cuando no hubiere convenio directo entre las partes.

Los propietarios de los predios afectados quedarán obligados a dar las facilidades necesarias para la vigilancia y mantención de las obras ejecutadas.

Artículo 17º Derógase la ley 4.145, de 25 de julio de 1927 (119).

Y por cuanto he tenido a bien aprobarlo y sancionarlo; por tanto, publíquese y llévese a efecto como ley de la República.

Santiago, doce de noviembre de mil novecientos cincuenta y tres.- CARLOS IBAÑEZ DEL CAMPO.- Orlando Latorre.- Guillermo del Pedregal.

ARTÍCULOS 110 Y 111 DE LA LEY Nº 18.248, CÓDIGO DE MINERÍA

La Junta de Gobierno de la República de Chile ha dado su aprobación al siguiente
PROYECTO DE LEY:
[...]

TÍTULO VIII
DE LOS DERECHOS Y OBLIGACIONES DE LOS CONCESIONARIOS MINEROS

Párrafo 1º Disposiciones comunes

[...]

Artículo 110.- El titular de concesión minera tiene, por el solo ministerio de la ley, el derecho de aprovechamiento de las aguas halladas en las labores de su concesión, en la medida en que tales aguas sean necesarias para los trabajos de exploración, de explotación y de beneficio que pueda realizar, según la especie de concesión de que se trate. Estos derechos son inseparables de la concesión minera y se extinguirán con ésta.

Artículo 111.- El uso de las demás aguas necesarias para explorar, explotar o beneficiar sustancias minerales se sujetará a las disposiciones del Código de Aguas y demás leyes aplicables.

ARTÍCULOS 20, 21, 22 y 64 DE LA LEY N°
19.253 QUE ESTABLECE NORMAS SOBRE
PROTECCIÓN, FOMENTO Y DESARROLLO DE
LOS INDÍGENAS, Y CREA LA CORPORACIÓN
NACIONAL DE DESARROLLO INDÍGENA

Teniendo presente que el H. Congreso Nacional ha dado su aprobación al siguiente
Proyecto de ley:
[...]

TÍTULO II
DEL RECONOCIMIENTO, PROTECCIÓN Y DESARROLLO
DE LAS TIERRAS INDÍGENAS

[...]

Párrafo 2° Del Fondo para Tierras y Aguas Indígenas

Artículo 20.- Créase un Fondo para Tierras y Aguas Indígenas administrado por la Corporación. A través de este Fondo la Corporación podrá cumplir con los siguientes objetivos:

a) Otorgar subsidios para la adquisición de tierras por personas, Comunidades Indígenas o una parte de éstas cuando la superficie de las tierras de la respectiva comunidad sea insuficiente, con aprobación de la Corporación.

Para obtener este subsidio se distinguirá entre postulaciones individuales y de comunidades.

Para las postulaciones individuales el puntaje estará dado por el ahorro previo, situación socio-económica y grupo familiar.

Para las postulaciones de comunidades el puntaje estará determinado, además de los requisitos de la postulación individual, por su antigüedad y número de asociados.

Un Reglamento establecerá la forma, condiciones y requisitos de su operatoria;

b) Financiar mecanismos que permitan solucionar los problemas de tierras, en especial, con motivo del cumplimiento de resoluciones o transacciones, judiciales o extrajudiciales, relativas a tierras indígenas en que existan soluciones sobre tierras indígenas o transferidas a los indígenas, provenientes de los títulos de merced o reconocidos por títulos de comisario u otras cesiones o asignaciones hechas por el Estado en favor de los indígenas.

c) Financiar la constitución, regularización o compra de derechos de aguas o financiar obras destinadas a obtener este recurso.

El Presidente de la República, en un reglamento, establecerá el modo de operación del Fondo de Tierras y Aguas Indígenas.

Artículo 21.- La Ley de Presupuestos de cada año dispondrá anualmente de una suma destinada exclusivamente al Fondo de Tierras y Aguas Indígenas.

El Fondo de Tierras y Aguas Indígenas se incrementará con los siguientes recursos:

a) Los provenientes de la cooperación internacional donados expresamente al Fondo.

b) Los aportes en dinero de particulares. Las donaciones estarán exentas del trámite de insinuación judicial que establece el artículo 1.401 del Código Civil y de toda contribución o impuesto.

c) Los que reciba de Ministerios y otros organismos públicos o privados destinados al financiamiento de convenios específicos.

d) Las devoluciones contempladas en el artículo siguiente.

e) Las rentas que devenguen los bienes que ingresen al Fondo.

La Corporación podrá recibir del Estado, tierras fiscales, predios, propiedades, derechos de agua, y otros bienes de esta especie para radicar, entregar títulos permanentes, realizar proyectos de colonización, reubicación y actividades semejantes destinados a comunidades indígenas o indígenas individualmente considerados. Igualmente los podrá recibir de particulares para los mismos fines, y en general los aportes que en dinero se hagan por parte de particulares.

Artículo 22.- Las tierras no indígenas y los derechos de aguas para beneficio de tierras indígenas adquiridas con recursos de este Fondo, no podrán ser enajenados durante veinticinco años, contados desde el día de su inscripción. Los Conservadores de Bienes Raíces, conjuntamente con la inscripción de las tierras o derechos de aguas, procederán a inscribir esta prohibición por el solo ministerio de la ley. En todo caso será aplicable el artículo 13.

No obstante la Corporación, por resolución del Director que deberá insertarse en el instrumento respectivo, podrá autorizar la enajenación de estas tierras o derechos de aguas previo reintegro al Fondo del valor del subsidio, crédito o beneficio recibido, actualizado conforme al Índice de Precios al Consumidor. La contravención de esta obligación producirá la nulidad absoluta del acto o contrato.

[...]

TÍTULO VIII
DISPOSICIONES PARTICULARES

DISPOSICIONES PARTICULARES

Párrafo 1°

[...]

Artículo 64.- Se deberá proteger especialmente las aguas de las comunidades Aimaras y Atacameñas. Serán considerados bienes de propiedad y uso de la Comunidad Indígena establecida por esta ley, las aguas que se encuentren en los terrenos de la comunidad, tales como los ríos, canales, acequias y vertientes, sin perjuicio de los derechos que terceros hayan inscrito de conformidad al Código General de Aguas.

No se otorgarán nuevos derechos de agua sobre lagos, charcos, vertientes, ríos y otros acuíferos que surten a las aguas de propiedad de varias

Comunidades Indígenas establecidas por esta ley sin garantizar, en forma previa, el normal abastecimiento de agua a las comunidades afectadas.

LEY Nº 19.657 SOBRE CONCESIONES DE ENERGÍA GEOTÉRMICA

Teniendo presente que el H. Congreso Nacional ha dado su aprobación al siguiente
Proyecto de ley:

TÍTULO I
DISPOSICIONES GENERALES

Artículo 1º.- Las normas de esta ley regularán:

a) La energía geotérmica;

b) Las concesiones y licitaciones para la exploración o la explotación de energía geotérmica;

c) Las servidumbres que sea necesario constituir para la exploración o la explotación de la energía geotérmica;

d) Las condiciones de seguridad que deban adoptarse en el desarrollo de las actividades geotérmicas;

e) Las relaciones entre los concesionarios, el Estado, los dueños del terreno superficial, los titulares de pertenencias mineras y las partes de los contratos de operación petrolera o empresas autorizadas por ley para la exploración y explotación de hidrocarburos, y los titulares de derechos de aprovechamiento de aguas, en todo lo relacionado con la exploración o la explotación de la energía geotérmica, y

f) Las funciones del Estado relacionadas con la energía geotérmica.

Artículo 2º.- Las disposiciones de esta ley no se aplicarán a las aguas termales, minerales o no minerales, que se utilicen para fines sanitarios, turísticos o de esparcimiento.

La explotación y utilización de las aguas termales a que se refiere el inciso anterior se regirán por las disposiciones del decreto con fuerza de Ley Nº 237, de 1931, o por las normas generales o especiales que, en cada caso, fueren aplicables.

El ámbito de aplicación de esta ley abarcará el territorio continental, insular y antártico incluyendo las aguas interiores, mar territorial y zona económica exclusiva.

Artículo 3°.- Se entenderá por energía geotérmica aquella que se obtenga del calor natural de la tierra, que puede ser extraída del vapor, agua, gases, excluidos los hidrocarburos, o a través de fluidos inyectados artificialmente para este fin.

Artículo 4°.- La energía geotérmica, cualesquiera sea el lugar, forma o condiciones en que se manifieste o exista, es un bien del Estado, susceptible de ser explorada y explotada, previo otorgamiento de una concesión, en la forma y con cumplimiento de los requisitos previstos en la ley.

Artículo 5°.- La concesión de energía geotérmica es un derecho real inmueble, distinto e independiente del dominio del predio superficial, aunque tengan un mismo dueño, oponible al Estado y a cualquier persona, transferible y transmisible, susceptible de todo acto o contrato.

El titular de una concesión de energía geotérmica tiene sobre la concesión un derecho de propiedad, protegido por la garantía contemplada en el artículo 19 de la Constitución Política y por las demás normas jurídicas que sean aplicables al mismo derecho.

Otorgada la concesión con arreglo a las disposiciones de esta ley, el concesionario tendrá derecho a conservarla y no podrá ser privado de ella sino por las causales de caducidad o extinción que se contemplan en la propia ley.

Se reputan inmuebles accesorios de la concesión las construcciones, instalaciones y demás objetos destinados permanentemente por su dueño a la investigación, exploración o explotación de la energía geotérmica, según el caso, que sean necesarios para la realización de las actividades inherentes a la concesión, siempre que se encuentren ubicados dentro de la zona de concesión.

Artículo 6°.- La concesión de energía geotérmica puede ser de exploración o de explotación. Cada vez que esta ley se refiere a la concesión de energía geotérmica, se entiende que comprende ambas especies de concesiones.

La exploración consiste en el conjunto de operaciones que tienen el objetivo de determinar la potencialidad de la energía geotérmica, considerando entre ellas la perforación y medición de pozos de gradiente y los pozos exploratorios profundos. En consecuencia, la concesión de exploración confiere el derecho a realizar los estudios, mediciones y demás investigaciones tendientes a determinar la existencia de fuentes de recursos geotérmicos, sus características físicas y químicas, su extensión geográfica y sus aptitudes y condiciones para su aprovechamiento.

La explotación consiste en el conjunto de actividades de perforación, construcción, puesta en marcha y operación de un sistema de extracción, producción y transformación de fluidos geotérmicos en energía térmica o eléctrica. En consecuencia, la concesión de explotación confiere el derecho a utilizar y aprovechar la energía geotérmica que exista dentro de sus límites.

Artículo 7°.- La extensión territorial de la concesión de energía geotérmica configura un sólido cuya cara superior es, en el plano horizontal, un paralelogramo de ángulos rectos, en el que dos de sus lados tienen orientación U.T.M. norte sur, y cuya profundidad es indefinida dentro de los planos verticales que lo limitan.

Las dimensiones del largo y del ancho del paralelogramo deberán ser, para una concesión de exploración, múltiplos enteros de mil metros y, para una concesión de explotación, múltiplos enteros de cien metros.

En todo caso, entre el largo y el ancho del paralelogramo deberá existir una relación no superior de diez a uno.

La cara superior de cada concesión de exploración no podrá exceder de cien mil hectáreas, ni de veinte mil hectáreas en el caso de tratarse de una concesión de explotación.

El área de la concesión de energía geotérmica será establecida en el decreto que la constituya.

La concesión de energía geotérmica tiene por objeto la totalidad de dicha energía que exista dentro de sus límites.

Artículo 8°.- Corresponderá al Ministerio de Energía la aplicación, control y cumplimiento de esta ley y sus reglamentos, sin perjuicio de las atribuciones conferidas a los demás organismos señalados específicamente en sus disposiciones.

El Ministerio de Energía fiscalizará y supervisará el cumplimiento de las normas de esta ley y de los reglamentos que se dicten, y las obligaciones de los concesionarios que se estipulen en el decreto de concesión.

Artículo 9°.- La producción, el transporte, la distribución, el régimen de concesiones y de tarifas de la energía eléctrica derivada de la energía geotérmica y las funciones del Estado relacionadas con ella, se regirán, en lo que fuere pertinente, por las normas contenidas en el decreto con fuerza de Ley N° 1, del Ministerio de Minería, del 22 de junio de 1982.

De las concesiones

Artículo 10.- Toda persona natural chilena y toda persona jurídica constituida en conformidad con las leyes chilenas tendrá derecho a solicitar una concesión de energía geotérmica y a participar en una licitación pública para el otorgamiento de tal concesión.

Artículo 11.- Las solicitudes de concesión de energía geotérmica que se presenten directamente o a través de llamados a licitación pública, deberán contener y acompañar, a lo menos, las siguientes menciones y antecedentes:

a) El nombre, la nacionalidad y el domicilio del solicitante, y, en su caso, también los de la persona que haga la solicitud en nombre de otra. Si se trata de personas naturales se indicará, además, su profesión u oficio y estado civil;

b) La ubicación, extensión y dimensiones del terreno respecto del cual se solicita la concesión y su plano, indicándose las coordenadas U.T.M. de sus vértices, con mención precisa de la región, provincia y comuna del mismo. Si el terreno de la concesión comprendiere más de una región, provincia o comuna, dicha mención deberá incluir a todas aquellas que resulten comprendidas, y

c) Los antecedentes generales, técnicos y económicos del proyecto de exploración o de explotación de energía geotérmica y las inversiones proyectadas para su ejecución.

Artículo 12.- El Ministerio de Energía podrá solicitar, de cualquier autoridad u órgano público, los informes que estime pertinentes para evitar o precaver conflictos de derechos o intereses entre el solicitante de una concesión de energía geotérmica y los titulares de otros derechos en el área pedida, o para una mejor resolución de la solicitud de concesión geotérmica.

Las autoridades cuyo informe se solicite deberán evacuarlo dentro del plazo de sesenta días corridos, contado desde la fecha en que hubieren recibido el requerimiento del Ministerio de Energía. Transcurrido aquél sin que se hubiere recibido el correspondiente informe, se entenderá que éste es favorable al otorgamiento de la concesión.

Artículo 13.- Un extracto de la solicitud de concesión de energía geotérmica deberá ser publicado en el Diario Oficial, por una sola vez, el 1° o 15 o al día siguiente hábil si cualquiera de ellos fuere feriado, del mes siguiente a la fecha de su presentación al Ministerio de Energía, mediante aviso destacado. El mismo aviso destacado deberá publicarse, por dos veces, en un diario de circulación nacional y en uno de circulación regional correspondiente a los territorios comprendidos en la solicitud de concesión, dentro del mes siguiente a la fecha de la presentación de la referida solicitud.

El extracto deberá contener la individualización del peticionario; el tipo de concesión que se solicita; la finalidad para la que se solicita la concesión, y la ubicación, extensión y dimensiones del área que comprende.

En el caso de tratarse de sectores de difícil acceso, el extracto deberá comunicarse, además, por medio de tres mensajes radiales que lleguen al sector. Estos mensajes deberán emitirse dentro del mismo mes a que alude el inciso primero de este artículo. El representante legal del medio de comunicación, o quien éste designe, deberá dejar constancia de la emisión de los mensajes, con indicación de fecha y hora, en un registro cuyas características determinará el Reglamento. Este registro tendrá carácter público para quienes deseen consultarlo.

Artículo 14.- El titular de una concesión de exploración tendrá derecho exclusivo a que el Estado le otorgue la concesión de explotación sobre la respectiva área de exploración. Este derecho podrá ejercerse durante la vigencia de la concesión de exploración y hasta dos años después de vencida. El derecho establecido en este inciso será transferible a cualquier título.

En caso de tratarse de una solicitud de concesión de exploración, o de una solicitud de concesión de explotación respecto de la cual no proceda el derecho a que se refiere el inciso anterior, otras personas naturales o jurídicas podrán solicitar el otorgamiento de concesión sobre un terreno que comprenda la primitiva solicitud, dentro del plazo de cuarenta y cinco días corridos, contado desde la publicación en el Diario Oficial del extracto de dicha solicitud.

Artículo 15.- Transcurrido el plazo de cuarenta y cinco días indicado en el inciso segundo del artículo anterior sin que se hayan presentado otras solicitudes de concesión, el Ministerio de Energía resolverá, otorgándola o denegándola, a menos que se hubieren deducido reclamaciones u observaciones conforme con lo dispuesto en el artículo 18.

Si dentro del mismo plazo se presentaren otras solicitudes de concesión que comprendan parte o toda la extensión territorial ya solicitada, el Ministerio de Energía deberá convocar a licitación pública para otorgar una o más concesiones en el área de que se trate, dentro del término de noventa días, contado desde que haya expirado dicho plazo.

Sin perjuicio de lo señalado, el Ministerio de Energía podrá, en cualquier tiempo, convocar a licitación para el otorgamiento de una o más concesiones de energía geotérmica de fuente no probable.

Artículo 16.- Sin perjuicio de lo preceptuado en los artículos precedentes, y con excepción de lo dispuesto en el inciso primero del artículo 14, las concesiones de energía geotérmica que recaigan sobre una fuente probable deberán ser otorgadas por el Ministerio de Energía siempre previa la convocatoria a una licitación pública. Esta convocatoria se efectuará de oficio o a petición de uno o más particulares.

En el caso que uno o más particulares soliciten una concesión de energía geotérmica de fuente probable, el Ministerio de Energía deberá convocar a licitación pública, dentro del plazo de noventa días, contado desde la fecha de presentación de la respectiva solicitud.

Para los efectos de esta ley, son fuentes probables de energía geotérmica los afloramientos espontáneos de aguas que contengan calor del interior de la tierra y el área geográfica circundante que no exceda de las superficies indicadas en el inciso cuarto del artículo 7° para una concesión de exploración o de explotación.

Las fuentes probables de energía geotérmica deberán ser identificadas en un reglamento especial que dictará el Ministerio de Energía dentro de un plazo de ciento veinte días, a contar de la fecha de publicación de la presente ley.

La identificación deberá contener la individualización de la región, provincia y comuna donde se ubique, las coordenadas U.T.M. de sus vértices y la superficie estimada que comprende la fuente, expresada en hectáreas.

Sin perjuicio de ello, para los efectos de esta ley, tendrán el carácter de fuentes probables de energía geotérmica, las siguientes: Jurasi, Untupujo, Chiriguaya, Surire, Polloquere, Enquelca, Berenguela, Quiritari, Puchuldiza, Chuzmiza, Pampa Lirima, Colpagua, Mamiña, Pica, Ascotán, El Tatio, Alitar, Aguas Calientes, Tilopozo y Tuyaito. El reglamento a que se refiere este artículo, deberá establecer el área geográfica que cada una de ellas comprende.

Artículo 17.- Las licitaciones que se convoquen por el Ministerio de Energía para los efectos de este Título, comprenderán dos etapas. La primera, de calificación técnica de los proponentes, y la segunda, de evaluación de las ofertas económicas. Todos los proponentes que hayan sido seleccionados en la primera fase de calificación técnica, tendrán derecho, en la segunda etapa, a formular ofertas, las que se resolverán sobre la base de los precios ofrecidos por la concesión.

Las personas naturales o jurídicas que deseen participar en las licitaciones a que convoque el Ministerio de Energía para el otorgamiento de una concesión de energía geotérmica, deberán cumplir los siguientes requisitos mínimos:

a) Tener un patrimonio de a lo menos cinco mil unidades de fomento, en el caso de personas naturales, o un capital mínimo de diez mil unidades de fomento, en el caso de personas jurídicas, y

b) Acompañar los antecedentes generales, técnicos y económicos del proyecto de exploración o de explotación de energía geotérmica y la información sobre las inversiones proyectadas para su ejecución.

En las bases de la licitación podrá contemplarse la facultad del Ministerio de Energía de rechazar, con expresión de causa, todas las ofertas y declarar, en consecuencia, desierta la licitación.

La convocatoria a licitación deberá publicarse en la forma establecida en el artículo 13.

Para la resolución de la licitación en favor de un proponente, se procederá en conformidad al artículo 19.

Artículo 18.- Sin perjuicio de las acciones judiciales que pudieren corresponderles, dentro del plazo de cuarenta y cinco días corridos, contado desde la publicación del extracto de la solicitud o de la publicación del aviso del llamado a licitación, los dueños de los terrenos superficiales, los dueños de concesiones mineras o de derechos de aprovechamiento de aguas, los titulares de derechos de exploración o de explotación de hidrocarburos líquidos o gaseosos, o de litio, o los titulares de derechos sobre extensiones territoriales cubiertas por la respectiva concesión de energía geotérmica podrán, mediante la presentación de los instrumentos y los antecedentes que acrediten su título, formular al Ministerio de Energía las reclamaciones y las observaciones de aquello que les cause perjuicio.

El Ministerio de Energía pondrá en conocimiento del peticionario las reclamaciones y observaciones opuestas, otorgándole un plazo de sesenta días corridos, contado desde la fecha de recepción de la comunicación, para que manifieste lo que estime conveniente a sus derechos. Transcurrido el plazo, con la respuesta del solicitante o sin ella, resolverá sobre la solicitud de concesión, si así correspondiere, dentro del término previsto en el artículo 19.

Si las reclamaciones u observaciones se hubieren opuesto con ocasión de una convocatoria a licitación pública para el otorgamiento de una concesión de energía geotérmica, el Ministerio de Energía deberá resolver lo pertinente en el plazo de sesenta días corridos, contado desde que venza el plazo indicado en el inciso primero. Si no se pronunciare dentro de dicho plazo, se entenderá que queda sin efecto el llamado a licitación.

En todo caso, el derecho a presentar las reclamaciones u observaciones a que se refiere el presente artículo, no podrá ejercitarse cuando la solicitud de concesión de explotación haya sido precedida por una concesión de exploración sobre todo o parte del mismo terreno.

Artículo 19.- Si no se hubieren deducido reclamaciones u observaciones, o si se hubieren resuelto las opuestas, el Ministerio de Energía, mediante decreto supremo, deberá pronunciarse sobre la solicitud de concesión o resolver la licitación convocada, según corresponda. Para ello tendrá un plazo de noventa días corridos que se contará, en el caso de una solicitud de concesión, desde la expiración del término de sesenta días establecido en el inciso segundo del artículo precedente y en el caso de licitación, desde que expire el plazo previsto en el inciso tercero de la misma disposición. Si no se hubiesen deducido observaciones o reclamaciones, el plazo de noventa días se contará desde que expire el plazo previsto en el inciso primero del artículo 15, tratándose de una solicitud de concesión, y desde la fecha de la apertura de las propuestas, en el caso de una licitación.

El decreto supremo que rechace una solicitud de concesión o el que declare desierta una licitación pública convocada para otorgar una concesión de energía geotérmica, deberá ser fundado.

Artículo 20.- El decreto de concesión de exploración deberá contener, como menciones esenciales, las siguientes: a) el plazo de la concesión; b) el titular a quien se confiere; c) la ubicación, con las coordenadas U.T.M. de sus vértices, y la extensión de la concesión, y d) los antecedentes generales, técnicos y económicos sobre el proyecto de exploración de energía geotérmica y las inversiones proyectadas para su ejecución.

El decreto de concesión de explotación deberá contener, como menciones esenciales, las siguientes: a) el titular a quien se confiere; b) la ubicación, con las coordenadas U.T.M. de sus vértices, y la extensión de la concesión, y c) las inversiones proyectadas.

Copia de los decretos deberá ser remitida al Servicio Nacional de Geología y Minería de Chile, el que deberá llevar un catastro de las concesiones otorgadas y sus ubicaciones geográficas determinadas en coordenadas U.T.M.

En casos calificados, y a solicitud del concesionario de exploración o de explotación, el Ministerio de Energía podrá modificar las condiciones de la concesión, dictando, al efecto, un nuevo decreto.

Artículo 21.- La concesión de energía geotérmica entrará en vigencia en la fecha de publicación en el Diario Oficial del decreto supremo que la otorgue.

TÍTULO III
DE LOS DERECHOS DEL CONCESIONARIO

Artículo 22.- Sólo el concesionario de exploración o de explotación, según el caso, tendrá la facultad de desarrollar actividades de exploración o de explotación, respectivamente, de la energía geotérmica que se encuentre dentro del área de la concesión respectiva.

No podrá otorgarse una concesión de energía geotérmica respecto de terrenos que se encuentren comprendidos en otra concesión de energía geotérmica, sobre cuya existencia deberá, previamente, pedirse informe al Servicio Nacional de Geología y Minería.

Artículo 23.- Sin perjuicio de los recursos y acciones que les franquee la ley, el solicitante de una concesión de energía geotérmica y los proponentes de una licitación convocada para la adjudicación de una de dichas concesiones, podrán reclamar, ante el Ministro de Energía, de cualquier acto o hecho que afectare sus derechos y que se produzca durante la tramitación de la solicitud o licitación. Asimismo, podrán impugnar ante la referida autoridad, el rechazo de la solicitud de concesión o la decisión recaída en la licitación. El plazo para deducir el reclamo será de quince días corridos, a contar de la fecha en que se tuvo conocimiento del acto o hecho que motiva el reclamo.

El Ministro resolverá, previo informe fundado de una Comisión. Dicha Comisión estará integrada por el Subsecretario de la Cartera, el Jefe de la División Jurídica del Ministerio de Energía y el Director Nacional de Geología y Minería.

Dicho informe fundado, deberá evacuarse en un plazo máximo de diez días corridos, salvo que se requieran informes adicionales para resolver, de lo cual deberá dejarse constancia en el expediente de reclamo. En este caso, el plazo se ampliará hasta por el máximo de diez días adicionales.

La interposición del reclamo, en su caso, suspenderá los plazos a que se refiere el artículo 19 para resolver sobre la solicitud de concesión o sobre la licitación a que se haya convocado para otorgarla.

Los reclamos a que se refiere este artículo, presentados con posterioridad a la fecha de total tramitación del decreto supremo que otorga la concesión, serán rechazados de plano.

Artículo 24.- Las concesiones de energía geotérmica podrán ser transferidas a terceros, total o parcialmente. La transferencia deberá efectuarse mediante escritura pública.

Otorgada que sea la escritura pública de transferencia, el nuevo concesionario se subrogará al concesionario anterior, por el solo ministerio de la ley, en las obligaciones y derechos de la concesión. La concesión de energía geotérmica y las maquinarias y demás bienes muebles destinados a su ejecución o desarrollo son susceptibles de otorgarse como caución.

Artículo 25.- Las concesiones serán transmisibles por causa de muerte. Los herederos deberán comunicar al Ministerio de Energía, meramente para efectos de registro, el fallecimiento del causante, titular de la concesión, dentro del término de sesenta días corridos, contados desde el fallecimiento. Dentro del mismo plazo, se señalará el nombre de quien será su representante ante el Ministerio y la intención de continuar o cesar en el ejercicio de sus derechos.

Artículo 26.- Desde la fecha de entrada en vigencia de la concesión de energía geotérmica y con el fin de facilitar la exploración o explotación, según el caso, los predios superficiales donde se encuentre ubicada la extensión territorial cubierta por la concesión estarán sujetos a las siguientes servidumbres:

1°.- La de ser ocupados, en toda la extensión necesaria, por obras y por instalaciones de exploración y de explotación de energía geotérmica; por sistemas de comunicación, y por cañerías, construcciones y demás obras complementarias;

2°.- Las establecidas en beneficio de las empresas concesionarias de servicios eléctricos, de acuerdo con la legislación respectiva, y

3°.- La de tránsito y la de ser ocupados por caminos, ferrocarriles, cañerías, túneles, planos inclinados, andariveles, cintas transportadoras y todo otro sistema que sirva para unir la concesión con caminos públicos, estaciones de ferrocarril, puertos, aeródromos, establecimientos de producción comercial o industrial de la energía geotérmica y centros de consumo de la misma.

Si las servidumbres afectaren casas y sus dependencias o terrenos plantados de vides o árboles frutales, ellas sólo podrán ser constituidas con acuerdo del dueño del predio superficial.

La constitución de la servidumbre, su ejercicio y las indemnizaciones correspondientes por todo perjuicio que se cause al dueño de los terrenos o a cualquier otra persona, se determinarán por acuerdo entre los interesados que conste en escritura pública, o por resolución judicial, dictada en conformidad al procedimiento sumario. Con todo, iniciado el juicio sumario, podrá pedirse y decretarse su continuación conforme a las reglas del procedimiento ordinario, si existen motivos fundados para ello. La solicitud en que se pida la sustitución del procedimiento se tramitará como incidente. Será aplicable a este procedimiento lo dispuesto en el artículo 125 del Código de Minería.

Para que las servidumbres de que trata este artículo sean oponibles a terceros, deberán inscribirse en el Registro de Hipotecas y Gravámenes del Conservador de Bienes Raíces.

Dichas servidumbres no podrán aprovecharse para fines distintos de aquellos propios de la respectiva concesión y para los cuales hayan sido constituidas, y cesarán cuando termine ese aprovechamiento.

Artículo 27.- El titular de la concesión de energía geotérmica tiene, por el solo ministerio de la ley, y en la medida necesaria para el ejercicio de la concesión, el derecho de aprovechamiento, consuntivo y de ejercicio continuo, de las aguas subterráneas alumbradas en los trabajos de exploración o de explotación. Este derecho de aprovechamiento es inherente a la concesión de energía geotérmica y se extinguirá con ésta.

Dentro del plazo de seis meses, contado desde el alumbramiento de las aguas subterráneas, el concesionario de energía geotérmica deberá informar a la Dirección General de Aguas, respecto de la ubicación del punto de captación, de las características técnicas de la extracción y de los caudales extraídos.

Una vez terminada la utilización geotérmica de las aguas referidas en el inciso primero de este artículo, el titular de la concesión de energía geotérmica será dueño del respectivo derecho de aprovechamiento y podrá disponer de las aguas, mientras la concesión de energía geotérmica se mantenga vigente. La misma disposición se aplicará a los demás fluidos geotérmicos.

Las aguas que provengan del ejercicio de la concesión de energía geotérmica, a que se refieren los incisos primero y tercero, una vez abandonadas a un cauce natural, estarán sujetas a las disposiciones del Código de Aguas y, en su caso, a las normas que regulan el vertimiento de materias contaminantes a dichos cauces.

Para la utilización de aguas distintas a las referidas en el inciso primero de este artículo, se estará a lo dispuesto en el Código de Aguas y demás normativa aplicable.

Artículo 28.- En terrenos comprendidos en una concesión de energía geotérmica, podrán constituirse concesiones mineras, derechos de aprovechamiento de aguas u otorgarse permisos de exploración de aguas subterráneas. También podrán otorgarse concesiones administrativas o celebrarse contratos especiales de operación en el caso de sustancias no susceptibles de concesión minera, conforme con el artículo 7° del Código de Minería. Asimismo, el Estado o sus empresas podrán explorar o explotar tales sustancias en terrenos comprendidos en una concesión geotérmica.

Si las actividades de las concesiones mineras, de exploración de aguas subterráneas o de derechos de aprovechamiento de aguas, de concesiones administrativas o contratos especiales de operación, que se hayan iniciado con posterioridad a la constitución de la concesión geotérmica, afectaren su ejercicio, los titulares de ellas deberán realizar, a su exclusivo cargo, las obras necesarias para subsanar las dificultades o bien indemnizar por el daño patrimonial que efectivamente le causen al titular de la concesión geotérmica.

En los predios donde existan concesiones mineras o se hayan constituido derechos de aprovechamiento de aguas, o bien en los casos de sustancias no susceptibles de concesión minera, conforme a lo dispuesto en el artículo 7° del Código de Minería o en que se hayan otorgado concesiones administrativas o celebrado contratos especiales de operación, podrán constituirse concesiones de energía geotérmica. Si las actividades propias de las concesiones de energía geotérmica afectan el ejercicio de tales concesiones mineras o contratos especiales de operación o concesiones administrativas de sustancias no concesibles o derechos de aprovechamiento de aguas, el titular de la concesión de energía geotérmica deberá realizar, a su exclusivo cargo, las obras necesarias para subsanar las dificultades, o bien indemnizar por el daño patrimonial que efectivamente cause a los titulares de aquellas concesiones, derechos de aprovechamiento de aguas, concesiones administrativas o contratos especiales de operación.

Artículo 29.- Si, con motivo de la explotación de la energía geotérmica, se detectare la existencia de una substancia concesible que fuere objeto de pertenencia minera, cuya extracción o recuperación se obtuviere como consecuencia de la explotación de la energía geotérmica, el titular de la concesión de explotación de energía geotérmica deberá comunicar este hecho al dueño de la pertenencia minera, quien podrá exigir su entrega, siempre que pague previamente al titular de la concesión geotérmica los gastos y las inversiones en modificaciones y obras complementarias en que tenga que incurrir para efectuar la extracción, recuperación y su entrega, caso en el cual también pagará las indemnizaciones de los perjuicios que se ocasionaren con motivo de la realización de estas modificaciones y obras complementarias. Estas últimas obras serán de propiedad del dueño de la pertenencia minera. Con todo, si el titular de la pertenencia minera se niega a recibir dichas sustancias, el titular de la concesión geotérmica las hará suyas.

La misma norma se aplicará, en lo pertinente, al Estado respecto de las sustancias no concesibles.

Artículo 30.- Las dificultades que se susciten entre dos o más titulares con ocasión de lo dispuesto en los artículos 27 y 28 o con motivo de sus respectivas labores, serán sometidas a la decisión de un árbitro de los mencionados en el artículo 223, inciso final, del Código Orgánico de Tribunales.

Artículo 31.- El titular de la concesión de energía geotérmica puede defender su concesión por todos los medios que franquea la ley, tanto respecto del Estado como de particulares, ejerciendo para tal efecto las acciones que procedan, tales como la reivindicatoria o las posesorias, y recabar, además, las indemnizaciones pertinentes.

El concesionario puede impetrar del juez competente las medidas cautelares, judiciales o prejudiciales, destinadas a la conservación y defensa de su concesión.

TÍTULO IV
DE LAS OBLIGACIONES DEL CONCESIONARIO

Artículo 32.- La concesión de explotación de energía geotérmica será amparada mediante el cumplimiento de las obligaciones establecidas para el concesionario en el decreto de concesión y el pago de una patente anual, a beneficio fiscal. Esta patente será equivalente a un décimo de unidad tributaria mensual por cada hectárea completa de extensión territorial comprendida por la concesión.

El pago de la patente será anticipado y se efectuará en el curso del mes de marzo de cada año, en cualquier banco o institución autorizada para recaudar tributos.

Vencido el plazo indicado en el inciso anterior, el pago de la patente tendrá un recargo del 10% de su valor más un 5% adicional por cada mes de atraso.

El monto de la primera patente será proporcional al tiempo que medie entre la fecha de otorgamiento de la concesión de explotación y el último día del mes de febrero siguiente. Una vez pagada la primera patente, se deberá seguir pagando anualmente, en la oportunidad y forma prescritas en el inciso segundo.

No procederá la devolución de las patentes pagadas por concesiones que posteriormente caduquen, se extingan o se renuncien total o parcialmente, por cualquier causa.

Artículo 33.- Una cantidad igual al producto de las patentes a que se refiere el artículo anterior será distribuida entre las regiones y comunas del país, en la forma que a continuación se indica:

a) El 70% de dicha cantidad se incorporará proporcionalmente en la cuota del Fondo Nacional de Desarrollo Regional, que anualmente le corresponda, en el Presupuesto Nacional, a la o a las regiones en cuyos territorios esté situada la concesión.

b) El 30% restante corresponderá a las municipalidades de las comunas en que estén situadas las concesiones de explotación de energía geotérmica.

En el caso de que una concesión de energía geotérmica se encuentre situada en el territorio de dos o más regiones o de dos o más comunas, el Servicio Nacional de Geología y Minería determinará la proporción que le corresponderá a cada una de ellas, dividiendo su monto a prorrata de la superficie de cada región o comuna comprendida en la concesión.

El Servicio de Tesorerías pondrá a disposición de las regiones y municipalidades que correspondan los recursos a que se refiere este artículo, dentro del mes subsiguiente al de su recaudación.

Artículo 34.- La Tesorería General de la República informará, en el mes de abril de cada año, al Ministerio de Energía respecto de las patentes de explotación geotérmica que se encuentren impagas, para los efectos de lo dispuesto en el artículo 39.

TÍTULO V
DE LA EXPLORACIÓN Y EXPLOTACIÓN POR LOS CONCESIONARIOS DE LA ENERGÍA GEOTÉRMICA

Artículo 35.- El concesionario de exploración, anualmente, en el mes de marzo, y durante toda la vigencia de la concesión, deberá informar al Ministerio de Energía el avance verificado durante el año calendario precedente en la ejecución del proyecto presentado conforme al artículo 11.

Artículo 36.- El período de vigencia de la concesión de exploración de energía geotérmica tendrá una duración de dos años, contado desde la fecha en que haya entrado en vigencia el decreto de concesión.

No obstante, el concesionario, antes de los últimos seis meses del período establecido en el inciso anterior, podrá solicitar del Ministerio de Energía, por una sola vez, su prórroga por un período de dos años, contado desde el término del primero, acreditando un avance no inferior al 25% en la materialización de las inversiones indicadas en la letra c) del artículo 11. El Ministerio de Energía otorgará la prórroga o la denegará fundadamente, lo que pondrá en conocimiento del concesionario mediante comunicación escrita y fundada, dirigida a éste dentro de un plazo que no podrá exceder de tres meses, contado desde la fecha de la solicitud de prórroga. Esta misma comunicación deberá ser enviada al Servicio Nacional de Geología y Minería.

Artículo 37.- El concesionario de explotación deberá D.O. 03.12.2009 informar al Ministerio de Energía, en el curso del mes de marzo de cada año, sobre las labores de explotación comercial o industrial efectuadas durante el año calendario precedente.

Artículo 38.- En el caso de que dos o más concesiones de explotación aprovechen un mismo reservorio de fluidos geotérmicos, los respectivos concesionarios deberán acordar los procedimientos técnicos de la explotación común. En caso de desacuerdo, tales procedimientos serán determinados por un árbitro arbitrador, a solicitud de cualquiera de ellos, el que deberá resolver cuidando la óptima explotación del recurso y el resguardo de los derechos de los concesionarios.

TÍTULO VI
DE LA EXTINCIÓN DE LAS CONCESIONES DE ENERGÍA GEOTÉRMICA

Artículo 39.- La concesión geotérmica de explotación caducará irrevocablemente, y por el solo ministerio de la ley, si el concesionario dejare de pagar dos patentes consecutivas. Esta caducidad se producirá a las doce de la noche del 31 de marzo del año en que se incurra en la mora del segundo pago.

El Ministerio de Energía comunicará esta circunstancia al Servicio Nacional de Geología y Minería.

Artículo 40.- El juez de letras en cuyo territorio jurisdiccional esté ubicada la concesión de energía geotérmica, o cualquiera de ellos, si fueren varios, será competente para declarar extinguida la concesión de explotación, a solicitud del Ministerio de Energía, si el concesionario, aun habiendo pagado patente, no desarrollare las actividades de explotación de su concesión, pudiendo hacerlo en condiciones razonables de rentabilidad, con el fin de obtener utilidades o ventajas adicionales mediante la explotación de otras fuentes energéticas.

El juez conocerá y resolverá esta solicitud con arreglo al procedimiento contemplado en el Título XI del Libro III del Código de Procedimiento Civil.

La sentencia judicial que declare extinguida la concesión deberá publicarse, en extracto, en el Diario Oficial. El juez dispondrá esta publicación con cargo al Ministerio de Energía.

Artículo 41.- La concesión de energía geotérmica es renunciable parcial o totalmente, mediante escritura pública otorgada por el concesionario. Una copia autorizada de dicho instrumento deberá ser entregada al Ministerio de Energía dentro del plazo de un mes, contado desde la fecha de su otorgamiento. El no cumplimiento oportuno de esta obligación hará inoponible la renuncia para el solo efecto de hacer exigibles las obligaciones pecuniarias del concesionario.

En el evento de renuncia parcial a la concesión, el pago de la patente anual a que esté obligado el concesionario se reducirá en el monto proporcional correspondiente, a contar del año siguiente al de la renuncia.

Artículo 42.- En el evento de caducidad, extinción o renuncia de la concesión de energía geotérmica, el concesionario tendrá derecho a retirar los equipos, instalaciones y obras que le pertenezcan, dentro del término de un año, contado desde la fecha de la caducidad o renuncia, o desde la fecha de notificación de la extinción de la concesión, salvo que antes del vencimiento de dicho plazo solicitare una prórroga del mismo, ampliación que sólo podrá otorgarse por una vez y por un término de hasta un año.

En el evento de que los equipos, instalaciones y obras no hubiesen sido retirados en el plazo establecido en el inciso anterior, se entenderán abandonados por el dueño.

TÍTULO VII
DISPOSICIONES FINALES

Artículo 43.- Toda infracción de las disposiciones de esta ley que no esté expresamente sancionada, será castigada con una multa, a beneficio fiscal, de entre cinco y cien unidades tributarias mensuales. El Ministerio de Energía aplicará administrativamente la multa, y su resolución tendrá mérito ejecutivo.

El afectado podrá reclamar ante la justicia ordinaria en contra de las multas que le imponga el Ministerio. El reclamo deberá interponerse dentro del plazo de treinta días, contado desde la fecha de remisión de la carta certificada en la cual se le notifique su aplicación. La justicia conocerá del reclamo breve y sumariamente.

Artículo 44.- El que sustrajere energía geotérmica a un concesionario incurrirá, cualquiera sea el valor de la sustracción, en las penas previstas en el número 1° del artículo 446 del Código Penal. En caso de reincidencia, se procederá en conformidad con lo previsto en el artículo 451 del mencionado Código.

Artículo 45.- Agrégase al inciso tercero del artículo 2° de la Ley N° 9.618, Orgánica de la Empresa Nacional del Petróleo, a continuación del punto aparte (.), que pasa a ser punto seguido (.), lo siguiente: "Finalmente, la Empresa podrá participar, a través de sociedades en que tenga una participación inferior al 50% del capital social, en actividades relacionadas con la energía geotérmica, pudiendo, para esos efectos, formular solicitudes de concesión, participar en licitaciones, prestar toda clase de servicios a los concesionarios para la ejecución de las labores de exploración y de explotación de energía geotérmica, y, en general, desarrollar todas las actividades industriales y comerciales que tengan relación con la exploración y la explotación de esa energía. Tales sociedades podrán también tener por objeto el aprovechamiento de las aguas subterráneas alumbradas en las labores de exploración y explotación geotérmica.".

Artículo transitorio.- Las personas naturales o jurídicas que acrediten actividades de investigación o exploración geotérmica, realizadas con anterioridad a la vigencia de esta ley, que recaigan sobre un área geográfica determinada, tendrán derecho exclusivo, por el lapso de un año, contado desde la publicación de esta ley, para solicitar al Ministerio de Energía el otorgamiento de una concesión de energía geotérmica.".

Habiéndose cumplido con lo establecido en el N° 1° del Artículo 82 de la Constitución Política de la República y por cuanto he tenido a bien aprobarlo y sancionarlo; por tanto promúlguese y llévese a efecto como Ley de la República.

Santiago, 21 de diciembre de 1999.- EDUARDO FREI RUIZ-TAGLE, Presidente de la República.- Sergio Jiménez Moraga, Ministro de Minería.

Lo que transcribo a Ud. para su conocimiento.- Saluda atentamente a Ud., César Díaz-Muñoz Cormatches, Subsecretario de Minería.

Proyecto de ley sobre concesiones de energía geotérmica

El Secretario del Tribunal Constitucional, quien suscribe, certifica que la Honorable Cámara de Diputados envió el proyecto de ley enunciado en el rubro, aprobado por el Congreso Nacional, a fin de que este Tribunal ejerciera el control de la constitucionalidad respecto de los artículos 30, 31, 38, 40 y 43 —inciso segundo—, del mismo, y que por sentencia de 9 de diciembre de 1999, declaró que los artículos 30, 31, 38, 40 y 43 del proyecto remitido son constitucionales.

Santiago, diciembre 10 de 1999.- Rafael Larraín Cruz, Secretario.

LEY Nº 20.304 SOBRE OPERACIÓN DE EMBALSES FRENTE A ALERTAS Y EMERGENCIAS DE CRECIDAS Y OTRAS MEDIDAS QUE INDICA

Teniendo presente que el H. Congreso Nacional ha dado su aprobación al siguiente

Proyecto de ley:

"TÍTULO I
DISPOSICIONES GENERALES

Artículo 1º.- La presente ley norma la operación de los embalses de control que, por su capacidad de regulación o por su cercanía a lugares habitados, permita, en casos de crecidas inminentes de caudales de agua, evitar o mitigar los riesgos para la vida, la salud o los bienes públicos y privados, junto con otros derechos y obligaciones que indica.

Artículo 2º.- Para todos los efectos de esta ley, se entenderá por:

a) Crecida: aumento significativo de los caudales de los cauces que puede provocar su desborde.

b) Embalse: es toda obra que tenga un muro por sobre el nivel del terreno y que acopie aguas.

c) Embalse de control: es todo embalse que contribuya a la regulación de las crecidas, declarado como tal por la Dirección General de Aguas, en adelante DGA. Para calificarlo como de control, la DGA deberá considerar, entre otras características, el volumen de regulación del respectivo embalse y la localización de éste respecto de la cuenca hidrográfica, y que aquél permita regular las crecidas de los caudales de agua, con el objetivo de evitar o mitigar las situaciones de peligro para la vida, la salud o los bienes de la población.

d) Emergencia: grave alteración de las condiciones de vida de un colectivo social determinado, que pueda dañar los bienes físicos o ambiente, provocada por un fenómeno natural o acción humana, voluntaria o involuntaria, susceptible de ser controlada con los medios previstos en el territorio, espacio o colectivo social afectado.

e) Estado de alerta de crecidas: conjunto de disposiciones, medidas y acciones destinadas a establecer un estado de vigilancia sobre las condiciones y situaciones de riesgo, que se activan por la autoridad correspondiente para prevenir, mitigar o mejor controlar y reducir los impactos de emergencias, producto del aumento significativo, actual o futuro, de los caudales de los cauces que puede provocar su desborde.

f) Manual de operación: conjunto de normas técnicas que regulan la operación de cada embalse de control, elaboradas por el operador y autorizadas por la DGA, las que deberán velar, entre otras, por la seguridad de las presas y buenas prácticas, tanto en la ingeniería de las obras civiles como en su operación, conforme al procedimiento que establezca el reglamento. El mencionado Manual de Operación deberá contener un Plan de Contingencia de Crecidas.

En los casos en que se trate de un embalse de control de generación hidroeléctrica, se requerirá la opinión previa de la Comisión Nacional de Energía, la que deberá ser emitida por ésta dentro del plazo de treinta días contado desde la fecha en que reciba la solicitud. Dicha opinión no será vinculante para los efectos de la aprobación del Manual de Operación.

g) Operador: toda persona natural o jurídica, de derecho público o privado, que bajo cualquier título administre un embalse.

h) Plan de contingencia: procedimientos operativos específicos de coordinación, movilización y respuesta, que el operador de un embalse de control deberá implementar ante la declaración del estado de alerta de crecidas.

i) Reglamento: el dictado para la ejecución de esta ley, conforme a su artículo 19.

Artículo 3°.- Todo embalse y su respectivo operador, deberán registrarse en el Inventario Público de Obras Hidráulicas perteneciente al Catastro Público de Aguas, establecido en el artículo 122 del Código de Aguas. El registro deberá solicitarse a la DGA, dentro del plazo de 30 días, contado desde la notificación de la resolución que aprueba las obras a que se refiere el artículo 294 del Código de Aguas y, respecto de las demás obras, desde que comience el acopio de aguas.

Una vez registrado un embalse y su operador en el Inventario Público de Obras Hidráulicas, la Dirección General de Aguas calificará en el plazo de 30 días, mediante resolución, si corresponde a un embalse de control, de conformidad con lo establecido en el artículo 2°, letra c).

TÍTULO II
OBLIGACIONES DE LOS OPERADORES DE EMBALSES DE CONTROL

Artículo 4°.- Los operadores de embalses de control deberán instalar y mantener sistemas de monitoreo de sus caudales de afluentes y efluentes, según los estándares establecidos por la DGA para la construcción y operación de estaciones de redes hidrométricas. Asimismo deberán, a lo menos, medir caudales y niveles de cotas y generar sistemas de información que permitan a la autoridad respectiva adoptar las medidas contempladas en los artículos 9° y siguientes, sin perjuicio de los requerimientos específicos que para cada caso la DGA determine, en la resolución en que se califique al respectivo embalse como de control, conforme al inciso segundo del artículo 3°.

En caso de incumplimiento de la obligación señalada en el inciso anterior, la DGA denunciará la infracción ante el juez de letras respectivo, quien deberá requerir el cumplimiento dentro del plazo de 15 días hábiles, contado desde la fecha de la notificación, bajo apercibimiento de imponer multa a beneficio fiscal por un monto de 50 hasta 500 unidades tributarias anuales. En caso de reincidencia, el juez reiterará el apremio, tantas veces como sea necesario, hasta que se dé pleno cumplimiento a la resolución referida en el inciso precedente.

Para los efectos de lo señalado en el inciso primero de este artículo, el operador deberá instalar los referidos sistemas dentro del plazo de 60 días contado desde la notificación de la resolución que califica el embalse de control.

Artículo 5°.- Los operadores de los embalses de control deberán informar, diariamente, a la DGA los registros de los sistemas de monitoreo. Dicha información será de libre acceso público.

Artículo 6°.- Desde la fecha en que la DGA dicte la resolución señalada en el inciso segundo del artículo 3°, los operadores de los embalses de control tendrán un plazo de 90 días para presentar su respectivo manual de operación. La DGA lo aprobará u observará, indicando las enmiendas pertinentes para su aprobación, las que deberán efectuarse dentro del plazo de 20 días, contados desde la fecha de su notificación.

En caso de no presentar el manual de operación o de no efectuar las enmiendas indicadas por la DGA de conformidad con el inciso anterior, el operador será sancionado conforme al procedimiento del Título V de la presente ley, con una multa a beneficio fiscal, desde 30 hasta 300 unidades tributarias anuales.

El reglamento establecerá el contenido del Manual de Operación, el cual, considerando la seguridad del embalse y las restricciones constructivas propias de éste, deberá tomar en cuenta los impactos de generación, riesgo y control de crecidas.

Sin perjuicio de lo señalado en el inciso anterior, dicho manual y su plan de contingencia de crecidas, considerará en su contenido:

a) Un hidrograma de crecida pluvial afluente al embalse;

b) La programación de evacuación anticipada desde el embalse para disponer del volumen de regulación que permita atenuar la crecida del o de los afluentes. Dicho programa deberá considerar las diferentes condiciones de volumen inicial del embalse, como las distintas alternativas para el inicio del proceso de evacuación de caudales, es decir, la antelación respecto del ingreso de la crecida al embalse;

c) El tránsito de hidrograma de crecida y estado final del embalse, considerando proporcionar la información de caudal afluente, el nivel del embalse, el caudal descargado y vertido desde el embalse a nivel horario, y

d) Un análisis para situaciones de retorno de 100, 150, 200, 250 y 300 años y el tiempo de antelación, que deberá considerar desfases de 6, 12, 24 y 48 horas.

Artículo 7°.- Las resoluciones que se dicten de conformidad con los artículos 3° y 6°, podrán ser objeto de los recursos de reconsideración y reclamación consagrados en los artículos 136 y 137 del Código de Aguas, respectivamente. La sola interposición del recurso de reconsideración suspenderá los efectos de la resolución administrativa impugnada.

TÍTULO III
DE LA DECLARACIÓN DE ESTADO DE ALERTA DE CRECIDAS

Artículo 8°.- La Dirección Meteorológica de Chile (DMC), deberá informar diariamente a la DGA y el Servicio Nacional de Prevención y Respuesta ante Desastres, los pronósticos meteorológicos que dicha Dirección confeccione, así como también toda información relevante e inherente a eventos meteorológicos significativos.

Artículo 9°.- La DGA, considerando todos los antecedentes del caso, tales como precipitaciones, deshielos, caudales, período del año y características de los embalses de control, declarará, mediante resolución fundada, el estado de alerta de crecidas, de conformidad a sus facultades y competencias, en el nivel correspondiente al riesgo evaluado, para una determinada zona geográfica del país o área administrativa respectiva. Dicha resolución no admitirá recurso administrativo alguno. La declaración de alerta deberá ser comunicada por la DGA al Servicio Nacional de Prevención y Respuesta ante Desastres en forma oportuna y suficiente.

Artículo 10.- La declaración del estado de alerta de crecidas para una determinada zona del país, deberá ser notificada por el Servicio Nacional de Prevención y Respuesta ante Desastres al Intendente respectivo, a la o las municipalidades respectivas, a la Comisión Nacional de Energía, al Centro de Despacho Económico de Carga del Sistema Interconectado Central (CDEC-SIC), a la Dirección de Obras Hidráulicas y a los operadores involucrados, en la forma y oportunidad que establezca el reglamento, sin perjuicio de las acciones de comunicación establecidas en el Plan de Emergencia respectivo.

Artículo 11.- Decretado el estado de alerta de crecidas la DGA podrá ordenar, de manera fundada, nuevas medidas además de las ya autorizadas en el plan de contingencia del operador, las que formarán parte integrante de dicho plan.

Las resoluciones que se dicten, en conformidad con el inciso precedente, por el Director General de Aguas, por funcionarios de su dependencia, o por quienes obren en virtud de una delegación que el primero les haga en uso de las atribuciones conferidas por la ley, serán precisa e inmediatamente cumplidas. Estas resoluciones sólo podrán ser objeto de los recursos de reconsideración y de reclamación a que se refieren los artículos 136 y 137 del Código de Aguas, y su interposición en ningún caso dará lugar a la suspensión de su cumplimiento.

Una vez finalizado el evento de crecida, la autoridad se encontrará obligada a efectuar una cuenta pública sobre su decisión de dar inicio a los mecanismos contemplados en la presente ley, así como sobre las decisiones y medidas adoptadas durante el desarrollo del evento en cuestión y la información considerada en cada caso para su aplicación.

Artículo 12.- Si la crecida efectivamente producida fuere menor a la pronosticada, y producto del cumplimiento de las nuevas medidas dispuestas por la DGA, de conformidad con lo establecido en el inciso primero del artículo 11, el embalse no recuperare el nivel de aguas que tenía antes de la aplicación de tales medidas, por haber evacuado aguas, en circunstancias que estaba en condiciones de conservarlas, el Fisco deberá indemnizar al operador, siempre que éste probare un daño o perjuicio efectivo y avaluable en dinero.

La procedencia y el monto de dicha indemnización serán establecidos de común acuerdo por las partes, y a falta de éste, por un árbitro de derecho con facultades de arbitrador en cuanto al procedimiento, designado por las partes de común acuerdo o, en caso de no producirse tal acuerdo, por la justicia ordinaria de conformidad a lo dispuesto en el Título IX del Código Orgánico de Tribunales.

Si el propósito principal del embalse es la generación de energía eléctrica, la avaluación del daño se determinará calculando la diferencia entre el resultado económico que se produce por la operación del embalse, como consecuencia de la aplicación de las nuevas medidas, y el resultado económico que se hubiera producido por la operación del embalse si hubiere estado en condiciones de conservar las aguas que se ordenó evacuar.

En el caso contemplado en el inciso precedente, el monto de la indemnización será establecido de común acuerdo por las partes, y a falta de éste, por el Panel de Expertos de la Ley General de Servicios Eléctricos, de existir acuerdo en ello. De lo contrario, el monto de la indemnización será establecido por un árbitro de derecho con facultades de arbitrador en cuanto al procedimiento, designado por las partes de común acuerdo o, en caso de no producirse, por la justicia ordinaria de conformidad a lo dispuesto en el Título IX del Código Orgánico de Tribunales. Dentro de los 60 días siguientes a la aplicación de las medidas adicionales indicadas en el inciso anterior, que hubieren producido el resultado también señalado en dicho inciso y siempre en carácter previo al acuerdo de las partes o al sometimiento de la determinación del monto de indemnización a una de las instancias antes referidas, deberá existir sobre la materia un informe de la Dirección de Operaciones del CDEC respectivo.

En el caso del Panel de Expertos, su dictamen deberá optar por la alternativa del operador o de la DGA, sin que pueda adoptar valores intermedios. Será vinculante para todos los que participen en el procedimiento respectivo y no procederá ninguna clase de recursos jurisdiccionales o administrativos, de naturaleza ordinaria o extraordinaria.

Artículo 13.- Corresponderá a la DGA requerir del Juez a que se refiere el artículo 16 de esta ley, la aplicación de sanciones a los operadores que incumplan con las medidas de operación aprobadas u ordenadas, una vez declarado el estado de alerta de crecidas. Para este efecto, se aplicará el procedimiento contemplado en el artículo 17 de esta ley, y a los operadores responsables se les sancionará con multa a beneficio fiscal, desde 200 a 6.000 unidades tributarias anuales.

Artículo 14.- El juez, al momento de imponer las multas señaladas en el artículo precedente y con el objeto de determinar su cuantía, deberá considerar:

a) La gravedad de la infracción, para cuyo efecto se atenderá, principalmente, a las pérdidas de vidas humanas, lesiones a la salud o integridad física de las personas y daños a los bienes públicos y de los particulares.

b) La reincidencia.

TÍTULO IV
DE LA RESPONSABILIDAD DE LOS OPERADORES

Artículo 15.- El operador de un embalse de control deberá indemnizar los perjuicios ocasionados a terceros, si éstos provinieren del incumplimiento de las normas contenidas en la presente ley, en su reglamento, en el manual de operación o en las instrucciones impartidas por la autoridad respectiva. Se presumirá el incumplimiento de las normas e instrucciones a que se refiere el inciso anterior, con el solo informe fundado emitido por la Dirección General de Aguas que así lo declare, a requerimiento del tribunal respectivo.

TÍTULO V
DEL PROCEDIMIENTO

Artículo 16.- Será competente para conocer de las causas que se promuevan por infracción a la presente ley, con excepción de lo dispuesto en el Título III, el juez de letras en lo civil del lugar en que se encuentre el embalse de control respectivo.

Artículo 17.- Las causas a que se refiere el artículo anterior se tramitarán en conformidad al procedimiento sumario, establecido en los artículos 680 y siguientes del Código de Procedimiento Civil.

En este procedimiento, será admisible cualquier medio de prueba, además de los establecidos en el Código de Procedimiento Civil.

El juez apreciará la prueba y fundamentará su sentencia conforme a las reglas de la sana crítica.

El recurso de apelación sólo se concederá en contra de la sentencia definitiva, en el solo efecto devolutivo.

Estas causas tendrán preferencia para su vista y fallo, y en ellas no procederá su suspensión. Si la Corte estima que falta algún trámite, antecedente o diligencia, decretará su práctica como medida para mejor resolver.

TÍTULO VI
DE LA FISCALIZACIÓN

Artículo 18.- Sin perjuicio de lo dispuesto en el artículo 307 del Código de Aguas, corresponderá a la DGA fiscalizar el permanente cumplimiento de las normas de operación contempladas en el manual de operación del respectivo embalse de control. En caso de incumplimiento, dicha autoridad lo denunciará ante el juez de letras competente, quien impondrá una multa a beneficio fiscal, desde 200 a 2.000 unidades tributarias anuales, tomando en consideración lo dispuesto en el artículo 14 y el período de tiempo durante el cual se hubieren infringido la o las normas respectivas.

TÍTULO VII
NORMAS GENERALES

Artículo 19.- El Ministerio de Obras Públicas, mediante decreto supremo, dictado en el plazo de tres meses, contado desde la fecha de publicación de esta ley, previo informe de la Comisión Nacional de Energía, dictará el reglamento de esta ley.

Artículo 20.- El mayor gasto que represente la aplicación de esta ley se financiará con cargo al presupuesto de la DGA. No obstante lo anterior, el Ministerio de Hacienda, con cargo a la partida presupuestaria del Tesoro Público, podrá suplementar dicho presupuesto en la parte del gasto que no se pudiere financiar con esos recursos.

Artículo 21.- Modifícase el Código de Aguas en el siguiente sentido:

a) Sustitúyese el inciso primero del artículo 41 por el siguiente:

"Artículo 41.- El proyecto y construcción de las modificaciones que fueren necesarias realizar en cauces naturales o artificiales, con motivo de la construcción de obras, urbanizaciones y edificaciones que puedan causar daño a la vida, salud o bienes de la población o que de alguna manera alteren el régimen de escurrimiento de las aguas, serán de responsabilidad del interesado y deberán ser aprobadas previamente por la Dirección General de Aguas de conformidad con el procedimiento establecido en el párrafo 1 del Título I del Libro Segundo del Código de Aguas. La Dirección General de Aguas determinará mediante resolución fundada cuáles son las obras y características que se encuentran en la situación anterior.".

b) Intercálanse, en el inciso segundo del artículo 172, a continuación del vocablo "Dirección", las siguientes frases: "le impondrá una multa mínima de 100 y máxima de 1.000 unidades tributarias anuales, según fuere la magnitud del entorpecimiento ocasionado al libre escurrimiento de las aguas o el peligro para la vida o salud de los habitantes, y".

Artículo transitorio.- En el plazo de 30 días, a contar de la publicación del reglamento de esta ley, los embalses y sus operadores deberán registrarse en el Inventario Público de Obras Hidráulicas, perteneciente al Catastro Público de Aguas establecido en el artículo 122 del Código de Aguas, presentando al efecto toda la documentación que se exija de conformidad al Reglamento del Catastro Público de Aguas.".

Habiéndose cumplido con lo establecido en el N° 1° del Artículo 93 de la Constitución Política de la República y por cuanto he tenido a bien aprobarlo y sancionarlo; por tanto promúlguese y llévese a efecto como Ley de la República.

Santiago, 29 de noviembre de 2008.- MICHELLE BACHELET JERIA, Presidenta de la República.- Sergio Bitar Chacra, Ministro de Obras Públicas.- Andrés Velasco Brañes, Ministro de Hacienda.- Marcelo Tokman Ramos, Ministro Presidente Comisión Nacional de Energía (S).

Lo que transcribo a Ud. para su conocimiento.- Saluda atte. a Ud., Juan Eduardo Saldivia Medina, Subsecretario de Obras Públicas

TRIBUNAL CONSTITUCIONAL

Proyecto de ley, sobre operación de embalses frente a alertas y emergencias de crecidas y otras medidas que indica (Boletín Nº 5081-15)

El Secretario del Tribunal Constitucional, quien suscribe, certifica que la Honorable Cámara de Diputados envió el proyecto de ley enunciado en el rubro, aprobado por el Congreso Nacional, a fin de que este Tribunal, ejerciera el control de constitucionalidad respecto de los artículos 4º, 12, 13, 14, 16, 17 y 18 del mismo; Y que por sentencia de 21 de octubre de 2008 en los autos Rol Nº 1.209-08-CPR.

Declaró:

1º. Que las normas comprendidas en los artículos 12, incisos segundo y cuarto, 13 —en su primera oración que señala "Corresponderá a la DGA requerir del Juez a que se refiere el artículo 16 de esta ley, la aplicación de sanciones a los operadores que incumplan con las medidas de operación aprobadas u ordenadas, una vez declarado el estado de alerta de crecidas."—, y 16 del proyecto remitido, son constitucionales.

2º. Que las normas contenidas en los artículos 4º, inciso segundo, y 18 del proyecto remitido sólo en cuanto le otorgan nuevas facultades a los tribunales establecidos por la ley para ejercer jurisdicción, son constitucionales.

3º. Que la norma contemplada en el artículo 12, inciso quinto, del proyecto remitido, es constitucional en el entendido que no priva, en caso alguno, a las partes, del derecho a hacer uso de las acciones y vías de impugnación que tienen su fuente en la Carta Fundamental respecto de la decisión del panel de expertos acerca de la indemnización a que se refiere el precepto, incluido el recurso de queja.

4º. Que no le corresponde a este Tribunal pronunciarse sobre las normas comprendidas en los artículos 4º, incisos primero y tercero, 12, incisos primero y tercero, 13 —en su segunda frase que expresa "Para este efecto, se aplicará el procedimiento contemplado en el artículo 17 de esta ley, y a los operadores responsables se les sancionará con multa a beneficio fiscal, desde 200 a 6.000 unidades tributarias anuales."—, 14 y 17 del proyecto remitido, por no versar sobre materias propias de ley orgánica constitucional.

5°. Que tampoco le corresponde a este Tribunal pronunciarse sobre las normas contenidas en los artículos 4°, inciso segundo, y 18 del proyecto remitido, en la medida en que no conceden nuevas atribuciones a los tribunales creados por la ley para administrar justicia, por no versar sobre materias propias de ley orgánica constitucional.

Santiago, 22 de octubre de 2008.- Rafael Larraín Cruz, Secretario.

DECRETO SUPREMO Nº 138 DE 6 DE FEBRERO DE 2010 QUE APRUEBA REGLAMENTO DE LEY Nº 20.304, SOBRE OPERACIÓN DE EMBALSES FRENTE A CRECIDAS Y OTRAS MEDIDAS QUE INDICA

Núm. 138.- Vistos: Lo estatuido en el artículo 19 de la Ley Nº 20.304, sobre operación de embalses frente a alertas y emergencias de crecidas y a otras medidas que indica; el artículo 48 del Código Civil; el decreto con fuerza de Ley Nº 850, de 12 de septiembre de 1997; la resolución Nº 1.600, de 30 de octubre de 2008, de Contraloría General de la República; el artículo 48 de la Ley Nº 19.880; lo informado por la Comisión Nacional de Energía; la facultad que me otorga el artículo 32 Nº 6, de la Constitución Política de la República, y

Considerando:

Que, con fecha 13 de diciembre de 2008, se publicó en el Diario Oficial de la República la Ley Nº 20.304, sobre operación de embalses frente a alertas y emergencias de crecidas y a otras medidas que indica.

Que el artículo 6º inciso 3º, de la citada ley, dispone que el reglamento establecerá el contenido del Manual de Operación, el cual considerando la seguridad del embalse y las restricciones constructivas propias de éste, deberá tomar en cuenta los impactos de generación, riesgo y control de crecidas.

Que el artículo 10º del mencionado texto legal previene que la declaración del estado de alerta de crecidas para una determinada zona del país, debe ser notificada por la ONEMI al Intendente respectivo, a la o las municipalidades respectivas, a la Comisión Nacional de Energía, a la DGA, al Centro de Despacho Económico de Carga del Sistema Interconectado Central (CDEC-SIC), a la Dirección de Obras Hidráulicas y a los operadores involucrados, en la forma y oportunidad que establezca el reglamento.

Que, a su vez, el artículo 19, de la Ley Nº 20.304, establece que el Ministerio de Obras Públicas, mediante decreto supremo, dictado en el plazo de tres meses, contado desde la fecha de su publicación, previo informe de la Comisión Nacional de Energía, dictará el reglamento de la ley.

Que, en virtud del mandato contenido en el referido precepto legal se procede a dictar el reglamento de la Ley N° 20.304.

Decreto:

Apruébese el siguiente Reglamento de la Ley N° 20.304, sobre operación de embalses frente a alertas y emergencias de crecidas y a otras medidas que indica.

Definiciones:

Artículo 1°. Para los efectos de este Reglamento, se entenderá por:

a) Tiempo de actualización: tiempo en que se actualizan los resultados del modelo lluvia-escorrentía.

b) Tiempo de inicio del evento: tiempo en que, según los resultados del modelo lluvia-escorrentía, el evento de crecida ingresa al embalse.

c) Hidrogramas esperado, mínimo y máximo: resultado del modelo lluvia-escorrentía, en términos de la variación del caudal de crecida afluente con el tiempo, considerando la incertidumbre hidrológica en la cuenca.

d) Antelación: tiempo que transcurre entre el tiempo de actualización y el tiempo de inicio del evento.

e) Volumen disponible de referencia (VDR): volumen disponible en el embalse en el tiempo de inicio del evento, considerando la operación habitual del embalse, esto es, sin la declaración de alerta de crecidas.

f) Caudal Umbral: caudal efluente del embalse de control, por sobre el cual el cauce ve superada su capacidad de porteo en las zonas de vulnerabilidad. El caudal umbral será determinado por la Dirección General de Aguas en base a la cuenca aportante al embalse de control, a la cuenca aportante a las zonas vulnerables, a la capacidad del cauce en la zona de vulnerabilidad, y a las características de las precipitaciones.

g) Caudal de Vaciamiento: total de caudal de entrega que puede realizar el embalse, en relación al volumen almacenado.

h) Volumen Esperado por sobre el Caudal Umbral (VHE): es el volumen del hidrograma esperado que se encuentra por sobre el Caudal Umbral.

i) Volumen requerido de amortiguación (VRA): es el volumen que de acuerdo al hidrograma esperado, mínimo y máximo, y a la capacidad de vaciamiento del embalse de control, permite minimizar el caudal de vaciamiento y el volumen total de vaciamiento por sobre el caudal Umbral.

TÍTULO I
DE LA CALIFICACIÓN DE EMBALSE DE CONTROL

Artículo 2°. Todo embalse y su respectivo operador deben registrarse en el Inventario Público de Obras Hidráulicas, que estableció el decreto supremo N° 1.220, de 30 de diciembre de 1997, del Ministerio de Obras Públicas, aprobatorio del Reglamento del Catastro Público de Aguas, acorde lo prevenido en el artículo 122 del Código de Aguas.

El registro deberá solicitarse dentro del plazo de 30 días, contado desde la notificación de la resolución que aprueba las obras hidráulicas a que se refiere el artículo 294 del Código de Aguas, y respecto de las demás obras, desde que comience el acopio de aguas.

Una vez registrado un embalse y su operador en el mencionado Inventario Público, la Dirección General de Aguas calificará en el plazo de 30 días, mediante resolución, si corresponde a un embalse de control.

En caso de que la Dirección General de Aguas requiera de información adicional para los efectos de la referida calificación, deberá solicitarla al operador del embalse, en un plazo máximo de 30 días, quien dispondrá de igual término para proporcionarla.

La Dirección General de Aguas declarará como embalse de control toda obra de esa naturaleza que contribuya a la regulación de las crecidas, debiendo considerar para efectuar tal calificación, entre otras características, el volumen de regulación del respectivo embalse y la localización de éste respecto de la cuenca hidrográfica, y que aquél permita regular las crecidas de los caudales de agua, con el objetivo de evitar o mitigar las situaciones de peligro para la vida, la salud o bienes de la población.

La resolución que califica a un embalse como de control incluirá elementos técnicos a partir del análisis de parámetros tales como: capacidad de almacenamiento, capacidad de amortiguación del embalse, capacidad de conducción y amortiguación del cauce, población e infraestructura vulnerable.

Cada vez que se califique un embalse de control, la Dirección General de Aguas pondrá en conocimiento de la resolución correspondiente al operador respectivo, y la comunicará a la Oficina Nacional de Emergencia (ONEMI), la Dirección Meteorológica de Chile (DMC), al Gobierno Regional respectivo, a la o las municipalidades respectivas, a la Comisión Nacional de Energía (CNE), al Centro de Despacho Económico de Carga del Sistema Interconectado Central (CDEC-SIC) y a la Dirección de Obras Hidráulicas (DOH).

TÍTULO II
DE LOS SISTEMAS DE MONITOREO

Artículo 3º. Los operadores de embalses de control deberán instalar y mantener sistemas de monitoreo de sus caudales y efluentes, de acuerdo con los siguientes estándares. El sistema de monitoreo debe contemplar el respaldo, tanto de la captura como del almacenamiento de los datos, y un equipamiento que permita transmisión en tiempo real.

El monitoreo debe realizarse en forma continua con una frecuencia al menos horaria. El rango de medición de las variables y la precisión será acorde a las variaciones previsibles.

Los operadores deberán informar diariamente, a la Dirección General de Aguas, los registros de los sistemas de monitoreo. Dicha información será de libre acceso público.

Si la Dirección General de Aguas indica otros puntos de monitoreo de alguna variable, las mediciones deben ser efectuadas de la misma forma, a no ser que la Dirección General de Aguas establezca algo diferente. La Dirección General de Aguas fijará el plazo de entrega de la información correspondiente a los otros puntos de monitoreo, de acuerdo con las características del caso.

El operador deberá entregar la información de manera que pueda ser incorporada directamente y en forma automática a la base de datos de la Dirección General de Aguas y a sus sistemas de despliegue de información digital. Asimismo, simultáneamente informará a la ONEMI. El protocolo de entrega de información será establecido y comunicado por la Dirección General de Aguas una vez que el embalse sea calificado de control.

Los operadores que deseen realizar alguna modificación del sistema de monitoreo aprobado por la Dirección General de Aguas, deberán solicitar en forma previa la autorización de dicho servicio, el cual tendrá un plazo de 30 días para pronunciarse al respecto.

TÍTULO III
DEL MANUAL DE OPERACIÓN PARA CONDICIÓN DE ALERTA DE CRECIDAS Y SU RESPECTIVO PLAN DE CONTINGENCIA

Artículo 4°. El Manual de Operación tiene como objetivo establecer los criterios, mecanismos y procedimientos de operación para el embalse de control, y el establecimiento de un plan de contingencia en el caso de declaración de estado de alerta de crecidas.

Artículo 5°. Si la evaluación del desempeño de los embalses de control como regulador de crecidas, indica que la aplicación del Manual de Operación no genera la amortiguación requerida, considerando mínimo impacto en el estado de los embalses, los Manuales de Operación respectivos podrán modificarse. La modificación podrá ser solicitada por la Dirección General de Aguas o por los operadores en base a una evaluación de desempeño que considere al menos 2 años de análisis, a no ser que dicha repartición justifique un tiempo menor a este plazo.

Artículo 6°. El Manual de Operación, sin perjuicio de lo estatuido en el artículo 6° de la Ley N° 20.304, deberá contener:

a) Caracterización de la cuenca y del embalse: Considera una descripción de las características relevantes de la cuenca, y de las obras que conforman el embalse. Lo primero orientado a determinar el comportamiento hidrológico de la cuenca, y lo segundo a evaluar la capacidad de amortiguación y respuesta.

b) Análisis de la información hidrológica disponible: Debe incluir una revisión crítica de la información disponible que permita caracterizar los eventos de crecidas, tanto en magnitud como en su distribución temporal.

c) Análisis de frecuencia de variables hidrológicas: Caracterización de volúmenes totales y caudales con la finalidad de determinar los volúmenes y caudales asociados a distintos períodos de retorno.

d) Modelo lluvia-escorrentía: Herramienta técnica que orienta la toma de decisiones, que se diseña y opera en forma dinámica y progresiva y que representa en debida forma el comportamiento hidrológico de la cuenca. Debe incluir las bases conceptuales para su confección, y todos los elementos técnicos relevantes para su diseño y operación.

e) Plan de Contingencia: Incluye las reglas de operación en condición de alerta de crecidas, la aplicación de éstas a escenarios críticos, y procedimientos de coordinación y movilización. También debe indicar las restricciones y limitantes para los prevertimientos.

Artículo 7°. El modelo lluvia-escorrentía debe confeccionarse para:

a) Determinar un hidrograma de crecida afluente esperado y un rango mínimo y máximo de acuerdo a las incertidumbres hidrológicas.

b) Incluir el concepto de mejora continua, partiendo de un modelo inicial que sea el mejor, de acuerdo con la información disponible.

c) Considerar las acciones previsibles para elaborar un modelo óptimo, y definir un plan de trabajo que fije los hitos más relevantes para estos efectos.

d) Disminuir paulatinamente la varianza del hidrograma en la medida que la antelación se reduce.

e) Permitir una actualización de sus resultados en distintos tiempos, de acuerdo con las características del embalse, el hidrograma determinado y de la capacidad de respuesta. El tiempo de actualización de los hidrogramas debe indicarse en el Manual de Operación de acuerdo a lo siguiente:

i.- Cuando los hidrogramas se determinan con una antelación superior a 2 días, de acuerdo al tiempo esperado de inicio del evento, el tiempo de actualización debe ser a lo más de 12 horas;

ii.- Cuando los hidrogramas se determinan con una antelación superior a 1 día e inferior a 2, de acuerdo al tiempo esperado de inicio del evento, el tiempo de actualización debe ser a lo más de 6 horas;

iii.- Cuando los hidrogramas se determinan con una antelación inferior a 1 día y el evento aún no se ha iniciado, de acuerdo al tiempo esperado de inicio del evento, el tiempo de actualización debe ser a lo más de 3 horas;

iv.- Una vez iniciado el evento, el tiempo de actualización debe ser a lo más de 1 hora.

Artículo 8°. Los principios para definir las reglas de operación, que deberán contenerse en el plan de contingencia, son los siguientes:

a) Minimizar los impactos en el estado del embalse, para lo cual se buscará alcanzar la misma cota que en el caso de la operación habitual del embalse, esto es, cuando no existe la declaración de alerta de crecidas.

b) Minimizar el caudal de vaciamiento y el volumen total de vaciamiento por sobre el caudal umbral.

c) Iniciar el vaciamiento en el caso que fuere necesario, ponderando la antelación, la capacidad de respuesta y el caudal umbral. Mayor antelación implica mayor incertidumbre y mayor capacidad de respuesta, mientras que menor antelación implica mayor certeza y menor capacidad de respuesta.

Artículo 9°. Para definir las reglas de operación, el operador buscará disponer para el tiempo de inicio del evento de un volumen requerido de amortiguación (VRA) en base a los hidrogramas determinados, al caudal umbral y a las características físicas del embalse y su estructura, para lo que deberá:

a) Estimar el tiempo de inicio del evento de crecida afluente y los hidrogramas esperado, mínimo y máximo.

b) Determinar el Volumen Disponible de Referencia (VDR).

c) Determinar el Volumen Esperado por sobre el Caudal Umbral (VHE).

d) Determinar el VRA de acuerdo con los hidrogramas estimados. El plan de contingencia debe establecer la manera en que esto se realizará.

El VRA debe ser al menos VHE, a no ser que las características físicas del embalse impongan ciertas limitaciones en cuanto al vaciamiento. Si así fuera, el VRA puede ser menor al VHE, pero debe ser de al menos el volumen máximo de vaciamiento posible hasta el tiempo de inicio del evento, de acuerdo a estas limitaciones.

e) Si el VRA es menor a VDR, se realiza la operación de manera habitual, esto es, como si no existiera declaración de alerta de crecidas.

f) Si el VRA es mayor a VDR, el operador deberá establecer en el plan de contingencia, la forma de estimar el caudal de vaciamiento hasta antes del tiempo de inicio del evento, de acuerdo a las características del embalse. Este caudal de vaciamiento debe permitir contar al inicio del evento con el VRA, y en ningún caso puede ser mayor al caudal umbral.

Artículo 10. Una vez iniciado el evento, el operador deberá definir su operación. Para esto el operador debe:

a) Estimar el hidrograma de crecida esperado, mínimo y máximo, considerando la información sobre cómo se ha desarrollado el evento.

b) Gestionar el uso del volumen disponible en el embalse durante el período de mayor intensidad del evento, minimizando tanto el volumen vaciado por sobre el umbral como el caudal máximo de vaciamiento. El volumen disponible corresponde al VRA más todos los vaciamientos y menos todos los llenados realizados durante el evento. Se debe considerar que:

i.- Si el nivel de agua en el embalse es mayor que la cota de vertedero, se debe utilizar el volumen disponible una vez que el caudal afluente al embalse excede el caudal umbral. Los vaciamientos superiores al caudal afluente se justifican en el caso de que el evento esperado requiera para una mayor amortiguación un volumen adicional al VRA.

ii.- Si el nivel de agua en el embalse es menor o igual a la cota de vertedero, parte del volumen disponible será usado en alcanzar la cota del vertedero, considerando el vaciamiento igual al caudal máximo turbinable. Los vaciamientos superiores al caudal afluente se justifican en el caso de que el evento esperado requiera para una mayor amortiguación un volumen adicional al VRA. Una vez alcanzado el nivel del vertedero, la operación se realiza en los mismos términos señalados en el número anterior.

Artículo 11. El plan de contingencia debe presentar los resultados de la simulación de la operación del embalse como si se estuviera en condición de alerta de crecidas, para las cinco crecidas más significativas registradas.

También deberá contener una simulación, aplicando los procedimientos a eventos de períodos de retorno de 100, 150, 200, 250 y 300 años y el tiempo de antelación que deberá considerar desfases de 6, 12, 24 y 48 horas.

Artículo 12. Para cada tiempo de actualización, el operador deberá informar inmediatamente a la Dirección General de Aguas y a la ONEMI sobre los hidrogramas determinados y sobre su decisión de operación, de acuerdo al manual de operación. Además, deberá disponer la información en el sitio web de la Dirección General de Aguas, quien habilitará las condiciones para realizar esta acción. En el caso de que el operador inicie pre-vertimientos, la ONEMI deberá alertar sobre esta condición a Municipios, Gobiernos Provinciales y Regionales.

Para esto, utilizará los medios de comunicación, tales como correo electrónico, fax y/o teléfono, de forma de asegurar la recepción de la información. Tanto Dirección General de Aguas como ONEMI designarán a las personas encargadas de recepcionar dicha información mediante resolución.

TÍTULO IV
DE LA DECLARACIÓN DE CONDICIÓN DE ALERTA DE CRECIDAS

Artículo 13. La Dirección Meteorológica de Chile (DMC), informará diariamente a la ONEMI y a la Dirección General de Aguas sobre sus pronósticos meteorológicos con una antelación de al menos 3 días, para las zonas de localización de embalses de control.

La Dirección General de Aguas informará diariamente a la ONEMI los caudales en las estaciones que estén bajo su operación, y que ONEMI defina como relevantes para poder evaluar el riesgo de zonas vulnerables en las cuencas de los embalses de control. También lo hará con la información de precipitaciones, nieve acumulada, temperatura del aire, nivel de embalses y otra relevante que disponga en la zona de localización de embalses de control.

La Dirección General de Aguas, DMC y ONEMI establecerán mediante un protocolo las características de un boletín que, tanto Dirección General de Aguas como DMC deben realizar de acuerdo a sus competencias técnicas, sin perjuicio de las acciones de comunicación establecidas en el Plan Nacional de Protección Civil. Dicho protocolo indicará la frecuencia con la que cada institución elaborará los respectivos boletines.

La DMC y la Dirección General de Aguas implementarán los sistemas, medios y procedimientos de comunicación necesarios para dar cumplimiento a la entrega de la información y boletines que se diseñen, estableciendo para estos efectos la coordinación correspondiente con ONEMI.

Artículo 14. Una vez declarado el estado de alerta de crecidas, por medio de resolución fundada, la ONEMI notificará inmediatamente al Intendente respectivo, a la o las municipalidades respectivas, a la DMC, a la CNE, a la DGA, al CDEC-SIC, a la DOH y a los operadores involucrados.

La notificación se realizará mediante correo electrónico y fax, y de ser necesario a través de teléfono, sistema radial y/u otro medio que ONEMI determine para estos efectos.

El operador comenzará con los tiempos de actualización, al menos, a partir de la notificación de la declaración de estado de alerta de crecidas.

TÍTULO V
DE LA NOTIFICACIÓN DE LAS MEDIDAS ADICIONALES

Artículo 15. Una vez decretado el estado de alerta de crecidas, la Dirección General de Aguas podrá ordenar medidas adicionales a las aprobadas en el Manual de Operación y en su respectivo plan de contingencia. Las medidas se establecerán a través de resolución fundada, las que considerarán las condiciones hidrometeorológicas observadas, los hidrogramas determinados por el modelo lluvia-escorrentía, la situación general en la zona de influencia del embalse y los antecedentes que proporcione ONEMI u otros organismos públicos.

Las medidas adicionales que la Dirección General de Aguas adopte serán notificadas en forma expedita. Para estos efectos, dentro del Manual de Operación, el operador establecerá un protocolo de comunicación que permita informarlas en forma rápida y eficaz, debiendo identificar la persona encargada y al menos un suplente. Asimismo, el protocolo deberá indicar los medios de comunicación que habilitará (fax, correo electrónico y/o teléfono celular) para que la resolución sea recibida dentro de un plazo máximo de 2 horas.

Artículo final. El presente Reglamento empezará a regir 90 días después de su publicación en el Diario Oficial de la República.

DISPOSICIÓN TRANSITORIA

En el plazo de 30 días, contado de la publicación del presente Reglamento, los embalses y sus operadores deberán registrarse en el Inventario Público de Obras Hidráulicas, perteneciente al Catastro Público de Aguas establecido en el artículo 122 del Código de Aguas, presentando, al efecto, toda la documentación que exige al efecto el decreto supremo N° 1.220, de 30 de diciembre de 1997, del Ministerio de Obras Públicas, aprobatorio del Reglamento del Catastro Público de Aguas.

Anótese, tómese razón y publíquese.- MICHELLE BACHELET JERIA, Presidenta de la República.- Sergio Bitar Chacra, Ministro de Obras Públicas.

Lo que transcribo a Ud. para su conocimiento.- Saluda atte. a Ud., Juan Eduardo Saldivia Medina, Subsecretario de Obras Públicas.

NORMATIVA SOBRE RIEGO

DECRETO CON FUERZA DE LEY N° 1.123 QUE ESTABLECE NORMAS SOBRE EJECUCIÓN DE OBRAS DE RIEGO POR EL ESTADO

Santiago, 13 de Agosto de 1981.- Hoy se decretó lo que sigue:

D.F.L. N° 1.123.- Visto: la facultad que me otorga el artículo 2°, del decreto ley 2.603, de 1979, prorrogada por el decreto ley 3.337, de 1980 y renovada por el decreto ley 3.549, de 1981, dicto el siguiente

Decreto con fuerza de ley:

Artículo 1°- Todas las obras de riego que se ejecuten con fondos fiscales se someterán a las disposiciones del presente decreto con fuerza de ley.

Las obras que se construyan deberán haber sido previamente evaluadas y aprobadas por la Comisión Nacional de Riego.

El Ministerio de Obras Públicas se encargará de coordinar la acción de los interesados en participar de los beneficios de estas obras.

Artículo 2°- La Dirección de Riego procederá a efectuar los anteproyectos de las obras que se desee ejecutar, determinando el costo aproximado de ella, incluyendo el de los canales derivados.

Terminados estos anteproyectos, se citará por medio de avisos a los interesados para que, dentro del plazo que les fije la Dirección de Riego, que no podrá ser inferior a un mes, formulen las observaciones que dichos anteproyectos les merezcan y hagan valer sus derechos.

Artículo 3°- La Dirección de Riego podrá ordenar la confección del proyecto definitivo si los interesados que representen a lo menos el 33% de los nuevos terrenos por regar o el 33% de los derechos de aprovechamiento cuando se trate de obras de uso múltiple manifiesten por escrito que aceptan el anteproyecto a que se refiere el artículo anterior.

Cuando se trate de obras de mejoramiento se considerará, para realizarlas, la suscripción del 33% del aumento de las disponibilidades de agua.

Artículo 4º- Sólo se podrá ejecutar el proyecto cuando el precio de los terrenos, más el costo de las obras por construir no sea superior al valor comercial de terrenos regados similares de la misma región.

Artículo 5º- El Presidente de la República, por decreto fundado, podrá ordenar la confección del proyecto definitivo y la ejecución de obras aún cuando no se reúnan los requisitos establecidos en los artículos 3º y 4º respectivamente, si razones de interés público así lo aconsejan. El exceso sobre el valor comercial, en su caso, será de cargo del Fisco.

Artículo 6º- La Dirección de Riego deberá solicitar el otorgamiento de los correspondientes derechos de aprovechamiento de agua, permanentes o eventuales, que requieran las obras aceptadas de acuerdo a las disposiciones del artículo 3º del presente decreto con fuerza de ley.

Los dueños de derechos de aprovechamiento de agua en uso, permanentes o eventuales, que tengan obras construidas, no serán afectados y quedarán eximidos de todo gravamen que provenga de la construcción de las obras que se ejecuten, sin perjuicio de pagar el que les corresponda por los nuevos derechos que suscriban.

Artículo 7º- Una vez terminado el estudio definitivo del proyecto, la Dirección de Riego lo someterá a la consideración de los interesados.

El Ministerio de Obras Públicas podrá incluir el proyecto en sus programas de construcción cuando hubiere interesados que representen a lo menos el 50% de las nuevas disponibilidades de agua, que acepten la ejecución de las obras y se comprometan a reembolsar su costo en la forma y condiciones que se establezcan en el reglamento.

El Estado se reservará los derechos que no hayan sido comprometidos con el fin de licitarlos una vez terminadas las obras.

Artículo 8º- Los usuarios beneficiados deberán organizarse en Junta de Vigilancia, de acuerdo a las normas contenidas en el Código de Aguas, cuando las obras que construya el Estado tengan por objeto regularizar el régimen de una corriente natural de uso público o de parte de ella.

Artículo 9°- Terminadas las obras, la Dirección de Riego lo hará saber a los usuarios, quienes podrán hacer las observaciones que ellas les merezcan durante los dos primeros años de explotación, por intermedio de sus respectivas organizaciones.

Si las observaciones fueren acogidas, la Dirección de Riego ejecutará las reparaciones u obras complementarias a que haya lugar. Si no lo fueren total o parcialmente, las discrepancias serán resueltas por el Ministerio de Obras Públicas.

La ejecución de obras complementarias no consultadas en el proyecto aceptado por los beneficiados, aumentará proporcionalmente el precio que debe pagar cada uno de ellos para cubrir el costo efectivo total de los nuevos trabajos.

Artículo 10°- Una vez vencido el plazo de explotación provisional a que se refiere el artículo 11°, se fijará por decreto supremo del Ministerio de Obras Públicas, la zona beneficiada, la capacidad efectiva de la obra y los derechos que les correspondan a los usuarios.

El mismo decreto fijará el costo efectivo de las obras, el valor de los derechos y el monto de la deuda que cada usuario deberá reembolsar al Fisco.

Artículo 11°- Las obras de riego construidas con arreglo al presente decreto con fuerza de ley, podrán ser administradas por el Estado durante el plazo no mayor de cuatro años contado desde la terminación de ellas, que se denominará de explotación provisional y que será fijado por la Dirección de Riego.

El costo de la explotación por el Estado será de cargo de los usuarios en la forma que establezca el Reglamento.

Artículo 12°- Durante el período de explotación provisional, la administración y explotación de las obras se hará de común acuerdo con la respectiva organización de usuarios, la cual designará un delegado que la represente.

A falta de acuerdo, resolverá el Ministro de Obras Públicas.

Artículo 13°- El decreto a que se refiere el artículo 10° dispondrá que el dominio de las obras y los terrenos que ellas ocupen sea transferido a las Juntas de Vigilancia, Asociaciones de Canalistas, o a falta de ellas a los usuarios y autorizará a la Dirección de Riego para otorgar las escrituras correspondientes que contendrán los compromisos de pago respectivos.

Artículo 14°- No obstante lo establecido en el artículo anterior, el Presidente de la República podrá disponer que el Estado, por razones de interés público, conserve en su patrimonio las obras a que se refiere este decreto con fuerza de ley y continúe con su administración o explotación.

Artículo 15°- Los beneficiados con las obras que de acuerdo con el artículo anterior se conserven en el Patrimonio estatal, estarán obligados a pagar una cuota anual, por concepto de uso de ellas y de gastos de explotación, que fijará el Ministro de Obras Públicas.

Artículo 16°- Se declara de utilidad pública los terrenos necesarios para la construcción de las obras que se consulten en el proyecto definitivo a que se refiere el artículo 7° de esta ley, y demás que se requieran para la ejecución de los trabajos una vez autorizada su iniciación, y se autoriza su expropiación con arreglo a lo dispuesto en el DL. N° 2.186, de 1978.

Artículo 17°- Los créditos derivados de lo dispuesto en los artículos 7°, 10°, 11° y 15° se cobrarán y percibirán por la Tesorería General de la República, conjuntamente con la contribución de bienes raíces, y ellos tendrán la misma naturaleza, modalidades y privilegios de dicha contribución.

Artículo 18°- A las obras de riego construidas con arreglo a las disposiciones de este decreto con fuerza de ley, les será aplicable el Código de Aguas, en lo que sea pertinente.

Artículo 19°- Durante la construcción de las obras, el Presidente de la República podrá autorizar modificaciones al proyecto con el propósito de aumentar su rentabilidad o sus beneficios sociales. Estas modificaciones no podrán implicar aumentos en los reembolsos pactados ni menoscabo de los derechos de los usuarios.

Artículo 20°- Con motivo de la construcción de las obras a que se refiere el presente decreto con fuerza de ley, el Presidente de la República, previo informe de la Dirección General de Aguas, podrá cambiar la fuente de abastecimiento, el cauce o el lugar de entrega de las aguas objeto de cualquier derecho, con la sola limitación de no disminuir su dotación, menoscabar derechos de los usuarios ni causar perjuicios a terceros.

Artículo 21°- Deróganse todas las disposiciones legales y reglamentarias que tratan sobre las materias contenidas en el presente decreto con fuerza de ley, y en especial las siguientes: Ley N° 14.536; artículos 277° al 311° y artículos transitorios 18° al 22° de la ley 16.640; artículos 3°, letra g) y h) artículos 9° al 13°, 15° y 16° del decreto Ley N° 1.172, de 1975; y artículo 9° letra d), artículos 13° al 18° y 20° del decreto supremo N° 795, de 1975 del Ministerio de Economía, Fomento y Reconstrucción, que establece el Reglamento de la Comisión Nacional de Riego.

ARTÍCULOS TRANSITORIOS

Artículo 1°- Las reservas de agua destinadas al abastecimiento de obras de riego fiscales, que se encontraren vigentes a la fecha de la promulgación del presente decreto con fuerza de ley, conservarán su misma calidad hasta que la Dirección General de Aguas otorgue con cargo a ella, los derechos de aprovechamiento a los usuarios debidamente individualizados y organizados.

Artículo 2°- La Dirección General de Aguas queda facultada para regularizar la situación de las obras de riego fiscales que no tengan reservas de agua vigentes a la fecha de promulgación del presente decreto con fuerza de ley, asimilándolas a las obras a que se refiere el artículo anterior.

Artículo 3°- Las obras de riego fiscales actualmente existentes se podrán ofrecer en venta a los beneficiarios inscritos en los roles provisionales de usuarios aprobados por la Dirección General de Aguas, en la forma prevista en el artículo 14° del decreto Ley N° 1.172, de 1975.

Artículo 4°- Respecto a las actuales obras de riego que continúen en el patrimonio fiscal, se procederá en la forma indicada en el artículo anterior, pero la oferta consistirá en el derecho a usar las obras de riego mediante el pago de una cuota anual por el uso y gastos de explotación.

Artículo 5°- Será aplicable lo dispuesto en el artículo 17° a las cuotas de pago que se refieren los dos artículos precedentes.

Artículo 6°- Los propietarios de los derechos de aprovechamiento de agua que no hayan construido las obras correspondientes a la fecha de publicación de este decreto con fuerza de ley, pero que tengan plazos pendientes para ejecutarlas, quedarán sujetos a lo dispuesto en el artículo 6°, si lo hacen oportunamente.

Artículo 7°- La Comisión Nacional de Riego, podrá acordar que el Ministerio de Obras Públicas venda o traspase a título gratuito las obras de riego construidas por el Fisco a sus beneficiarios, aún cuando ellas no se encuentren concluidas.

Asimismo, se podrá acordar que el referido Ministerio traspase a sus usuarios la administración de las obras ya construidas por el Estado, cuyo dominio éste conserve.

Tómese razón, comuníquese publíquese e insértese en la Recopilación Oficial de la Contraloría General de la República.- AUGUSTO PINOCHET UGARTE, General de Ejército, Presidente de la República.- Mónica Madariaga Gutiérrez, Ministro de Justicia.- Rolando Ramos Muñoz, Brigadier General, Ministro de Economía, Fomento y Reconstrucción.- Patricio Torres Rojas, Brigadier General, Ministro de Obras Públicas.- Luis Simón Figueroa del Río, Ministro de Agricultura subrogante.

Lo que transcribo a Ud. para su conocimiento.- Le saluda atentamente.- Francisco José Folch Verdugo, Subsecretario de Justicia.

DECRETO SUPREMO N° 285 DE 11 DE ENERO DE 1995 QUE REGLAMENTA PROCEDIMIENTO PARA APLICACIÓN DEL D.F.L. 1.123/81, SOBRE EJECUCIÓN DE OBRAS DE RIEGO POR EL ESTADO

Núm. 285.- Santiago, 15 de Julio de 1994.- Vistos: El N° 8 del Artículo 32 de la Constitución Política de la República de Chile, lo dispuesto en el D.F.L. N° 1.123 de 1981, del Ministerio de Justicia, publicado en el Diario Oficial de 21 de diciembre de 1981 y, Considerando: La necesidad de aclarar y precisar las normas del D.S. MOP N° 6/91 que fijó la forma y condiciones de recuperación de los costos de construcción y explotación de las obras de riego que ejecute el Estado, de conformidad con lo señalado en los incisos 2 de los artículos 7 y 11 del D.F.L. N° 1.123 de 1981, sobre ejecución de obras de riego por el Estado como asimismo un procedimiento para la aplicación de dicho D.F.L. N° 1.123,

Decreto:

Artículo 1°.- Para los efectos del D.F.L. N° 1.123 de 1981, sobre ejecución de obras de riego por el Estado, a menos que aparezca claramente que el sentido es diverso, se entenderá por:

a) Ley - El D.F.L. N° 1.123 de 1981, sobre ejecución de obras de riego por el Estado, dictado a través del Ministerio de Justicia.

b) Comisión - La Comisión Nacional de Riego.

c) Dirección de Riego - La Dirección de Obras Hidráulicas del Ministerio de Obras Públicas

d) Obras - Todas las obras de riego que se ejecuten con fondos fiscales en conformidad con el D.F.L. N° 1.123 de 1981.

e) Derechos - Los derechos de aprovechamiento de aguas.

f) Recursos - Los recursos de agua aportados por las obras.

g) Derechos de Obras - Los derechos proporcionales en una obra de riego fiscal.

Para los efectos de este Reglamento, donde dice Dirección de Riego debe decir Dirección de Obras Hidráulicas.

De los Anteproyectos

Artículo 2º.- La Dirección de Riego procederá a efectuar los anteproyectos a que se refiere el D.F.L. Nº 1.123 de 1981, con los antecedentes evaluados y aprobados que le remita la Comisión.

Artículo 3º.- Terminando un anteproyecto, la Dirección de Riego citará a los interesados por medio de un aviso que se publicará simultáneamente en el Diario Oficial, en un diario de circulación nacional y en un diario o periódico local de Provincia o Región que abarque la obra. El aviso indicará, a lo menos, el lugar, fecha y hora en que se dará a conocer el anteproyecto, y la forma, y plazo administrativo, que no podrá ser inferior a un mes, en que podrán formular observaciones y hacer valer sus derechos.

Artículo 4º.- El anteproyecto que será sometido al conocimiento del o los interesados deberá contener la siguiente información:
– Zona beneficiada.
– Derechos de aprovechamiento de aguas que compromete y sus propietarios.
– Costos de construcción.
– Costos de explotación y mantención.
– Beneficios esperados e inversiones de desarrollo agrícola considerados.

Artículo 5º.- En el evento que los interesados formen parte de una organización de usuarios de las contempladas en el Código de Aguas, ésta deberá citar a una asamblea general extraordinaria a celebrarse el día fijado por la Dirección de Riego para dar a conocer el anteproyecto. La misma asamblea o una posterior, a celebrarse a más tardar dentro del plazo de 30 días contados desde que se dio a conocer el anteproyecto, se pronunciará sobre su aceptación; además formulará las observaciones que los dueños de los derechos de aprovechamiento tengan del proyecto y se harán valer los derechos de cada interesado.
Aquellos usuarios del agua en obras de multiuso que no pertenezcan a una organización de usuarios manifestarán su aceptación u observaciones,

por sí o por intermedio de sus representantes legales, comprometiendo sus derechos de aprovechamiento quienes los tengan y/o los futuros derechos de obra que se les otorgarán, de acuerdo al anteproyecto, e indicarán el predio al que se hará la cobranza.

De los Proyectos

Artículo 6°.- Verificados los requisitos contemplados en el artículo 3° de la Ley, la Dirección de Riego podrá ordenar la confección del proyecto definitivo. En tal caso dicha orden se dispondrá por resolución.

Los interesados en la confección del proyecto, acreditarán su titularidad en los nuevos terrenos por regar, o los derechos de aprovechamiento cuando corresponda, con el respectivo título de dominio, de comunero, de usufructuario u otro estimado suficiente por la Dirección de Riego, previo informe de título.

Salvo representación legal o mandato formalmente constituido, cada titular representará sus derechos o la cuota de éstos que corresponda.

Artículo 7°.- La Dirección de Riego podrá ordenar la confección del proyecto definitivo de una obra de mejoramiento y/o rehabilitación que no aumenta las disponibilidades de agua, si los dueños de la obra que se mejorará y/o rehabilitará o de los derechos de aprovechamiento que se usan en las obras, que representen a lo menos el 33% de aquéllas o de éstos, expresen su aceptación.

Artículo 8°.- Para resolver la ejecución del proyecto definitivo, se deberá verificar de modo fehaciente que el precio de los terrenos que considera el anteproyecto, más el costo de las obras por construir, no supere el valor comercial de los terrenos regados similares de la misma región. Esta información integrará el expediente del proyecto.

Artículo 9°.- Cuando los requisitos para confeccionar el proyecto definitivo, o ejecutar las obras en su caso, no se hayan cumplido, la Dirección de Riego comunicará esta circunstancia a la Comisión y le remitirá los antecedentes para que se pronuncie sobre ellos. Cumplido este trámite, la

Comisión deberá remitirlos al Presidente de la República, a fin de que se declare si hay razones de interés público para la ejecución de las obras.

Artículo 10º.- Para los efectos señalados en el artículo 5º de la ley, sin perjuicio de otros motivos fundados, podrá siempre entenderse que existen razones de interés público en los siguientes casos:

1.- Cuando la confección del proyecto definitivo y la ejecución de las obras es aconsejable por razones sociales, o si las obras beneficiarán a zonas geográficas económicamente deprimidas, de acuerdo a las estadísticas del Instituto Nacional de Estadísticas.

2.- Cuando, no obstante superar el precio de los terrenos que regará el proyecto más el costo de las obras al valor comercial indicado en el artículo 8º de este decreto, el Presidente de la República fundadamente, ordene su ejecución. En este caso, el exceso sobre el valor comercial será de cargo del Fisco.

3.- Cuando la confección del proyecto definitivo y la ejecución de las obras es aconsejable por razones de fomento de la producción, y

4.- Cuando las obras tengan por objeto regularizar el régimen de una corriente natural de uso público o parte de ella.

Artículo 11º.- El proyecto definitivo deberá contener:

1.- El diseño de las obras y sus especificaciones de construcción.

2.- La identificación de la fuente de abastecimiento de aguas, y el análisis de su régimen hidrológico cuando se trate de aguas superficiales. Dicho análisis deberá incluir una estadística de caudales medios mensuales que abarque un período mínimo de 30 años consecutivos, si la hay.

Si se trata de aguas subterráneas, el proyecto deberá incluir un estudio hidrogeológico a escala apropiada del sitio de la captación y su zona de influencia, que permita fundamentar el caudal resultante de la prueba de bombeo.

3.- Área de nuevo riego o incremento de éste cuando se trate de obras de mejoramiento; la definición de las obras y sus características constructivas; el plazo máximo para su ejecución, conforme a un cronograma de actividades; un presupuesto detallado que permita determinar el costo de construcción; el valor comercial de los terrenos donde se construirá la obra para los efectos de los costos de expropiación y el valor comercial de los terrenos regados o beneficiados por la obra para los efectos de lo previsto en el art. 8° de este reglamento.

Estos valores comerciales los determinará una comisión tasadora, compuesta por tres profesionales o técnicos universitarios, designados por el Director de Riego, de entre su personal.

4.- Los recursos que aportarán las obras; la cantidad de ellos que exista suscrita o comprometida con los interesados, expresadas en acciones o derechos y su equivalencia en unidad de tiempo; la lista preliminar de usuarios; su capacidad de pago, y el valor estimativo de los derechos de obra que serán de cargo de los beneficiarios.

5.- Plano topográfico de los terrenos en que se ejecutarán las obras y del área o sistema de riego que será beneficiado con el proyecto. Dicho plano deberá hacerse a una escala adecuada, la que será determinada por la Dirección de Riego en cada caso con indicación y ubicación de las obras, de sus equipos, de la red actual y futura de distribución y de los predios beneficiados con el número de Rol del Servicio de Impuestos Internos.

Artículo 12°.- Terminado el proyecto definitivo, la Dirección de Riego lo someterá a consideración de los interesados. Para este efecto los convocará por medio de dos avisos en un diario de circulación nacional, entre los cuales mediará un plazo de días que no sea inferior a cinco ni superior a diez.

Dentro de igual plazo, se avisará también en un diario o periódico que pertenezca a las Provincias o Regiones que comprenda la obra. De tales publicaciones se dejará constancia mediante su agregación al expediente del proyecto.

Artículo 13°.- La Dirección de Riego solicitará el otorgamiento de los derechos que requieran las obras con sujeción al procedimiento dispuesto en el Código de Aguas. En esta materia será especialmente aplicable lo dispuesto en el artículo 148° del referido Código.

La propiedad de cada obra podrá dividirse en partes alícuotas o acciones. Los derechos preexistentes que no estén en uso, o que no tengan obras construidas, no podrán ser acogidos a la exención de gravámenes que contempla el artículo 6° de la ley.

Del Reembolso de Costos

Artículo 14°.- El reembolso previsto en el artículo 7° de la ley se hará en las condiciones, forma y plazos que determine la Comisión, previo informe de la Dirección de Riego y sin perjuicio de que el Presidente de la República lo subsidie total o parcialmente en caso fundado, conforme lo dispuesto en el artículo 7° del D.F.L. N° 7 de 1983, del Ministerio de Economía, Fomento y Reconstrucción.

El servicio de la deuda no podrá exceder de veinticinco años y contemplará un porcentaje de descuento por pago anticipado. Tendrá igualmente un interés y podrá tener un período de gracia de acuerdo a las características de la obra, todo lo cual también será determinado por la Comisión.

En el caso que se determine un período de gracia, éste se contará desde la fecha de entrega de las obras y podrá ser ampliado o reotorgado mediante resolución fundada del Ministerio de Obras Públicas si existen razones suficientes previamente calificadas que así lo justifiquen.

Artículo 15°.- El compromiso de reembolso indicado en el artículo 7° de la ley adoptará la forma de una escritura pública o privada otorgada ante notario, según determine la Comisión.

Este compromiso deberá expresar especialmente:

1.- El nombre del proyecto, la naturaleza de las obras y el lugar geográfico en que se encuentran ubicadas.

2.- Que la Dirección de Riego ha sometido dicho proyecto a consideración de los interesados, y la conformidad de éstos con su ejecución y con la construcción de las obras.

3.- Que los interesados se obligan a reembolsar los costos de construcción y los que se deriven de su explotación provisional, en las condiciones, forma y plazo que señala el proyecto al momento de suscribirse el compromiso, sin perjuicio de las eventuales modificaciones que puedan hacerse en este tipo de obras, y que los estudios técnicos aconsejen para su mejor y cabal ejecución.

4.- El número de acciones o partes alícuotas de la obra que se compromete cada uno de los beneficiados a reembolsar y los derechos de aprovechamiento que suscriban si corresponden.

5.- El monto que cada beneficiario se obliga a reembolsar en las condiciones establecidas por la Comisión y el subsidio que pudiere considerar el Presidente de la República, sin perjuicio de los valores que posteriormente resulten en la escritura definitiva y que determine la Comisión.

6.- Las demás declaraciones que se estimen necesarias.

Artículo 16°.- Una vez dictado el decreto a que se refiere el artículo 10 de la ley, el compromiso de reembolso se suscribirá por escritura pública y en esta escritura los usuarios beneficiados establecerán sus obligaciones definitivas, se transferirán los derechos de aprovechamiento si procediere y se constituirán las hipotecas y prohibiciones pertinentes de acuerdo al compromiso anterior. La no suscripción de esta escritura facultará al Ministerio de Obras Públicas para declarar los derechos como disponibles y proceder a su licitación conforme al artículo 18 de este reglamento, o para exigir el cumplimiento de las obligaciones contraídas en la escritura de compromiso señalada en el artículo anterior, según las condiciones que haya fijado la Comisión.

Artículo 17°.- En las obras estatales de desarrollo del recurso los derechos de aprovechamiento los asignará la Dirección General de Aguas a petición de la Dirección de Riego. Se entenderá por obras de desarrollo del recurso, exclusivamente los embalses.

Artículo 18°.- El Estado se reservará los derechos que no hayan sido comprometidos con el fin de licitarlos una vez terminadas las obras. Para estos efectos la Dirección de Riego convocará a pública subasta por medio de avisos publicados en la forma señalada en el artículo 12° de este Reglamento.

Las bases de la licitación serán preparadas por la misma Dirección. En tales bases, y en las publicaciones referidas en el inciso anterior, deberá establecerse que los derechos de que trata este artículo, serán ofrecidos en primer término a los beneficiarios de la obra al mismo precio original, y si no hubiere interesados entre éstos, en segundo término, al público en general a un precio mínimo mayor que el fijado originalmente a los beneficiarios y, en tercer término, al público en general y sin mínimo.

Artículo 19º.- La ejecución de las obras se realizará con sujeción a lo previsto en el Reglamento para Contratos de Obras Públicas contenidos en el D.S. MOP Nº 15 de 1992, sin perjuicio de las adecuaciones que sea necesario introducir en las bases administrativas para adaptarlas a las exigencias de las entidades financieras extranacionales.

Artículo 20º.- Para garantía y seguridad del reembolso, en la escritura pública de reembolso y traspaso de derechos de aprovechamiento a que se refiere el art. 16º, se constituirá hipoteca sobre los nuevos derechos, entendiéndose por tales los que se refiere el art. 6º de la Ley, que suscriba cada usuario, y no se podrá celebrar acto ni contrato alguno sobre ellos sin previa autorización de la Dirección de Riego. Esta prohibición se inscribirá en el Registro Conservatorio respectivo.

Respecto de las obras de mejoramientos y rehabilitaciones, que no generan nuevos derechos, la garantía y seguridad del reembolso del costo de la obra la dará lo dispuesto en el artículo 17º de la Ley.

Artículo 21º.- Una vez transferidos los derechos de aprovechamiento del Fisco a los usuarios beneficiados, la Dirección de Riego informará a la Dirección General de Aguas a fin que ésta supervise la constitución de las Juntas de Vigilancia prevista en el artículo 8º de la ley. La referida Dirección General arbitrará todas las medidas que considere necesarias a este fin, inclusive la constitución judicial de dichas Juntas.

Sin perjuicio de lo señalado en el inciso anterior, con el objeto de un mejor aprovechamiento y administración de las obras, los usuarios benefi-

ciados con éstas, deberán siempre organizarse en Asociaciones de Canalistas o en Comunidades de Aguas previstas en el Código de Aguas.

En el evento que los interesados no sean titulares de derechos de
aprovechamiento, como en los casos de obras de nuevo riego, la organización deberá formarse inmediatamente que se perfeccione la transferencia
del dominio de los derechos de aprovechamiento que realice la Dirección
de Riego o que los otorgue la Dirección General de Aguas en el caso del
artículo 17° de este Reglamento.

Las referidas Juntas, Asociaciones y Comunidades, de acuerdo a lo señalado en el artículo 9° de la ley, tendrán entre otras funciones, especialmente, la de canalizar las observaciones que a los usuarios les merezcan
las obras.

Artículo 22°.- Terminadas las obras, la Dirección de Riego lo hará
saber a los usuarios mediante Resolución. Dentro de un proyecto podrá declararse la terminación de las obras que lo conforman, en forma separada
de acuerdo a las áreas que permitan regar. Durante los dos primeros años
de explotación de una obra, los usuarios podrán hacer las observaciones
que tales obras les merezcan, por intermedio de sus respectivas organizaciones. Las observaciones deberán ser fundadas y por escrito.

La Dirección de Riego ejecutará las reparaciones u obras complementarias a que haya lugar en el caso de que tales observaciones fueren acogidas, ciñéndose a lo indicado en el artículo 19° de este Reglamento. Si las
observaciones no fueren acogidas, las discrepancias serán resueltas por el
Ministro de Obras Públicas.

Artículo 23°.- Los usuarios podrán solicitar que se ejecuten obras
complementarias no consultadas en el proyecto aceptado. En este caso su
costo efectivo aumentará proporcionalmente el monto de la deuda que tiene que pagar cada usuario beneficiado con ellas, con el objeto de financiar
el costo de ejecución de estas obras.

Las obras complementarias no pueden exceder del treinta por ciento
del valor actualizado del proyecto original.

De la Explotación Provisional

Artículo 24°.- El Estado podrá hacerse cargo de la administración de las obras durante un plazo no mayor de cuatro años contados desde la terminación de ellas. Dicho plazo será fijado por la Dirección de Riego mediante resolución que se agregará al expediente de las obras.

Esta administración se denominará explotación provisional y los costos ordinarios que ella irrogue serán de cargo de los usuarios, quienes pagarán una cuota, a prorrata de sus acciones cuyas condiciones, monto y plazo serán determinados por la Dirección de Riego. Los gastos extraordinarios en que se incurra por desperfectos mayores serán de cargo fiscal.

Serán costos ordinarios de explotación y mantenimiento, entre otros, las faenas de limpia y despeje de canales y acueductos, el mantenimiento de revestimientos y obras de arte, las reparaciones menores en general, los sueldos y jornales del personal a cargo de la administración, la energía y combustible necesarios en la explotación de las obras y mantenimiento de campamentos.

Artículo 25°.- La administración provisional se hará conjuntamente y de común acuerdo entre el Estado y la organización de usuarios, conforme a un sistema que se definirá antes de la terminación de las obras. Para estos efectos, la Dirección de Riego designará un delegado con facultades suficientes para suscribir los compromisos con la respectiva organización de usuarios, la que también designará un delegado con este objeto.

Artículo 26°.- El Presidente de la República podrá disponer por decreto fundado en razones de interés público, que las obras permanezcan en el patrimonio del Estado. El referido decreto se dictará a través del Ministerio de Obras Públicas.

La cuota prevista en el artículo 15° de la ley, se fijará considerando la cuantía del derecho al uso de agua, el costo efectivo de las obras, la vida útil de éstas y los costos ordinarios de explotación y mantenimiento, que para estos efectos serán los señalados en el inciso tercero del artículo 24° de este Reglamento.

La vida útil de las obras no podrá estimarse en un plazo que exceda de cincuenta años.

Artículo 27°.- La Dirección de Riego elaborará normas de seguridad para la explotación y conservación de las obras transferidas o entregadas a los usuarios, las que se insertarán en las escrituras públicas o en los convenios respectivos de traspaso.

Si no se diere cumplimiento a la normativa de seguridad aplicable a la obra, la Dirección de Riego podrá solicitar a la Dirección General de Aguas su intervención en los términos de los Arts. 304 y 307 del Código de Aguas.

Artículo 28°.- La constitución y existencia legal de la organización de usuarios deberá ser acreditada fehacientemente ante la Dirección de Riego, de acuerdo con las normas del Código de Aguas, y del Reglamento sobre registro de organizaciones de usuarios, D.S. MOP N° 187 de 1983.

Si no se produjere acuerdo para los efectos de la administración y explotación provisional, o si no existiere organización de usuarios, resolverá el Ministro de Obras Públicas, sin perjuicio de lo dispuesto en el artículo 14° de la ley.

Artículo 29°.- Derógase el Decreto Supremo MOP N° 6 de fecha 11 de enero de 1991.

Anótese, tómese razón, comuníquese, publíquese e insértese en la recopilación de reglamentos de la Contraloría General de la República.- EDUARDO FREI RUIZ-TAGLE, Presidente de la República.- Ricardo Lagos Escobar, Ministro de Obras Públicas, Álvaro García Hurtado, Ministro de Economía, Fomento y Reconstrucción.

Lo que transcribo a Ud., para su conocimiento.- Saluda Atte. a Ud., Germán Quintana Peña, Subsecretario de Obras Públicas.

DECRETO CON FUERZA DE LEY Nº 7 QUE FIJA TEXTO REFUNDIDO DEL DECRETO LEY Nº 1.172, DE 1975, QUE CREÓ LA COMISIÓN NACIONAL DE RIEGO

Santiago, 31 de Mayo de 1983.- Visto: La facultad que me confiere la Ley Nº 18.127, de 10 de Junio de 1982; el decreto Ley Nº 1.172, de 1975, y los decretos con fuerza de Ley Nºs. 1.122 y 1.123, de 1981, ambos del Ministerio de Justicia, dicto el siguiente:

Decreto con fuerza de ley:

El siguiente es texto coordinado, sistematizado y refundido del decreto Ley Nº 1.172, de 1975 que creó la Comisión Nacional de Riego.

ARTÍCULO 1º D.L. 1.172, de 1975	**Artículo 1º.-** Créase la Comisión Nacional de Riego como persona jurídica de derecho público, cuyo objeto será asegurar el incremento y mejoramiento de la superficie regada del país. Se relacionará con el Supremo Gobierno a través del Ministerio de Agricultura[1].
ARTÍCULO 2º D.L. 1.172 de 1975	**Artículo 2º.-** La Comisión estará compuesta por los siguientes organismos: a) Un Consejo, integrado por el Ministro de Agricultura, quien lo presidirá; el Ministro de Economía, Fomento y Reconstrucción; el Ministro de Hacienda; el Ministro de Obras Públicas y el Ministro de Planificación y Cooperación[2]. b) Una Secretaría Ejecutiva, a cargo de un Secretario Ejecutivo designado por el Consejo.
ARTÍCULO 3º DL. 1.172 de 1975	**Artículo 3º.-** El Consejo tendrá las siguientes funciones y atribuciones: a) Planificar, estudiar y elaborar proyectos integrales de riego;

ARTÍCULO 21
DFL. 1.123 de 1981,
del Ministerio de
Justicia

b) Evaluar los proyectos de riego que elabore o se le presenten;

c) Celebrar convenios con particulares o con empresas nacionales o extranjeras sobre estudios o proyectos integrales de riego;

d) Supervigilar, coordinar y complementar la acción de los diversos organismos públicos y privados que intervienen en la construcción, destinación y explotación de obras de riego;

e) Proporcionar a los organismos que corresponda, los antecedentes para la asignación de los recursos nacionales o internacionales, necesarios para la consecución de sus fines y gestionar su obtención;

f) Representar al Estado en la obtención de créditos externos, de acuerdo con las normas legales vigentes, para los fines del presente decreto ley;

g) Adoptar los acuerdos necesarios para la obtención del objeto que señala el presente decreto ley, y

h) Implementar por intermedio del Secretario Ejecutivo o de los servicios dependientes o que se relacionan con el Supremo Gobierno, a través de los Ministerios de Economía, Fomento y Reconstrucción, Obras Públicas y Agricultura, las funciones que estime convenientes.

ARTÍCULO 4°
D.L. 1.172 de 1975

Artículo 4°.- Corresponderá a la Secretaría Ejecutiva:

a) Ejecutar los acuerdos del Consejo;

b) Presentar al Consejo un programa anual de acción;

c) Solicitar en comisión de servicios a los funcionarios públicos, que el Consejo determine. Estas comisiones de Servicios no estarán sujetas a las limitaciones de plazo que señala el D.F.L. N° 338, de 1960, u otras disposiciones estatutarias;

d) Designar los funcionarios que el Consejo determine como necesarios para el cumplimiento de las funciones de la Comisión, imputando el gasto correspondiente al Presupuesto de dicha institución; Este personal estará afecto a la Escala Unica de Remuneraciones establecida en el D.L. N° 249, de 1973, y se regirá por el D.F.L. N° 338, de 1960;

e) Requerir información de todos los Ministerios, Servicios dependientes y descentralizados, que sea necesaria para el cumplimiento de sus funciones, los que deberán proporcionársela.

El Secretario Ejecutivo será el responsable del cumplimiento de los acuerdos ya aprobados, tendrá derecho a voz en las Sesiones del Consejo, y le corresponderá ejercer las atribuciones o funciones que le delegue el Consejo.

f) Vender directamente informes definitivos o parciales de estudios integrales de riego; documentos de trabajo, fotografías aéreas y diapositivas; planos topográficos, hidrológicos, hidrogeológicos, de suelos y de obras de ingeniería; gráficos; programas computacionales; monografías y datos técnicos de vértices trigonométricos, de puntos estereoscópicos y de puntos de nivelación y otros documentos similares. Los recursos provenientes de estas enajenaciones ingresarán a rentas generales de la Nación[3].

ARTÍCULO 1°
INCISO 2°
DFL. 1.123, de
1981, de Ministerio
de Justicia

Artículo 5°.- Las obras de riego que se ejecuten con fondos fiscales deberán haber sido previamente de evaluadas y aprobadas por la Comisión Nacional de Riego.

ARTÍCULO 7°
DL. 1.172, de 1975

Artículo 6°.- La Comisión Nacional de Riego fiscalizará la inversión los recursos que el Presupuesto Nacional contemple para riego y de los créditos otorgados con ese objeto, sean ellos nacionales o extranjeros, sin perjuicio de las facultades que a este respecto corresponden a la Contraloría General de la República.

ARTÍCULO 14°
DL. 1.172, de 1975

Artículo 7°.- El valor de las obras vendidas a los usuarios se pagará en las condiciones, forma y plazos que determine el Consejo. El Presidente de la República, previo informe del Consejo, podrá otorgar subsidios equivalentes al total o parte del valor de la obra.

ARTÍCULO 6°
DL. 1.172, de 1975

Artículo 8°.- El patrimonio de la Comisión estará formado por:

a) Los recursos que se le asignen anualmente en el Presupuesto de la Nación, y

b) Los bienes muebles o inmuebles que se le transfieran o adquiera a cualquier título.

ARTÍCULO 5°
DL. 1.172, de 1975

Artículo 9°.- El Consejo de la Comisión sesionará mensualmente en forma ordinaria y extraordinariamente, cuando sea convocado por alguno de sus miembros.

La ausencia de un Ministro deberá subrogarse por el Subsecretario de la misma Secretaría de Estado, pero la presidencia del Consejo la ejercerá un Ministro titular, en el orden establecido en el artículo 2° de este decreto ley. El quórum para sesionar será de tres miembros y los acuerdos se adoptarán por la mayoría de los mismos en ejercicio.

ARTÍCULO 17°
DL. 1.172, de 1975

Artículo 10°.- Deróganse todas las disposiciones legales y reglamentarias que sean contrarias al presente decreto ley.

ARTÍCULOS TRANSITORIOS

LEY 18.681
ART. 96, b)

ARTÍCULO 1°.- DEROGADO.-

ARTÍCULO 3°
Transitorio
DFL. 1.123 de 1981
del Min. de Justicia

Artículo 2°- Las obras de riego fiscales actualmente existentes se podrán ofrecer en venta a los beneficiarios inscritos en los roles provisionales de usuarios aprobados por la Dirección General de Aguas, en la forma prevista en el artículo 7° de este decreto ley.

ARTÍCULO 4°
Transitorio
D.F.L. 1.123 de
1981, del Min. de
Justicia
LEY 18.681
ART. 96 a)

Artículo 3°.- Respecto a las actuales obras de riego que continúen en el patrimonio fiscal, se procederá en la forma indicada en el artículo anterior, pero la oferta consistirá en el derecho de usar las obras de riego mediante el pago de una cuota anual por el uso y gastos de explotación.

ARTÍCULO 7°
Transitorio
DFL. 1.123 de 1981,
del Min. de Justicia.

Artículo 4°.- La Comisión Nacional de Riego podrá acordar que el Ministerio de Obras Públicas venda o traspase a título gratuito las obras de riego construidas por el Fisco a sus beneficiarios, aun cuando ellas no se encuentren concluidas. Asimismo, se podrá acordar que el referido Ministerio traspase a sus usuarios la administración de las obras ya construidas por el Estado, cuyo dominio éste conserve.

Anótese, tómese razón, comuníquese y publíquese.- AUGUSTO PINO-CHET UGARTE, General de Ejército, Presidente de la República.- Manuel Martin Sáez, Ministro de Economía, Fomento y Reconstrucción.

Lo que transcribo a Ud. para su conocimiento.- Saluda atentamente a Ud.- Manuel René Concha Martínez, Coronel de Ejército, Subsecretario de Economía, Fomento y Reconstrucción.

DECRETO SUPREMO Nº 179 DE 16 DE AGOSTO DE 1984 QUE FIJA EL TEXTO ACTUALIZADO DEL DECRETO Nº 795, DE 1975, QUE APROBÓ EL REGLAMENTO DE LA COMISIÓN NACIONAL DE RIEGO

Núm. 170.- Santiago, 6 de Julio de 1984.- Visto: El decreto Ley Nº 1.172, de 1975, cuyo texto refundido fue fijado por el decreto con fuerza de Ley Nº 7, de 1983, del Ministerio de Economía, Fomento y Reconstrucción; los decretos con fuerza de Ley Nºs 1.122 y 1.123, de 1981, ambos del Ministerio de Justicia, y la facultad que me concede el artículo 32, Nº 8 de la Constitución Política,

Considerando:

Que el artículo 21 del decreto con fuerza de Ley Nº 1.123, de 1981, del Ministerio de Justicia, derogó numerosas disposiciones del decreto Nº 795, de 1975, del Ministerio de Economía, Fomento y Reconstrucción;

Que los decretos con fuerza de Ley Nºs. 1.122 y 1.123, de 1981, del Ministerio de Justicia, otorgaron nuevas facultades a la Comisión Nacional de Riego;

Que lo anterior hizo necesario actualizar el texto del decreto Ley Nº 1.172, de 1975, mediante la dictación del decreto con fuerza de Ley Nº 7, de 1983, del Ministerio de Economía, Fomento y Reconstrucción.

Que por la misma razón debe actualizarse el texto del referido decreto Nº 795, de 1975,

Decreto:

Apruébase el siguiente texto actualizado del decreto Nº 795, de 1975, del Ministerio de Economía, Fomento y Reconstrucción.

En lo no previsto en el decreto Ley Nº 1.172, de 1975, la Comisión Nacional de Riego se regirá por el siguiente Reglamento:

Artículo 1º.- Para los efectos del presente Reglamento se entenderá por:

Comisión: La Comisión Nacional de Riego a que se refiere el decreto Ley N° 1.172, de 1975;

Consejo: El mencionado en la letra a) del artículo 2° del mismo decreto ley.

Secretaría Ejecutiva: La establecida en la letra b) del artículo 2° del aludido decreto ley.

Secretario Ejecutivo: El funcionario designado por el Consejo que tiene a su cargo la Secretaría Ejecutiva, y

Decreto ley: El decreto Ley N° 1.172, de 1975.

Artículo 2°.- El domicilio de la Comisión será la ciudad de Santiago de Chile, sin perjuicio de las oficinas que acuerde establecer en otras ciudades del país.

La Secretaría Ejecutiva de la Comisión funcionará en el lugar que determine el Consejo.

Artículo 3°.- El Consejo sesionará en las oficinas del Ministerio de Economía, Fomento y Reconstrucción. Sin embargo, podrá acordar otro lugar de sesiones, en cuyo caso deberá notificar oportunamente este acuerdo a los miembros que no hubieren participado en él.

Artículo 4°.- Las sesiones ordinarias del Consejo se verificarán en los días y horas que él mismo determine.

Artículo 5°.- La convocatoria a sesiones extraordinarias deberá hacerse a través del Secretario Ejecutivo mediante notificación escrita enviada con una anticipación no menor de cinco días. La notificación deberá indicar fecha y hora de la respectiva sesión, como asimismo la tabla de las materias que se van a tratar.

Artículo 6°.- La asistencia a sesiones, tanto de los miembros del Consejo como del Secretario Ejecutivo, no les dará derechos a percibir remuneración especial ninguna.

Artículo 7°.- Para los efectos de los quórum y acuerdos a que se refiere el artículo 9°, inciso 3° del decreto ley, se entenderá por miembros en ejercicio del Consejo tanto a los titulares como a sus subrogantes y, en caso de empate, decidirá el voto del presidente.

Artículo 8°.- El Secretario Ejecutivo levantará acta de cada sesión en un libro destinado al efecto y la suscribirá como ministro de fe, enviando copia de ella por carta certificada a cada uno de los integrantes del Consejo y, además, a los subrogantes que hubieren concurrido a la respectiva sesión.

Si el acta mereciera observaciones, éstas deberán ser formuladas por escrito al Secretario Ejecutivo, dentro de un plazo no superior a cinco días, contados desde la fecha de la recepción de la copia, salvo que el Consejo fije un procedimiento distinto.

Artículo 9°.- El Consejo ejercerá las funciones y atribuciones que le confiere el artículo 3° del decreto ley, en la siguiente forma:

a) Se entenderá por proyectos integrales de riego el conjunto de obras de riego de infraestructura hidráulicas, puesta en riego y desarrollo agrícola, desde su estudio hasta su terminación, de modo que permitan la utilización agrícola óptima de los terrenos a regar.

Para la consecución de los proyectos integrales de riego, el Consejo podrá celebrar en forma exclusiva convenios sobre estudios, proyectos, inspección, asistencia técnica y desarrollo agrícola necesarios.

Estos convenios podrán celebrarse con empresas del Estado, empresas privadas o con particulares, pudiendo ser los dos últimos, nacionales o extranjeros. La celebración de los convenios antes señalados se hará a través de propuestas públicas o privadas según lo determine el Consejo, y sólo con el acuerdo unánime de sus miembros podrán celebrarse estos convenios en forma directa.

b) A fin de que el Consejo pueda llevar a efecto la supervigilancia, coordinación y complementación a que se refiere el artículo 3°, letra d) del decreto ley, él establecerá las formalidades que dichos organismos deberán cumplir antes de adoptar decisiones o realizar estudios, proyección, construcción, destinación y explotación de obras de riego.

c) La evaluación y aprobación de proyectos de riego implica la fijación de prioridades y política a realizar que deberán cumplir las instituciones que dependan o se relacionen con el Gobierno a través de los Ministerios a que se refiere el artículo 3º, letra h) del decreto ley;

d) Los acuerdos que adopte el Consejo para la obtención del objeto que señala el decreto ley, deberán ser ratificados por resolución de la Secretaría Ejecutiva de la Comisión, que será publicada en extracto en el Diario Oficial, cuando dichos acuerdos sean de interés general o afecten a numerosos particulares.

e) La Secretaría Ejecutiva abrirá y mantendrá al día un Registro de Profesionales y/o Empresas Nacionales o Extranjeras para ejecución de proyectos integrales de riego, los que deberán cumplir los requisitos que el mismo Consejo determine.

f) El Secretario Ejecutivo podrá proporcionar los antecedentes a que se refiere la letra e) del artículo 3º del decreto ley, cuando así lo acuerde el Consejo:

g) El Consejo podrá delegar en el Secretario Ejecutivo las atribuciones o funciones que estime convenientes.

Artículo 10º.- La Secretaría Ejecutiva desempeñará las funciones que le encomienda el artículo 4º del decreto ley en la siguiente forma:

a) Ejecutará los Acuerdos de Consejo, a través del Secretario Ejecutivo;

b) Presentará al Consejo el programa anual de acción antes del 31 de Julio de cada año anterior a aquel en que se va a ejecutar. Para este efecto el Secretario Ejecutivo podrá requerir, fijándoles plazo para entregarla, de los organismos señalados en la letra h) del artículo 3º del decreto ley, la información necesaria para cumplir dicho objetivo. Este programa, una vez aprobado por el Consejo no podrá ser modificado sino por acuerdo unánime de él.

En todo caso, la Secretaría Ejecutiva deberá atenerse a las normas de Administración Financiera, establecidas en el decreto Ley Nº 1.263, de 1975, Orgánico de la Administración Financiera del Estado;

609 DECRETO SUPREMO N° 179

c) Designará a los funcionarios que el Consejo determine, dentro de los cargos que figuren en la planta, como igualmente, con acuerdo del mismo Consejo, a aquellos que se desempeñan a contrata, a honorario o a jornal;

d) Las informaciones que el Secretario Ejecutivo, personalmente o a través de ingenieros agrónomos, economistas o ingenieros de su dependencia requiera, deberán ser evacuados dentro del plazo que en cada caso se fije y en la forma más completa posible, y e) La delegación de funciones y atribuciones en el Secretario Ejecutivo que autoriza el inciso final del artículo 4° del decreto ley, requerirá mayoría de votos de los miembros titulares que integran el Consejo.

Artículo 11°.- La Comisión deberá llevar un inventario de los bienes muebles e inmuebles que a cualquier título adquiera.

La enajenación de los bienes de la Comisión se acordará en sesión de Consejo, tomado por mayoría de votos de los miembros en ejercicio, para la de los muebles y por la unanimidad de los miembros titulares del mismo para los inmuebles; sin perjuicio de dar estricto cumplimiento a las disposiciones contenidas en el decreto Ley N° 1.939, de 1977 para la enajenación.

Artículo 12°.- Para los efectos de la fiscalización prevista en el artículo 6° del decreto ley, los organismos a quienes se les hubiere asignado recursos para riego, deberán rendir cuenta de su inversión a la Comisión, dentro de los primeros 10 días de cada mes o cuando el Consejo se lo requiera, acompañando los antecedentes justificativos que el mismo Consejo exija.

Artículo 13°.- Los subsidios a que se refiere el artículo 7° del decreto ley los otorgará el Presidente de la República, mediante decreto supremo firmado por los Ministros miembros del Consejo.

Anótese, tómese razón, comuníquese, publíquese e insértese en la Recopilación de Reglamentos de la Contraloría General de la República.- AUGUSTO PINOCHET UGARTE, General de Ejército, Presidente de la

República.- Modesto Collados Núñez, Ministro de Economía, Fomento y Reconstrucción.

Lo que transcribo a Ud. para su conocimiento.- Saluda atentamente a Ud.- Jorge Valenzuela Durán, Coronel de Ejército, Subsecretario de Economía, Fomento y Reconstrucción.

LEY N° 18.450 QUE APRUEBA NORMAS PARA EL FOMENTO DE LA INVERSIÓN PRIVADA EN OBRAS DE RIEGO Y DRENAJE

La Junta de Gobierno de la República de Chile ha dado su aprobación al siguiente

Proyecto de ley

Artículo 1°.- El Estado, por intermedio de la Comisión Nacional de Riego, bonificará el costo de estudios, construcción y rehabilitación de obras de riego o drenaje, así como de proyectos integrales de riego o drenaje que incorporen el concepto de uso multipropósito; inversiones en equipos y elementos de riego mecánico o de generación; y, en general, toda obra de puesta en riego u otros usos asociados directamente a las obras bonificadas, habilitación y conexión, cuyos proyectos sean seleccionados y aprobados en la forma que se establece en esta ley.-

La bonificación del Estado a que se refiere esta ley se aplicará de la siguiente manera:

a) Los pequeños productores agrícolas a quienes la ley orgánica del Instituto de Desarrollo Agropecuario defina como tales tendrán derecho a una bonificación máxima del 90%.

b) Los postulantes de una superficie de riego hasta 40 hectáreas ponderadas podrán postular a una bonificación máxima de 80%.

c) A los postulantes de una superficie de riego ponderada de más de 40 hectáreas se les aplicará una bonificación máxima de 70%.

Hasta un dos por ciento de los recursos anuales disponibles para bonificaciones será destinado a concursos de agricultores que superen las doscientas hectáreas ponderadas de superficie, debiendo la Comisión Nacional de Riego llamar a concursos especiales para este efecto.

La tabla de conversión de hectáreas físicas a hectáreas ponderadas deberá estar incorporada al Reglamento de esta ley y podrá ser modificada por el Consejo de Ministros de la Comisión.

Asimismo, se bonificarán los gastos que involucren la organización de comunidades de aguas y de obras de drenaje a que hace referencia el inciso tercero del artículo 2°.

La Comisión considerará objetivos ambientales en los proyectos de riego bonificados por la ley, siendo susceptibles de bonificación las inversiones cuyos sistemas productivos impidan la degradación del suelo, de la bio diversidad o cualquier tipo de daño ambiental, de acuerdo a las condiciones que determinen la Ley N° 19.300 y el Reglamento de la Ley N° 18.450.

Excepcionalmente, en casos calificados por la Comisión Nacional de Riego, podrán bonificarse como proyectos anexos a los de riego propiamente tales, obras destinadas a solucionar problemas de agua en el sector pecuario y otros relacionados con el desarrollo rural de los predios o sistemas de riego que se acojan a los beneficios de esta ley.

La suma del costo de las obras y el monto de las inversiones a que se refieren los incisos anteriores para efectos de la bonificación no podrá exceder de 50.000 unidades de fomento, sin perjuicio de que el costo total de la obra pueda ser mayor.

En todo caso el aporte en los proyectos intraprediales se calculará sobre un máximo de 50.000 unidades de fomento, siendo la diferencia de cargo del postulante.

En el caso en que los postulantes sean organizaciones de usuarios definidas por el Código de Aguas o comunidades de aguas y de obras de drenaje que hayan iniciado su proceso de constitución, podrán presentar proyectos de un valor de hasta 250.000 unidades de fomento, que beneficien en conjunto a sus asociados, comuneros o integrantes.

Los proyectos cuyo costo no supere las 30.000 unidades de fomento podrán postular a la bonificación máxima establecida en los artículos 1° y 3° de esta ley, según corresponda. Igualmente, los proyectos cuyo costo sea superior al monto señalado podrán postular a las bonificaciones máximas antes referidas, en la parte que no exceda de las 30.000 unidades de fomento. Para cada uno de los demás tramos incrementales situados por sobre las 30.000 unidades de fomento, la bonificación máxima a la que se podrá postular irá disminuyendo de acuerdo a lo establecido en el reglamento.

Los proyectos cuyo costo supere las 15.000 unidades de fomento deberán contar previamente con Recomendación Favorable del Ministerio de Desarrollo Social. El plazo para pronunciarse respecto de la recomendación será de 60 días corridos, contado desde la fecha de ingreso de la respectiva solicitud ante el mencionado Ministerio. El interesado podrá invocar el silencio administrativo positivo en caso de no existir pronunciamiento de la autoridad dentro del plazo antes señalado.

Los concursos para la bonificación de proyectos cuyo valor sea superior a 15.000 e inferior a 250.000 unidades de fomento se regirán por un procedimiento especial contemplado en el reglamento.

Artículo 2°.- Podrán acogerse a la bonificación que establece esta ley, individualmente o en forma colectiva, las personas naturales o jurídicas propietarias, usufructuarias, poseedoras inscritas o meras tenedoras en proceso de regularización de títulos de predios agrícolas, por las obras e inversiones que ejecuten en beneficio directo de los respectivos predios.-

Podrán postular también a los beneficios de esta ley, los arrendatarios de predios agrícolas cuyos contratos de arrendamiento consten por escritura pública inscrita en el Conservador de Bienes Raíces correspondiente, que cuenten con la autorización previa y por escrito del propietario y cuyo plazo de duración no sea inferior a cinco años, contado desde la fecha de apertura del concurso al que postulen. Del mismo modo y bajo las mismas condiciones, podrán postular quienes hayan celebrado un contrato de arrendamiento con opción de compra o leasing, cursados por instituciones bancarias, compañías de seguros u otras, sujetas a la fiscalización de la Superintendencia de Bancos e Instituciones Financieras o a la de Valores y Seguros. El propietario del predio bonificado será responsable frente a la Comisión de la obligación que le impone el artículo 14.

Asimismo, podrán acogerse las organizaciones de usuarios previstas en el Código de Aguas, incluidas las que han iniciado su proceso de constitución, reduciendo a escritura pública el acta en que se designe representante común, por las obras e inversiones que ejecuten en los sistemas de riego o de drenaje sometidos a su jurisdicción. Las comunidades no organizadas beneficiarias de una obra común bonificada, deberán constituirse como organizaciones de usuarios conforme a la ley.

Se exceptúan de lo dispuesto en el inciso anterior, las entidades en que el Estado tenga aportes o participación, salvo el caso de que formen parte de una organización de usuarios o de una comunidad no organizada.

Artículo 3°.- La Comisión Nacional de Riego deberá asignar al Instituto de Desarrollo Agropecuario, de acuerdo a las disponibilidades presupuestarias para este objeto, los recursos para prefinanciar el monto de la bonificación aprobada, los costos de estudio de los proyectos y la construcción y rehabilitación de las obras de riego o drenaje presentadas por los pequeños productores agrícolas a que se refiere la letra a) del inciso segundo del artículo 1° de esta ley y las organizaciones de usuarios y comunidades no organizadas, integradas a lo menos por el 70% de dicho tipo de agricultores.

Las organizaciones de usuarios y comunidades de agua o de obras de drenaje no organizadas, integradas a lo menos por un 70% de agricultores, a que se refieren las letras a) y b) del inciso segundo del artículo 1° de esta ley, podrán optar a un máximo de 90% de bonificación. Las que estén integradas por un porcentaje menor podrán optar hasta un máximo de 80% de bonificación.

La Comisión podrá definir programas especiales para bonificar los proyectos de riego de agricultores considerados en las letras a) y b) del inciso segundo del artículo 1° de esta ley, cuyo costo total no sea superior a 400 unidades de fomento. Podrá también, para tales efectos, asignar y transferir al Instituto de Desarrollo Agropecuario los recursos necesarios que se requieran. La Comisión podrá definir condiciones especiales para la adecuada asignación de estos recursos entre sus potenciales beneficiarios.

No serán susceptibles de la bonificación establecida en esta ley los gastos correspondientes a la adquisición de maquinaria e implementos necesarios para construir, instalar o reparar obras de riego o de drenaje, o de equipos e implementos para fabricar, instalar o reparar elementos de riego mecánico.

Asimismo, no serán objeto de bonificación los gastos habituales de operación y mantención de las obras, equipos y elementos a que se refiere el inciso anterior, existentes o que se construyan o adquieran mediante la aplicación de esta ley.

Artículo 4°.- La Comisión Nacional de Riego llamará, a lo menos trimestralmente, a concursos públicos a los cuales podrán postular con sus proyectos los potenciales beneficiarios a que se refiere el artículo 2°. Créase en virtud de esta ley el Registro Público Nacional de Consultores de la Comisión Nacional de Riego. Los proyectos deberán ser suscritos por personas previamente calificadas e inscritas en dicho Registro. En ningún caso se financiarán con cargo a los fondos a que se refiere esta ley proyectos que no hayan participado en dichos concursos.

No obstante lo anterior, cualquier potencial beneficiario podrá iniciar la construcción de un proyecto de riego o de drenaje sin haber postulado previamente a los concursos de esta ley, si las condiciones climáticas, de terreno, agronómicas u otras así lo hicieren necesario y podrá postular posteriormente a cualquier concurso, bastando para ello acreditar ante la Comisión la calidad de obra nueva, mediante aviso previo a su ejecución, dentro del plazo de dos años anteriores al concurso al que postule.

La Comisión llamará a concursos en conjunto o separadamente para bonificar proyectos de riego o de drenaje de los productores agrícolas definidos en las letras a), b) y c) del inciso segundo del artículo 1° de esta ley, y de las organizaciones y comunidades señaladas en el artículo 3°, debiendo mantener la condición de concursabilidad conforme a esos mismos tramos. Además, podrá llamar separadamente a concursos destinados a beneficiar proyectos de regiones o zonas determinadas, proyectos de captación de aguas subterráneas y otros que la Comisión determine, en atención a circunstancias calificadas. La Comisión llamará anualmente a un número similar de concursos para los productores definidos en el inciso segundo del artículo 1°.

La selección de los proyectos concursantes se hará determinando para cada uno de ellos un puntaje que definirá su orden de prioridad. Dicho puntaje tendrá en cuenta la ponderación de los siguientes factores:

a) Porcentaje del costo de ejecución del proyecto que será de cargo del interesado.

b) Superficie de nuevo riego que incorpora el proyecto o su equivalente cuando el proyecto consulte mejoramiento de la seguridad de riego.

c) Superficie de suelos improductivos por su mal drenaje que incorpora el proyecto a un uso agrícola sin restricciones de drenaje o su equivalente cuando sólo se trate de un mejoramiento de la capacidad de uso de ellos.

d) Costo total de ejecución del proyecto por hectárea beneficiada.

e) Incremento de la potencialidad de los suelos que se regarán o drenarán, según la comuna en que se encuentren ubicados.

Artículo 5°.- Los factores señalados en el artículo anterior darán origen a las siguientes variables:

1) Aporte: Se dividirá el monto que será de cargo del interesado, por el costo total del proyecto.

2) Superficie: El total de las superficies de nuevo riego, drenadas y de sus equivalentes cuando se trate de mejoramientos, ponderadas por el incremento de la potencialidad de los suelos de acuerdo a los factores que establezca el reglamento, se dividirá por el costo total del proyecto.

3) Costo: Será el costo total del proyecto por, hectárea beneficiada.

Calculadas las tres variables para cada proyecto concursante, se realizará con ellos tres ordenamientos de acuerdo al valor que obtengan en cada variable.

Al proyecto que proponga el mayor aporte se le otorgarán trescientos puntos en la calificación de esa variable y al que ofrezca el menor, cero punto.

El proyecto que consulte el mayor valor en la variable superficie recibirá por ese concepto trescientos puntos y el que obtenga el menor, cero punto.

Al proyecto de menor costo por beneficiario se le adjudicarán cuatrocientos puntos y al de mayor, cero punto.

En la evaluación de los proyectos cuyo costo supere las 15.000 unidades de fomento, sólo se considerará las variables "Aporte" y "Costo" de acuerdo a los numerales 1) y 3) precedentes. Para este caso, al proyecto que proponga el mayor aporte se le otorgarán quinientos puntos en la calificación de esa variable, y al que ofrezca el menor, cero puntos. Al proyecto de menor costo por hectárea beneficiada se le adjudicarán quinientos puntos, y al de mayor, cero puntos.

A los proyectos que consulten valores intermedios de las variables, se les asignarán puntajes en proporción a las posiciones que ocupen entre los dos extremos indicados para cada una de dichas variables.

INCISO DEROGADO

Finalmente, se sumarán los puntajes obtenidos por cada proyecto y se ordenarán de mayor a menor puntaje. Resultarán aprobados, en su orden de prelación, los proyectos que obtengan los mejores puntajes y cuyas peticiones de bonificación queden cubiertas totalmente con el fondo disponible para el concurso. Si restare un excedente, éste se acumulará para el fondo del próximo concurso.

Si dos o más proyectos igualaren puntaje y por razones de cupo del fondo no pudieren ser todos aprobados, el orden de prelación entre ellos lo definirá el puntaje obtenido en la variable aporte; si se mantuviere el empate, el puntaje obtenido en la variable costo y el puntaje obtenido en la variable superficie sucesivamente, y si aún se mantuviere el empate, el orden de prelación se definirá por sorteo.

Artículo 6°.- Corresponderá a la Comisión Nacional de Riego la determinación de las bases, el llamado a concurso, la recepción y revisión de los antecedentes, la admisión de los proyectos a concurso, la selección de los mismos, la adjudicación de las bonificaciones a los proyectos aprobados y la inspección y recepción de las obras bonificadas.

La Comisión podrá aceptar o proponer modificaciones a los proyectos una vez resuelto el concurso, pero en ningún caso se aumentará el monto de la bonificación aprobada.

Si el costo de los proyectos disminuyera como resultado de la modificación efectuada, la Comisión rebajará la bonificación aprobada en igual porcentaje.

Dicho organismo podrá, por resolución fundada, declarar total o parcialmente desiertos los concursos a que llame, sin perjuicio de lo establecido en el inciso noveno del artículo anterior. La facultad para declarar parcialmente desierto un concurso sólo podrá ejercerse si los proyectos presentados no cumplieren las disposiciones legales y reglamentarias.

Finalizado un concurso, la Comisión Nacional de Riego deberá poner en conocimiento público el resultado del mismo con todos los antecedentes correspondientes y, a lo menos, la siguiente información respecto de cada uno de los proyectos concursantes: tipo de proyecto, valores de los factores y variables a que se refiere esta ley, puntaje total y orden de prioridad alcanzados.

Sin perjuicio de lo señalado en el inciso anterior, la Comisión Nacional de Riego informará y publicitará, por los medios que estime apropiados y con recursos propios, acerca de los beneficios de esta ley, a fin de facilitar la oportuna postulación de proyectos.

Artículo 6° bis.- Una vez establecidas las normas técnicas chilenas de calidad de equipos y elementos de riego mecánico por medio del Instituto Nacional de Normalización, la Comisión Nacional de Riego deberá exigir su cumplimiento en los proyectos de riego y drenaje que se presenten a los concursos de esta ley.

Artículo 7°.- La bonificación se pagará una vez que las obras estén totalmente ejecutadas y recibidas. Para los efectos de cursar la orden de pago del Certificado de Bonificación al Riego y Drenaje, no será exigible, durante la vigencia de esta ley, la obligación establecida por el inciso séptimo del artículo 122 del Código de Aguas, relativa a la inscripción en el Registro Público de Derechos de Aprovechamiento de Aguas.-

Tratándose de equipos y elementos de riego mecánico, la bonificación se pagará en las condiciones y oportunidades que establezca el reglamento.

La Comisión deberá pronunciarse sobre la recepción de las obras dentro del plazo de 90 días hábiles, a contar desde la fecha en que el interesado comunique por escrito haber concluido la ejecución de las mismas. Si dicho organismo no se pronunciare o no formulare reparos dentro de ese lapso, las obras se tendrán por aprobadas.

Artículo 7° bis.- Los proyectos cuyo costo supere las 30.000 unidades de fomento deberán contar con una inspección y recepción técnica de obras de costo del beneficiario. La Comisión Nacional de Riego sólo podrá emitir la orden de pago del Certificado de Bonificación al Riego y Drenaje cuando las obras cuenten con inspección y recepción técnica favorable en los términos que señale el reglamento. La Comisión Nacional de Riego podrá denegar la referida orden de pago cuando, a partir de los informes de inspección o recepción técnica de las obras, o de las inspecciones aleatorias que se indican en el inciso tercero de este artículo, pudiese constatarse que el inspector técnico de obras ha incurrido en incumplimiento de la ley o del reglamento.

La inspección y recepción técnica de obras de proyectos de más de 30.000 unidades de fomento deberá llevarse a cabo por personas inscritas en el Registro Público Nacional de Consultores de la Comisión Nacional de Riego para Obras Medianas. El reglamento establecerá los parámetros y condiciones necesarios para la ejecución de las labores de inspección y recepción técnica de éstas.

Sin perjuicio de lo señalado precedentemente, la Comisión Nacional de Riego podrá efectuar inspecciones aleatorias de obras, en terreno, a objeto de verificar que las labores de inspección y recepción técnica se ejecuten de conformidad a los parámetros y condiciones que establezca el reglamento y la información proporcionada por la inspección privada de las obras.

Artículo 8°.- Las funciones que por esta ley se encomiendan a la Comisión Nacional de Riego, podrán ser ejercidas de conformidad a lo dispuesto en la letra h) del artículo 3° del decreto con fuerza de Ley Nº 7, de 1983, del Ministerio de Economía, Fomento y Reconstrucción.

La Comisión Nacional de Riego podrá contratar, mediante licitación pública, la realización de estudios necesarios para dimensionar la capacidad y comportamiento de acuíferos de aguas subterráneas que puedan estar disponibles para riego, a empresas u organismos especializados.

Artículo 9°.- Los adjudicatarios de la bonificación a que se refiere esta ley podrán ceder o constituir garantías sobre el derecho a percibir la misma, mediante el endoso del certificado que emita la Comisión Nacional de Riego, en el cual conste la adjudicación.

Artículo 10.- La bonificación no constituirá renta para los beneficiarios de la misma y sus sucesores en el dominio del predio. Respecto de los cesionarios, se aplicarán las normas generales.

Artículo 11.- La bonificación a que se refiere esta ley será compatible con las establecidas en otros textos legales, pero la suma de las bonificaciones que se apliquen para una obra e inversión determinada no podrá exceder del 95% del costo de las mismas.

Artículo 12.- Los predios agrícolas beneficiados con las obras a que se refiere esta ley, gozarán de la franquicia establecida en la letra A) del artículo 1° de la Ley N° 17.235, pero reduciendo el tiempo de exención en el mismo porcentaje en que se subvencione el costo de la obra.

En caso de un cambio de uso de suelo de predios beneficiados por esta ley, que hubiere sido solicitado por el propietario para otros fines, éste deberá restituir la bonificación percibida deduciendo en forma proporcional el tiempo de permanencia efectiva de las obras bonificadas, sobre el plazo total a que se refiere el artículo 14 de este cuerpo legal, restitución que se efectuará en las condiciones que determine el reglamento.

Igual situación se aplicará a los agricultores de predios bonificados que eliminen o cambien de cultivo para el cual se asignó el subsidio, si a consecuencia de ello se deja sin aplicación los equipos de riego bonificados.

Artículo 13.- El que con el propósito de acogerse a la bonificación fijada en esta ley proporcione maliciosamente antecedentes falsos o adulterados, será sancionado con presidio menor en sus grados medio a máximo.

Si el infractor hubiese percibido la bonificación, se le aplicará además de la pena indicada en el inciso anterior, una multa que será equivalente al triple de las unidades de fomento que hubiere percibido indebidamente por tal concepto.

Será competente para aplicar las sanciones a que se refieren los incisos primero y segundo, el Juez de Garantía que corresponda de acuerdo con las normas generales.

Sin perjuicio de lo dispuesto en los incisos anteriores, el profesional responsable del proyecto que se presentare a concurso, que incurriere en las infracciones a que se refieren los incisos primero y segundo, será sancionado por la Comisión Nacional de Riego, administrativamente, con la no admisión en futuros concursos de proyectos preparados por el infractor. De esta sanción podrá apelarse ante la Contraloría General de la República.

Artículo 14.- El que sin la autorización de la Comisión Nacional de Riego retirare del predio o enajenare bienes adquiridos con la bonificación antes que concluya el plazo de 10 años, contado desde la fecha de recepción de la obra, será sancionado con una multa, a beneficio fiscal, equivalente al triple de las unidades de fomento que hubiere percibido por concepto de bonificación. En todo caso, para que la Comisión Nacional de Riego otorgue la autorización referida, los bienes en cuestión deberán haber sido ocupados y debidamente usados en el objetivo del proyecto. En el caso de equipos móviles, la Comisión podrá autorizar su uso en predios distintos del predio original del proyecto, siempre y cuando este predio pertenezca al titular del proyecto o sea explotado por él o sus sucesores legales en virtud de un contrato de arrendamiento, usufructo, fideicomiso, uso u otra forma legítima de explotación, en las condiciones que establezca el Reglamento.

Será competente para aplicar esta sanción, el Juez de Policía Local que sea abogado con jurisdicción en la comuna en que se hubiere cometido la infracción, en conformidad con el procedimiento establecido en la Ley N° 18.287. Si éste no fuere abogado, lo será el Juez de Garantía en cuyo territorio jurisdiccional se encuentre el predio donde se cometió la infracción, aplicándose, en tal caso, el mismo procedimiento señalado.

Artículo 15.- La bonificación que establece esta ley se financiará con los recursos que cada año consulte la Ley de Presupuesto del Sector Público y se pagará a través del Servicio de Tesorerías en la forma que determine el reglamento.

El Programa Subsidios de la Partida Tesoro Público incluirá los recursos necesarios para financiar el gasto anual que demande la aplicación de la presente ley. La correspondiente glosa presupuestaria deberá identificar fondos separados con los montos que anualmente podrán comprometerse en llamados a concurso, distinguiendo entre aquellas obras cuyo costo no supere las 15.000 unidades de fomento y aquellas que superen dicho monto.

Los Gobiernos Regionales, en coordinación con la Comisión Nacional de Riego, podrán celebrar convenios mandato o de programación, anuales o plurianuales, con el objeto de fomentar la inversión privada regional en obras de riego y drenaje.

Artículo 16.- Esta ley rige desde el 1° de enero de 1986.

Artículo 17.- Los reglamentos de esta ley serán fijados mediante decreto supremo del Ministerio de Agricultura, previa aprobación del Consejo de Ministros de la Comisión Nacional de Riego.

JOSE T. MERINO CASTRO, Almirante, Comandante en Jefe de la Armada, Miembro de la Junta de Gobierno.- FERNANDO MATTHEI AUBEL, General del Aire, Comandante en Jefe de la Fuerza Aérea, Miembro de la Junta de Gobierno.- RODOLFO STANGE OELCKERS, General Director de Carabineros, Miembro de la Junta de Gobierno.- CESAR RAUL BENAVIDES ESCOBAR, Teniente General de Ejército, Miembro de la Junta de Gobierno.

Por cuanto he tenido a bien aprobar la precedente ley, la sanciono y la firmo en señal de promulgación. Llévese a efecto como Ley de la República.

Regístrese en la Contraloría General de la República, publíquese en el Diario Oficial e insértese en la Recopilación Oficial de dicha Contraloría.

Santiago, 22 de octubre de 1985.- AUGUSTO PINOCHET UGARTE, General de Ejército, Presidente de la República.- Hernán Büchi Buc, Ministro de Hacienda.- Juan Carlos Délano Ortúzar, Ministro de Economía, Fomento y

Reconstrucción.- Bruno Siebert Held, Brigadier General, Ministro de Obras Públicas.- Jorge Prado Aránguiz, Ministro de Agricultura.

Lo que transcribo a Ud. para su conocimiento.- Saluda atentamente a Ud.- Jaime de la Sotta Benavente, Subsecretario de Agricultura.

DECRETO SUPREMO N° 95 DE 23 DE ABRIL DE 2015 QUE APRUEBA NUEVO REGLAMENTO DE LA LEY N° 18.450 DE FOMENTO A LA INVERSIÓN PRIVADA EN OBRAS DE RIEGO Y DRENAJE, MODIFICADA POR LA LEY N° 20.705

Núm. 95.- Santiago, 17 de julio de 2014.- Visto: Lo establecido en el artículo 32 N° 6 de la Constitución Política de la República; el DFL N° 294, de 1960, del Ministerio de Hacienda; el DFL N° 7, de 1983, del Ministerio de Economía, Fomento y Reconstrucción, que fijó el texto refundido, coordinado y sistematizado del decreto Ley N° 1.172, de 1975, que creó la Comisión Nacional de Riego; la Ley N° 18.450, y sus modificaciones posteriores; el decreto supremo N° 179, de 1984, del Ministerio de Economía, Fomento y Reconstrucción; el decreto supremo N° 98, de 2010, del Ministerio de Agricultura; los Acuerdos de las Sesiones N° 180, de 2013 y N° 185, de 2014, del Consejo de Ministros de la Comisión Nacional de Riego; las resoluciones exentas N° 4.355, de 2013, y N° 1.679, de 2014, de la Comisión Nacional de Riego y la resolución N° 1.600, de 2008, de la Contraloría General de la República.

Considerando:

1. Que la Ley N° 18.450 aprobó normas para el fomento de la inversión privada en obras de riego y drenaje;

2. Que dicho cuerpo legal remite al reglamento la regulación de determinadas materias propias de esa ley;

3. Que en tal sentido, el artículo 17 de la Ley N° 18.450 establece que sus reglamentos serán fijados mediante decreto supremo del Ministerio de Agricultura, previa aprobación del Consejo de Ministros de la Comisión Nacional de Riego;

4. Que no obstante existir un reglamento vigente, con el objeto de dar cumplimiento a las modificaciones introducidas a la Ley N° 18.450 por la Ley N° 20.705, en Sesión N° 180 del Consejo de Ministros de la Comisión Nacional de Riego, celebrada con fecha 28 de noviembre de 2013, se

acordó aprobar un nuevo reglamento de la Ley N° 18.450 de Fomento a la Inversión Privada en Obras de Riego y Drenaje;

5. Que tal acuerdo fue ratificado mediante resolución exenta N° 4.355, de 2013, de la Comisión Nacional de Riego, a continuación de lo cual se remitió a la Contraloría General de la República para control de la legalidad el Reglamento de la Ley N° 18.450 de Fomento a la Inversión Privada en Obras de Riego y Drenaje, el cual fue retirado sin tramitar.

6. Que con fecha 2 de junio de 2014, el Consejo de Ministros de la Comisión Nacional de Riego, en Sesión N° 185, adoptó por unanimidad de sus Consejeros, el acuerdo de dejar sin efecto el Acuerdo adoptado en Sesión N° 180, de 28 de noviembre de 2013, ratificado por resolución N° 4.355, de 2013, de la Comisión, y aprobar un nuevo texto del Reglamento de la Ley N° 18.450, de Fomento a la Inversión Privada en Obras de Riego y Drenaje, modificada por la Ley N° 20.705.

7. Que por resolución exenta N° 1.679, de 2014, de la Comisión Nacional de Riego, se ratificó el Acuerdo alcanzado por el Consejo de Ministros de dicha Comisión en su Sesión N° 185, de 2014, ya aludida, aprobándose el texto del nuevo Reglamento de la Ley N° 18.450, modificada por la Ley N° 20.705, cuyo texto es el siguiente:

Decreto:

1.- Apruébase el siguiente Reglamento de la Ley N° 18.450 de Fomento a la Inversión Privada en Obras de Riego y Drenaje:

CAPÍTULO I
NORMAS GENERALES

Artículo 1°.- Definiciones.

Para los efectos de la aplicación de la Ley N° 18.450 que aprueba normas para el fomento de la inversión privada en obras de riego y drenaje, los siguientes conceptos tendrán el significado que a continuación se expresa:

1. Ley: La Ley N° 18.450 y sus modificaciones posteriores.

2. Comisión: La Comisión Nacional de Riego.

3. Concurso(s): Procedimiento participativo y abierto reglamentado para seleccionar a los beneficiarios de la Ley.

4. Proyecto(s): Conjunto de documentos y antecedentes legales y técnicos, incluido el estudio, que permite definir, dimensionar, valorizar, justificar y construir o rehabilitar las obras de riego o drenaje y las obras multipropósito asociadas o complementarias, que beneficien la actividad agropecuaria mediante el cumplimiento de los objetivos establecidos en la Ley. Se incluyen en este concepto las obras que se consultan en los proyectos anexos, cuando corresponda.

5. Obras: En los casos en que el presente reglamento se refiere a obras sin otra calificación, se entenderá por tales a las obras de riego, de drenaje y las obras multipropósito, los equipos y elementos de riego mecánico y de generación cuya construcción, rehabilitación, adquisición o instalación son necesarias para cumplir con los objetivos establecidos en el proyecto.

6. Obras Medianas: Proyectos cuyo costo total sea superior a 15.000 unidades de fomento e inferior a 250.000 unidades de fomento.

7. Obras de Riego: Son las obras necesarias para la captación, derivación, conducción, acumulación, regulación, distribución o evacuación de aguas, como asimismo, las obras de puesta en riego, medición y control y las destinadas a mejorar la eficiencia del mismo.

8. Obras de Puesta en Riego: Las labores necesarias para adecuar los suelos de secano al riego y para mejorar el aprovechamiento y la eficiencia de aplicación del agua en suelos regados, tales como despedradura, destronque, nivelación y emparejamiento. Se excluye la construcción de cercos y caminos interiores.

9. Obras de Drenaje: Las construcciones, elementos y labores destinados a evacuar el exceso de las aguas superficiales o subsuperficiales de los suelos en los que constituyen una limitante para el desarrollo de los cultivos. Incluyen, además, las labores de despedradura, destronque, nivelación, emparejamiento y construcción de cercos y puentes, cuando corresponda.

10. Equipo de Riego Mecánico: Conjunto de elementos mecánicos integrados que tienen por objeto elevar aguas superficiales o subterráneas a niveles superiores a aquellos en que se almacenan o escurren en forma natural o artificial, como asimismo impulsar, distribuir o aplicar el agua

de riego en los predios. Estos equipos podrán ser utilizados en obras de drenaje.

11. Elementos de Riego Mecánico: Las partes que integran un equipo de riego mecánico tales como bombas y motobombas, ductos, cañerías, válvulas, sistemas de comando y automatización, filtros, manómetros, medidores de caudal, dosificadores de fertilizantes y pesticidas incorporados al sistema de riego, aspersores, goteros, tableros eléctricos, transformadores y líneas eléctricas de alta y baja tensión, y otras fuentes de energía necesarias para operar los equipos, que se destinen directamente a la impulsión de aguas de riego o drenaje.

12. Proyectos anexos: Aquellos que consultan la construcción de obras suplementarias a las de riego, destinadas a utilizar los recursos hídricos o las instalaciones de las mismas para solucionar problemas de agua en el sector pecuario u otros relacionados con el desarrollo rural de los predios o sistemas de riego que se acojan a los beneficios de la Ley.

El costo de los proyectos anexos no podrá superar el 10% del costo total del proyecto, con un límite máximo de 100 unidades de fomento para proyectos cuyo costo total sea igual o menor a 15.000 unidades de fomento. Para proyectos con costo superior 15.000 unidades de fomento el límite máximo será de 1.000 unidades de fomento.

13. Obras de Uso Multipropósito: Aquellas complementarias a Obras de Riego o a Obras de Drenaje, destinadas a propósitos tales como agua potable, hidrogeneración, control de crecidas, recarga de acuíferos, entre otros.

14. Proyectos de Riego o Drenaje: El conjunto de Obras de Riego, Obras de Drenaje, Obras de Puesta en Riego, Obras de Uso Multipropósito o de obras de desarrollo agrícola, desde su estudio hasta la recepción final de la obra, que permiten la utilización agrícola óptima de los terrenos a regar.

15. Costo del Proyecto o Costo Total de Ejecución del Proyecto: La suma de los costos del estudio, de inspección y de ejecución de las Obras y, cuando proceda, el costo de las Obras de uso Multipropósito, los Proyectos Anexos y el costo de constitución de organizaciones de usuarios definidas en el Código de Aguas.

La suma del costo de estudio, el costo de inspección técnica y los gastos generales incluidos en el valor de la ejecución de las obras e inversiones no podrá exceder del 15% del costo total del proyecto en el caso de las obras cuyo costo total sea igual o inferior a 15.000 unidades de fomento, y de un 20% en aquellas que las superen, excluidos, para estos efectos, los costos de la organización de usuarios, proyectos anexos y el costo de los análisis de laboratorio requeridos.

16. Costo de Estudio: Los gastos por concepto de diseño, estudios técnicos ambientales y económicos, estudios jurídicos, análisis de laboratorio y demás necesarios para la preparación y presentación del proyecto.

17. Costo de Inspección: Los gastos que irrogue la inspección técnica de la construcción de la obra.

18. Costo de Ejecución de las Obras: Son aquellos ítems que corresponden a la suma de los productos de los precios unitarios utilizados en la construcción y/o rehabilitación de las Obras de riego, de drenaje con o sin elemento multipropósito, proyectos anexos, de instalación de equipos y elementos de riego mecánico y gastos generales, cuando corresponda.

19. Costo de Organización de Usuarios de Aguas: Son aquellos valores que constituyen gastos que ocasiona la constitución legal de las organizaciones de comunidades de aguas o de drenaje. El detalle de los gastos a considerar se especificará en las bases. El monto de la bonificación por este concepto no podrá superar el 10% del costo de ejecución de las Obras, con un máximo de 300 unidades de fomento.

20. Organizaciones u Organización de Usuarios: Las organizaciones de usuarios de agua contempladas en el Código de Aguas, a saber: Juntas de Vigilancia, Asociaciones de Canalistas y Comunidades de Aguas o Drenaje.

21. Organizaciones de Hecho: Las que no han formalizado su existencia de acuerdo a las normas del Código de Aguas y están integradas por quienes tienen derechos de aprovechamiento en aguas de un mismo canal, embalse o pozo y usan o esperan usar las aguas de las fuentes indicadas con la construcción de las Obras consideradas en el Proyecto que postula a la bonificación.

22. Comunidad de Obras de Drenaje No Organizada: La integrada por los usuarios de una misma obra de drenaje que no ha formalizado su existencia de acuerdo a las normas del Código de Aguas.

23. Organizaciones de usuarios de aguas que han iniciado su proceso de constitución: Organizaciones de hecho que han iniciado el proceso de constitución, de acuerdo con los procedimientos establecidos en los artículos 187, 188 y siguientes del Código de Aguas y que han reducido a escritura pública el acta de designación de un representante común de sus integrantes.

24. Proyecto de Rehabilitación de Obras: Proyecto que tiene por objeto recuperar las condiciones iniciales del diseño original de una obra.

25. Bases: Documentos aprobados por la Comisión Nacional de Riego que contienen el conjunto de requisitos, condiciones y especificaciones para cada concurso. Forman parte integrante de las bases todos y cada uno de los manuales o documentos emitidos por la Comisión, sean éstos técnicos, administrativos o legales.

26. Proceso de Evaluación: Procedimiento establecido en las bases del Concurso para asignar puntaje a los Proyectos Admitidos y seleccionar aquellos que cumplan con los requerimientos específicos de cada concurso.

27. Certificado de Bonificación (CBRD): Documento emitido por la Comisión en que constará la adjudicación de la bonificación ofrecida en un Concurso a un determinado Beneficiario.

28. Certificado de Bonificación II: Documento emitido por la Comisión que bonifica los gastos de constitución de una Comunidad de Agua. Su cobro sólo podrá efectuarse si las Obras del Proyecto se encuentran con recepción final por parte de la Comisión Nacional de Riego y terminada la constitución de la organización de usuarios.

29. Proyecto Admitido: El que postula en un concurso y cumple con las exigencias de la ley, reglamento y bases respectivas.

30. Proyecto No Admitido o Rechazado: El que postula en un concurso y no cumple con las exigencias establecidas en la ley, reglamento y bases respectivas.

31. Proyecto Seleccionado o Bonificado: El admitido a concurso y que en el proceso de selección ha obtenido el Certificado de Bonificación.

32. Proyecto No Seleccionado: El admitido a concurso y que en el proceso de selección no ha obtenido Certificado de Bonificación.

33. Proyecto Retirado: El que, una vez presentado a Concurso, solicita su devolución previo a la declaración de admisibilidad del concurso, independiente de ser calificado como admitido o no admitido a concurso. Esta facultad sólo puede ser ejercida por el o la postulante o su representante legal.

34. Bienes Adquiridos con la Bonificación: Bienes y equipos que forman parte de un Proyecto Bonificado y que son imprescindibles para la operación del mismo.

35. Postulante o Potencial Beneficiario: Persona natural o jurídica u organización de usuarios de aguas que, individual o colectivamente, postula un proyecto susceptible de recibir la bonificación y reúne los requisitos establecidos en el artículo N° 2 de la ley.

36. Beneficiario: Persona natural o jurídica u organización de usuarios de aguas que, individual o colectivamente, ha postulado un proyecto en un Concurso y ha obtenido el Certificado de Bonificación.

37. Consultor: Es el profesional inscrito en el Registro Público Nacional de Consultores de la Comisión que elabora y suscribe la carpeta de postulación del Proyecto, la presenta a Concurso y da seguimiento a los procesos administrativos desde la postulación hasta el pago de la bonificación, siendo para estos efectos interlocutor del Postulante ante la Comisión.

38. Registro: Registro Público Nacional de Consultores de la Comisión.

39. Inspección Técnica de Obras: Actividad de costo y responsabilidad del Beneficiario en la obras superiores a 30.000 UF a que se refiere el artículo 7 bis de la Ley N° 18.450, mediante la cual durante la construcción de la obra se verifican los aspectos técnicos, constructivos y administrativos de la Obra de acuerdo a las exigencias establecidas en la Ley N° 18.450, en el presente Reglamento y en las bases del concurso.

40. Supervisión Técnica de Obras: Actividad mediante la cual la Comisión verifica que las labores de inspección y recepción técnica se ejecuten de conformidad a los parámetros y condiciones establecidas en la Ley, este Reglamento y las bases del concurso.

41. Inspector Técnico de Obras (ITO): Persona natural o jurídica inscrita en el Área de Inspección y Supervisión del Registro que, por cuenta del Beneficiario, verifica que las Obras se ejecuten conforme a las normas

de construcción aplicables, a los permisos requeridos y al Proyecto presentado.

42. Supervisor Técnico de Obras (STO): Profesional del rubro de la construcción, dependiente de la Comisión, que mediante visitas aleatorias en terreno, verifica que las labores de construcción se ejecuten de conformidad a lo establecido en el Proyecto aprobado y bonificado. Para Obras que superen las 30.000 unidades de fomento de costo de ejecución, el STO deberá verificar que la inspección y la recepción técnica se ejecuten de conformidad a los parámetros y condiciones establecidas en la Ley, en este Reglamento y en las bases del concurso.

43. Informe Técnico Final: Para Obras que superen las 30.000 unidades de fomento, corresponde al informe evacuado por el ITO en el que debe pronunciarse sobre la conformidad de las Obras con el Proyecto y con las normas de calidad de la construcción, además de aquellas exigencias que se establezcan en las Bases.

44. Recepción de Obras: Para Obras cuyo costo de ejecución sea igual o menor a 30.000 unidades de fomento, corresponde a la instancia liderada por el STO mediante la cual se realiza una inspección completa y detallada de las Obras y se levanta el Acta de Recepción Técnica de la Obra.

Para Obras que superen las 30.000 unidades de fomento, corresponde a la instancia liderada por el ITO para la revisión del cumplimiento de los aspectos técnicos, legales y administrativos del Proyecto, de acuerdo a las exigencias establecidas en el presente Reglamento y en las bases del Concurso.

45. Acta de Recepción Técnica de Obras: Informe previo a la Recepción Definitiva de las Obras, en que se verifica el cumplimiento de los requisitos establecidos en la Ley, el presente Reglamento, el proyecto y aquellos requisitos especiales que se establezcan en las Bases.

46. Acta de Recepción Técnica Condicionada de Obras: Informe previo a la recepción definitiva que establece que una Obra acogida a inicio anticipado cumple con los objetivos planteados en el Proyecto, quedando sujeta su recepción definitiva a que el Proyecto se adjudique la bonificación en el Concurso a que postuló, o en otros posteriores.

47. Acta de Recepción Técnica Provisional de Obras: Informe previo a la recepción definitiva que objeta o repara la ejecución, terminación o funcionamiento de la Obra y otorga un plazo para subsanar las observaciones.

48. Recepción Definitiva de Obras: Acto administrativo mediante el cual la Comisión declara las Obras recepcionadas técnicamente, acepta la acreditación de las inversiones y ordena el pago de la bonificación.

49. Plazo de Término de las Obras: Plazo máximo con que cuenta el Beneficiario para la construcción de la Obra, incluidas sus eventuales prórrogas, contado desde la fecha de la notificación de la resolución que aprueba los resultados del Concurso.

50. Plazo de Ejecución de los Reparos: Plazo máximo con que cuenta el Beneficiario para subsanar los reparos realizados a la Obra, contado desde la fecha de emisión del Acta de Recepción Provisional de Obras.

51. Aviso de Construcción de Obra Nueva: Aviso que deberá efectuar el Potencial Beneficiario que quisiera acogerse a lo establecido en el inciso 2° del artículo 4° de la Ley N° 18.450, que dice relación con el Inicio Anticipado de Obras.

52. Certificado de Obra Nueva: Certificado emitido por la Comisión previa solicitud de un Potencial Beneficiario a través del Aviso de Construcción de Obra Nueva y en que se acredita que el Proyecto contemplado en el referido aviso no ha iniciado su construcción.

53. Aviso de Término de Obras: Aviso mediante el cual el Beneficiario comunica a la Comisión el término de la construcción de la Obra contemplada en el Proyecto.

54. Libro de Obras: Instrumento escrito que debe permanecer en la obra, en el cual se deben registrar instrucciones, observaciones y notas relativas al desarrollo de las obras.

55. Proyecto Intrapredial: Es aquel que contiene obras que sirven o benefician a un solo predio.

56. Proyecto Extrapredial: Es aquel que contiene obras que sirven o benefician a más de un predio.

Artículo 2°.- No serán susceptibles de bonificación, para los efectos de lo dispuesto en los incisos 4° y 5° del artículo 3 de la Ley:

a) Maquinaria e implementos necesarios para construir, instalar o reparar obras de riego, de drenaje o equipos y elementos de riego mecánico: Los que se utilizan exclusivamente durante el período de construcción, instalación o reparación de dichas obras, equipos y elementos y que no quedan integrados a ellas, tales como bulldozers, tractores, cargadores frontales, retroexcavadoras, traíllas, compresores, perforadoras, betoneras, grúas, tecles, herramientas manuales, tornos, fresadoras, cepilladoras, cortadoras, esmeriladoras, cilindradoras, soldadoras, taladros, embobinadoras, extrusoras, inyectoras, matrices, entre otros.

b) Gastos de operación de obras: Los gastos habituales en que se debe incurrir para el funcionamiento de dichas obras, como el pago de honorarios, sueldos, viáticos, jornales, leyes sociales, movilización, combustibles, lubricantes, tarifas, cuotas entre otros.

c) Gastos habituales de mantención de obras: Los necesarios para conservar en buen estado de operación las obras, tales como el encauzamiento de ríos y esteros, reposición de bocatomas provisionales, extracción de derrumbes, limpieza de embalses, canales, desarenadores y obras de arte, despeje de caminos de borde y bermas, conservación de caminos de acceso, adquisición, arriendo, reparación o reposición de maquinarias y vehículos, reparación de galpones, bodegas, oficinas y edificios en general y adquisición de repuestos de equipos mecánicos, pinturas, aceites, engrases entre otros.

Artículo 3°.- Llamados a Concurso y Avisos.

La Comisión llamará a los concursos públicos a que se refiere el artículo 4° de la Ley conjunta o separadamente para concursos de proyectos de hasta 15.000 unidades de fomento y concursos cuyos proyectos superen las 15.000 unidades de fomento y de hasta 250.000 unidades de fomento, difundiéndose mediante, a lo menos, una publicación en el Diario Oficial y otra en la página web institucional. Adicionalmente, la Comisión podrá difundir los concursos y los beneficios de la Ley por los medios que estime conveniente.

Artículo 4°.- Monto de la Bonificación.

Los proyectos cuyo costo sea igual o menor a 30.000 unidades de fomento podrán postular a la bonificación máxima establecida en los artículos 1° y 3° de la Ley según corresponda al tipo de Potencial Beneficiario.

Los proyectos cuyo costo sea superior a las 30.000 unidades de fomento podrán postular a la bonificación máxima establecida en los artículos 1° y 3° de la Ley en la parte que no exceda de las 30.000 unidades de fomento. Para cada uno de los tramos incrementales del costo situados por sobre las 30.000 unidades de fomento, la bonificación máxima a la que se podrá postular se calculará en función del porcentaje límite de bonificación establecida en las siguientes tablas de acuerdo a si incorpora o no el concepto de uso multipropósito:

ORGANIZACIONES DE PEQUEÑOS AGRICULTORES (constituidas o en proceso de constitución)					
Tramos		Proyectos Integrales con obras de uso Multipropósito		Proyectos Integrales solo para Riego o Drenaje	
		Bonificación Tramo	Bonificación efectiva al costo máximo del tramo	Bonificación Tramo	Bonificación efectiva al costo máximo del tramo
−	30.000	90%	90%	90%	90%
30.001	60.000	68%	79%	85%	88%
60.001	90.000	51%	69%	80%	85%
90.001	120.000	38%	62%	76%	83%
120.001	150.000	28%	55%	73%	81%
150.001	180.000	21%	49%	70%	79%
180.001	210.000	16%	45%	67%	77%
210.001	240.000	12%	40%	63%	76%
240.001	250.000	9%	39%	60%	75%

ORGANIZACIONES (constituidas o en proceso de constitución)				
Tramos		Proyectos Integrales con obras de uso Multipropósito		Proyectos Integrales solo para Riego o Drenaje	
		Bonificación Tramo	Bonificación efectiva al costo máximo del tramo	Bonificación Tramo	Bonificación efectiva al costo máximo del tramo
−	30.000	80%	80%	90%	80%
30.001	60.000	50%	65%	80%	85%
60.001	90.000	40%	57%	75%	82%
90.001	120.000	30%	50%	70%	79%
120.001	150.000	25%	45%	65%	76%
150.001	180.000	20%	41%	60%	73%
180.001	210.000	15%	37%	55%	71%
210.001	240.000	10%	34%	50%	68%
240.001	250.000	8%	33%	45%	67%

USUARIOS INDAP			
		Bonificación Tramo	Bonificación efectiva al costo máximo del tramo
−	30.000	90%	90%
30.001	50.000	85%	88%

PEQUEÑOS EMPRESARIOS (menor o igual 40 hectáreas ponderadas)				
Tramos		Proyectos Integrales con obras de uso Multipropósito		Proyectos Integrales solo para Riego o Drenaje	
		Bonificación Tramo	Bonificación efectiva al costo máximo del tramo	Bonificación Tramo	Bonificación efectiva al costo máximo del tramo
−	30.000	80%	80%	80%	80%
30.001	50.000	40%	64%	60%	72%

MEDIANOS Y GRANDES (más de 40 hectáreas ponderadas)					
Tramos		Proyectos Integrales con obras de uso Multipropósito		Proyectos Integrales solo para Riego o Drenaje	
		Bonificación Tramo	Bonificación efectiva al costo máximo del tramo	Bonificación Tramo	Bonificación efectiva al costo máximo del tramo
–	30.000	70%	70%	70%	70%
30.001	50.000	25%	58%	53%	63%

Artículo 5°.- Consultor.

Los Proyectos deberán ser suscritos por consultores previamente inscritos en el Registro a que se refiere el artículo 4° inciso primero de la Ley.

Será obligación del Consultor asesorar al Postulante o Beneficiario en la postulación del Proyecto a concurso y en todos los demás procedimientos administrativos que se requieran hasta el pago de la bonificación, sin perjuicio de las obligaciones que se establezcan en el reglamento del Registro Público Nacional de Consultores de la Comisión Nacional de Riego.

Artículo 6°.- Postulaciones paralelas.

Si un mismo proyecto postula a dos o más concursos paralelamente, el Postulante deberá declararlo en el formulario de postulación. Misma exigencia será aplicable en caso que distintos proyectos se emplacen parcial o totalmente sobre la misma superficie y postulen paralelamente a uno o más concursos.

Una vez bonificado el proyecto en el primer concurso resuelto, el Postulante deberá retirar las postulaciones del mismo Proyecto de los Concursos aún no resueltos.

Si producto del incumplimiento de las exigencias establecidas precedentemente el Postulante resultare adjudicatario de más de una bonificación para el mismo Proyecto o la misma superficie, se dejarán sin efecto las bonificaciones adjudicadas con posterioridad a la primera bonificación, sin perjuicio a lo establecido en el artículo 13 de la Ley.

Artículo 7°.- Postulación de proyecto en Etapas (etapas simultáneas o de etapas independientes)

Las etapas de un proyecto corresponden a un segmento o tramo de un proyecto que conforme a los requerimientos de los concursos de la Ley es autosustentable, es decir, que la construcción de las obras que componen cada etapa es independiente y cumple por sí sola los objetivos (o parte de estos) del proyecto y permite su inspección, recepción y pago. La postulación de un proyecto en etapas debe incorporar todos los antecedentes técnicos y legales que exigen las bases del concurso, pero, además, debe definir las etapas que lo componen y para cada una de estas, adjuntar los antecedentes técnicos y legales que la hacen independiente y autosustentable.

El porcentaje de bonificación máxima a que el proyecto podrá acceder corresponde al proyecto completo calculado según la Tabla del artículo 4, el cual una vez seleccionado en el concurso, permitirá la desagregación de las etapas en forma individual, bonificándose cada etapa en forma proporcional y de acuerdo al porcentaje de bonificación máxima del proyecto.

Si el proyecto completo es admitido y seleccionado en un concurso, se consideran seleccionadas todas las etapas que lo componen, por lo que se procederá a emitir tantos CBRD como etapas se consideren. Los plazos de vigencia de cada bono parcial serán los mismos en fecha y duración al que correspondería al bono del proyecto completo.

Artículo 8°.- Antecedentes del Postulante.

Quienes postulen a los concursos de la Ley deberán presentar, en la oportunidad y forma que lo dispongan las bases de concursos, los siguientes antecedentes:

a) Nombre o razón social, copia del rol único tributario o cédula nacional de identidad y domicilio del postulante y/o de su representante, y aquellos antecedentes que permitan su correcta individualización y comunicación que se detallarán en bases.

b) Certificado del Registro, que acredite que el o los consultores o la o las consultoras responsables de la elaboración del Proyecto, se encuentran con inscripción vigente en el Registro, en las especialidades y categorías que en cada caso determinen las bases, atendidos el monto y la naturaleza del Proyecto.

c) En el caso de que el Postulante sea una Organización de Usuarios, deberá presentar:

(i) Documentación que acredite su constitución y vigencia;

(ii) Identificación y poderes vigentes del Representante Legal, en que se acredite que se le han conferido facultades para comprometer a la organización, postulando el Proyecto a los Concursos de la Ley;

(iii) Listado de integrantes de la Organización de Usuarios (nombre, rol único tributario y rol del predio con su superficie con indicación de su capacidad de uso de sus suelos) y

(iv) Tratándose de organizaciones en proceso de constitución, deberán acompañar la información contenida en la letra a) del artículo 11 siguiente y acreditarse que no existe gestión pendiente por parte de los constituyentes de la organización para que el procedimiento siga su curso.

d) Copia autorizada de la inscripción en el Conservador de Bienes Raíces correspondiente, con certificado de vigencia que acredite el dominio, posesión, usufructo o arriendo sobre el o los predios que se beneficiarán con la obra; en caso del leasing el postulante deberá presentar la escritura pública respectiva debidamente inscrita en el Conservador de Bienes Raíces respectivo. Los poseedores o poseedoras materiales en proceso de regularización de títulos deberán acreditar esta circunstancia por medios fidedignos establecidos por la Comisión en las Bases del respectivo Concurso.

e) Título en que consta la relación jurídica del Potencial Beneficiario con las aguas utilizadas en el Proyecto, de acuerdo a lo que se señale en las Bases de cada Concurso.

f) En el caso de proyectos intraprediales debe presentar el certificado de Impuestos Internos con capacidad de uso del suelo del o los predios que componen el proyecto.

g) Copia autorizada de la inscripción en el Conservador de Bienes Raíces correspondiente, con certificado de vigencia, de los derechos de aprovechamiento de agua o derechos provisionales otorgados por la Dirección General de Aguas. Cuando se trate de obras construidas por el Estado, no se financiarán proyectos cuyos derechos no hubieren sido traspasados a sus usuarios, salvo que el Consejo de Ministros autorice su postulación en las condiciones que señale, las que se indicarán en las bases del Concurso respectivo, y

h) Si la obra proyectada fuere la construcción, rehabilitación o habilitación de pozos, se deberá acompañar copia de los derechos de aprovechamiento de agua inscritos.

En el caso de postulación de arrendatarios o leasing, el propietario del predio será solidariamente responsable por la permanencia de los elementos inventariados del proyecto, conforme al artículo 2 de la Ley.

Cuando se postule un proyecto en forma colectiva, todos y cada uno de ellos serán responsables del cumplimiento de la Ley, de este Reglamento y, en especial, de la ejecución, mantención y operación del proyecto presentado.

Cuando el postulante sea una Organización de Usuarios será ésta responsable del cumplimiento de la Ley, de este Reglamento y, en especial, de la ejecución, mantención y operación del proyecto presentado.

Artículo 9°.- Antecedentes del Proyecto.

9.1. Los proyectos de obra de riego deberán contener, al menos, la siguiente información:

a) Identificación del Profesional Responsable del Diseño.

b) Identificación del Consultor.

c) Descripción de las obras y equipos de riego mecánico incluidos en el Proyecto.

d) En proyectos intraprediales, los datos necesarios para determinar correctamente el o los predios que se beneficiarán con las Obras, tales como su nombre, ubicación (coordenadas) y número del rol de avalúo, certificado de avalúo de cada predio beneficiado con el Proyecto, para los efectos del impuesto territorial, con clasificación de capacidades de uso de los suelos. En proyectos extraprediales, plano con los predios que se beneficiarán con las Obras, número del rol de avalúo, con clasificación de capacidades de uso de los suelos.

e) Presupuesto detallado que contenga el desglose del costo total y que permita determinar el costo de construcción, rehabilitación o instalación, según corresponda, incluyendo los costos de estudios e inspección técnica de obras, expresado en unidades de fomento. Los costos y cotizaciones deberán corresponder a los rangos de precios definidos en las bases respectivas, para las condiciones y características de cada Obra.

f) Porcentaje del costo total del Proyecto que ofrece financiar el Potencial Beneficiario.

g) Cronograma de actividades, planos y memoria de cálculo del Proyecto.

h) Antecedentes técnicos del Proyecto de acuerdo a los requerimientos establecidos en las bases respectivas.

i) Copia de la Resolución de Calificación Ambiental (RCA), en caso que proceda.

j) Copia de la Resolución de Recomendación Favorable emitida por el Ministerio de Desarrollo Social, en caso que proceda.

k) En caso de Proyectos que requieran autorización sectorial de un órgano o servicio del Estado conforme a la legislación vigente, al momento de la postulación deberán acompañar copia de los correspondientes permisos sectoriales.

l) Si el Proyecto se encuentra acogido a Inicio Anticipado de Obras según el artículo 4° inciso 2° de la Ley, deberá acompañar el expediente del Proyecto en forma íntegra, desde el Aviso de Construcción de Obra Nueva, inspecciones técnicas, modificaciones, hasta la Recepción Definitiva Condicionada emitida por la Comisión en los casos que corresponda.

m) Identificación de la fuente de abastecimiento de agua.

n) Tratándose de aguas superficiales cuyo derecho no esté expresado en unidad de volumen dividido por tiempo, se deberá adjuntar un análisis de su régimen hidrológico que incluirá los estudios necesarios para obtener una estadística de caudales medios mensuales que comprenda un período mínimo que establezcan los Documentos del Concurso. Lo anterior será reemplazado por valores de caudales con 85% de seguridad hidrológica en aquellos cursos naturales (o secciones de ellos) respecto de los cuales la Comisión hubiera publicado esta información en su página web.

o) Para el caso de recarga acuífero, un análisis de la disponibilidad de la fuente.

p) Estudio de las demandas de agua y de la superficie actualmente regada con 85% de seguridad.

q) Nuevas disponibilidades de agua con 85% de seguridad generadas por el Proyecto (en caso de proyectos que tengan por finalidad aumentar la seguridad de riego).

r) Plano de ubicación de las Obras, con identificación del área directamente beneficiada por el Proyecto mediante Ortofoto emitido por el Centro de Información de Recursos Naturales u otro instrumento de similares características que se indique en los Documentos del Concurso. Para proyectos extraprediales plano ubicación de las Obras, que permita acceder al lugar de las obras proyectadas.

s) Superficie de nuevo riego o su equivalente.

9.2. Los proyectos de obra de drenaje deberán contener la información señalada en las letras e, f y además las siguientes:

a) Plano de ubicación de las obras e indicación del área que presenta problemas de drenaje, la cual se deberá delimitar en un plano topográfico con curvas de nivel. Se deberá efectuar, además, una caracterización de las limitantes del área para el desarrollo de los cultivos.

b) Determinación del origen de la recarga.

c) Definición y proyecto de las obras necesarias para corregir los problemas de drenaje, incluyendo cronograma de actividades, planos y memorias de cálculo que sustentan el proyecto.

d) Identificación del cauce en que se vaciarán las aguas drenadas, estudio de su capacidad para conducirlas y antecedentes que justifiquen la posibilidad del uso de dicho cauce. Además, deberá incluirse la documentación de las servidumbres de evacuación, cuando proceda.

e) Estudio agrológico detallado, cuyas especificaciones técnicas se determinarán en las bases del concurso respectivo.

f) La superficie drenada y su equivalente cuando se trate de mejoramiento.

g) Resolución de Calificación Ambiental, cuando proceda.

h) En caso de Proyectos que requieran autorización sectorial de un órgano o servicio del Estado conforme a la legislación vigente, al momento de la postulación deberán acompañar copias de los correspondientes permisos sectoriales.

La Comisión podrá solicitar antecedentes adicionales con el objeto de aclarar aspectos técnicos y legales del Proyecto, siempre que no se vulnere el principio de igualdad de los postulantes y el principio de estricta sujeción a las bases.

Artículo 10º.- Componente Multipropósito en Proyectos.

Los Proyectos que se presenten a los Concursos de la Ley podrán considerar en su planificación alternativas de utilización multipropósito. El porcentaje de costo correspondiente a las obras multipropósito no podrá superar el 25% del costo total del proyecto.

Los Documentos del Concurso establecerán mecanismos para incorporar y evaluar la componente multipropósito incorporada en los Proyectos.

Artículo 11º.- Ampliación y Rehabilitación de Obras.

Tratándose de Proyectos que tengan por objeto completar, ampliar o rehabilitar Obras ejecutadas con anterioridad al Concurso al cual postulan, la información señalada en la letra e), punto 9.1 y 9.2 del artículo 9º de este Reglamento deberá referirse sólo a la parte o sección que falte por ejecutar.

Podrán postular a los Concursos de la Ley la rehabilitación de obras no bonificadas, así como también la rehabilitación de obras bonificadas cuando, a la fecha de apertura del concurso al que postulan, hayan transcurrido más de 10 años desde la recepción definitiva de las obras ya bonificadas o, en su defecto, cuando el postulante haya restituido la bonificación en forma previa a la apertura del concurso al cual postula, y proporcionalmente al tiempo de permanencia efectiva de las obras bonificadas sobre el plazo total a que se refiere el artículo 14 de la Ley.

Se exceptúan de lo dispuesto en este artículo las Obras ejecutadas de conformidad a los artículos 26 y 30 de este Reglamento.

Los proyectos de rehabilitación de Obras deberán contener, además de la información indicada en los artículos 8 y 9 de este Reglamento, un informe técnico suscrito por el consultor, que describa en forma detallada las deficiencias que presenta la Obra y la superficie equivalente de nuevo riego o de drenaje afectada.

a) Para Obras que participen en Concursos acordados por el Consejo de Ministros y que respondan a emergencias agrícolas o catástrofes, que se encuentren dañadas pero en operación parcial, se indicará el nivel de riesgo de colapso de ella o de una de sus partes y se modificará la superficie equivalente de nuevo riego o de drenaje afectada, multiplicándola por el factor correspondiente a su nivel de riesgo que se obtendrá del cuadro siguiente:

Nivel de Riesgo	Factor de Equivalencia
Colapsada	1,0
En operación parcial	0,5

b) Si la obra o una parte de ella se encuentra fuera de servicio como consecuencia de una falla ya producida, se considerará la totalidad de la superficie equivalente de nuevo riego o de drenaje afectada.

c) Tratándose de rehabilitación de obras de captación de aguas subterráneas o traslado de derechos de aguas subterráneas de una captación existente a otra perforación, y este traslado modifica el caudal establecido en la resolución de la Dirección General de Aguas que autorizó el derecho de aprovechamiento, se aplicará, para el cálculo de la superficie equivalente de nuevo riego, lo establecido en la letra a) del artículo 17 de este Reglamento.

En el caso que el Proyecto no implique modificación de dicho caudal, se deberá adjuntar al Proyecto fotocopia autorizada de la resolución de la Dirección General de Aguas precedentemente mencionada.

Artículo 12°.- Postulación de entidades en que el Estado tenga participación.

No podrán postular a los beneficios de esta Ley las entidades en que el Estado tenga aportes o participación, salvo el caso de que formen parte de una organización de usuarios o de una comunidad no organizada.

Artículo 13°.- Proyectos Anexos.

Los proyectos anexos a los de riego o drenaje propiamente tales, deberán contener la siguiente información:

a) Indicación del objetivo del proyecto anexo.

b) Definición de las obras y equipos necesarios para el cumplimiento de su objetivo, incluyendo planos y memorias de cálculo que justifiquen las dimensiones adoptadas.

c) Plano de ubicación de las obras anexas, el que deberá relacionarse con el plano indicado en la letra d) puntos 9.1 y 9.2 letra a) del artículo 9 de este Reglamento, y

d) Presupuesto detallado que permita determinar el porcentaje del proyecto anexo dentro del costo total del proyecto, expresado en unidades de fomento.

Artículo 14°.- Gastos de Constitución de Organizaciones.

Los proyectos que incluyan como bonificables los gastos que irrogue la constitución de organizaciones de usuarios a que se refieren los artículos 1° y 2° de la Ley, deberán acompañar la siguiente información:

a) Copia autorizada de la escritura pública a que se hubiera reducido el acta de la sesión de comuneros en la que se detalle la inscripción de los derechos de aguas de los comuneros y se designe a un representante común, por las obras e inversiones que ejecuten en los sistemas sometidos a su jurisdicción. Respecto de las exigencias establecidas en la letra c) del artículo 8 de este Reglamento, ellas deberán ser acreditadas mediante certificación del directorio o del presidente de la respectiva comunidad, el que deberá, además, adjuntar la nómina de beneficiarios (nombre, rol único tributario y rol de avalúo de la propiedad), y

b) Indicación de los costos señalados en el numeral 19 del artículo 1° de este Reglamento en que se incurrirá con ocasión de la constitución de la organización.

Artículo 15°.- Resguardos Medioambientales.

La Comisión considerará objetivos ambientales en los Proyectos bonificados por la Ley, siendo susceptibles de bonificación las inversiones cuyos sistemas productivos impidan la degradación del suelo, de la biodiversidad o cualquier tipo de daño ambiental y a las condiciones que se determinen en las bases de los concursos y normativas medioambientales vigentes.

Artículo 16°.- Incorporación o Exención de exigencias.

Solo mediante acuerdo de Consejo de Ministros se podrán incorporar en las bases de los concursos, mayores exigencias o restringir algunas de las indicadas en los artículos 8° y 9° de este Reglamento que deberán contener los proyectos, según la naturaleza del concurso a que se llame, siempre que la eliminación o restricción no recaiga en antecedentes requeridos explícita o implícitamente por la ley.

Artículo 17°.- Condiciones para el cálculo del Factor Superficie.

Para los efectos de determinar y ponderar los factores y variables indicados en los artículos 4° y 5° de la Ley, se definen los siguientes conceptos:

a) Superficie de riego con seguridad 85%: Es la superficie que dispone de un caudal suficiente para satisfacer su demanda de riego durante el 85% del tiempo.

El caudal disponible se obtendrá de un análisis de frecuencia del promedio de los caudales medios correspondientes a los tres meses de máxima demanda durante la temporada de riego, considerando un período hidrológico mínimo de 15 años, salvo lo indicado en letra n) del punto 9.1 del artículo 9 de este Reglamento y/o lo que establezcan las bases del respectivo concurso.

En el caso de proyectos que consulten la explotación de aguas subterráneas, el caudal disponible de ellas se determinará a través de la prueba de bombeo. El cálculo de las demandas de riego actuales y futuras en la ubicación del proyecto, considerará el promedio de los tres meses de mayor evapotranspiración potencial y la eficiencia de aplicación según los métodos de riego que se empleen y que se proyecte utilizar, salvo que las bases establezcan un mecanismo especial para relevar necesidades de zonas extremas. Para este efecto, se deberán considerar las eficiencias de aplicación señaladas en las bases del concurso.

Respecto de cualquier otro método de riego, su eficiencia de aplicación será fijada por la Comisión en las bases de los concursos.

b) Superficie de nuevo riego: Es el área que, como resultado de la construcción, rehabilitación o instalación de una obra, pasa a una condición de pleno regadío con seguridad de 85%.

c) Superficie de riego seguro de un predio: Es el área que con los caudales disponibles se riega con 85% de seguridad, considerándose el resto de la superficie, para los efectos del cálculo del proyecto, como si fuese de secano.

d) Superficie equivalente de nuevo riego: Es la superficie posible de ser regada con 85% de seguridad, con las aguas liberadas y no utilizadas por el proyecto postulado.

e) Superficie beneficiada: Corresponde a la suma de la superficie de nuevo riego y la superficie equivalente de nuevo riego, cuando corresponda.

f) Incremento de la potencialidad de los suelos que se regarán: Es el aumento de la capacidad productiva actual de los suelos con el riego del proyecto. Este incremento se calculará multiplicando la superficie de nuevo riego o su equivalente, por el factor que para cada capacidad de uso de los suelos y comunas del país, se indica en el cuadro N° 1 letra b) que se inserta al final del presente Reglamento.

En el caso de Proyectos localizados entre la I y VI Región del país que rieguen suelos de las Clases VI y VII de capacidad de uso, debido al aprovechamiento de ventajas climáticas, se aplicará un coeficiente de equivalencia igual al de clase IV de capacidad de uso.

Los proyectos antes mencionados deberán acompañar un informe del Consultor en el que se indique que los métodos de riego propuestos en el Proyecto no acarrearán riesgos de erosión o cualquier otro tipo de daño ambiental, sin perjuicio de cumplir con lo indicado en la Ley N° 19.300, leyes medioambientales vigentes y las bases de los concursos.

g) Superficie drenada: Es el área que, por efecto de la construcción o rehabilitación de una obra de drenaje, se incorpora a un uso agrícola disminuyendo sus restricciones por exceso de agua.

h) Superficie Equivalente de Drenaje: Es el área que experimenta sólo un cambio relativo de la capacidad de uso de los suelos como consecuencia de la construcción o reparación de una obra de drenaje y cuyo mejoramiento se expresa en función de la superficie drenada.

i) Incremento de la potencialidad de los suelos que se drenarán: Es el aumento de la potencialidad productiva de los suelos que se drenen. Este incremento se calculará multiplicando la superficie drenada, por el factor que, para cada clase de capacidad de uso de los suelos, se indica en el cuadro Nº 2 que se inserta al final del presente Reglamento.

Artículo 18º.- Variables de Concurso.

A) Para proyectos cuyo costo total sea igual o inferior a 15.000 unidades de fomento.

La Comisión, determinará los puntajes de aquellos proyectos que presenten valores intermedios respecto de las variables de aporte, costo y superficie, aplicando las siguientes fórmulas:

a) Variable aporte:

$$P_i = \frac{300 * (N - J)}{N - 1}$$

en que:

P_i = Puntaje que corresponde a la variable aporte, en los términos definidos en el artículo 5º número 1) de la Ley, en el proyecto i (proyecto evaluado).

J = Lugar que ocupa el proyecto i, al ordenar los proyectos según valores decrecientes de la variable aporte.

N = Número total de proyectos que postulan al concurso.

b) Variable superficies:

$$P_i = \frac{300 * (N - J)}{N - 1}$$

en que:

P_i = Puntaje que corresponde a la variable superficie, en los términos definidos en el artículo 5° número 2) de la Ley, en el proyecto i (proyecto evaluado).

J = Lugar que ocupa el proyecto i, al ordenar los proyectos según valores decrecientes de la variable superficie.

N = Número total de proyectos que postulan al concurso.

c) Variable costo:

$$P_i = \frac{400 * (N - J)}{N - 1}$$

en que:

P_i = Puntaje que corresponde a la variable costo, en los términos definidos en el artículo 5° número 3) de la Ley.

J = Lugar que ocupa el proyecto i (proyecto evaluado), al ordenar los proyectos según valores crecientes de la variable costo.

N = Número total de proyectos que postulan al concurso.

B) Para proyectos cuyo costo total sea superior a 15.000 unidades de fomento. En la evaluación de los proyectos cuyo costo supere las 15.000 unidades de fomento, sólo se considerarán las variables "Aporte" y "Costo", aplicando las siguientes fórmulas a aquellos proyectos que presenten valores intermedios respecto de las variables de aporte y costo:

a) Variable aporte:

$$P_i = \frac{500 * (N - J)}{N - 1}$$

en que:

$P_i =$ Puntaje que corresponde a la variable aporte, en los términos definidos en el artículo 5º número 1) de la Ley, en el proyecto i (proyecto evaluado).

$J =$ Lugar que ocupa el proyecto i, al ordenar los proyectos según valores decrecientes de la variable aporte.

$N =$ Número total de proyectos que postulan al concurso.

Si dos o más proyectos obtuviesen un mismo valor en una de las variables señaladas precedentemente, todos ellos ocuparán un mismo número en el ordenamiento de dicha variable, pero el proyecto inmediatamente siguiente tendrá como número de orden el correlativo a todos los proyectos que le preceden.

Los puntajes obtenidos por cada proyecto se sumarán y ordenarán de mayor a menor puntaje.

Artículo 19º.- Resolución de Concursos.

Finalizado un Concurso, la Comisión deberá poner tal hecho en conocimiento público, mediante publicación en el Diario Oficial y en la página web institucional, además de otro medio de comunicación que la Comisión estime conveniente, en las cuales se indicarán los lugares y fechas en que se proporcionará a los interesados la información a que se refiere el inciso 5º del artículo 6º de la Ley. Lo anterior, sin perjuicio de la notificación mediante carta certificada a los postulantes. Excepcionalmente, procederá la notificación vía correo electrónico que el postulante hubiese entregado en el formulario de postulación, en donde haya señalado expresamente que acepta la notificación por esta vía. En el caso de los proyectos no admitidos a Concurso, y sin perjuicio de lo indicado en la disposición antes citada, dicha información contendrá además las causales genéricas de la no admisión.

Previo a la resolución del concurso se emite un listado preliminar de seleccionados, no seleccionados y no admitidos. A contar de la fecha de su notificación los interesados o interesadas tendrán un plazo de 10 días hábiles para efectuar sus reclamos ante la Comisión. La fecha de publicación del listado preliminar en la página web institucional será comunicada mediante aviso en el Diario Oficial.

Resueltas las reclamaciones o vencido el plazo para formularlas, la Comisión dictará una resolución en la cual se indicará la nómina definitiva de las personas cuyos proyectos han sido aprobados y se les adjudicará la correspondiente bonificación. Esta resolución será puesta en conocimiento de los Postulantes mediante carta certificada. En igual forma se comunicará el rechazo de las reclamaciones interpuestas.

El posible saldo no asignado de los fondos contemplados para el Concurso podrá ser adjudicado al Proyecto Admitido pero No Seleccionado con mayor puntaje si este así lo solicitare. En caso de no solicitarse este excedente se acumulará para el fondo del próximo concurso.

Los proyectos No Seleccionados podrán ser postulados a nuevos concursos las veces que se estime conveniente, dentro de un período de tres años consecutivos a partir de la fecha de la resolución del Concurso en que quedó en calidad de No Seleccionado por primera vez. En sus nuevas postulaciones o re-postulaciones el Postulante podrá modificar exclusivamente la variable aporte, debiendo ajustarse a las Bases del respectivo Concurso.

El hecho que un Proyecto sea seleccionado en un Concurso no implica aprobación técnica respecto del diseño de las Obras contenidas en dicho Proyecto. El Beneficiario seguirá siendo responsable de que el Proyecto sea técnicamente factible y logre los objetivos planteados en la Propuesta. Por ello, en caso que la construcción de las Obras deje en evidencia defectos, errores o fallas de diseño en un Proyecto, los reparos asociados a dichos errores seguirán siendo responsabilidad del Beneficiario, quien deberá asumirlos a su costo hasta lograr que el Proyecto logre los objetivos planteados en éste, sin que ello implique ampliación del Plazo de Término de las Obras.

Artículo 20°.- Certificados de Bonificación al Riego o Drenaje (CBRD).

Una vez que se encuentre totalmente tramitada la resolución a que se refiere el artículo anterior, la Comisión emitirá un certificado, denominado "Certificado de Bonificación al Riego y Drenaje", que deberá contener las menciones del formato que ésta resuelva y su entrega se efectuará en el lugar determinado por la Comisión.

En el caso que el Proyecto Bonificado considere el costo de constitución legal de la comunidad de aguas o de drenaje correspondiente, la Comisión deberá emitir el Certificado de Bonificación II, por el monto de la bonificación que corresponda al costo de constitución de la respectiva organización.

El cobro del Certificado de Bonificación II procederá si la comunidad bonificada de que se trate hubiere concluido su proceso de constitución legal dentro del plazo máximo de tres años, contado desde la fecha de emisión de dicho Certificado, plazo que podrá ser prorrogado, hasta por un año adicional, por motivos fundados calificados por la Comisión. No procederá el cobro de dicho Certificado si el Proyecto bonificado al cual éste accede hubiere sido declarado abandonado.

La comunidad de aguas o de drenaje se entenderá legalmente constituida, una vez que ésta se haya registrado en el Catastro Público de Aguas de la Dirección General de Aguas.

Artículo 21°.- Plazos de Término de Obras.

En los proyectos bonificados cuyo costo sea igual o menor a 15.000 unidades de fomento, los beneficiarios tendrán un plazo máximo de 12 meses para la construcción de las Obras. En los proyectos bonificados cuyo costo sea superior a 15.000 unidades de fomento este plazo será de 36 meses. Los referidos plazos se contarán a partir de la fecha de emisión del certificado de bonificación CBRD.

Con todo, en caso de sequía u otro imprevisto que no es posible de resistir, debidamente calificado por la Comisión, el Consejo de Ministros podrá excepcionalmente autorizar una prórroga de plazo mayor al indicado en el inciso anterior, para la ejecución de obras que el Consejo determine.

Los adjudicatarios de la bonificación deberán comunicar por escrito a la Comisión la fecha de inicio de la ejecución física de las Obras con una antelación de a lo menos 30 días hábiles. También, deberá comunicarse el término de las Obras, a más tardar el último día del plazo de ejecución o de su prórroga.

Solo por razones fundadas debidamente calificadas, la Comisión podrá autorizar la prórroga del plazo de término a que se refiere el primer inciso

de este artículo, siempre que sean solicitadas con anterioridad al vencimiento de dicho plazo, por el mismo plazo originalmente otorgado para
terminar la Obra.

Artículo 22º.- Aviso de Término de Obras.

Una vez terminada la Obra, los Beneficiarios deberán comunicar este
hecho por escrito a la Comisión. Este Aviso de Término de Obras deberá ser
presentado en la oficina de partes de la Comisión a más tardar el último
día del plazo de ejecución de la Obra o de su prórroga.

Artículo 23º.- Recepción Técnica de Obras.

Procederá la emisión de la Recepción Técnica de Obras, en aquellos
casos en que las Obras se hayan ejecutado conforme al Proyecto y cumplan con los objetivos del mismo o éstas se entiendan aprobadas por el
transcurso del plazo a que se refiere el inciso final del artículo 7º de la Ley.

Tratándose de Obras iniciadas en conformidad a lo dispuesto en artículo 26 de este Reglamento, esta Recepción Técnica será Condicionada y
quedará sujeta a que el proyecto se adjudique la bonificación en el concurso al que postuló o en otros posteriores, si se hubieran acogido a lo
dispuesto mismo artículo.

La Recepción Técnica será Provisional en aquellos casos en que, cumpliéndose con los objetivos del Proyecto, las Obras merezcan observaciones en cuanto a su ejecución, terminación o funcionamiento. Estos reparos
deberán ser subsanados dentro del plazo que fije la Comisión, no pudiendo
éste ser inferior a 30 días hábiles a partir de la fecha de la notificación
correspondiente. Subsanadas las observaciones, el beneficiario debe comunicar el nuevo aviso de término de obra a la Comisión. Vencido el plazo sin
que el Beneficiario haya subsanado los reparos, la Comisión podrá declarar
el abandono del Proyecto.

Para los efectos de lo dispuesto en el párrafo precedente, se entenderá
que los plazos que otorgue la Comisión para subsanar reparos, se suman al
plazo máximo de ejecución del Proyecto.

Sin perjuicio de lo dispuesto en los incisos precedentes, la Comisión
podrá, en casos calificados, recibir en forma definitiva aquellas Obras que,

cumpliendo con las normas técnicas del proyecto, no puedan probarse a plena capacidad por razones fundadas calificadas por la Comisión.

Artículo 24°.- Recepción Definitiva de Obras.

La dictación de la Resolución que declara la Recepción Definitiva de las Obras, procederá una vez aprobada la Recepción Técnica de las Obras y acreditadas las inversiones comprometidas en la presentación del Proyecto a Concurso.

Para estos efectos, el Beneficiario deberá acompañar las facturas y demás documentos contables emitidos a nombre del Beneficiario o de su sucesor legal, con indicación detallada en la glosa, de los bienes o servicios comprendidos en ellos.

El Beneficiario será el último responsable por cualquier falla o problema que se suscite durante la construcción de las Obras y una vez finalizadas éstas. El hecho de efectuar la Recepción de las Obras y bonificarlas de acuerdo a la Ley no implica aprobación técnica de su calidad por parte de la Comisión.

Artículo 25°.- Declaración de Abandono.

En caso que las Obras no se construyan dentro del Plazo de Término de las Obras, o que no fuera presentado el correspondiente Aviso de Término de Obras, la Comisión deberá declarar el abandono del Proyecto. Lo mismo ocurrirá cuando la recepción técnica de la obra sea rechazada y cuando habiéndose recibido provisionalmente la obra, no se hubieren resuelto las observaciones o reparos en el plazo indicado para ello.

De las resoluciones que nieguen la recepción de las obras o declaren el abandono del proyecto, podrá pedirse reconsideración ante la Comisión. Dicho recurso deberá interponerse dentro del plazo de 10 días hábiles, contados desde la notificación de la respectiva resolución y deberá ser resuelto en un plazo no superior a 20 días hábiles contados desde su presentación.

De las resoluciones que nieguen la recepción de las obras o declaren el abandono de proyectos de más de 30.000 unidades de fomento, podrá pedirse reconsideración ante la Comisión. Dicho recurso deberá interponerse dentro del plazo de 10 días hábiles, contados desde la notificación de la respectiva resolución y deberá ser resuelto por la Comisión Nacional de Riego.

Artículo 26°.- Inicio Anticipado de Obras.

Cualquier Potencial Beneficiario podrá iniciar la construcción de un Proyecto sin haber postulado previamente a los Concursos de la Ley, si las condiciones climáticas, de terreno, agronómicas u otras así lo hicieren necesario y podrá postular posteriormente a cualquier Concurso, bastando para ello acreditar ante la Comisión la calidad de obra nueva, mediante aviso previo a su ejecución, dentro del plazo de dos años anteriores al Concurso al que postule.

De acuerdo a lo anterior, los proyectos que se acojan a las disposiciones del presente artículo deberán acompañar los siguientes antecedentes en su postulación:

a) Justificar las condiciones climáticas, de terreno, agronómicas u otras, que hicieren necesario el inicio anticipado de las Obras;

b) Acreditar la calidad de obra nueva mediante el aviso a la Comisión, previo al inicio de su ejecución. El aviso deberá contener el diseño técnico del proyecto y los antecedentes técnicos necesarios para su inspección, si así lo requiere la naturaleza de la propuesta;

c) El Proyecto que se presente al Concurso de la Ley deberá contener además la información exigida en los artículos 8 y 9 de este Reglamento, y las obras ser coincidentes con las ejecutadas anticipadamente; y

d) Presentar una declaración jurada firmada ante Notario Público o ante oficial del Registro Civil, si la comuna donde se emplaza el proyecto no es asiento de Notario Público, en el sentido que el proyecto no ha recibido bonificaciones por concepto de la Ley.

Quienes participen en los Concursos a que llame la Comisión podrán iniciar las Obras proyectadas, con anterioridad a la conclusión de los mismos y de la fecha de emisión del Certificado de Bonificación, sin perjuicio de atenerse a los resultados del Concurso.

Para tal efecto, los postulantes deberán expresar este propósito en los antecedentes del Proyecto y comunicar previamente el inicio efectivo de las Obras a la Comisión en la forma establecida en el inciso 1º de este artículo. La ejecución de dichas Obras quedará, por tal hecho, sujeta a las normas del presente Reglamento.

Artículo 27º.- Endoso del Certificado de Bonificación.

De acuerdo a lo señalado en el artículo 9º de la Ley Nº 18.450, los adjudicatarios de la bonificación podrán hacer endoso del Certificado de Bonificación en el cual conste la adjudicación. De esta forma, el endosatario adquiere la titularidad del crédito que consta en el Certificado de Bonificación, con los mismos derechos que tenía el endosante.

Es requisito que el endoso se comunique a la Comisión. Para que los endosos de los Certificados de Bonificación puedan ser anotados en la Comisión, es necesario que éstos contengan:

i. Nombre completo (nombres y apellidos) del endosante si se trata de una persona natural; o, el nombre completo del representante junto a la razón social, en caso de tratarse de una persona jurídica;

ii. Cédula de Identidad o RUT del endosante y su representante, según corresponda;

iii. Lugar del endoso;

iv. Fecha del endoso;

v. Nombre completo (nombres y apellidos) del endosatario si se trata de una persona natural; o, la razón social completa en caso de tratarse de una persona jurídica;

vi. Cédula de Identidad o RUT del endosatario según corresponda; y,

vii. Autorización Notarial: Todo endoso del Certificado de Bonificación debe ser realizado ante Notario Público o ante Oficial del Registro Civil en las comunas que no sean asiento de Notario Público, quien autorizará la firma del endosante y certificará la calidad en la que éste comparece ("por sí" o "en representación de...").

Los endosos deberán ser totales, puros y simples y nominativos. No se admitirán endosos parciales; esto es, de sólo una parte de la cantidad que representa el Certificado de Bonificación. El endoso no podrá estar sujeto a condición alguna y no se admitirán endosos al portador ni endosos en blanco.

Una vez efectuado el endoso, éste deberá ser comunicado a la Comisión mediante envío de carta dirigida por el endosante al Secretario Ejecutivo, ingresada por oficina de partes de la Comisión acompañando copia legible del Certificado de Bonificación en que se haya dejado constancia del endoso.

Una vez ingresada a la Comisión una carta informando un endoso, se revisará el cumplimiento de los requisitos y, en caso de existir algún reparo, se le comunicará al endosante para que subsane los errores. En caso de no existir reparos o una vez que ellos sean subsanados, el endoso será incorporado a los antecedentes de la Comisión, para ser tenido en cuenta al momento del pago y demás gestiones en que fuera necesario.

Artículo 28°.- Constitución de Garantías y Gravámenes sobre el Certificado de Bonificación.

Cualquier garantía, prohibición, embargo, interdicción, derecho preferente u otro derecho que se constituya legalmente sobre el Certificado de Bonificación y que pudiera generar limitaciones a su disposición y pago, deberá ser notificado a la Comisión acompañando los antecedentes que acrediten el hecho que se notifica y la limitación constituida. La señalada notificación deberá ser suscrita por el Beneficiario o endosatario, salvo que provenga de una orden judicial. De la misma forma deberá notificarse su alzamiento, cancelación, revocación, término o extinción.

La Comisión llevará una nómina de tales comunicaciones.

En caso de constitución de garantías, prohibiciones, embargos, interdicciones, derechos preferentes u otros derechos sobre el Certificado de Bonificación, la señalada comunicación deberá efectuarse en forma previa al pago del Certificado de Bonificación. Sólo se cursará el pago al Beneficiario, cuando en los antecedentes de la Comisión conste que el respectivo Certificado de Bonificación se encuentra libre de los señalados gravámenes o ellos han sido alzados o dejados sin efecto.

La oportunidad del envío de la notificación y la veracidad de su contenido será de exclusiva responsabilidad del interesado.

Artículo 29°.- Hurto o Extravío del Certificado de Bonificación.

El hurto o extravío del Certificado de Bonificación deberá ser informado por escrito a la Comisión, la que llevará una nómina de tales comunicaciones.

La Comisión emitirá un nuevo Certificado anulando el anterior luego de ser publicados por el interesado 3 avisos en días distintos en un diario de circulación nacional y una vez que haya transcurrido el plazo de 10 días hábiles desde la última publicación sin que se hayan presentado terceros ante la Comisión pretendiendo derechos sobre el Certificado de Bonificación.

Artículo 30°.- Proyectos de Pozos Profundos.

Tratándose de Proyectos que consulten Obras de captación de aguas subterráneas, las faenas de perforación, desarrollo y prueba de bombeo deberán ejecutarse con anterioridad a la postulación del proyecto al correspondiente Concurso, para lo cual el interesado ingresará tales obras en la Comisión en forma previa a su iniciación y acompañará los antecedentes a que se refieren las letras a) del artículo 9 y d) punto 9.1 del artículo 9. La Comisión adoptará las medidas correspondientes para verificar que se trata de obras nuevas y para fiscalizar la ejecución de las mismas. El plazo máximo de postulación será de dos años contados desde la fecha de la inscripción en el Conservador de Bienes Raíces de la resolución de la Dirección General de Aguas en que se otorgan los correspondientes derechos de aprovechamiento de aguas subterráneas del referido pozo.

Artículo 31°.- Supervisión de las Obras.

Los adjudicatarios de la bonificación deberán dar las facilidades necesarias para que la Comisión supervise la ejecución de la obra en cualquier etapa de su desarrollo, pudiendo la Comisión encomendar estas funciones a otros servicios con presencia regional.

De las visitas de supervisión y de las observaciones o reparos que se formulen se dejará constancia en el "Libro de Obras" que deberá llevar el Beneficiario o Potencial Beneficiario debidamente foliado y firmado en su primera página por él y por los representantes de la Comisión y el encargado de la obra. Si el reparo consistiere en el incumplimiento de las especificaciones técnicas de la obra y éstas no son subsanadas, tendrá como consecuencia el no pago de la bonificación.

Artículo 32°.- Supervisiones, Estadísticas y Mediciones.

El Beneficiario deberá permitir, mientras dure el plazo señalado en el artículo 14 de la ley, el acceso de funcionarios o profesionales autorizados por la Comisión a las dependencias donde se ubican las Obras a fin de imponerse sobre su estado, instalar instrumentos de medición, realizar estudios y utilizar los datos obtenidos para los fines propios de la Comisión, pudiendo utilizar las instalaciones y las Obras sin afectar su normal funcionamiento. El beneficiario deberá entregar cuando se le solicite cualquier tipo de dato estadístico o información respecto a la obra bonificada.

Artículo 33°.- Modificación de Proyectos.

La Comisión aceptará modificaciones a los proyectos una vez resuelto el Concurso, siempre que estas modificaciones mantengan o mejoren las variables de Concurso que le permitieron obtener su bonificación.

Si el costo de los proyectos disminuyera como resultado de la modificación, la Comisión modificará la resolución que aprobó el Proyecto y dispondrá la emisión de un Certificado de Bonificación de reemplazo del anterior, por el nuevo monto de la bonificación.

Se aceptarán modificaciones de Proyectos siempre que se mantenga el objetivo original de éste.

El Plazo de Término de Obra se suspenderá por el tiempo que medie entre el ingreso de la solicitud de modificación y la fecha de la Resolución que se pronuncia sobre ella.

La modificación en ningún caso podrá aumentar el monto de la bonificación aprobada.

La solicitud de modificación deberá ser suscrita por el Beneficiario y el Consultor y contener al menos los siguientes antecedentes:

a) Objetivo específico y justificación detallada de la misma;

b) Efectos sobre el costo del proyecto;

c) Adjuntar planos y diseños, cuando corresponda; y

d) Cualquier otro documento que sea necesario o indispensable para el conocimiento y resolución de la modificación.

Esta resolución que aprueba o rechaza la modificación solicitada será puesta en conocimiento de los beneficiarios mediante carta certificada. Respecto de esta resolución se puede presentar el recurso que proceda conforme al ordenamiento jurídico.

Artículo 34°.- Plazo de Recepción de la Obra.

Recibido el Aviso de Término de Obras en la forma establecida en el artículo 22, la Comisión deberá, dentro del plazo de 90 días hábiles, efectuar una inspección completa y detallada de las Obras y levantar el acta de recepción correspondiente.

Artículo 35°.- Pago de la Bonificación.

Aprobada la recepción definitiva de una obra, la Comisión solicitará a Tesorería General de la República que curse el pago del respectivo Certificado de Bonificación al beneficiario o continuadores en el dominio del mismo, dentro de los 15 días hábiles siguientes a la fecha de la correspondiente resolución que aprueba la recepción definitiva y autoriza el pago.

Si la bonificación comprendiera además los gastos de constitución de la organización interesada, a los antecedentes presentados en el proceso de acreditación, deberá agregarse un certificado extendido por la Dirección General de Aguas que acredite haberse registrado en ese Servicio la respectiva organización.

El pago se efectuará según el valor que tenga la Unidad de Fomento a la fecha de la recepción definitiva de la obra por la Tesorería General de la República conforme a lo indicado en el inciso primero.

Cursado el pago de la bonificación, el Servicio de Tesorerías deberá comunicar tal hecho a la Comisión para el registro del mismo y al Servicio de Impuestos Internos para los efectos indicados en los artículos 10 y 12 de la Ley.

Artículo 36°.- Obligación de Mantención de las Obras.

El Beneficiario asume la obligación de efectuar a su costo el mantenimiento periódico de las Obras y reparación de cualquier daño o falla que se presente en ellas por un período de, al menos, 10 años desde la Recepción Definitiva de Obras de forma que, durante ese plazo, éstas puedan servir para el objeto para el que fueron construidas.

En caso de ocurrir daños graves en las Obras o partes de ellas producto de eventos de fuerza mayor, el Beneficiario deberá informar por escrito a la Comisión.

Artículo 37°.- Permanencia de los Bienes Adquiridos con la Bonificación.

Los bienes adquiridos con la bonificación no podrán ser enajenados en forma independiente del predio, ni retirados de éste o del sistema de regadío al cual benefician o pertenecen, salvo caso fortuito o fuerza mayor, u otra calificada por la Comisión, antes del vencimiento del plazo de 10 años, contados desde la recepción definitiva de la obra. Esta obligación regirá tanto para el propietario del predio como para aquellos que lo continúen en el dominio del mismo, incurriendo el infractor en la sanción establecida en el artículo 14 de la Ley.

En caso de transferencia del predio deberá dejarse constancia en la escritura pública o en su defecto en una escritura de complementación de la prohibición a que se refiere el inciso anterior y comunicarse tal hecho a la Comisión.

La Comisión podrá autorizar el traslado para la reparación o guarda de los bienes indicados en el inciso primero, fuera del predio o del sistema de regadío, al igual que el traslado de equipos móviles conforme a lo indicado en el artículo 14 de la Ley.

Asimismo, la Comisión podrá autorizar la sustitución, con cargo al interesado, de un equipo bonificado por otro nuevo de igual o superior calidad, cuando el primero registre fallas no susceptibles de reparación.

Artículo 38°.- Cambio de Uso de Suelo.

En caso de cambio de uso del suelo de predios beneficiados por la Ley, que hubiere sido solicitado por el propietario para otros fines, éste deberá comunicar este hecho por escrito a la Comisión, en un plazo máximo de 30 días hábiles desde la fecha de la resolución que aprueba dicho cambio. Igual situación se aplicará a los agricultores de predios bonificados que dejen sin aplicación los equipos de riego bonificados ya sea por eliminación o cambio de cultivo, en los términos del artículo 12 de la Ley.

En la situación anterior, a falta de una comunicación escrita, la Comisión emitirá una resolución ordenando al titular del predio beneficiado, la restitución de la bonificación percibida, deduciendo en forma proporcional, el tiempo de permanencia efectiva de las Obras bonificadas, considerando un plazo total de diez años, contados de la fecha de recepción definitiva de la obra.

La Comisión fijará los valores a restituir en unidades de fomento, las que se convertirán a pesos al valor que éstas tengan el día de su pago efectivo en la Tesorería General de la República. Dicho pago deberá efectuarse dentro del plazo de 30 días corridos, contados desde la fecha de notificación de la resolución que ordena la restitución de la bonificación respectiva mediante carta certificada.

Efectuado el reintegro de la bonificación proporcional, los bienes adquiridos con la bonificación podrán ser enajenados y retirados del predio sin limitación alguna.

Artículo 39°.- Recurso de Reconsideración.

Los proyectos que presenten reparos previos a la Recepción de Obras y de las resoluciones que denieguen la modificación de Proyectos o declaren el abandono del Proyecto, u otras emitidas por la Comisión en el proceso de construcción de la obra y en cumplimiento de las disposiciones de la Ley y el presente Reglamento, el Beneficiario que se considerare afectado o quien éste designe, podrá pedir reconsideración ante la misma Comisión. Dicho recurso deberá interponerse dentro del plazo de 10 días hábiles contados desde la emisión del acto administrativo o de la notificación de la respectiva resolución y deberá ser resuelto por el Secretario Ejecutivo en un plazo no superior a 60 días hábiles, contados desde su presentación.

Artículo 40°.- Pérdida o Sustracción de Equipos y Elementos de Riego.

En caso de pérdida o sustracción de equipos y elementos de riego mecánico o de partes de Obras o de daños causados a las mismas, el Beneficiario deberá dar aviso por escrito a la Comisión dentro del plazo de 15 días hábiles de ocurrido tal hecho y deberá reponer o reparar a su costo tales equipos, elementos o partes, en el plazo de 60 días hábiles contados desde la fecha de la pérdida, sustracción o daño. Se exceptuarán de esta disposición los daños o pérdidas debidos a fuerza mayor, circunstancias calificadas en cada caso por la Comisión.

Artículo 41°.- Seguimiento a Obras Bonificadas.

La Comisión velará por la observancia de lo dispuesto en los artículos 11, 12, 13 y 14 de la Ley, para lo cual efectuará las inspecciones pertinentes, así como los controles periódicos a los predios y sistemas de regadío en que deban encontrarse las Obras y aplicará las sanciones y formulará las denuncias ante el tribunal competente en caso de infracción.

Artículo 42°.- Publicidad de los Proyectos.

La publicidad de los antecedentes legales y técnicos de los Proyectos presentados por particulares a los concursos de la Ley se regirán por lo dispuesto en la Ley N° 20.285 sobre Acceso a la Información Pública y en la Ley N° 19.628 sobre Protección de la Vida Privada y sus correspondientes modificaciones.

Artículo 43°.- Programas Especiales Pequeña Agricultura.

La Comisión definirá condiciones especiales para la asignación de los recursos de los programas especiales para bonificar los proyectos de riego de agricultores considerados en las letras a) y b) del inciso segundo del artículo 1° de la Ley, cuyo costo total no sea superior a 400 UF.

CAPÍTULO II
NORMAS ESPECIALES PARA OBRAS MEDIANAS

Artículo 44°.- Inspección Técnica de Obras.

Las Obras cuyo costo total supere las 30.000 unidades de fomento deberán mantener, en forma permanente y a costo del Beneficiario una

Inspección Técnica de las Obras. Los Inspectores Técnicos de Obras (ITO) deberán estar inscritos en el Área de Inspección Técnica de Obras Medianas del Registro Público Nacional de Consultores de la CNR para obras medianas.

Estos profesionales deberán verificar que las Obras se ejecuten conforme a las normas de construcción aplicables, a los permisos requeridos y al Proyecto presentado.

De las visitas de los Inspectores y de las observaciones o reparos que éstos formulen se dejará constancia en el Libro de Obras que deberá llevar el Beneficiario debidamente foliado y firmado en su primera página por él, por el ITO, por los representantes de la Comisión (STO) y el encargado de la obra.

Sin perjuicio de lo anterior, la Comisión mediante el STO, podrá efectuar supervisiones aleatorias de las Obras en terreno, a objeto de verificar que las labores de inspección técnica se ejecuten de conformidad a los parámetros y condiciones que establece el presente Reglamento y los Documentos del Concurso, dejando constancia de ello y de cualquier observación o reparo en el Libro de Obras.

El hecho de haber sido supervisadas las Obras por personal de la Comisión no implica aprobación de éstas.

Artículo 45°.- Inspector Técnico de Obras.

La Inspección Técnica de las Obras deberá efectuarse por un Inspector Técnico de Obras, que puede ser persona natural o jurídica. El profesional que realice la inspección deberá estar inscrito en el Área de Inspecciones del Registro, y deberá cumplir con los parámetros y condiciones establecidos en ese Registro.

El ITO no podrá tener la calidad de persona relacionada, en los términos señalados por el artículo 100 de la Ley N° 18.045 de Mercado de Valores, con el constructor de la Obra ni con el Beneficiario, sus asociados, comuneros o integrantes.

A modo ejemplar y no taxativo, se entenderán como funciones del ITO las de inspeccionar la construcción de las Obras, controlar el cumplimiento de los plazos del Proyecto y sus etapas, revisar el cumplimiento de normas de construcción, calidad, diseño, cálculo, estructura y seguridad laboral, exigir realización de los ensayes y análisis de laboratorio y todas aquellas normas que sean pertinentes de acuerdo a las buenas prácticas aplicables a la construcción.

El ITO deberá elaborar informes periódicos respecto de los avances en la construcción de las Obras y efectuar las observaciones que fuesen pertinentes en el Libro de Obras debiendo estampar su firma al final de cada observación. Copias de estos informes deberán ser entregadas al STO.

En caso que las observaciones del ITO fueran constitutivas de reparo conforme a las Bases, éste deberá señalarlo así en el Libro de Obras. De la misma forma deberá indicar las acciones desarrolladas para subsanar dichos reparos e informar por escrito en ambos casos al STO.

Artículo 46°.- Manual de Operación de las Obras.

La operación y mantención de las Obras cuyo costo total supere las 30.000 unidades de fomento, se regirá por un Manual de Operación de las Obras, que deberá ser presentado a la Comisión junto con el Aviso de Término de Obras.

El Manual de Operación de las Obras contendrá, al menos, las siguientes materias:

a) Medidas de cuidado de la obra, seguridad y vigilancia;

b) Medidas de mantención y aseo de las distintas instalaciones;

c) Medidas orientadas a prevenir y solucionar accidentes, anegamientos u otras eventualidades negativas para los usuarios, terceros o la naturaleza;

d) Enumeración de los derechos y obligaciones de los usuarios de las Obras;

e) Medidas de manejo y control de la calidad de las aguas;

f) Estándares de operación, calidad y gestión para la prestación de los servicios;

g) Normas sobre reclamos de los usuarios; y,

h) Mecanismos de evaluación y control de los servicios.

No podrá formalizarse la recepción si no se hace entrega de dicho Manual. Un ejemplar impreso de éste deberá mantenerse en la obra a disposición de los usuarios y/o comuneros.

Artículo 47°.- Inspección Final y Recepción de Obras.

Terminada la Obra, el ITO deberá efectuar una revisión final verificando si las Obras fueron construidas conforme al Proyecto y a las normas de calidad en la construcción aplicables al tipo de obra de que se trate e indicar los reparos, además el cumplimiento de los parámetros y condiciones establecidos en el presente Reglamento y demás que se señalen en las Bases.

El ITO deberá determinar si procede alguna de las siguientes acciones en virtud de los antecedentes del Proyecto:

a) Generar el Acta de Recepción Técnica Final, junto con el Informe Final y los antecedentes adjuntos, para proceder a la supervisión final de Obras.

b) Generar un Acta de Recepción Provisional, adjuntando un informe que deberá indicar los reparos u observaciones que presenta la Obra, en cuanto a su ejecución, terminación, funcionamiento y cumplimiento de procedimientos administrativos. Junto a ello deberá indicar el plazo para subsanarlos.

c) Generar un Acta de Rechazo de la recepción, adjuntando un informe que indique los motivos del rechazo, que podrán ser:

i. La obra construida no cumple con el objetivo del Proyecto.

ii. La obra construida no cumple con las especificaciones técnicas mínimas indicadas en el Proyecto.

iii. No dar respuesta (en tiempo y/o calidad) a los reparos y observaciones realizados en la recepción provisional.

iv. No cumple con los plazos administrativos.

En el Acta de Recepción Técnica Final se deberá dejar constancia si las Obras fueron construidas conforme al Proyecto y a las normas de calidad en la construcción aplicables al tipo de obra de que se trate, la que con relación a la construcción de la obra deberá contener, a lo menos:

a) Pronunciamiento y conclusiones;

b) Informes periódicos indicados en el artículo 44;

c) Antecedentes de modificaciones, de existir;

d) Observaciones y reparos no subsanados;

e) Copia del Libro de Obras;

f) Certificados técnicos de las distintas especialidades que participaron en el diseño y construcción de la Obra;

g) Resultados de los ensayes y pruebas efectuadas durante la construcción de la Obra;

h) Boletas y facturas de compra emitidas a nombre del Beneficiario, en que se detallen con precisión los bienes adquiridos o servicios contratados y su correspondiente pago;

i) Declaración jurada de cumplimiento de la normativa laboral y de previsión social durante la construcción de las Obras;

j) Certificado de Cumplimiento de Obligaciones Laborales y Previsionales emitido por la Dirección del Trabajo emitido a menos de 60 días de su presentación;

k) Manual de Operación de las Obras; y,

l) Demás documentación que se establezca en los Documentos del Concurso.

El Acta de Recepción Técnica Final y todos sus antecedentes de respaldo enumerados anteriormente, conformarán el Aviso de Término de Obras que deberá ser remitido a la Comisión para su validación y posterior Recepción Definitiva.

Para efectos de lo señalado en el inciso final del artículo 7° de la Ley, el plazo de 90 días hábiles se contará a partir de la recepción en la Comisión del Aviso de Término de Obras.

Artículo 48°.- Supervisión Final de Obras.

El STO realizará las visitas necesarias a la Obra y revisará los antecedentes contenidos en el Acta de Recepción Técnica Final, emitiendo un informe, en que acredite el cumplimiento de los siguientes hechos o requisitos:

a) Que la Obra cumpla con los objetivos planteados en el Proyecto;

b) Que en su Informe Técnico Final, el ITO concluya que las Obras fueron construidas conforme al Proyecto y a las normas de calidad en la construcción aplicables al tipo de obra de que se trate;

c) Que se hayan adjuntado al informe del ITO los certificados de calidad emitidos por los distintos profesionales que hayan participado de la obra y copia de los resultados de los ensayos de materiales y análisis de laboratorio;

d) Que la Obra cuente con todos los permisos requeridos;

e) Que el Manual de Operación de las Obras cumpla con los requisitos establecidos en las Bases; y

f) Que según los antecedentes acompañados, se ha cumplido la normativa laboral y de previsión social al término de las Obras.

En caso de cumplir con los requisitos señalados precedentemente, el STO deberá evaluar la Recepción Técnica de Obras efectuada por el ITO.

Si durante la evaluación el STO advirtiera el incumplimiento o cumplimiento parcial de alguno de los requisitos establecidos precedentemente, deberá informar este hecho mediante el envío de una carta certificada al Beneficiario, indicando cuáles son los reparos efectuados para su correspondiente rectificación. Será el Beneficiario el responsable de subsanar los reparos, en caso que éstos existan.

Si a juicio del STO no existieran reparos que formular, éste evacuará su Informe de Inspección Final y procederá al envío de la documentación contable a la Unidad de Acreditación de Inversiones, todo lo anterior conforme a los artículos 23, 24 y 25 del presente Reglamento.

Cuadro N° 1. Riego

a) Tablas de factores de conversión de hectáreas físicas a hectáreas ponderadas para efectos del cálculo de lo indicado en el artículo 1° de la Ley:

COMUNAS	SUELOS			
	CLASES DE CAPACIDAD DE USO			
	I	II	III	IV
XV REGIÓN DE ARICA Y PARINACOTA				
PROVINCIA DE ARICA Todas las Comunas	1,10	1,00	0,80	0,50

COMUNAS	SUELOS			
	CLASES DE CAPACIDAD DE USO			
	I	II	III	IV
PROVINCIA DE PARINACOTA Todas las Comunas	0,90	0,80	0,70	0,40
I REGIÓN DE TARAPACÁ				
PROVINCIA DE IQUIQUE Todas las Comunas	0,90	0,80	0,70	0,40
PROVINCIA DE TAMARUGAL Todas las Comunas	0,90	0,80	0,70	0,40
II REGIÓN DE ANTOFAGASTA				
PROVINCIAS DE TOCOPILLA, EL LOA Y ANTOFAGASTA Todas las Comunas	0,90	0,80	0,70	0,40
III REGIÓN DE ATACAMA				
PROVINCIA DE CHAÑARAL Todas las Comunas	0,90	0,80	0,70	0,40
PROVINCIA DE COPIAPÓ Copiapó y Tierra Amarilla	1,30	1,10	1,00	0,60
Caldera	0,90	0,80	0,70	0,40
PROVINCIA DE HUASCO Vallenar, Freirina y Alto del Carmen	1,30	1,10	1,00	0,60
Huasco	0,90	0,80	0,70	0,40
IV REGIÓN DE COQUIMBO				
PROVINCIA DE ELQUI La Serena, La Higuera, Coquimbo y Andacollo	1,10	1,00	0,80	0,50
Vicuña y Paiguano	1,30	1,10	1,00	0,60
PROVINCIA DE LIMARÍ Ovalle, Combarbalá y Punitaqui	1,10	1,00	0,80	0,50
Río Hurtado y Monte Patria	1,30	1,10	1,00	0,60
PROVINCIA DE CHOAPA Illapel y Salamanca	1,10	1,00	0,80	0,50

COMUNAS	SUELOS			
	CLASES DE CAPACIDAD DE USO			
	I	II	III	IV
Los Vilos y Canela	1,30	1,10	1,00	0,60
V REGIÓN DE VALPARÍSO				
PROVINCIA DE PETORCA La Ligua, Petorca y Cabildo	1,10	1,00	0,80	0,50
Zapallar y Papudo	0,90	0,80	0,70	0,40
PROVINCIAS DE LOS ANDES Y SAN FELIPE Todas las Comunas	1,00	0,90	0,75	0,45
PROVINCIA DE QUILLOTA Todas las Comunas	1,30	1,10	1,00	0,60
PROVINCIA DE MARGA MARGA Limache y Olmué Quilpué Villa Alemana	1,30 0,90	1,10 0,80	1,00 0,70	0,60 0,40
PROVINCIAS DE VALPARAÍSO Y SAN ANTONIO Todas las Columnas	0,90	0,80	0,70	0,40
PROVINCIA DE ISLA DE PASCUA Isla de Pascua Quilpué Villa Alemana	1,00	0,90	0,75	0,45
XIII REGIÓN METROPOLITANA DE SANTIAGO				
PROVINCIA DE SANTIAGO Todas las Comunas (con agricultura)	1,00	0,90	0,75	0,45
PROVINCIAS DE CHACABUCO, CORDILLERA, TALAGANTE Y MAIPO Todas las Comunas	1,00	0,90	0,75	0,45
PROVINCIA DE MELIPILLA Todas las Comunas	0,90	0,80	0,70	0,40
VI REGIÓN DEL LIBERTADOR GENERAL BERNARDO O'HIGGINS				
PROVINCIA DE CACHAPOAL Todas las Comunas	1,00	0,90	0,75	0,45

COMUNAS	SUELOS			
	CLASES DE CAPACIDAD DE USO			
	I	II	III	IV
PROVINCIA DE COLCHAGUA San Fernando, Chimbarongo, Nancagua, Placilla, Chépica, Santa Cruz y Palmilla	0,85	0,75	0,65	0,40
Lolol, Pumanque y Peralillo	0,70	0,60	0,50	0,30
PROVINCIA DE CARDENAL CARO Todas las Comunas	0,70	0,60	0,50	0,30
VII REGIÓN DEL MAULE				
PROVINCIA DE CURICÓ Curicó, Teno, Romeral, Molina, Sagrada Familia y Rauco	0,85	0,75	0,65	0,40
Hualañe, Licantén y Vichuquén	0,70	0,60	0,50	0,30
PROVINCIA DE TALCA Talca, Pelarco, Río Claro, San Rafael, San Clemente, Maule y Pencahue	0,85	0,75	0,65	0,40
Empedrado, Constitución y Curepto	0,70	0,60	0,50	0,30
PROVINCIA DE LINARES Todas las Comunas	0,75	0,65	0,55	0,30
PROVINCIA DE CAUQUENES Todas las Comunas	0,60	0,55	0,45	0,25
VIII REGIÓN DEL BÍO-BÍO				
PROVINCIA DE ÑUBLE Chillán, Chillán Viejo, San Carlos, Ñiquén y Bulnes	0,75	0,65	0,55	0,30
San Fabián, Coihueco, Pinto, San Ignacio, El Carmen, Yungay, Pemuco, Portezuelo, Quillón y San Nicolás	0,70	0,60	0,50	0,30
Coelemu, Treguaco, Cobquecura, Ranquil, Quirihue y Ninhue	0,60	0,55	0,45	0,25
PROVINCIA DE BÍO-BÍO Los Ángeles	0,75	0,65	0,55	0,30
El resto de las Comunas	0,60	0,55	0,45	0,25

COMUNAS	SUELOS			
	CLASES DE CAPACIDAD DE USO			
	I	II	III	IV
PROVINCIA DE CONCEPCIÓN Todas las Comunas	0,50	0,45	0,35	0,20
PROVINCIA DE ARAUCO Lebu, Arauco, Los Álamos, Cañete y Contulmo	0,60	0,55	0,45	0,25
Curanilahue y Tirúa	0,40	0,35	0,30	0,20
IX REGIÓN DE LA ARAUCANÍA				
PROVINCIA DE MALLECO Angol, Renaico, Victoria, Traiguén, Lumaco, Purén y Los Sauces	0,65	0,60	0,50	0,30
Collipulli, Ercilla y Curacautín	0,60	0,55	0,45	0,25
Lonquimay	0,40	0,35	0,30	0,20
PROVINCIA DE CAUTÍN Termuco, Lautaro, Freire, Pitrufquén, Gorbea y Padre Las Casas	0,65	0,60	0,50	0,30
Galvarino, Perquenco, Vilcún, Cunco, Villarrica, Pucón y Loncoche	0,60	0,55	0,45	0,25
Melipeuco y Curarrehue	0,40	0,35	0,30	0,20
Toltén, Teodoro Schmidt, Saavedra, Carahue, Nueva Imperial y Cholchol	0,50	0,45	0,35	0,20
XIV REGIÓN DE LOS RÍOS				
PROVINCIA DE VALDIVIA Valdivia y Corral	0,40	0,35	0,30	0,20
Mariquina, Lanco y Máfil	0,60	0,55	0,45	0,25
Los Lagos, Panguipulli y Paillaco	0,65	0,60	0,50	0,30
PROVINCIA DE RANCO Futrono, La Unión, Río Bueno y Lago Ranco	0,65	0,60	0,50	0,30
X REGIÓN DE LOS LAGOS				
PROVINCIA DE OSORNO Osorno, San Pablo, Puyehue, Puerto Octay y Purranque	0,65	0,60	0,50	0,30
Río Negro y San Juan de la Costa	0,50	0,45	0,35	0,20

COMUNAS	SUELOS			
	CLASES DE CAPACIDAD DE USO			
	I	II	III	IV
PROVINCIA DE LLANQUIHUE Puerto Montt, Puerto Varas, Cochamó, Calbuco, Llanquihue y Frutillar	0,65	0,60	0,50	0,30
Maullín, Los Muermos y Fresia	0,50	0,45	0,35	0,20
PROVINCIA DE CHILOÉ Queilen y Quellón	0,40	0,35	0,30	0,20
Resto de las Comunas	0,50	0,45	0,35	0,20
PROVINCIA DE PALENA Todas las Comunas	0,40	0,35	0,30	0,20
XI REGIÓN DEL GENERAL CARLOS IBÁÑEZ DEL CAMPO				
PROVINCIA DE COIHAIQUE Y AYSÉN Todas las Comunas	0,40	0,35	0,30	0,20
PROVINCIA GENERAL CARRERA Todas las Comunas	0,45	0,40	0,35	0,25
PROVINCIA CAPITÁN PRAT Todas las Comunas	0,25	0,20	0,15	0,10
XII REGIÓN DE MAGALLANES Y DE LA ANTÁRTICA CHILENA				
PROVINCIA DE ÚLTIMA ESPERANZA Natales	0,40	0,35	0,30	0,20
Torres del Paine	0,25	0,20	0,15	0,10
PROVINCIA DE MAGALLANES Todas las Comunas	0,40	0,35	0,30	0,20
PROVINCIA DE TIERRA DEL FUEGO Todas las Comunas	0,25	0,20	0,15	0,10

b) Tabla de factores de incremento de potencialidad de los suelos que se regarán, de acuerdo al artículo 4° de la Ley son los siguientes:

COMUNAS	SUELOS			
	CLASES DE CAPACIDAD DE USO			
	I	II	III	IV
Regiones (Todas)				
PROVINCIAS (Todas) Todas las Comunas	1,00	1,00	1,00	1,00

Cuadro N° 2. Drenaje

Tabla de factores de incremento de potencialidad de suelos que se drenarán de acuerdo al artículo 4° de la Ley son los siguientes:

COMUNAS	SUELOS							
	CLASES DE CAPACIDAD DE USO							
	I	II	III	IV	V	VI	VII	VIII
REGIÓN DE ARICA Y PARINACOTA								
PROVINCIA DE ARICA								
Arica	1,35	1,20	0,95	0,70	0,55	0,40	0,30	0,00
Camarones	0,90	0,80	0,65	0,55	0,35	0,30	0,20	0,00
PROVINCIA DE PARINACOTA								
Putre	0,90	0,80	0,65	0,55	0,35	0,30	0,20	0,00
General Lagos	0,90	0,80	0,65	0,55	0,35	0,30	0,20	0,00
REGIÓN DE TARAPACA								
PROVINCIA DE IQUIQUE								
Iquique	0,90	0,80	0,65	0,55	0,35	0,30	0,20	0,00
Alto Hospicio	0,90	0,80	0,65	0,55	0,35	0,30	0,20	0,00
PROVINCIA DE EL TAMARUGAL								
Huara	0,90	0,80	0,65	0,55	0,35	0,30	0,20	0,00
Camiña	0,90	0,80	0,65	0,55	0,35	0,30	0,20	0,00
Colchane	0,90	0,80	0,65	0,55	0,35	0,30	0,20	0,00
Pica	1,35	1,20	0,95	0,70	0,55	0,40	0,30	0,00
Pozo Almonte	0,90	0,80	0,65	0,55	0,35	0,30	0,20	0,00

COMUNAS	SUELOS							
	CLASES DE CAPACIDAD DE USO							
	I	II	III	IV	V	VI	VII	VIII
REGIÓN DE ANTOFAGASTA								
PROVINCIA DE TOCOPILLA								
Tocopilla	0,90	0,80	0,65	0,55	0,35	0,30	0,20	0,00
María Elena	0,90	0,80	0,65	0,55	0,35	0,30	0,20	0,00
PROVINCIA DE EL LOA								
Calama	0,90	0,80	0,65	0,55	0,35	0,30	0,20	0,00
Ollagüe	0,90	0,80	0,65	0,55	0,35	0,30	0,20	0,00
San Pedro de Atacama	0,90	0,80	0,65	0,55	0,35	0,30	0,20	0,00
PROVINCIA DE ANTOFAGASTA								
Antofagasta	0,90	0,80	0,65	0,55	0,35	0,30	0,20	0,00
Mejillones	0,90	0,80	0,65	0,55	0,35	0,30	0,20	0,00
Sierra Gorda	0,90	0,80	0,65	0,55	0,35	0,30	0,20	0,00
Taltal	0,90	0,80	0,65	0,55	0,35	0,30	0,20	0,00
REGIÓN DE ATACAMA								
PROVINCIA DE CHAÑARAL								
Chañaral	0,90	0,80	0,65	0,55	0,35	0,30	0,20	0,00
Diego de Almagro	0,90	0,80	0,65	0,55	0,35	0,30	0,20	0,00
PROVINCIA DE EL COPIAPÓ								
Copiapó	1,35	1,20	0,95	0,70	0,55	0,40	0,30	0,00
Caldera	0,90	0,80	0,65	0,55	0,35	0,30	0,20	0,00
Tierra Amarilla	1,35	1,20	0,95	0,70	0,55	0,40	0,30	0,00
PROVINCIA DE HUASCO								
Vallemar	1,35	1,20	0,95	0,70	0,55	0,40	0,30	0,00
Freirina	0,90	0,80	0,65	0,55	0,35	0,30	0,20	0,00
Huasco	0,90	0,80	0,65	0,55	0,35	0,30	0,20	0,00
Alto del Carmen	1,35	1,20	0,95	0,70	0,55	0,40	0,30	0,00
REGIÓN DE COQUIMBO								
PROVINCIA DE ELQUI								
La Serena	1,20	1,00	0,85	0,60	0,50	0,35	0,25	0,00
La Higuera	1,20	1,00	0,85	0,60	0,50	0,35	0,25	0,00
Coquimbo	1,20	1,00	0,85	0,60	0,50	0,35	0,25	0,00

COMUNAS	SUELOS							
	CLASES DE CAPACIDAD DE USO							
	I	II	III	IV	V	VI	VII	VIII
Andacollo	1,20	1,00	0,85	0,60	0,50	0,35	0,25	0,00
Vicuña	1,20	1,00	0,85	0,60	0,50	0,35	0,25	0,00
Paihuano	1,20	1,00	0,85	0,60	0,50	0,35	0,25	0,00
PROVINCIA DE LIMARÍ								
Ovalle	1,20	1,00	0,85	0,60	0,50	0,35	0,25	0,00
Río Hurtado	1,20	1,00	0,85	0,60	0,50	0,35	0,25	0,00
Monte Patria	1,20	1,00	0,85	0,60	0,50	0,35	0,25	0,00
Combarbalá	1,20	1,00	0,85	0,60	0,50	0,35	0,25	0,00
Punitaqui	1,20	1,00	0,85	0,60	0,50	0,35	0,25	0,00
PROVINCIA DE CHOAPA								
Illapel	1,20	1,00	0,85	0,60	0,50	0,35	0,25	0,00
Salamanca	1,20	1,00	0,85	0,60	0,50	0,35	0,25	0,00
Los Vilos	0,90	0,80	0,65	0,55	0,35	0,30	0,20	0,00
Canela	0,90	0,80	0,65	0,55	0,35	0,30	0,20	0,00
REGIÓN DE VALPARAÍSO								
PROVINCIA DE PETORCA								
La Ligua	1,00	0,90	0,70	0,50	0,40	0,30	0,20	0,00
Petorca	1,00	0,90	0,70	0,50	0,40	0,30	0,20	0,00
Cabildo	1,00	0,90	0,70	0,50	0,40	0,30	0,20	0,00
Zapallar	1,00	0,90	0,70	0,50	0,40	0,30	0,20	0,00
Papudo	1,00	0,90	0,70	0,50	0,40	0,30	0,20	0,00
PROVINCIA DE LOS ANDES								
Los Andes	1,00	0,90	0,70	0,50	0,40	0,30	0,20	0,00
San Esteban	1,00	0,90	0,70	0,50	0,40	0,30	0,20	0,00
Calle Larga	1,00	0,90	0,70	0,50	0,40	0,30	0,20	0,00
Rinconada	1,00	0,90	0,70	0,50	0,40	0,30	0,20	0,00
PROVINCIA DE SAN FELIPE DE ACONCAGUA								
San Felipe	1,00	0,90	0,70	0,50	0,40	0,30	0,20	0,00
Putaendo	1,00	0,90	0,70	0,50	0,40	0,30	0,20	0,00
Santa María	1,00	0,90	0,70	0,50	0,40	0,30	0,20	0,00
Panquehue	1,00	0,90	0,70	0,50	0,40	0,30	0,20	0,00

COMUNAS	SUELOS							
	CLASES DE CAPACIDAD DE USO							
	I	II	III	IV	V	VI	VII	VIII
Llay Llay	1,00	0,90	0,70	0,50	0,40	0,30	0,20	0,00
Catemu	1,00	0,90	0,70	0,50	0,40	0,30	0,20	0,00
PROVINCIA DE QUILLOTA								
Quillota	1,20	1,00	0,85	0,60	0,50	0,35	0,25	0,00
La Cruz	1,20	1,00	0,85	0,60	0,50	0,35	0,25	0,00
La Calera	1,20	1,00	0,85	0,60	0,50	0,35	0,25	0,00
Nogales	1,20	1,00	0,85	0,60	0,50	0,35	0,25	0,00
Hijuelas	1,20	1,00	0,85	0,60	0,50	0,35	0,25	0,00
PROVINCIA DE MARGA MARGA								
Quilpué	1,00	0,90	0,70	0,50	0,40	0,30	0,20	0,00
Villa Alemana	1,00	0,90	0,70	0,50	0,40	0,30	0,20	0,00
Limache	1,20	1,00	0,85	0,60	0,50	0,35	0,25	0,00
Olmué	1,00	0,90	0,70	0,50	0,40	0,30	0,20	0,00
PROVINCIA DE VALPARAÍSO								
Valparaíso	1,00	0,90	0,70	0,50	0,40	0,30	0,20	0,00
Viña del Mar	1,00	0,90	0,70	0,50	0,40	0,30	0,20	0,00
Concón	1,00	0,90	0,70	0,50	0,40	0,30	0,20	0,00
Quintero	1,00	0,90	0,70	0,50	0,40	0,30	0,20	0,00
Puchancavi	1,00	0,90	0,70	0,50	0,40	0,30	0,20	0,00
Casablanca	1,00	0,90	0,70	0,50	0,40	0,30	0,20	0,00
Juan Fernández	1,00	0,90	0,70	0,50	0,40	0,30	0,20	0,00
PROVINCIA DE SAN ANTONIO								
San Antonio	1,00	0,90	0,70	0,50	0,40	0,30	0,20	0,00
Cartagena	1,00	0,90	0,70	0,50	0,40	0,30	0,20	0,00
El Tabo	1,00	0,90	0,70	0,50	0,40	0,30	0,20	0,00
El Quisco	1,00	0,90	0,70	0,50	0,40	0,30	0,20	0,00
Algarrobo	1,00	0,90	0,70	0,50	0,40	0,30	0,20	0,00
Santo Domingo	1,00	0,90	0,70	0,50	0,40	0,30	0,20	0,00
PROVINCIA DE ISLA DE PASCUA								
Isla de Pascua	1,00	0,90	0,70	0,50	0,40	0,30	0,20	0,00

COMUNAS	SUELOS							
	CLASES DE CAPACIDAD DE USO							
	I	II	III	IV	V	VI	VII	VIII
REGIÓN METROPOLITANA DE SANTIAGO								
PROVINCIA DE SANTIAGO								
Todas las Comunas	1,00	0,90	0,70	0,50	0,40	0,30	0,20	0,00
PROVINCIA DE CHACABUCO								
Colina	1,00	0,90	0,70	0,50	0,40	0,30	0,20	0,00
Lampa	1,00	0,90	0,70	0,50	0,40	0,30	0,20	0,00
Tiltil	1,00	0,90	0,70	0,50	0,40	0,30	0,20	0,00
PROVINCIA DE CORDILLERA								
Puente Alto	1,00	0,90	0,70	0,50	0,40	0,30	0,20	0,00
Pirque	1,00	0,90	0,70	0,50	0,40	0,30	0,20	0,00
San José de Maipo	1,00	0,90	0,70	0,50	0,40	0,30	0,20	0,00
PROVINCIA DE TALAGANTE								
Talagante	1,00	0,90	0,70	0,50	0,40	0,30	0,20	0,00
Isla de Maipo	1,00	0,90	0,70	0,50	0,40	0,30	0,20	0,00
El Monte	1,00	0,90	0,70	0,50	0,40	0,30	0,20	0,00
Padre Hurtado	1,00	0,90	0,70	0,50	0,40	0,30	0,20	0,00
Peñaflor	1,00	0,90	0,70	0,50	0,40	0,30	0,20	0,00
PROVINCIA DE MELIPILLA								
Melipilla	1,00	0,90	0,70	0,50	0,40	0,30	0,20	0,00
María Pinto	1,00	0,90	0,70	0,50	0,40	0,30	0,20	0,00
Curacaví	1,00	0,90	0,70	0,50	0,40	0,30	0,20	0,00
San Pedro	1,00	0,90	0,70	0,50	0,40	0,30	0,20	0,00
Aluhé	1,00	0,90	0,70	0,50	0,40	0,30	0,20	0,00
PROVINCIA DE MAIPO								
San Bernardo	1,00	0,90	0,70	0,50	0,40	0,30	0,20	0,00
Calera de Tango	1,00	0,90	0,70	0,50	0,40	0,30	0,20	0,00
Buin	1,00	0,90	0,70	0,50	0,40	0,30	0,20	0,00
Paine	1,00	0,90	0,70	0,50	0,40	0,30	0,20	0,00

COMUNAS	SUELOS							
	CLASES DE CAPACIDAD DE USO							
	I	II	III	IV	V	VI	VII	VIII
REGIÓN DEL LIBERTADOR GENERAL BERNARDO O'HIGGINS								
PROVINCIA DE CACHAPOAL								
Rancagua	1,00	0,90	0,70	0,50	0,40	0,30	0,20	0,00
Graneros	1,00	0,90	0,70	0,50	0,40	0,30	0,20	0,00
Mostazal	1,00	0,90	0,70	0,50	0,40	0,30	0,20	0,00
Machalí	1,00	0,90	0,70	0,50	0,40	0,30	0,20	0,00
Codegua	1,00	0,90	0,70	0,50	0,40	0,30	0,20	0,00
Requínoa	1,00	0,90	0,70	0,50	0,40	0,30	0,20	0,00
Olivar	1,00	0,90	0,70	0,50	0,40	0,30	0,20	0,00
Rengo	1,00	0,90	0,70	0,50	0,40	0,30	0,20	0,00
Quinta de Tilcoco	1,00	0,90	0,70	0,50	0,40	0,30	0,20	0,00
Malloa	1,00	0,90	0,70	0,50	0,40	0,30	0,20	0,00
San Vicente de Tagua Tagua	1,00	0,90	0,70	0,50	0,40	0,30	0,20	0,00
Doñihue	1,00	0,90	0,70	0,50	0,40	0,30	0,20	0,00
Coinco	1,00	0,90	0,70	0,50	0,40	0,30	0,20	0,00
Coltauco	1,00	0,90	0,70	0,50	0,40	0,30	0,20	0,00
Pichidegua	1,00	0,90	0,70	0,50	0,40	0,30	0,20	0,00
Peumo	1,20	1,00	0,85	0,60	0,50	0,35	0,25	0,00
Las Cabras	1,00	0,90	0,70	0,50	0,40	0,30	0,20	0,00
PROVINCIA DE COLCHAGUA								
San Fernando	1,00	0,90	0,70	0,50	0,40	0,30	0,20	0,00
Chimbarongo	1,00	0,90	0,70	0,50	0,40	0,30	0,20	0,00
Nancagua	1,00	0,90	0,70	0,50	0,40	0,30	0,20	0,00
Placilla	1,00	0,90	0,70	0,50	0,40	0,30	0,20	0,00
Chépica	1,00	0,90	0,70	0,50	0,40	0,30	0,20	0,00
Santa Cruz	1,00	0,90	0,70	0,50	0,40	0,30	0,20	0,00
Palmilla	1,00	0,90	0,70	0,50	0,40	0,30	0,20	0,00
Lolol	1,00	0,90	0,70	0,50	0,40	0,30	0,20	0,00
Pumanque	1,00	0,90	0,70	0,50	0,40	0,30	0,20	0,00
Peralillo	1,00	0,90	0,70	0,50	0,40	0,30	0,20	0,00

COMUNAS	SUELOS							
	CLASES DE CAPACIDAD DE USO							
	I	II	III	IV	V	VI	VII	VIII
PROVINCIA DE CARDENAL CARO								
Pichilemu	1,00	0,90	0,70	0,50	0,40	0,30	0,20	0,00
Navidad	1,00	0,90	0,70	0,50	0,40	0,30	0,20	0,00
Litueche	1,00	0,90	0,70	0,50	0,40	0,30	0,20	0,00
La Estrella	1,00	0,90	0,70	0,50	0,40	0,30	0,20	0,00
Marchigüe	1,00	0,90	0,70	0,50	0,40	0,30	0,20	0,00
Paredones	1,00	0,90	0,70	0,50	0,40	0,30	0,20	0,00
REGIÓN DEL MAULE								
PROVINCIA DE CURICÓ								
Curicó	0,80	0,70	0,55	0,40	0,30	0,25	0,15	0,00
Teno	0,80	0,70	0,55	0,40	0,30	0,25	0,15	0,00
Romeral	0,80	0,70	0,55	0,40	0,30	0,25	0,15	0,00
Molina	0,80	0,70	0,55	0,40	0,30	0,25	0,15	0,00
Sagrada Familia	0,80	0,70	0,55	0,40	0,30	0,25	0,15	0,00
Hualañé	0,80	0,70	0,55	0,40	0,30	0,25	0,15	0,00
Licantén	0,80	0,70	0,55	0,40	0,30	0,25	0,15	0,00
Vichuquén	0,80	0,70	0,55	0,40	0,30	0,25	0,15	0,00
Rauco	0,80	0,70	0,55	0,40	0,30	0,25	0,15	0,00
PROVINCIA DE TALCA								
Talca	0,80	0,70	0,55	0,40	0,30	0,25	0,15	0,00
Pelarco	0,80	0,70	0,55	0,40	0,30	0,25	0,15	0,00
Río Claro	0,80	0,70	0,55	0,40	0,30	0,25	0,15	0,00
San Rafael	0,80	0,70	0,55	0,40	0,30	0,25	0,15	0,00
San Clemente	0,80	0,70	0,55	0,40	0,30	0,25	0,15	0,00
Maule	0,80	0,70	0,55	0,40	0,30	0,25	0,15	0,00
Empedrado	0,80	0,70	0,55	0,40	0,30	0,25	0,15	0,00
Pencahue	0,80	0,70	0,55	0,40	0,30	0,25	0,15	0,00
Constitución	0,80	0,70	0,55	0,40	0,30	0,25	0,15	0,00
Curepto	0,80	0,70	0,55	0,40	0,30	0,25	0,15	0,00

COMUNAS	SUELOS							
	CLASES DE CAPACIDAD DE USO							
	I	II	III	IV	V	VI	VII	VIII
PROVINCIA DE LINARES								
Linares	0,65	0,60	0,45	0,35	0,25	0,20	0,10	0,00
Yerbas Buenas	0,65	0,60	0,45	0,35	0,25	0,20	0,10	0,00
Colbún	0,65	0,60	0,45	0,35	0,25	0,20	0,10	0,00
Longaví	0,65	0,60	0,45	0,35	0,25	0,20	0,10	0,00
Parral	0,65	0,60	0,45	0,35	0,25	0,20	0,10	0,00
Retiro	0,65	0,60	0,45	0,35	0,25	0,20	0,10	0,00
Villa Alegre	0,65	0,60	0,45	0,35	0,25	0,20	0,10	0,00
San Javier de Loncomilla	0,65	0,60	0,45	0,35	0,25	0,20	0,10	0,00
PROVINCIA DE CAUQUENES								
Cauquenes	0,65	0,60	0,45	0,35	0,25	0,20	0,10	0,00
Pelluhue	0,65	0,60	0,45	0,35	0,25	0,20	0,10	0,00
Chanco	0,65	0,60	0,45	0,35	0,25	0,20	0,10	0,00
REGIÓN DEL BÍO-BÍO								
PROVINCIA DE ÑUBLE								
Chillán	0,65	0,60	0,45	0,35	0,25	0,20	0,10	0,00
Chillán Viejo	0,65	0,60	0,45	0,35	0,25	0,20	0,10	0,00
San Carlos	0,65	0,60	0,45	0,35	0,25	0,20	0,10	0,00
Ñiquén	0,65	0,60	0,45	0,35	0,25	0,20	0,10	0,00
San Fabián	0,65	0,60	0,45	0,35	0,25	0,20	0,10	0,00
Coihueco	0,65	0,60	0,45	0,35	0,25	0,20	0,10	0,00
Pinto	0,65	0,60	0,45	0,35	0,25	0,20	0,10	0,00
San Ignacio	0,65	0,60	0,45	0,35	0,25	0,20	0,10	0,00
El Carmen	0,65	0,60	0,45	0,35	0,25	0,20	0,10	0,00
Yungay	0,65	0,60	0,45	0,35	0,25	0,20	0,10	0,00
Pemuco	0,65	0,60	0,45	0,35	0,25	0,20	0,10	0,00
Bulnes	0,65	0,60	0,45	0,35	0,25	0,20	0,10	0,00
Quillón	0,65	0,60	0,45	0,35	0,25	0,20	0,10	0,00
Ránquil	0,65	0,60	0,45	0,35	0,25	0,20	0,10	0,00
Portezuelo	0,65	0,60	0,45	0,35	0,25	0,20	0,10	0,00
Coelemu	0,65	0,60	0,45	0,35	0,25	0,20	0,10	0,00

COMUNAS	SUELOS							
	CLASES DE CAPACIDAD DE USO							
	I	II	III	IV	V	VI	VII	VIII
Treguaco	0,65	0,60	0,45	0,35	0,25	0,20	0,10	0,00
Cobquecura	0,65	0,60	0,45	0,35	0,25	0,20	0,10	0,00
Quirihue	0,65	0,60	0,45	0,35	0,25	0,20	0,10	0,00
Ninhue	0,65	0,60	0,45	0,35	0,25	0,20	0,10	0,00
San Nicolás	0,65	0,60	0,45	0,35	0,25	0,20	0,10	0,00
PROVINCIA DE BÍO-BÍO								
Los Ángeles	0,65	0,60	0,45	0,35	0,25	0,20	0,10	0,00
Cabrero	0,65	0,60	0,45	0,35	0,25	0,20	0,10	0,00
Tucapel	0,65	0,60	0,45	0,35	0,25	0,20	0,10	0,00
Antuco	0,65	0,60	0,45	0,35	0,25	0,20	0,10	0,00
Quilleco	0,65	0,60	0,45	0,35	0,25	0,20	0,10	0,00
Alto Bío Bío	0,65	0,60	0,45	0,35	0,25	0,20	0,10	0,00
Santa Bárbara	0,65	0,60	0,45	0,35	0,25	0,20	0,10	0,00
Quilaco	0,65	0,60	0,45	0,35	0,25	0,20	0,10	0,00
Mulchén	0,65	0,60	0,45	0,35	0,25	0,20	0,10	0,00
Negrete	0,65	0,60	0,45	0,35	0,25	0,20	0,10	0,00
Nacimiento	0,65	0,60	0,45	0,35	0,25	0,20	0,10	0,00
Laja	0,65	0,60	0,45	0,35	0,25	0,20	0,10	0,00
San Rosendo	0,65	0,60	0,45	0,35	0,25	0,20	0,10	0,00
Yumbel	0,65	0,60	0,45	0,35	0,25	0,20	0,10	0,00
PROVINCIA DE CONCEPCIÓN								
Concepción	0,50	0,45	0,35	0,25	0,20	0,15	0,10	0,00
Talcahuano	0,50	0,45	0,35	0,25	0,20	0,15	0,10	0,00
Penco	0,50	0,45	0,35	0,25	0,20	0,15	0,10	0,00
Tomé	0,50	0,45	0,35	0,25	0,20	0,15	0,10	0,00
Florida	0,50	0,45	0,35	0,25	0,20	0,15	0,10	0,00
Hualqui	0,50	0,45	0,35	0,25	0,20	0,15	0,10	0,00
Santa Juana	0,50	0,45	0,35	0,25	0,20	0,15	0,10	0,00
Lota	0,50	0,45	0,35	0,25	0,20	0,15	0,10	0,00
Coronel	0,50	0,45	0,35	0,25	0,20	0,15	0,10	0,00
Chiguayante	0,50	0,45	0,35	0,25	0,20	0,15	0,10	0,00

COMUNAS	SUELOS							
	CLASES DE CAPACIDAD DE USO							
	I	II	III	IV	V	VI	VII	VIII
Hualpén	0,50	0,45	0,35	0,25	0,20	0,15	0,10	0,00
San Pedro de la Paz	0,50	0,45	0,35	0,25	0,20	0,15	0,10	0,00
PROVINCIA DE ARAUCO								
Lebu	0,50	0,45	0,35	0,25	0,20	0,15	0,10	0,00
Arauco	0,50	0,45	0,35	0,25	0,20	0,15	0,10	0,00
Curanilahue	0,50	0,45	0,35	0,25	0,20	0,15	0,10	0,00
Los Álamos	0,50	0,45	0,35	0,25	0,20	0,15	0,10	0,00
Cañete	0,50	0,45	0,35	0,25	0,20	0,15	0,10	0,00
Contulmo	0,50	0,45	0,35	0,25	0,20	0,15	0,10	0,00
Tirúa	0,50	0,45	0,35	0,25	0,20	0,15	0,10	0,00
REGIÓN DE LA ARAUCANIA								
PROVINCIA DE MALLECO								
Angol	0,50	0,45	0,35	0,25	0,20	0,15	0,10	0,00
Renaico	0,50	0,45	0,35	0,25	0,20	0,15	0,10	0,00
Collipulli	0,50	0,45	0,35	0,25	0,20	0,15	0,10	0,00
Lonquimay	0,50	0,45	0,35	0,25	0,20	0,15	0,10	0,00
Curacautín	0,50	0,45	0,35	0,25	0,20	0,15	0,10	0,00
Ercilla	0,50	0,45	0,35	0,25	0,20	0,15	0,10	0,00
Victoria	0,50	0,45	0,35	0,25	0,20	0,15	0,10	0,00
Traiguén	0,50	0,45	0,35	0,25	0,20	0,15	0,10	0,00
Lumaco	0,50	0,45	0,35	0,25	0,20	0,15	0,10	0,00
Purén	0,50	0,45	0,35	0,25	0,20	0,15	0,10	0,00
Los Sauces	0,50	0,45	0,35	0,25	0,20	0,15	0,10	0,00
PROVINCIA DE CAUTÍN								
Temuco	0,50	0,45	0,35	0,25	0,20	0,15	0,10	0,00
Lautaro	0,50	0,45	0,35	0,25	0,20	0,15	0,10	0,00
Perquenco	0,50	0,45	0,35	0,25	0,20	0,15	0,10	0,00
Vilcún	0,50	0,45	0,35	0,25	0,20	0,15	0,10	0,00
Cunco	0,50	0,45	0,35	0,25	0,20	0,15	0,10	0,00
Melipeuco	0,50	0,45	0,35	0,25	0,20	0,15	0,10	0,00

COMUNAS	SUELOS							
	CLASES DE CAPACIDAD DE USO							
	I	II	III	IV	V	VI	VII	VIII
Curarrehue	0,50	0,45	0,35	0,25	0,20	0,15	0,10	0,00
Pucón	0,50	0,45	0,35	0,25	0,20	0,15	0,10	0,00
Villarrica	0,50	0,45	0,35	0,25	0,20	0,15	0,10	0,00
Freire	0,50	0,45	0,35	0,25	0,20	0,15	0,10	0,00
Pitrufquén	0,50	0,45	0,35	0,25	0,20	0,15	0,10	0,00
Gorbea	0,50	0,45	0,35	0,25	0,20	0,15	0,10	0,00
Loncoche	0,50	0,45	0,35	0,25	0,20	0,15	0,10	0,00
Toltén	0,50	0,45	0,35	0,25	0,20	0,15	0,10	0,00
Teodoro Schmidt	0,50	0,45	0,35	0,25	0,20	0,15	0,10	0,00
Saavedra	0,50	0,45	0,35	0,25	0,20	0,15	0,10	0,00
Carahue	0,50	0,45	0,35	0,25	0,20	0,15	0,10	0,00
Nueva Imperial	0,50	0,45	0,35	0,25	0,20	0,15	0,10	0,00
Galvarino	0,50	0,45	0,35	0,25	0,20	0,15	0,10	0,00
Cholchol	0,50	0,45	0,35	0,25	0,20	0,15	0,10	0,00
Padre Las Casas	0,50	0,45	0,35	0,25	0,20	0,15	0,10	0,00
REGIÓN DE LOS RÍOS								
PROVINCIA DE VALDIVIA								
Valdivia	0,80	0,75	0,70	0,60	0,50	0,40	0,20	0,00
Mariquina	0,80	0,75	0,70	0,60	0,50	0,40	0,20	0,00
Lanco	0,80	0,75	0,70	0,60	0,50	0,40	0,20	0,00
Los Lagos	0,80	0,75	0,70	0,60	0,50	0,40	0,20	0,00
Corral	0,80	0,75	0,70	0,60	0,50	0,40	0,20	0,00
Máfil	0,80	0,75	0,70	0,60	0,50	0,40	0,20	0,00
Panguipulli	0,80	0,75	0,70	0,60	0,50	0,40	0,20	0,00
Paillaco	0,80	0,75	0,70	0,60	0,50	0,40	0,20	0,00
PROVINCIA DE RANCO								
Futrono	0,80	0,75	0,70	0,60	0,50	0,40	0,20	0,00
La Unión	0,80	0,75	0,70	0,60	0,50	0,40	0,20	0,00
Río Bueno	0,80	0,75	0,70	0,60	0,50	0,40	0,20	0,00
Lago Ranco	0,80	0,75	0,70	0,60	0,50	0,40	0,20	0,00

COMUNAS	SUELOS							
	CLASES DE CAPACIDAD DE USO							
	I	II	III	IV	V	VI	VII	VIII
REGIÓN DE LOS LAGOS								
PROVINCIA DE OSORNO								
Osorno	0,80	0,75	0,70	0,60	0,50	0,40	0,20	0,00
San Pablo	0,80	0,75	0,70	0,60	0,50	0,40	0,20	0,00
Puyehue	0,80	0,75	0,70	0,60	0,50	0,40	0,20	0,00
Puerto Octay	0,80	0,75	0,70	0,60	0,50	0,40	0,20	0,00
Purranque	0,80	0,75	0,70	0,60	0,50	0,40	0,20	0,00
Río Negro	0,80	0,75	0,70	0,60	0,50	0,40	0,20	0,00
San Juan de la Costa	0,80	0,75	0,70	0,60	0,50	0,40	0,20	0,00
PROVINCIA DE LLANQUIHUE								
Puerto Montt	0,80	0,75	0,70	0,60	0,50	0,40	0,20	0,00
Puerto Varas	0,80	0,75	0,70	0,60	0,50	0,40	0,20	0,00
Cochamó	0,80	0,75	0,70	0,60	0,50	0,40	0,20	0,00
Calbuco	0,80	0,75	0,70	0,60	0,50	0,40	0,20	0,00
Maullín	0,80	0,75	0,70	0,60	0,50	0,40	0,20	0,00
Los Muermos	0,80	0,75	0,70	0,60	0,50	0,40	0,20	0,00
Fresia	0,80	0,75	0,70	0,60	0,50	0,40	0,20	0,00
Llanquihue	0,80	0,75	0,70	0,60	0,50	0,40	0,20	0,00
Frutillar	0,80	0,75	0,70	0,60	0,50	0,40	0,20	0,00
PROVINCIA DE CHILOÉ								
Castro	0,80	0,75	0,70	0,60	0,50	0,40	0,20	0,00
Ancud	0,80	0,75	0,70	0,60	0,50	0,40	0,20	0,00
Quemchi	0,80	0,75	0,70	0,60	0,50	0,40	0,20	0,00
Dalcahue	0,80	0,75	0,70	0,60	0,50	0,40	0,20	0,00
Curaco de Vélez	0,80	0,75	0,70	0,60	0,50	0,40	0,20	0,00
Quinchao	0,80	0,75	0,70	0,60	0,50	0,40	0,20	0,00
Puqueldón	0,80	0,75	0,70	0,60	0,50	0,40	0,20	0,00
Chonchi	0,80	0,75	0,70	0,60	0,50	0,40	0,20	0,00
Queilén	0,80	0,75	0,70	0,60	0,50	0,40	0,20	0,00
Quellón	0,80	0,75	0,70	0,60	0,50	0,40	0,20	0,00

COMUNAS	SUELOS							
	CLASES DE CAPACIDAD DE USO							
	I	II	III	IV	V	VI	VII	VIII
PROVINCIA DE PALENA								
Chaitén	0,25	0,20	0,15	0,10	0,00	0,00	0,00	0,00
Hualaihué	0,25	0,20	0,15	0,10	0,00	0,00	0,00	0,00
Futaleufú	0,25	0,20	0,15	0,10	0,00	0,00	0,00	0,00
Palena	0,25	0,20	0,15	0,10	0,00	0,00	0,00	0,00
REGIÓN DE AYSEN DEL GENERAL CARLOS IBÁÑEZ DEL CAMPO								
PROVINCIA DE COYHAIQUE								
Coyhaique	0,25	0,20	0,15	0,10	0,00	0,00	0,00	0,00
Lago Verde	0,25	0,20	0,15	0,10	0,00	0,00	0,00	0,00
PROVINCIA DE AYSÉN								
Aysén	0,25	0,20	0,15	0,10	0,00	0,00	0,00	0,00
Cisnes	0,25	0,20	0,15	0,10	0,00	0,00	0,00	0,00
Guaitecas	0,25	0,20	0,15	0,10	0,00	0,00	0,00	0,00
PROVINCIA DE GENERAL CARRERA								
Chile Chico	0,25	0,20	0,15	0,10	0,00	0,00	0,00	0,00
Río Ibáñez	0,25	0,20	0,15	0,10	0,00	0,00	0,00	0,00
PROVINCIA DE CAPITÁN PRAT								
Cochrane	0,25	0,20	0,15	0,10	0,00	0,00	0,00	0,00
O'Higgins	0,25	0,20	0,15	0,10	0,00	0,00	0,00	0,00
Tortel	0,25	0,20	0,15	0,10	0,00	0,00	0,00	0,00
REGIÓN DE MAGALLANES Y DE LA ANTÁRTICA CHILENA								
PROVINCIA DE ÚLTIMA ESPERANZA								
Natales	0,25	0,20	0,15	0,10	0,00	0,00	0,00	0,00
Torres del Paine	0,25	0,20	0,15	0,10	0,00	0,00	0,00	0,00
PROVINCIA DE MAGALLANES								
Punta Arenas	0,25	0,20	0,15	0,10	0,00	0,00	0,00	0,00
Río Verde	0,25	0,20	0,15	0,10	0,00	0,00	0,00	0,00
Laguna Blanca	0,25	0,20	0,15	0,10	0,00	0,00	0,00	0,00
San Gregorio	0,25	0,20	0,15	0,10	0,00	0,00	0,00	0,00

COMUNAS	SUELOS							
	CLASES DE CAPACIDAD DE USO							
	I	II	III	IV	V	VI	VII	VIII
PROVINCIA DE TIERRA DEL FUEGO								
Porvenir	0,25	0,20	0,15	0,10	0,00	0,00	0,00	0,00
Primavera	0,25	0,20	0,15	0,10	0,00	0,00	0,00	0,00
Timaukel	0,25	0,20	0,15	0,10	0,00	0,00	0,00	0,00

2.- El presente reglamento comenzará a regir el día siguiente al de su publicación en el Diario Oficial.

3.- Derógase el decreto N° 98, de 2010, del Ministerio de Agricultura.

Anótese, tómese razón y publíquese.- MICHELLE BACHELET JERIA, Presidenta de la República.- Carlos Furche G., Ministro de Agricultura.

Lo que transcribo a Ud. para su conocimiento.- Saluda atentamente a Ud., Claudio Ternicier G., Subsecretario de Agricultura.

CONTRALORÍA GENERAL DE LA REPÚBLICA

División Jurídica

División de Infraestructura y Regulación

Cursa con alcances el decreto N° 95, del año 2014, del Ministerio de Agricultura

N° 27.860.- Santiago, 9 de abril de 2015.

Esta Contraloría General ha procedido a tomar razón del documento individualizado en el epígrafe, que Aprueba Nuevo Reglamento de la Ley N° 18.450 de Fomento a la Inversión Privada en Obras de Riego y Drenaje, por encontrarse ajustado a derecho, pero cumple con hacer presente que la alusión efectuada en el párrafo segundo del numeral 15 del artículo 1° debe entenderse hecha a los costos de la constitución de organizaciones de usuarios definidas en el Código de Aguas.

Enseguida, es preciso advertir que la letra c) del artículo 13 se refiere al plano indicado en los literales d) y a) de los puntos 9.1 y 9.2, del artículo 9°, respectivamente, y no como se ha expresado en el instrumento en trámite.

Finalmente, es posible inferir que los "Informes periódicos" que debe contener el acta de recepción técnica final son aquellos indicados en el artículo 45 del acto administrativo en examen, según da cuenta la letra b) del párrafo tercero del artículo 47 sobre "Inspección Final y Recepción de Obras", y no como se menciona en este literal.

Con los alcances que anteceden, se ha tomado razón del decreto del epígrafe.

Saluda atentamente a Ud., Ramiro Mendoza Zúñiga, Contralor General de la República.

Al señor
Ministro de Agricultura
Presente.

ÍNDICE ANALÍTICO